NOVA YORK
2140

NOVA YORK 2140

KIM STANLEY ROBINSON

Tradução
Marcia Blasques

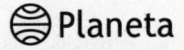

Planeta   minotauro

Copyright © Kim Stanley Robinson, 2017
Copyright © Editora Planeta do Brasil, 2019
Todos os direitos reservados.
Título original: *New York 2140*

Coordenação externa: Elisa Martins
Preparação: Roberta Pantoja
Revisão: Fernanda Marão e Elisa Martins
Diagramação: Crayon Editorial
Capa: Adaptada do projeto gráfico original de Kirk Benshoff
Imagem de capa: Stephan Martiniere

Dados Internacionais de Catalogação na Publicação (CIP)
Angélica Ilacqua CRB-8/7057

Robinson, Kim Stanley
    Nova York 2140 / Kim Stanley Robinson; tradução de Márcia Blasques. - São Paulo: Planeta, 2019.
    496 p.

ISBN: 978-85-422-1788-9
Título original: New York 2140

1. Ficção norte-americana I. Título II. Blasques, Márcia

19-2051   CDD 813.6

2019
Todos os direitos desta edição reservados à
EDITORA PLANETA DO BRASIL LTDA.
Rua Bela Cintra 986, 4º andar – Consolação
São Paulo – SP – 01415-002
www.planetadelivros.com.br
faleconosco@editoraplaneta.com.br

Sumário

PARTE UM – A tirania dos custos irrecuperáveis 7

PARTE DOIS – Excesso de confiança do especialista 57

PARTE TRÊS – A armadilha da liquidez 119

PARTE QUATRO – Caro ou impagável? 177

PARTE CINCO – A escalada do compromisso 247

PARTE SEIS – Migração assistida 307

PARTE SETE – Quanto mais, melhor 365

PARTE OITO – A comédia dos comuns 431

PARTE UM

A tirania dos custos irrecuperáveis

a) Mutt e Jeff

— Quem escreve o código cria o valor.
— Isso não está nem perto da verdade.
— Está sim. O valor reside na vida, e a vida é codificada, como no DNA.
— Então bactérias têm valores?
— Claro. Toda vida quer alguma coisa e vai atrás dela. Vírus, bactérias, até chegar em nós.
— A propósito, é sua vez de limpar o banheiro.
— Eu sei. A vida significa morte.
— Então, vai limpar hoje?
— Em algum momento, hoje. De volta ao meu ponto. Nós escrevemos o código. E, sem nosso código, não há computadores, sistema financeiro, bancos, dinheiro, câmbio, nenhum valor.
— Exceto pela última parte, entendo o que quer dizer. Mas e daí?
— Você leu as notícias hoje?
— Claro que não.
— Pois devia. A coisa está feia. Estamos sendo comidos.
— Isso é sempre verdade. Como você disse, a vida significa morte.
— Porém mais do que nunca. Está ficando demais. Estão nos devorando até o osso.
— Isso eu sei. É por isso que vivemos em uma barraca em um telhado.
— Certo, e agora as pessoas estão preocupadas até com comida.
— E deviam. Esse é o valor real, comida na barriga. Porque não dá para comer dinheiro.
— É o que estou dizendo!
— Achei que tivesse dito que o valor real era o código. Algo que um programador diria, devo destacar.
— Mutt, preste atenção. Acompanhe o que estou dizendo. Vivemos em um mundo no qual as pessoas fingem que o dinheiro pode comprar qualquer coisa, então dinheiro é o objetivo, todos trabalhamos por dinheiro. O dinheiro é pensado como um valor.
— Ok, entendo isso. Estamos falidos, e eu entendo isso.
— Ótimo, continue seguindo meu raciocínio. Vivemos comprando coisas com dinheiro, em um mercado que estabelece todos os preços.
— A mão invisível.
— Certo. Os vendedores oferecem coisas, os compradores compram, e no fluxo de oferta e demanda o preço é determinado. É uma colaboração coletiva, é democrático, é capitalismo, é o mercado.

— É como o mundo funciona.
— Certo. E sempre, sempre foi errado.
— O que quer dizer com errado?
— Os preços são sempre muito baixos, então o mundo está ferrado. Estamos no meio de um acontecimento de extinção em massa, aumento do nível do mar, mudanças climáticas, pânico alimentar, tudo o que você não lê nas notícias.
— Tudo por causa do mercado.
— Exatamente! Não é só que existem falhas de mercado. É que o mercado é um fracasso.
— Como assim?
— As coisas são vendidas por menos do que custa fazê-las.
— Isso soa como um caminho para a falência.
— Sim, e muitos negócios realmente vão à falência. Mas os que não faliram não vendem de fato suas coisas por mais do que custa fazê-las. Apenas ignoram alguns de seus custos. Estão sob uma pressão imensa para vender o mais barato que podem, porque todo consumidor compra a versão mais barata do que quer que seja. Então eles tiram alguns dos custos de produção de seus livros-caixa.
— Não podem simplesmente pagar menos pelo trabalho?
— Já fizeram! Isso foi fácil. É por isso que estamos todos quebrados, exceto os plutocratas.
— Eu sempre imagino o cachorro da Disney quando você diz isso.
— Eles nos espremeram até começarmos a sangrar pelos olhos. Eu não aguento mais isso.
— Tiraram sangue de pedra. Senhor Plutocrata, roendo até os ossos.
— Roendo minha cabeça! Mas agora fomos devorados. Fomos sugados. Estamos pagando uma fração do que as coisas realmente custam para serem feitas, e, enquanto isso, o planeta – e os trabalhadores que produziram essas coisas – se apodera dos custos não pagos com os dentes.
— Pelo menos conseguiram uma TV barata com tudo isso.
— Certo, para que possam assistir a algo interessante enquanto ficam sentados, falidos.
— Só que não há nada de interessante.
— Bem, mas esse é o menor dos problemas deles! Quero dizer, na verdade você pode encontrar algo interessante.
— Por favor, imploro para divergir. Nós já vimos tudo um milhão de vezes.
— Todo mundo viu. Só estou dizendo que o tédio causado pela TV ruim não é a maior das nossas preocupações. Extinção em massa, fome, vidas de crianças destruídas, essas são as maiores preocupações. E só continua piorando. As pessoas estão sofrendo mais e mais. Minha cabeça vai explodir do jeito que as coisas estão, juro por Deus.

— Você só está chateado porque fomos expulsos e estamos vivendo em uma barraca em um telhado.

— Isso é só uma parte de tudo! Uma pequena parte de uma coisa grande.

— Ok, de acordo. E então?

— Então, veja, o problema é o capitalismo. Temos tecnologia, temos um belo planeta, e estamos fodendo tudo com leis estúpidas. É isso que o capitalismo é, um conjunto de leis estúpidas.

— Vamos dizer que eu concorde com isso também, o que talvez seja verdade. O que podemos fazer?

— É um conjunto de leis! E é global! Estende-se por toda a Terra, não há como escapar, estamos no meio disso e, não importa o que você faça, o sistema manda!

— Não estou vendo a parte do que podemos fazer.

— Pense nisso! As leis são *códigos*! E elas existem em computadores e na nuvem. Há dezesseis leis governando o mundo todo!

— Para mim isso parece muito pouco. Muito pouco ou demasiado.

— Não. Elas são articuladas, é claro, mas nascem de dezesseis leis básicas. Eu analisei.

— Como sempre. Mas ainda é demasiado. Você nunca ouve falar sobre dezesseis de nada. Há oito verdades nobres, as duas irmãs malvadas. Doze, no máximo, como os passos para a recuperação, ou os apóstolos, mas em geral são números de um dígito.

— Deixe disso. São dezesseis leis, distribuídas entre a Organização Mundial do Comércio e o G20. Transações financeiras, câmbio, direito comercial, direito societário, direito tributário. Em todos os lugares é a mesma coisa.

— Ainda acho que dezesseis ou é pouco ou é muito.

— Dezesseis, estou dizendo, e estão codificadas, e cada uma delas pode ser mudada se mudarmos os códigos. Veja o que estou dizendo: você muda essas dezesseis, e é como virar uma chave em um imenso cadeado. A chave vira, e o sistema muda de ruim para bom. Ajuda as pessoas, exige as tecnologias mais limpas, restaura as paisagens, as extinções param. É global, então os desertores não podem sair. O dinheiro ruim se transforma em pó, assim como as más ações. Ninguém poderia trapacear. Isso *faria* as pessoas serem boas.

— Por favor, Jeff. Você está me assustando.

— Estou só dizendo! Além disso, o que é mais assustador do que este exato momento?

— Mudança? Não sei.

— Por que a mudança seria assustadora? Você não consegue nem ler as notícias, certo? Por serem assustadoras demais?

— Bem, eu não tenho tempo.

Jeff gargalha curvando o corpo até encostar a testa na mesa. Mutt gargalha também, por ver seu amigo se divertir tanto. Mas a alegria é muito limitada. São companheiros, divertem um ao outro, trabalham longas horas escrevendo códigos de negociação de alta frequência para computadores na cidade alta. Algumas reviravoltas os colocam nesta noite vivendo em um hotello no andar da fazenda aberta da antiga torre Met Life, de onde é possível ver a baixa Manhattan fluindo sob eles como uma Super-Veneza, majestosa, aquosa, soberba. A cidade deles.

Jeff diz:

— Então veja, nós sabemos como entrar nesses sistemas, sabemos como escrever códigos, somos os melhores programadores do mundo.

— Ou pelo menos deste prédio.

— Nada disso, do mundo! E eu já nos coloquei onde precisamos ir.

— Como é que é?

— Olhe só. Criei alguns canais secretos para nós durante aquele trabalho que fizemos para meu primo. Estamos lá, e eu tenho os códigos substitutos prontos. Dezesseis revisões para aquelas leis financeiras, além de um pé na bunda do meu primo. Deixe a Comissão de Títulos e Câmbio descobrir o que ele está aprontando, e deixe a Comissão investigar essa merda. Tenho um *shunt* subliminar pronto para acionar algum alfa e movê-lo direto para a conta da Comissão.

— Agora você está me assustando de verdade.

— Bem, claro, mas olhe, veja bem. Veja o que acha.

Mutt move os lábios quando lê. Não está dizendo as palavras silenciosamente para si mesmo, está fazendo uma estimulação tipo Nero Wolfe em seu cérebro. É seu exercício neural favorito, e ele tem muitos desses. Agora ele começa a massagear os lábios com os dedos enquanto lê, indicando profunda preocupação.

— Bem, sim — diz ele após cerca de dez minutos de leitura. — Vejo que você tem tudo aqui. Gosto disso, acho. A maior parte. Esse velho cavalo de troia Ken Thompson sempre funciona, não é? Como uma lei da lógica. Então, poderia ser divertido. Quase certeza de que seria divertido.

Jeff assente. Aperta a tecla "Enter". Seu novo conjunto de códigos vai para o mundo.

Eles saem do hotello e vão para o parapeito da fazenda do edifício, olhando para o sul, para a cidade afogada, assombrando-se com tudo aquilo, como no poema de Walt Whitman. Mannahatta! As luzes refletem nas águas escuras que estão por toda parte embaixo deles. No centro, alguns arranha-céus iluminados delineiam torres escuras, dando-lhes um resplendor geológico. É estranho, lindo, assustador.

Há um ruído de sineta dentro do hotello, e eles entram pela porta de tecido na grande barraca quadrada. Jeff lê a tela do computador.

— Ah, merda — diz ele. — Nos localizaram.

Eles observam a tela atentamente.

— Merda mesmo — concorda Mutt. — Como conseguiram?

— Não sei, mas isso significa que eu estava certo!

— E isso é bom?

— Pode ser que tenha funcionado!
— Você acha?
— Não. — Jeff franze o cenho. — Não sei.
— A coisa é que eles sempre podem recodificar o que você fez. Depois que descobrem o que foi feito.
— Então você acha que devíamos fugir?
— Para onde?
— Não sei.
— É como você disse antes — destaca Mutt. — É um sistema global.
— Sim, mas esta é uma cidade grande! Muitos cantos e recantos, muitos becos escuros, a economia subaquática e tudo mais. Podíamos mergulhar e desaparecer.
— Sério?
— Não sei. Podíamos tentar.
Então a porta do grande elevador de serviço do andar da fazenda se abre. Mutt e Jeff olham um para o outro. Jeff aponta com o polegar na direção das escadas. Mutt concorda com a cabeça. Eles saem de fininho por baixo da parede da barraca.

•

Seja breve a esse respeito...

propôs Henry James

•

b) Inspetora Gen

Como de costume, já era tarde da noite e a inspetora Gen Octaviasdottir estava em seu escritório, afundada na cadeira, tentando reunir forças para se levantar e ir para casa. Uma batidinha de leve na porta anunciou seu assistente, o sargento Olmstead.
— Sean, pare com isso e entre.
Seu jovem buldogue de boas maneiras fez entrar uma mulher na casa dos cinquenta anos. Uma aparência levemente familiar. Um metro e setenta, um pouco acima do peso, cabelos grossos e negros com alguns fios brancos. Traje social, uma bolsa grande a tiracolo. Olhos arregalados e inteligentes que observavam Gen com atenção. Boca expressiva. Sem maquiagem. Uma pessoa séria. Atraente. Mas parecia tão cansada quanto Gen se sentia. E um pouco insegura com alguma coisa, talvez com esse encontro.

— Oi. Sou Charlotte Armstrong — falou a mulher. — Moramos no mesmo prédio, acho. Na antiga torre Met Life, em Madison Square?

— Achei mesmo que você me parecia familiar — respondeu Gen. — O que a traz aqui?

— Tem a ver com nosso prédio, então eu pedi para ver você. Dois moradores desapareceram. Sabe aqueles dois caras que moravam na fazenda?

— Não.

— Eles deviam ficar nervosos em falar com você. Embora tivessem permissão para ficar.

A torre Met era uma cooperativa, pertencente aos moradores. A inspetora Gen herdara recentemente o apartamento da mãe, e prestava pouca atenção no modo como o edifício era administrado. Muitas vezes, era como se só fosse lá para dormir.

— Então, o que aconteceu?

— Ninguém sabe. Estavam lá um dia, sumiram no dia seguinte.

— Alguém verificou as câmeras de segurança?

— Sim. É por isso que vim ver você. As câmeras ficaram fora do ar por duas horas na última noite em que foram vistos.

— Fora do ar?

— Verificamos os arquivos de dados, e todos têm um lapso de duas horas.

— Como uma queda de energia?

— Mas não houve queda de energia. E as câmeras têm bateria extra.

— Isso é estranho.

— Foi o que pensamos. É por isso que vim até você. Vlade, o síndico do prédio, teria vindo para registrar o desaparecimento, mas eu vinha para cá de qualquer forma representar um cliente, então preenchi o formulário e depois pedi para falar com você.

— Você vai voltar para a Met agora? — perguntou Gen.

— Sim, eu ia.

— Por que não vamos juntas, então? Eu estava de saída. — Gen se virou para Olmstead. — Sean, pode pegar o formulário sobre esse caso e ver o que consegue descobrir sobre esses dois homens?

O sargento assentiu, olhando para o chão, tentando não parecer alguém que acabara de ganhar um osso. Ele o faria em pedaços assim que elas partissem.

Charlotte se dirigiu para os elevadores e pareceu surpresa quando a inspetora Gen sugeriu que, em vez disso, fossem de escada.

— Eu não achava que existissem passarelas entre aqui e lá.

— Nada direto — explicou Gen. — Mas você pode pegar a que vai daqui até o Bellevue, descer as escadas e cruzar na diagonal, e então seguir para oeste pela Vigésima Terceira Linha do Horizonte. Leva cerca de trinta e quatro minutos. O barco a vapor leva vinte, se tivermos sorte. Caso contrário, trinta. Então eu caminho muito. Posso me esticar um pouco, e ainda temos a chance de conversar.

Charlotte assentiu sem concordar realmente, e então puxou a bolsa a tiracolo para mais perto do pescoço. Isso favorecia seu quadril direito. Gen tentou se lembrar de algo dos boletins frequentes da Met. Não teve sorte. Mas tinha quase certeza de que essa mulher era presidente do conselho executivo da cooperativa desde que Gen se mudara para cuidar da mãe, o que sugeria três ou quatro mandatos no cargo, algo para o qual a maioria das pessoas não seria voluntária. Ela agradeceu a Charlotte por esse trabalho, e então perguntou sobre ele.

— Por que há tanto tempo?
— Porque sou louca, como você parece estar supondo.
— Eu não.
— Bem, estaria certa se estivesse supondo. É só que fico melhor quando trabalho nas coisas do que quando não trabalho. Fico menos estressada.
— Estressada pelo modo como nosso edifício é administrado?
— Sim. É muito complicado. Muita coisa pode dar errado.
— Você está falando de inundações?
— Não, isso está em grande parte sob controle, ou então estaríamos ferrados. Requer atenção, mas Vlade e seu pessoal cuidam disso.
— Ele parece bom.
— Ele é ótimo. O edifício é a parte fácil.
— Então, as pessoas.
— Como sempre, não é?
— Na minha área de trabalho, certamente.
— Na minha também. Na verdade, o edifício em si é uma espécie de alívio. Algo que dá para consertar.
— Você atua em que área do direito?
— Imigração e zonas entremarés.
— Você trabalha para o município?
— Sim. Bem, eu trabalhava. O escritório de imigrantes e refugiados foi semiprivatizado no ano passado, e eu com eles. Agora somos chamados de Sindicato dos Proprietários. Supostamente uma agência público-privada, mas isso só significa que os dois lados nos ignoram.
— Você sempre fez esse tipo de coisa?
— Trabalhei na União Americana pelas Liberdades Civis há muito tempo, mas, sim. Principalmente para o município.
— Então você defende imigrantes?
— Nós advogamos pelos imigrantes e pelas pessoas expatriadas, na verdade, por qualquer um que peça ajuda.

— Isso deve mantê-la ocupada.

Charlotte deu de ombros. Gen a levou para o elevador no anexo noroeste do Bellevue, por onde desceram até a passarela que seguia para o oeste desde um edifício até outro no lado norte da Vigésima Terceira. A maioria das passarelas ainda seguia de norte para sul ou de leste para oeste, obrigando ao que Gen chamava de "movimentos do cavalo". Recentemente, algumas passarelas mais altas faziam "movimentos do bispo", o que agradava Gen, já que ela se divertia com o jogo "encontre a rota mais curta" enquanto andava pela cidade, atuando com a paixão de uma jogadora de xadrez profissional. Atalho, era como alguns jogadores chamavam. O que ela queria era se mover pela cidade como uma rainha no xadrez, direto para seu destino todas as vezes. Isso nunca seria possível em Manhattan, bem como não era no tabuleiro; a lógica da grade comandava ambos. Mesmo assim, ela visualizaria o destino diante de si e percorreria a linha mais reta na qual pudesse pensar, fazendo melhorias de projeto e medindo o sucesso em seu pulso. Tudo simples se comparado ao resto de seu trabalho, no qual tinha que navegar por problemas muito mais indeterminados e desagradáveis.

Charlotte seguia com dificuldade ao lado dela. Gen começou a lamentar ter sugerido a caminhada. Nesse ritmo, levariam quase uma hora. Ela fez perguntas sobre o edifício para distrair a advogada de seu desconforto. Havia cerca de duas mil pessoas vivendo no prédio agora, Charlotte respondeu. Cerca de setecentas unidades, que iam de moradias individuais a grandes grupos de apartamentos. A conversão para residencial ocorrera depois do Segundo Pulso, nos anos de patrimônio líquido.

Gen assentia enquanto Charlotte esboçava essa história. Seu pai e sua avó tinham servido nas forças de segurança durante os anos de inundação, ela contou para Charlotte. Manter a ordem não fora fácil.

Por fim, chegaram ao lado oriental da Met. A passarela que saía do telhado do antigo correio entrava na Met pelo décimo quinto andar. Enquanto empurravam as portas triplas, Gen assentiu para o guarda de serviço, Manuel, que conversava com seu pulso e pareceu surpreso ao vê-las. Gen se virou para olhar atrás de si pelas portas de vidro: lá embaixo, no canal, a marca do nível da água exposta pela maré baixa era verde-escura. Acima, as paredes dos edifícios próximos eram de calcário esverdeado, granito ou arenito. Algas prendiam-se nas pedras abaixo da linha da maré alta, com bolor e líquens acima. As janelas que ficavam pouco acima da água tinham sido fechadas com grades escuras; as mais altas não eram vedadas e muitas ficavam abertas. Era uma noite amena de setembro, nem sufocante, nem úmida. Um momento no clima infame da cidade para curtir e desfrutar.

— Então esses caras desaparecidos viviam na fazenda? — perguntou Gen.
— Sim. Vamos lá em cima dar uma olhada, se não se importa.

Elas pegaram um elevador até a fazenda, que ocupava os terraços da torre Met do trigésimo primeiro ao trigésimo quinto andares. Os andares abertos e elevados estavam lotados de jardineiras, e o espaço ainda era cheio de esferas hidropônicas com verduras. A safra de verão parecia pronta para a colheita: tomates e abóboras, feijão, pepinos, pimentas, milho, ervas e assim por diante. Gen passava pouquíssimo tempo na fazenda, mas gostava de cozinhar de vez em quando, então investia uma hora por mês ali para poder reivindicar sua parte. O coentro já estava começando a brotar. As plantas cresciam em velocidades diferentes, assim como as pessoas.

— Eles moravam aqui?
— Isso mesmo, no canto sudeste, perto do armário de ferramentas.
— Há quanto tempo?
— Cerca de três meses.
— Eu nunca os vi.
— As pessoas dizem que eles se mantinham isolados. De algum modo, perderam o alojamento anterior, então Vlade montou o hotello que eles trouxeram consigo.
— Entendo.

Hotellos eram quartos que podiam ser guardados em uma mala. Com frequência eram montados dentro de outros edifícios, mas não eram muito resistentes. Em geral, proporcionavam um espaço privativo dentro de espaços maiores e lotados.

Gen vagou pela fazenda, procurando anomalias. As paredes abertas e arqueadas do terraço tinham um corrimão na altura de seu peito, e ela era uma mulher alta. Ao olhar por sobre o corrimão, viu uma rede de segurança uns dois metros abaixo. Elas deram a volta pelas arcadas interiores e chegaram ao hotello no canto sudeste. Gen se ajoelhou para inspecionar o chão de concreto áspero: nenhum sinal de algo incomum.

— A perícia deveria dar uma olhada mais de perto nisso.
— Sim — concordou Charlotte.
— Quem deu permissão para que eles morassem aqui?
— O conselho residencial.
— Eles estavam devendo aluguel ou algo assim?
— Não.
— Ok. Vamos fazer a rotina completa para pessoas desaparecidas.

A situação tinha algumas peculiaridades que estavam deixando Gen curiosa. Por que os dois homens tinham ido para lá? Por que tinham sido aceitos uma vez que o edifício já estava lotado?

Como sempre, a lista de suspeitos começou com o círculo de conhecidos imediatos.

— Você acha que o síndico está no escritório?

— Em geral, é onde ele fica.
— Vamos falar com ele.

Elas desceram pelo elevador e encontraram o síndico sentado a uma mesa de trabalho que tomava uma parede do escritório. A parede ao lado era de vidro e dava vista para a grande casa de barcos da Met, no antigo terceiro andar, agora totalmente inundado.

O síndico se levantou e as cumprimentou. Gen já o vira por aí antes. Vlade Marovich. Alto, peito largo, pernas compridas. Parecia um monte de lajotas amontoadas. Um metro e noventa, cabelos negros. A cabeça como um bloco de madeira cortado com um machado. Desconforto eslavo, ceticismo, um pouco de sotaque. Incomodado perto da polícia, talvez. De todo modo, nada feliz.

Gen fez perguntas, observou-o descrever o que acontecera de sua perspectiva. Ele estava em uma posição que lhe permitiria sabotar as câmeras de segurança. E parecia cauteloso. Mas também cansado. Pessoas deprimidas em geral não se envolviam em conspirações criminosas, Gen concluíra há muito tempo. Mas nunca se sabe.

— Vamos jantar? — perguntou a inspetora para eles. — De repente, fiquei faminta, e vocês conhecem o refeitório. Os primeiros a chegar são os únicos a serem servidos.

Os outros dois estavam bem cientes disso.

— Talvez possamos comer juntos, e vocês me contam mais sobre o caso. E eu darei uma força à investigação na delegacia amanhã. Vou querer uma lista de todas as pessoas que trabalham para você no prédio — Gen disse, dirigindo-se para Vlade. — Nomes e arquivos.

Ele assentiu, infeliz.

•

A escolha das taxas de desconto se torna decisiva para toda a análise. Uma baixa taxa de desconto torna o futuro mais importante, uma alta taxa de desconto o menospreza.

Frank Ackerman, *Can we afford the future?*

A moral é óbvia. Não se pode confiar em um código que não seja totalmente criação sua.

O mau uso de um computador não é mais surpreendente do que dirigir alcoolizado um automóvel.

Ken Thompson, *Reflections on trusting trust*

Um pássaro na mão vale aquilo que ele traz.

observou Ambrose Bierce

•

c) Franklin

Os números enchem minha cabeça com frequência. Enquanto esperava que o moroso síndico do meu prédio tirasse minha aranha d'água de entre as vigas da garagem de barcos em que ela passara a noite, eu olhava as pequenas ondas batendo nas grandes portas e me perguntava se a fórmula Black-Scholes poderia explicar sua volatilidade. Os canais eram como uma demonstração perpétua de um tanque de ondas em uma aula de física – a interferência do refluxo, a curva da onda ao redor de um ângulo reto, a expansão de uma onda através de um vão, e assim por diante –, e eram muito sugestivos de como a liquidez funcionava nas finanças também.

Tempo demais para dedicar a uma questão dessas, com um síndico tão mal-humorado e lento. Estacionar em Nova York! Não dava para fazer nada além de praticar a paciência. Depois de um tempo, o zumbidor veio até mim, e eu saí do ancoradouro da garagem de barcos pela superfície sombreada do *bacino* de Madison Square. O dia estava agradável, fresco e com céu limpo, a luz do sol se derramando pelos cânions entre os edifícios a partir do leste.

Como quase todos os dias, eu dirigi a aranha d'água para leste pela Vinte e Três até o East River. O trajeto mais curto teria sido atravessar os canais da cidade para o sul, mas, mesmo depois do amanhecer, o trânsito ao sul da Park era terrível, e só piorava no *bacino* de Union Square. Além disso, eu queria voar um pouco antes de começar a trabalhar, eu queria ver o brilho do rio.

O East River também estava lotado com o trânsito matutino habitual, mas ainda havia espaço na pista rápida em direção ao sul para elevar-se sobre os hidrofólios curvados da aranha d'água e voar. Como sempre, erguer-se da água era emocionante, uma ascensão como a de um hidroavião decolando, uma espécie de ereção náutica, após a qual o veículo voou sobre um tapete mágico de ar um metro e meio acima da superfície do rio, apenas com seus dois fólios aerodinâmicos de compósitos cortando a água abaixo, flexionando-se constantemente para maximizar a capacidade de ascensão e a estabilidade. Uma embarcação genial, zumbindo rio abaixo pela pista da *autobahn*, rasgando as ondas banhadas de sol formadas pelos veículos mais lentos, passa, passa, passa, há um homem com uma missão aqui, saia do caminho barquinho, tenho que chegar ao trabalho e ganhar o pão de cada dia.

Se os deuses permitirem. Eu podia sofrer perdas, dar com os burros n'água, cair do cavalo, foder tudo – tantas formas de dizer! –, embora tudo isso fosse improvável no meu caso, sendo tão prudente e avesso ao risco como sou, pelo menos se comparado aos outros operadores que estão por aí. Mas os riscos são reais, a volatilidade é volátil; de fato, a volatilidade é o que não dá para incluir nas equações diferenciais parciais do método Black-Scholes, mesmo que você as mude para dar conta dessa qualidade em particular. É no que as pessoas apostam, no final. Não se o preço de um ativo vai subir ou cair – os operadores ganham nos dois casos –, mas em quão volátil o preço será.

Rápida demais, minha corrida rio abaixo me levou até o canal Pine, onde desliguei os propulsores e a aranha d'água voltou ao modo normal de navegação, não como um ganso despencando, como acontecia com alguns hidroplanos, mas com elegância, quase sem agitar a superfície. Depois disso, virei e atravessei as ondas formadas por algumas barcaças grandes que entravam na cidade entre o zumbido e o ronco de motores, movendo-se na velocidade dos nadadores que enfrentavam a toxidade em sua saudação diária e suicida ao sol.

O *seebad* do canal Price era estranhamente popular, e ao seu redor reuniam-se grupos de nadadores em trajes completos e máscaras de natação, esperando que os benefícios do exercício aquático e da própria flutuação contrabalanceassem a mistura de metais pesados que ingeriam inevitavelmente. Era digno de admiração o amor pela água de quem estivesse disposto a mergulhar em qualquer parte da maior região portuária de Nova York, e mesmo assim as pessoas continuavam a fazer isso, porque as pessoas nadam em suas ideias. Um grande atributo das espécies quando se trata de negociar com elas.

A sede do fundo de investimento no qual eu trabalho, WaterPrice, ocupava toda a torre Pine, na Water com a Pine. O embarcadouro do edifício tinha quatro andares de altura, e o velho átrio estava agora repleto de embarcações de todos os tipos, penduradas como maquetes no quarto de uma criança. Era um prazer observar os fólios curvados sob o casco do meu trimarã enquanto ele era colocado no lugar em que passaria o dia. Um bom privilégio ter um estacionamento para barcos, ainda que caro. Então elevador acima até o trigésimo andar e ao canto noroeste, onde me acomodei em minha baia, contemplando a dispersão de passarelas no centro da cidade e os superarranha-céus que se erguiam até o norte em toda glória, lembrando Frank Gehry.

Comecei o dia como sempre, com uma caneca gigante de cappuccino e a revisão dos mercados asiáticos, já fechando, e dos mercados europeus, no meio da jornada. A mente coletiva global nunca dorme, mas dá um cochilo enquanto cruza a extensão do Pacífico, um cochilo de meia hora entre o fechamento de Nova York e a abertura de Xangai. A pausa que converte o dia natural em um dia de negociações.

Minha tela mostrava todas as partes da mente global mais preocupadas com as áreas costeiras inundadas, minha área de especialidade. Era impossível compreender, só de olhar, os muitos gráficos, planilhas, textos corridos, caixas de vídeo, conversas on-line, barras laterais e notas de margem mostrados na tela, por mais que meus colegas fingissem conseguir. Se tentassem, simplesmente deixariam passar coisas, e, de fato, muitos deles deixavam passar coisas, achando que eram grandes expoentes da gestalt. Isso se chama excesso de confiança do especialista. Sim, é possível dar uma olhada rápida, claro, mas depois é importante parar e analisar os dados parte por parte. Isso requeria muitas mudanças de marcha, porque minha tela era uma autêntica antologia de narrativas, e de muitos gêneros distintos. Eu tinha que passar do haikai para os épicos, dos ensaios pessoais para as equações matemáticas, do *Bildungsroman* para *O crepúsculo dos deuses*, das estatísticas para a fofoca, todos me dizendo de modos diferentes as tragédias e as comédias da destruição criativa e da criação destrutiva, assim como as mais comuns, mas menos destacadas, criação criativa e destruição destrutiva. As temporalidades nesses gêneros oscilavam entre os nanossegundos da negociação de alta frequência e as eras geológicas do aumento do nível do mar, divididos em intervalos de segundos, horas, dias, semanas, meses, trimestres e anos. Era incrível mergulhar em uma tela tão complexa tendo como pano de fundo a baixa Manhattan real do lado de fora da janela e, combinados com o cappuccino e o voo pelo rio, era como deixar-se levar por uma enorme onda quebrando. A sublimação econômica!

Em um lugar de destaque no centro da minha tela estava o mapa-múndi da Planet Labs, com os níveis do mar indicados até o milímetro por altimetria a laser de satélite em tempo real. Os níveis do mar mais altos do que a média para o mês anterior estavam sombreados em vermelho, as áreas mais baixas em azul, e cinza para nenhuma alteração. Todos os dias as cores mudavam, marcando o vaivém das águas sob a atração da Lua, o empuxo das correntes predominantes e o impulso dos ventos, entre outras coisas. O sobe e desce perpétuo agora era medido em um grau obsessivo-compulsivo, compreensível dado os traumas do último século e a possibilidade real de traumas futuros. O nível do mar se estabilizara em grande parte após o Segundo Pulso, mas ainda havia muito gelo antártico à deriva, então as conquistas do passado não eram garantia de nada no futuro.

O nível do mar era objeto de apostas, claro. O nível, propriamente dito, servia como índice, e era possível investir nele ou usá-lo como garantia; era possível escolher entre o longo e o curto prazos, mas tudo se reduzia em apostar. Subir, ficar estável ou descer. Coisa simples, mas era só o início. Isso se juntava a todos os outros bens e derivativos indexados nos quais se apostava, incluindo os preços imobiliários, que eram quase tão simples quanto o nível do mar. Os índices Case-Shiller, por exemplo, qualificavam as mudanças dos preços dos imóveis, em blocos que iam do mundo inteiro até bairros específicos, bem como tudo o que ficava entre essas duas extremidades, e as pessoas apostavam em tudo isso também.

Combinar o índice imobiliário com o nível do mar era uma forma de analisar as áreas costeiras inundadas, e essa era a essência do que eu fazia. Meu Índice de Preços de Propriedades Entremarés era a maior contribuição da WaterPrice para a Bolsa Mercantil de Chicago, usada por milhões para orientar investimentos que chegavam à casa dos trilhões. Uma grande publicidade para meus empregadores, e o motivo pelo qual meu valor na casa era alto.

Tudo isso estava muito bem, mas para que as coisas continuassem assim o IPPE tinha que funcionar, ou seja, devia ser preciso o suficiente para que as pessoas que o usassem direito pudessem ganhar dinheiro. Então, juntamente com a caça habitual por pequenos *spreads*, com a seleção de opções de compra e venda para decidir se eu queria adquirir algo em oferta, e com a verificação das taxas de câmbio, eu também procurava meios de reforçar a precisão do índice. O nível do mar nas Filipinas subiu dois centímetros: é algo sério, as pessoas entram em pânico, mas não percebem o tufão que começa a se formar a mil quilômetros ao sul. Invista um tempo para comprar o medo delas antes de ajustar o índice para registrar a explicação. Geofinança de alta frequência, o maior de todos os jogos!

Em algum momento dessa onírica sessão da Bolsa naquela tarde, interrompida pelo mundo real apenas pela necessidade de ir ao banheiro ou comer, minha caixa de chat no canto esquerdo da tela começou a piscar e eu vi que tinha recebido uma mensagem de Xi, um amigo operador de Xangai.

Ei, Lorde das Entremarés! Picada rápida ontem à noite, o que aconteceu?
Não sei, teclei de volta. Onde posso ver?
BMC.

Bem, a Bolsa Mercantil de Chicago é a maior bolsa de derivativos do planeta, então eu achei que não era grande coisa que a picada rápida tivesse acontecido lá, mas então olhei um pouco melhor e vi que tudo na BMC tinha sofrido uma sacudida rápida, mas maciça, na noite anterior. Bem perto da meia-noite – o que parecia sugerir que Xangai era a fonte do evento –, dois pontos tinham sido cortados de todas as negociações, o que era o bastante para transformar a maioria delas de ganhos em perdas. Mas então uma subida igualmente instantânea viera um segundo mais tarde. Como a picada de um mosquito, notada só como uma coceira depois.

Que merda é essa?, escrevi para Xi.
Exactamundo! Terremoto? Onda gravitacional? Você é o Lorde das Entremarés! Elucide isso para mim!
EFSPMNP, escrevi de volta. Eu faria se pudesse, mas não posso. Era algo que os operadores diziam uns para os outros todo o tempo, seriamente ou quando davam desculpas. Neste caso, eu realmente explicaria essa picada se pudesse, mas não podia, e havia outros assuntos urgentes me aguardando enquanto o dia avançava. A luz da Manhattan real do lado de fora da minha janela mudara da esquerda para a direita, e a Europa estava fechada, a Ásia estava prestes a abrir, ajustes tinham que ser feitos, acordos finalizados. Eu não era um desses operadores que limpava a pauta no final de cada dia, mas gostava de encerrar os riscos

mais proeminentes, se fosse possível. Então eu me concentrei naquelas situações e tentei finalizá-las.

Terminei cerca de uma hora mais tarde. Momento de sair para os canais e enfrentar o tráfego enquanto ainda havia sol refletindo na água, de pegar o Hudson e dar uma olhada sentido norte, arrancando todos os números e fofocas da mente. Outro dia, outro dólar. Quase sessenta mil deles no dia de hoje, como estimado na pequena barra do programa que rodava no canto superior direito da minha tela.

Eu deixara uma opção para meu barco às quatro, mas pude antecipar com uma chamada cinco minutos antes, e quando cheguei ao embarcadouro ele já estava na água, pronto para partir, com o mestre da doca sorrindo e acenando com a cabeça enquanto eu lhe dava uma gorjeta.

— Meu Franklin, Franklin! — disse ele como sempre. Eu odiava esperar.

Saí pelo canal lotado. Os outros barcos no distrito financeiro eram em sua grande maioria táxis aquáticos e barcos particulares como o meu, mas também havia grandes e antigos barcos a vapor grunhindo de doca em doca, apinhados de trabalhadores que saíam na última hora do dia. Eu tinha que olhar rápido e enfiar o barco pelas aberturas, cruzar ondas, buscar lacunas e recortar esquinas. Quando dois barcos a vapor passavam um pelo outro, eles reduziam a velocidade para, de modo cortês, diminuir o tamanho das ondas que produziam; barcos menores particulares aceleravam. Alguém podia acabar bem molhado na hora do rush, mas minha aranha d'água tinha uma cúpula transparente que dava para puxar por sobre a cabine, de modo que se as coisas ficassem muito fora de controle, eu poderia usá-la. Nesta tarde, peguei Malden até Church, e depois Warren até o Hudson.

Por fim estava no grande rio. A última hora de um dia de outono, a água escura recobrindo a maré crescente, uma barra de luz solar refletindo bem no meio, diretamente até mim. Do outro lado do rio, os imensos arranha-céus de Hoboken pareciam uma extensão irregular ao sul das Palisades, negros sob as nuvens de fundo rosado. No lado de Manhattan, as muitas docas estavam lotadas de pessoas saindo do trabalho, prontas para festejar. O Píer Cinquenta e Sete era popular entre um grupo que eu conhecia, então segui até a marina mais ao sul, muito cara, mas conveniente, amarrei a aranha d'água e fui me juntar à diversão. Cigarros, uísque e observar mulheres no entardecer do rio; eu estava aprendendo a desfrutar dessas coisas, depois de conhecer apenas o pôr do sol na pradaria na minha juventude.

Eu acabara de me juntar ao meu grupo de conhecidos quando uma mulher se aproximou do velho guru dos fundos multimercado, Pierre Wrembel, os cabelos negros brilhando na luz do horizonte como as asas de um corvo. Ela não tirava os olhos do famoso investidor, beleza falando com poder, o que talvez seja mais comum do que verdade falando com poder, e definitivamente mais efetivo. Ela tinha ombros largos, braços musculosos, belos seios. Era espetacular. Abri caminho até o bar para pegar uma taça de vinho branco como a dela. Em ocasiões como esta, é melhor se aproximar dando voltas no salão, para ter certeza de conseguir uma primeira impressão correta. Muita coisa pode ser determinada se você souber como se apresentar – ou então era o que eu presumia, já que, de fato, não sabia como fazer. Mas eu tentava. Ela era amigável, inibida, cautelosa, relaxada? Estaria disponível para alguém como eu? Era bom saber essas coisas com o máximo de antecedência possível. Não que fosse desperdício de tempo conversar com uma mulher de boa aparência em um bar, obviamente, mas eu queria saber o máximo possível, pois sob o impacto direto do olhar de uma mulher eu provavelmente sofreria de um branco mental. Sou muito melhor nas operações na bolsa do que julgando as intenções de uma mulher, mas sei disso e tento facilitar as coisas se posso.

Além disso, aproximar-me fazendo rodeios permite que eu decida se realmente gosto da aparência dela. Porque, à primeira vista, eu gosto de todas as mulheres. Tendo a dizer que são todas lindas ao seu estilo, e costumo vagar pelos bares de Nova York pensando uau, uau, uau. Que cidade de mulheres lindas. Realmente é.

E, para mim, quando você olha o rosto de uma pessoa, está vendo seu caráter. É assustador: estamos todos nus dessa forma, não apenas literalmente, no sentido de que não escondemos nosso rosto com roupas, mas figurativamente, como se de alguma forma nosso caráter verdadeiro estivesse estampado em nossa fronte como um mapa. Um mapa óbvio para a nossa alma – eu não acho que seja apropriado, para dizer a verdade. É como viver em uma colônia de nudismo. Deve ser algo evolutivo, de algum modo adaptativo, sem dúvida, mas quando me olho no espelho, eu desejaria ter um rosto mais agradável – o que significaria uma personalidade mais agradável, acho. E quando olho ao redor, digo para mim mesmo: "Ah, não! É informação demais! Ficaríamos melhor se usássemos véus como as mulheres muçulmanas, mostrando apenas os olhos!".

Porque os olhos não são suficientes para dizer alguma coisa. São apenas bolhas de gel colorido, nem de perto tão reveladores quanto eu costumava pensar. Aquela ideia de que os olhos são janelas para a alma e dizem algo importante fora uma questão de projeção da minha parte.

Os olhos desta mulher eram cor de avelã ou castanhos, eu não tinha certeza. Fiquei parado no bar, pedi o vinho branco e olhei ao redor, correndo os olhos em um padrão que ficava voltando para ela. Quando nossos olhares se cruzaram, porque todo mundo em um bar olha para todo lado, eu estava conversando com o bartender, meu amigo Enkidu, que afirmava ser assírio de linhagem pura, queria ser chamado de Inky, e tinha os antebraços cobertos de tatuagens antigas, malfeitas e esverdeadas. Popeye? Uma lata de espinafre? Ele nunca diria. Ele viu o que eu estava fazendo e continuou preparando as bebidas enquanto dava cobertura para meus olhares, conversando animadamente comigo. Sim, maré alta em três horas. Mais tarde, ele soltaria as amarras de seu barco e boiaria até Staten Island sem nem mesmo ligar o motor. A parte mais bonita do dia, a escuridão sob as estrelas borradas, as luzes refletidas na água, a maré baixando, as torres sem topo de Staten iluminando a noite, blá-blá-blá, ele continuou falando, olhando ao redor e trabalhando, bebendo ou conversando. Ah, bom, a mulher era bonita. Postura majestosa, como uma jogadora de vôlei prestes a deixar o chão. Como um espigão suave e desenvolto, bem diante de mim.

Quando ela se reuniu ao meu grupo de conhecidos, eu me aproximei para cumprimentar a todos, e minha amiga Amanda me apresentou àqueles que eu não conhecia: John e Ray, Evgenia e Paula; a majestosa respondia pelo nome de Joanna.

— Prazer em conhecê-la, Joanna — falei.

Ela assentiu com uma expressão divertida, e Evie disse:

— Vamos lá, Amanda! Você sabe que Jojo não gosta de ser chamada de Joanna!

— Prazer em conhecê-la, Jojo — falei, dando uma cotovelada de brincadeira nas costelas de Amanda. Bom: Jojo sorriu. Ela tinha um belo sorriso e seus olhos eram castanho-claros, as íris pareciam contar uma mistura caleidoscópica de tons de marrom. Sorri de volta enquanto tentava me recuperar de tanta beleza. Tentei ficar calmo. *Vamos lá*, disse para mim mesmo um pouco desesperado, *isso é exatamente o que uma mulher bonita vê e despreza nos homens, esse momento de se afogar no redemoinho de admiração tola. Fique calmo!*

Eu tentei. Amanda ajudou me dando uma cotovelada também e reclamando sobre alguma opção de compra que eu adquirira no mercado de títulos de Hong Kong, seguindo uma dica dela, mas que eu tinha multiplicado por dez. Aquilo me deixaria interessante ou me transformaria em piada? Era o tipo de coisa sobre a qual eu podia passar o dia todo falando, e Amanda e eu nos conhecíamos havia meses e estávamos acostumados um com o outro. Ela também era bonita, mas não era meu tipo, ou algo assim. Já tínhamos explorado o que havia para explorar entre nós, o que consistira em alguns jantares, uma noite na cama e nada mais, infelizmente. Não foi minha decisão, mas tampouco fiquei desolado quando ela disse que tinha negócios no exterior e seguimos rumos diferentes. Claro que eu sempre vou gostar de qualquer mulher que tenha ido para a cama comigo, desde que não nos tornemos um casal e odiemos um ao outro para sempre. Mas a afinidade é uma coisa engraçada.

— Ah, ela é toda PJA — disse Evie para John.

— PJA? — perguntou ele ingenuamente.

— Vamos lá! Princesa Judia Americana, seu tonto! Onde você cresceu?

— Em Solteirolândia — brincou John.

Todos demos uma boa risada.

— Sério? — exclamou Evie, também ingenuamente.

John negou com a cabeça, sorrindo travesso.

— Laramie, Wyoming, se realmente quer saber.

Mais risadas.

— Isso é uma cidade de verdade? Não é um programa de TV?

— É uma cidade! Maior do que nunca, agora que os búfalos voltaram. Dominamos o mercado futuro dos búfalos.

— Você que é um búfalo.

— Sou mesmo.

— Sabe a diferença entre uma PJA e o espaguete?

— Não.

— O espaguete se mexe quando está sendo comido!

Mais risadas. Eles estavam bem bêbados. Isso podia ser bom. Jojo não estava bêbada, apenas um pouco corada, e eu nem isso. Eu nunca ficava embriagado, exceto por acidente, mas se eu tivesse cuidado, nunca ficava mais do que levemente alegre. Fique com uma única dose de álcool por uma hora e depois troque por refrigerante e mantenha a compostura. Jojo parecia fazer o mesmo; água tônica se seguira ao vinho branco. Isso era bom até certo ponto. Uma mulher precisa de um pouco de selvageria, talvez. Cruzei meu olhar com o dela e indiquei o bar com o queixo.

— Quer alguma coisa?

Ela pensou um pouco. Eu gostava dela mais e mais.

— Sim, mas não sei o quê — respondeu. — Eu vou lá com você.

— Meu amigo Inky vai sugerir algo — respondi, concordando.

Ah, Senhor, ela estava me deixando louco! Meu coração quase saía pela boca.

Ficamos parados no bar. Ela era um pouco mais alta do que eu, embora não estivesse de salto. Eu quase desmaiei quando vi aquilo, e apoiei os cotovelos no bar para ficar em pé. Eu gosto de mulheres altas, e a cintura dela ficava quase na altura do meu peito. As mulheres usavam saltos para se parecer com ela. Ah, Senhor.

Inky se aproximou e nos serviu algo exótico que ele mesmo tinha inventado. Um pouco de alguma coisa ou de outra. Tinha gosto de ponche amargo de frutas. Levava creme de cassis.

— Qual é seu nome? — perguntou ela com um olhar de soslaio.

— Franklin Garr.

— Franklin? Não Frank?

— Franklin.

— Como Roosevelt?

— Como Ben Franklin. O herói da minha mãe. Era meio mentiroso, e meu trabalho precisa de um pouco disso, para falar a verdade.

— O que você faz? É repórter?

— Investidor especulativo.
— Eu também!
Olhamos um para o outro e sorrimos de um jeito um pouco conspiratório.
— Onde?
— Eldorado.
Nossa, um dos grandes.
— E quanto a você? — perguntou ela.
— WaterPrice — falei, feliz que também fôssemos profissionais de peso.
Conversamos sobre aquilo por um tempo, comparando observações sobre a localização dos prédios, espaço, colegas de trabalho, chefes, análises quantitativas. Então ela franziu o cenho.
— Ei, você viu a BMC ontem?
— Claro.
— Você viu a falha? Como houve uma falha por um tempo? — Ela notou meu olhar de surpresa e acrescentou: — Você viu!
— Sim — admiti. — O que foi aquilo? Você sabe?
— Não. Eu esperava que você soubesse.
Eu tive que negar com a cabeça. Pensei naquilo de novo. Ainda era misterioso.
— Será que algum maluco invadiu?
— Mas como? Quero dizer, coisas acontecem na China, coisas podem acontecer aqui, mas na BMC?
— Eu sei. — Tive que dar de ombros. — Um mistério.
Ela concordou com a cabeça e tomou um gole de seu ponche.
— Se tivesse durado mais, teria chamado muita atenção.
— Verdade. — Como se fosse para provocar o fim do mundo, mas não quis dizer isso, para não tirar sarro dela cedo demais. — Mas talvez tenha sido só outra picada rápida.
— Bem, a falha surgiu e sumiu. Talvez tenha sido alguém testando alguma coisa.
— Talvez — concordei, e pensei naquilo mais uma vez.
Depois de um instante de silêncio contemplativo, tivemos que falar sobre outras coisas. Estava barulhento demais para pensar, e conversar só é divertido quando você consegue ouvir a outra pessoa sem ela estar gritando. Hora de voltar ao básico, mas ela estava terminando a bebida e entrando no modo "pegar ou largar", ou foi o que me pareceu por sua aura. Eu não queria estragar tudo; isso não ia ser rápido e nem eu queria que fosse, então exigia algum tato, e eu podia ser bem cauteloso, ou pelo menos tentar.
— Ei, escute, você gostaria de jantar uma sexta-feira dessas para celebrar o final de semana?
— Claro, onde?

— Em algum lugar na água.
Aquilo a fez sorrir.
— Boa ideia.
— Essa sexta?
— Claro.

•

As janelas separam o grande inferno da cidade
Em infernos menores.

Vladimir Mayakovsky

De agora em diante, cada novo edifício se esforçará para ser "uma cidade dentro da cidade".

Rem Koolhaus

Na ilustração da obra de King, *Sonho de Nova York*, de 1908, a cidade do futuro é imaginada como vários grupos de edifícios altos, ligados aqui e ali por passarelas aéreas, com dirigíveis partindo de mastros de decolagem, e aviões e balões flutuando por cima. O ponto de vista é de cima e para o sul da cidade.

Enquanto trabalhava como detetive em Nova York, Dashiell Hammett recebeu a missão de encontrar uma roda-gigante que fora roubada no ano anterior em Sacramento.

•

d) Vlade

O pequeno apartamento de Vlade estava localizado no fundo do escritório da casa de barcos, descendo por uma escadaria larga. Os cômodos tinham sido parte da despensa da cozinha quando o edifício era um hotel, e ficavam sob a linha d'água até na maré baixa. Vlade não se importava com isso. Proteção de pisos submersos era um de seus trabalhos principais no edifício, interessante de fazer e valorizado pelos ocupantes do prédio, embora todos dessem isso como certo quando não havia problemas. Mas o trabalho com a água nunca acabava, e nunca era menos do que crucial. Então era uma certa questão de orgulho para ele dormir abaixo do nível da água, como se estivesse no fundo de um grande transatlântico do qual fosse o carpinteiro.

Os métodos para se manter a água fora dos ambientes continuavam a melhorar. Atualmente, Vlade trabalhava com a equipe da associação local de impermeabilização, que erguera um dique no lado do prédio que dava para Madison Square, para selar novamente as paredes do edifício e a velha calçada. As gaiolas de aquicultura que cobriam o chão do *bacino* tinham que ser evitadas, tornando a área apertada, mas o recente equipamento holandês podia ser inclinado e acondicionado de modo a deixar espaço para trabalhar. Novas bombas, secadores, esterilizadores, selantes – tudo melhor do que nunca, embora a mesma equipe de trabalho tivesse feito tudo isso quatro anos antes. Fazia sentido, como Ettore, o síndico do Flatiron, observava; esse trabalho era crucial para todo edifício com as bases na água. Mas Vlade continuava achando que as coisas iam o melhor possível. Ettore e os outros riam dele quando ele dizia isso. *Só você mesmo, Vlade.* Era um bom grupo. Síndicos dos edifícios da baixa Manhattan formavam uma espécie de clube, todos ligados a associações de ajuda mútua e grupos de cooperação que se entrelaçavam para fazer da vida entremarés sua própria sociedade. Muitas reclamações para partilhar sobre todo tipo de coisas, tais como serem pagos com *wetbits* e *blocknecklaces*, ou torques, como alguns chamavam, já que eram basicamente formas de contrato com o prédio, uma maneira elegante de dizer pensão completa. As pessoas sempre se queixavam, mas, apesar de tudo, eram alegres e ajudavam Vlade a se manter longe das profundezas.

Nesse dia, quando ele acordou, era praticamente noite. A luz verde do relógio dava pouca iluminação. Ouviu por um tempo. Nenhum líquido se movendo, exceto por seu sangue, movendo-se preguiçoso por seu corpo. Marés internas, sim. A maré baixa estava ali, como na maioria das manhãs.

Ele se levantou e acendeu a luz do quarto. A tela do edifício relatava que tudo estava bem. Seco até o alicerce: muito satisfatório. No edifício Norte tudo igual, ou quase – alguma rachadura ainda não identificada causava um vazamento na fundação, muito irritante. Mas ele iria encontrá-la.

Ele dormira quatro horas, como sempre. Era todo o tempo que o edifício e seus pesadelos lhe davam. Parte de sua maré baixa. Nada o que fazer além de se levantar e voltar ao trabalho. Subir até a garagem de barcos e ajudar Su a levar os patrulheiros da manhã até os canais. Havia seis elevadores na casa de barcos, e o computador local lhes dava um bom algoritmo sequencial. A intervenção humana só era necessária na hora de aplacar os donos dos barcos se estivessem atrasados para partir. *Ah, sim, sinto muito, doutor, eu sei, reunião importante, mas uma corda se soltou na proa do* James Caird, *parece uma banheira.* Não que o barco do doutor não fosse uma barcaça também, mas não importava, o bálsamo da conversa, tudo ficaria bem. Todo mundo que quisesse sair pela porta sem estresse podia fazer isso. Era verdade que algumas pessoas precisavam de uma briga por dia para satisfazer alguma necessidade bizarra, mas Vlade lhes fazia entender que deviam procurar isso em outro lugar.

Su ficou feliz em vê-lo, já que Mac recebera uma chamada para o táxi aquático dela e queria pegar a corrida. Isso alterava a sequência de saídas, e demorou um pouco para encontrar uma alternativa que equilibrasse as necessidades de Mac com o pedido padrão de Antonio, de sair às cinco e quinze da manhã. As pequenas coisas deixavam Su nervoso; era um cara cuidadoso.

Então a inspetora Gen apareceu. Ela era veterana do Departamento de Polícia de Nova York e uma famosa defensora do centro quando estava na parte alta. Em geral, ela caminhava pelas passarelas até a delegacia de polícia na Vigésima, e no dia anterior não parecia saber quem Vlade era. Eles nunca tinham conversado, mas durante o jantar ela o encheu de perguntas sobre os sistemas de segurança do prédio. Ela conhecia a cooperativa local que ele contratara para instalar o sistema e em geral parecia rápida em entender as questões de vigilância em um edifício. Não era de surpreender.

Eles se cumprimentaram, e ela disse:

— Eu queria lhe fazer mais perguntas sobre os dois homens desaparecidos.

Vlade concordou com a cabeça, infeliz.

— Ralph Muttchopf e Jeff Rosen.

— Certo. Você falava muito com eles?

— Um pouco. Pareciam nova-iorquinos. Sempre teclando em seus tablets quando eu estava lá em cima. Trabalhavam duro.

— Trabalhavam duro, mas viviam em um hotello?

— Não sei nada sobre isso.

— Então você nunca falou nada sobre eles com ninguém do conselho?

Vlade deu de ombros.

— Meu trabalho é manter o edifício funcionando. As pessoas não são minha preocupação. É o que Charlotte me dá a entender.

— Ok. Mas me avise se ouvir alguma coisa sobre esses caras.

— Farei isso.

A inspetora partiu. Vlade sentiu um certo alívio ao vê-la se afastar. A mulher negra e alta, tão alta quanto ele, um tanto corpulenta, com olhar aguçado e maneiras reservadas; e agora ele tinha que carregar a culpa da estranha falha das câmeras de segurança. Definitivamente, precisava que a empresa de segurança que instalara o sistema viesse verificar. Como com várias coisas, ele precisava de suporte técnico quando não podia seguir em frente. Ser síndico de um prédio significava ter que supervisar, sem dúvida. Sua equipe era composta por noventa e oito pessoas. A inspetora certamente entenderia isso. Devia ser o mesmo para ela.

Ele seguiu pelo calçadão que levava da alta casa de barcos até a estreita doca da Met no *bacino*, ainda coberta pela sombra matutina do edifício. O surgimento de uma pequena mão apalpando a borda da doca para pegar o pão amanhecido que ele deixara ali não o surpreendeu.

— Ei! Ratos d'água! Parem de roubar o pão dos patos!

Dois garotos que ele via com frequência vagando pelo *bacino* apareceram na beirada da doca. Estavam em seu pequeno zodíaco, que mal ocupava o espaço entre os pontões, permitindo que se escondessem sob o deque da doca.

— Em que encrenca se meteram hoje, garotos? — O síndico chegara à conclusão de que eles viviam naquele barco. Muitos ratos d'água viviam assim, jovens e velhos.

— Oi, sr. Vlade. Não estamos encrencados hoje — falou o mais baixo deles pelas tábuas da doca.

— Não ainda — acrescentou o outro.

Uma dupla de comediantes.

— Então subam aqui e me digam o que querem — falou Vlade, ainda distraído pela policial. — Sei que querem alguma coisa.

Eles tiraram o barco de baixo da doca e subiram no deque com um sorriso nervoso. O mais baixo disse:

— Estávamos nos perguntando se o senhor sabe quando Amelia Black vai voltar por aqui.

— Acho que logo — respondeu Vlade. — Está fora, filmando um de seus programas para a nuvem.

— Nós sabemos. Podemos ver o programa dela na sua tela, sr. Vlade? Ouvimos dizer que ela viu ursos pardos.

— Vocês só querem ver o traseiro pelado dela — observou Vlade.

— Não é o que todo mundo quer?

Vlade assentiu. Parecia ser um aspecto importante para a popularidade do programa.

— Agora não, garotos. Tenho trabalho a fazer. Vocês podem vê-la mais tarde. Sumam daqui. — Ele olhou seu escritório, viu uma caixa de salada de macarrão que trouxera da cozinha, mas não comera. — Ei, levem isso e alimentem os ratos d'água.

— Achei que nós fôssemos os ratos d'água! — comentou o mais alto.

— É o que ele quis dizer — replicou o mais baixo, arrancando a caixa das mãos de Vlade antes que ele mudasse de ideia. — Obrigado, senhor.

— Tudo bem, agora fora daqui.

•

Nova York vive em estado constante de mutação. Se uma cidade puder ser comparada a um líquido, seria razoável dizer que Nova York é fluida: ela flui.

observou Carl Van Vechten

Aquecedores foram colocados no teto íngreme do edifício Chrysler para impedir que o gelo se formasse e depois escorregasse até a avenida Lexington, com resultados funestos, mas depois do Segundo Pulso as pessoas esqueceram que esse sistema existia. E então...

•

e) um cidadão

Nova York, Nova York, uma baía infernal. Henry Hudson navegou por ela e viu uma ruptura na costa entre duas colinas, bem na parte mais profunda da enseada que estava explorando. Uma enseada é um recorte em uma linha costeira muito larga e aberta para ser chamada de baía, até o ponto de se poder sair navegando dela sem praticamente mudar de rumo. Se vocês não se importam com a realidade de um marinheiro antiquado, deixem-me. Naveguem adiante uma ou duas páginas para voltar a ver a sordidez dos primatas insignificantes rastejando ou remando em torno desta grande baía. Se concordam em apreciar o panorama completo, a verdade autêntica, continuem lendo.

A enseada de Nova York forma um ângulo de quase noventa graus onde a costa norte-sul de Jersey se encontra com a costa leste-oeste de Long Island, e bem ali na dobra há uma fresta. Tem pouco mais de um quilômetro de largura, e uma vez em seu interior, com sorte entrando em uma maré alta (já que é muito mais fácil desse jeito), assim como o Hudson, vocês chegarão a um ancoradouro descomunal, diferente de tudo o que viram antes. As pessoas chamam de rio, porém é mais do que um rio, é um fiorde ou um estuário, se é que querem ser geologicamente meticulosos a esse respeito. Era como um gotejamento vindo da calota polar que cobria o mundo na Era Glacial, tão monstruoso que Long Island é só uma de suas áreas de sedimentos, chamadas morenas. Quando o grande monstro de gelo derreteu, há dez mil anos, o nível do mar subiu mais de noventa metros. O Atlântico se elevou e inundou todos os vales da costa leste, como pode facilmente ser visto em qualquer mapa, e, no processo, o oceano tomou conta do Hudson, assim como do vale entre a Nova Inglaterra e a morena de Long Island, criando o estreito de Long Island, e depois o East River e todo o resto da vasta e complicada confusão de pântanos, riachos e corredeiras de marés que formam a baía em questão.

Neste grande estuário estão os cumes remanescentes de antiga rocha dura, delgadas extensões de colinas baixas, agora penínsulas na inundação geral. Uma corre para o sul pelo lado ocidental da baía, separando o Hudson das Meadowlands:

são as Palisades e Hoboken, apontando para o grande monte de terra que é Staten Island. Outra se ancora na morena de Long Island, inclinando-se a partir do leste: aí está Brooklyn Heights. E a terceira segue para o sul pelo meio da baía, e, por causa de um pântano que recorta sua extremidade norte, é tecnicamente uma ilha – rochosa, com colinas, bosques, prados e charcos. Isso é Manhattan.

Floresta? Ok, agora é uma floresta de arranha-céus. Uma cidade tal que é necessária uma segunda olhada para ver que é um estuário. Desde as inundações, essa percepção ficou mais fácil, porque embora a linha costeira já fosse alagada antes, agora é mais alagada do que nunca. Um nível do mar quinze metros mais alto significa uma baía muito maior, de correntes mais confusas; um Hell Gate mais infernal, o Harlem River que deixou de ser um canal navegável para se tornar uma correnteza louca, as Meadowlands um mar raso, assim como Brooklyn, Queens e o sul do Bronx, com as águas venenosas e prismáticas de óleo indo e vindo com as marés. Sim, uma baía que é um verdadeiro caos, que ainda conta com pontes, oleodutos e ferrugens escleróticas de restos de infraestruturas de todos os tipos. E então os animais voltaram, os peixes, as aves, as ostras, boa parte deles com duas cabeças e letais para consumo humano, mas voltaram. As pessoas também voltaram, claro, pois nunca partiram de verdade, ainda estão em todas as partes, como baratas impossíveis de se livrar. Mesmo assim, nenhum dos outros animais se importa; eles nadam por aí, vivendo sua vida, remexem o lixo, caçam e xeretam, rondando enquanto evitam as pessoas, como qualquer outro nova-iorquino.

Desse modo, ainda é Nova York. As pessoas não podem desistir dela. É o que os economistas costumam chamar de tirania dos custos irrecuperáveis; uma vez que você coloca muito tempo e dinheiro em um projeto, fica difícil aceitar as perdas e ir embora. Você é obrigado pela natureza da situação a continuar colocando dinheiro, a ficar obcecado, a reforçar e redobrar o compromisso e se tornar um morador louco de um apartamento, incapaz de se imaginar deixando a cidade. Você persevera até a morte, um nova-iorquino monomaníaco até o fim.

Sob todo esse lixo humano, a ilha também persevera. Inicialmente era conhecida por suas colinas e lagos, mas eles aplainaram as colinas e encheram os lagos com a terra das colinas aplainadas para obter um terreno de edificação mais plano possível, além de tentar melhorar o tráfego. Não que isso tenha servido de muita coisa, mas, como fosse, tudo se foi agora, tudo está muito mais plano, embora as inundações do século vinte e um tivessem revelado um fato bastante relevante que não era muito importante antes: a baixa Manhattan é, de fato, muito mais baixa do que a alta Manhattan, cerca de uns quinze metros verticais na média. E isso fez toda a diferença. As inundações tomaram conta da enseada de Nova York e de todas as outras cidades costeiras ao redor do mundo, principalmente em dois grandes eventos que elevaram o nível dos oceanos em quinze metros, e nesse alagamento a baixa Manhattan ficou sob a água e a alta Manhattan não. Incrível que isso pudesse acontecer! Tanto gelo da Antártida e da Groelândia! Sério que havia tanto gelo para produzir tanta água? Sim, havia.

E assim se deram o Primeiro Pulso e o Segundo Pulso, cada um deles uma década completa de psicodrama, um colapso na história, uma ruína na sociedade, um pesadelo de refugiados, uma catástrofe ecológica, o planeta ficando coletivamente louco. O Antropocídio, a Hidrocatástrofe, a Georrevolução. Mas também importantes e novas opções para investimento e, ó céus, a necessidade de um estado policial para controlar as multidões, expresso em novas leis draconianas e práticas *ad hoc*, que alguns chamam de "egitificação do mundo". Mas não entraremos nisso agora, que é pessimista e derrotista, e seria mais apropriado para os melodramas que descrevem destinos individuais nas décadas úmidas do que para esse panorama geral que estamos trazendo.

Voltando à ilha propriamente dita, o *locus omphalo* da nossa mania mútua: a metade sul, da rua Quarenta até o Battery, estava inundada o tempo todo até o segundo ou terceiro andar de cada edifício que não caiu rapidamente ou apodreceu na água. Ao norte da Quarenta e Dois, boa parte do lado oeste permaneceu acima dos quinze metros de elevação do nível dos oceanos. No lado leste, a água cobriu grandes extensões do Harlem e do Bronx, assim como a baixada da rua Cento e Vinte e Cinco, que as pessoas se deram ao trabalho de aterrar, já que era muito inconveniente que o extremo norte da ilha estivesse cortado, sobretudo quando os Cloisters do MET e Inwood Hill Park revelaram-se os terrenos mais elevados dos arredores, e tão altos quanto qualquer ponto na região maior da enseada. Era necessário olhar para as Palisades, para Staten Island ou para Brooklyn Heights a fim de se ver algo tão elevado quanto a ponta norte de Manhattan. E já que essa longa faixa formando a metade norte da ilha permaneceu bem acima da inundação, naturalmente as pessoas das vizinhanças submersas se refugiaram ali, ficaram loucas por aquele lugar. Era como o centro nos séculos dezenove e vinte. O complexo Cloister, capital do século vinte e dois! Ou pelo menos era como eles gostavam de imaginar lá em cima. O fluxo constante para norte sugere que, em mais um ou dois séculos, todo o movimento se transferirá para Yonkers ou Westchester County, então comprem terras lá agora, ainda que possam processar este comentarista por difamação se ele falar para vocês que nem fodendo. Mas as pessoas já disseram isso antes. Por enquanto, a extremidade norte de Manhattan é a capital da capital, o centro de testes de novos materiais compostos para construção de arranha-céus, materiais inventados para um elevador espacial que está longe de se tornar realidade, mas que, no entanto, é ideal para arranha-céus de trezentos andares que rasgam as nuvens, tanto que quando se está nos andares superiores, em um desses terraços que provocam hemorragias nasais enquanto você tenta controlar o medo de altura e olhar para o sul, o centro parece um trem de brinquedo abandonado em um porão inundado. Dava para acertar a Lua com um bastão, arrancando-a do céu, em um desses terraços.

E então Nova York continua funcionando. Os arranha-céus, as pessoas, o que se tem. A nova Jerusalém, em suas manifestações tanto inglesas quanto judias, os dois sonhos étnicos estranhamente colidindo, a vibração de seu padrão de interferência criando a cidade na colina, a cidade na ilha, a nova Roma, a capital do século vinte, a capital do mundo, a capital da capital, o centro incontestável do planeta, o iceberg de diamante entre rios, a mais concorrida, a mais barulhenta, a mais dinâmica, a mais avançada, a mais cosmopolita, a mais legal, a mais desejável, a mais fotogênica das cidades, o sol no centro de toda a riqueza do universo, o centro do universo, o lugar onde o Big Bang ocorreu.

E a capital das expectativas também, não acham? A avenida Madison venderá qualquer coisa para vocês, incluindo a lista totalmente fraudulenta mencionada acima! E então, sim, a capital da porcaria, e a capital da besteira, e a capital da merda toda também, fingindo ser algo especial sem mudar nada no mundo e, em última análise, triturando tudo o que encontra pela frente como qualquer outra ridícula megalópole do planeta enlouquecida pelo dinheiro, em especial aquelas localizadas na costa, antes grandes centros comerciais e agora completamente fodidas. Mas *toujours gai, archy, toujours gai*, e como a maioria das outras cidades costeiras, saiu mancando por aí da melhor forma possível. As pessoas continuam vivendo aqui, por pior que seja, e mais do que isso, as pessoas continuam vindo para cá, apesar da estupidez suicida disso, como se entrassem voluntariamente no inferno. As pessoas são como lemingues, são mamíferos com um instinto de manada muito similar ao instinto das vacas. Em resumo, imbecis.

Então não há nada de especial nesta nossa Nova York. E mesmo assim... E mesmo assim e mesmo assim e mesmo assim. Talvez haja algo. Difícil de acreditar, difícil de admitir em um lugar tão insuportável, com um bando de idiotas arrogantes. Não há motivo para haver algo especial, uma coincidência, apenas a sorte da paisagem, da baía e da enseada, a sorte do desenho, do espaço e do tempo congelados em uma história. Ter surgido naquele momento, fazendo crescer acidentalmente a cabeça, as entranhas e os órgãos genitais do sonho americano, o ímã para sonhadores desesperados, o lugar formado por pessoas de todos os lugares, a cidade de imigrantes, as pessoas feitas por outras pessoas, pessoas muito rudes, idiotas detestáveis, muitas vezes apenas ignorantes fazendo suas próprias coisas sem consideração pelos demais, muitos estranhos chocando-se uns nos outros, desviando uns dos outros, gritando uns com os outros de vez em quando, mas, na maior parte do tempo, apenas ignorando uns aos outros, quase educados, seria possível dizer, usando a habilidade aperfeiçoada pela cidade de olhar por sobre ou através das pessoas, ou simplesmente de não ver uns aos outros; as multidões como meras tapeçarias de fundo contra as quais se desenrola a vida, cenários escabrosos que proporcionam uma sensação falsa de drama para ajudá-lo a imaginar que você está fazendo mais do que faria se estivesse em alguma cidadezinha sonolenta, em Denver ou em qualquer outro lugar. Nova York, o grande cenário – bem, pode ser que haja alguma coisa aí.

De todo modo, aí está, ocupando a grande baía, não importa o que vocês acham ou acreditam a esse respeito, saindo da água como um longo berço de ouriços-do-mar venenosos no qual os sonhadores se agarram, como um bote salva-vidas inconvenientemente espinhoso, único refúgio das profundezas vastas e desoladas, ofegando como Aquaman em um falso momento de fraqueza, desses aparentemente fatídicos para o super-herói, ainda vivendo seus sonhos febris de sucesso e glória. Se conseguirem sobreviver aqui, vocês sobreviverão em qualquer lugar – talvez até mesmo em Denver!

•

> Em 1924, Hubert Fauntleroy Julian, o "Águia Negra", o primeiro negro a obter uma licença de piloto, desceu de paraquedas sobre o Harlem usando uma fantasia de diabo e tocando saxofone. Mais tarde, voou para a Europa e desafiou Hemann Goering para um duelo aéreo.
>
> Um pigmeu chamado Ota Benga foi exibido por um mês na casa de primatas do Zoológico do Bronx. 1906.
>
> Como norte-americanos típicos, não temos ideologia.
>
> Abbie Hoffman

•

f) Amelia

Uma das rotas aéreas favoritas de Amelia Black ia de Montana para leste, por sobre o rio Missouri, para o sul, na direção de Ozarks, e depois para leste, até Kentucky, atravessando a lagoa de Delaware e os Pine Barrens, chegando ao mar e subindo até Nova York. Ao longo de toda essa distância, seu dirigível, o *Migração Assistida*, sobrevoava habitats de vida selvagem e corredores de aeroagricultura, e se mantivesse uma altitude baixa – o que ela fazia –, quase não encontraria sinais de pessoas, apenas uma torre aqui e ali, ou um grupo de luzes no horizonte à noite. Claro que havia muitas outras aeronaves no céu, desde veículos particulares, como o dela, até dirigíveis de carga e aerovilas rotativas, passando por todas as outras classes intermediárias. Os céus podiam ser lotados, mas, embaixo, sua América do Norte se estendia tão vazia de pessoas como estivera há cinquenta mil anos.

Mas isso não era verdade nem remotamente, e quando chegasse ao seu destino, ela decerto seria relembrada do estado real das coisas. Mas durante os quatro dias de viagem, o continente parecia deserto. O programa de Amelia na nuvem era sobre ajudar espécies em perigo de extinção a migrar para ecozonas onde teriam mais chances de sobreviver à mudança de clima, então a visão daquela terra quase desocupada que passava lá embaixo, hora após hora, era bastante comum para ela, mas, mesmo assim, sempre atraente de se ver. Nem ela nem sua audiência podiam deixar de perceber a existência de corredores de habitat bem estabelecidos, nos quais os animais selvagens podiam viver, alimentar-se, reproduzir-se e deslocar-se em qualquer direção para a qual o clima os levasse. Eles podiam migrar para sobreviver. E alguns deles tinham sorte o bastante para pegar uma carona no *Migração Assistida* e seguir o rumo certo.

Essa viagem começara sobre o Ecossistema Superior de Yellowstone, um de seus lugares favoritos. Suas câmeras de ultrassom mostravam para o público manadas de alces perseguidas por matilhas de lobos, e uma mãe ursa parda e o filhote que já ela tinha visto antes: Mabel e Emma. Depois chegou às altas planícies, em grande parte abandonadas pelas pessoas mesmo antes que os corredores de habitat fossem estabelecidos, agora ocupadas principalmente por manadas de búfalos e cavalos selvagens. Então, os cumes retorcidos dos Ozarks setentrionais, verdes e nodosos, seguidos pelas amplas várzeas trançadas do rio Mississippi, repleta de bandos de aves. Ali ela parou um pouco para capturar imagens de uma aerovila que descia sobre um imenso pomar de maçãs e realizava a colheita das frutas, utilizando pás e redes e levando toda a produção sem sequer tocar o solo. Por fim, as colinas ondulantes do Kentucky, onde o grande bosque de madeiras de lei do leste da América do Norte cobria o mundo com um tapete interminável de folhas.

Ali, ao se aproximar da lagoa de Delaware, ela desceu o *Migração Assistida* até uma altura suficientemente baixa para dar uma olhada de perto na ondulante e ininterrupta coberta de carvalhos, nogueiras e olmos. Cento e cinquenta metros era a altura ideal para se ver as paisagens, ainda mais se uma bela mulher descesse da gôndola do dirigível presa em uma longa corda, com a qual podia se balançar para a frente e para trás como uma *Gibson Girl* sob uma árvore, embora nesse caso fosse sobre as árvores. Hoje usava um vestido vermelho sem mangas; claro que alguns espectadores esperariam que ela se entusiasmasse, tirasse o vestido e o jogasse nas árvores, onde faria conjunto com algumas das folhas de outono. Ela não pretendia fazer isso, já que tinha deixado de lado essa parte de sua carreira, como continuava a afirmar para sua produtora, Nicole. Mas o vestido a deixava excepcionalmente visível. E se a peça inflasse um pouco ao redor de sua cintura de tempos em tempos, bem, essas coisas aconteciam.

Balançar-se sobre o mundo debaixo de sua aeronave era um dos movimentos característicos de Amelia. Agora ela fazia isso de novo, deixando o *Migração Assistida* nas mãos do muito capacitado piloto automático, Frans. Para a frente e para trás no assento do balanço, puxando as cordas com força, até oscilar como um pêndulo sobre o edredom infinito de folhas outonais, desfrutando da beleza e da velocidade do mundo visível.

Então Frans falou com ela pelo fone de ouvido para relatar que o motor utilizado para recolher a corda e levá-la de volta à gôndola tinha falhado mais uma vez, algo que costumava acontecer quando a corda estava totalmente estendida. Ela estava presa ali na ponta da corda, ah, não!

Isso já acontecera antes. Os produtores de Amelia tinham assegurado que o motor estava consertado – mesmo assim, lá estava ela mais uma vez, pendurada duzentos metros abaixo do dirigível, e um pouco acima das árvores. Estava ficando gelado com o vento, na verdade. Não dava para ficar pendurada ali no ar até chegar a Nova York. Um problema!

Mas ela estava acostumada a esse tipo de situação; ela não se chamava Amelia Dura na Queda à toa; e estava em contato constante com Frans. O vento estava moderado, e depois de alguns momentos de reflexão e discussões, Frans desceu a aeronave até que Amelia conseguiu alcançar as folhas e ramas do topo do dossel de vegetação, encontrar um dos galhos mais altos de um olmo e ficar em pé sobre ele. Eba! Ali ela ficou como uma dríade envolta na folhagem, olhando para o *Migração Assistida* e seus vários drones com câmeras, exibindo um sorriso corajoso.

— Agora vejam isso, amigos — falou Amelia. — Acho que Frans e eu achamos uma solução para esse problema. Ah, olhem! Ali temos um esquilo! Ou é um esquilo vermelho ou um esquilo cinzento. Eles não são tão fáceis de distinguir como seus nomes sugerem.

Frans continuou descendo o dirigível na direção dela. A corda na qual ela se pendurava ficou frouxa e se perdeu entre a folhagem, até que o veículo tomou conta do céu de Amelia e sua gôndola quase bateu na cabeça dela. A mulher desviou e, depois de uma conversa urgente com Frans, a comporta se abriu lentamente ao lado dela, esmagando as folhas até que ela conseguiu entrar. Depois disso, Amelia soltou o arnês e puxou a corda manualmente, usando força algumas vezes para soltá-la dos galhos abaixo. Quando estava tudo dentro da embarcação, ela disse para Frans fechar a porta e ganhar altitude, enquanto subia as escadas para tomar um chocolate quente.

Seu público gostara daquilo, considerando o *feedback*, embora, como sempre, alguns espectadores reclamassem de ela ter ficado vestida, entre os quais se destacava sua produtora Nicole, que sempre a advertia de que perderia audiência. Amelia ignorou todos eles, Nicole em particular. Continuaram o voo. Por sobre Pine Barrens, depois pela praia verde e vazia de Nova Jersey, que já era uma costa alagada antes mesmo das inundações; depois pelo azul atlântico.

Dessa forma, como ela recordou à sua audiência, tinham percorrido um dos corredores do grande sistema que o continente compartilhava agora com as cidades e fazendas, assim como com as autopistas interestaduais, as ferrovias e as linhas de transmissão de energia. Mundos sobrepostos, uma pilha de camadas, uma megaestrutura acidental, uma paisagem pós-carbono, cada uma das várias redes cumprindo sua função na grande dança, e os corredores de habitat proporcionando um espaço vital para seus irmãos e irmãs horizontais, como Amelia os chamava em seu programa. Todas as criaturas faziam um bom uso dos corredores, que, embora não fossem um lugar totalmente selvagem, pelo menos permitiam uma vida em liberdade, e era fácil se entusiasmar com seu sucesso ao voar sobre eles a cento e cinquenta metros de altura. Críticos de seu programa – e da migração assistida mais genericamente – nunca se cansavam de destacar que ela era apenas mais uma criatura carismática da megafauna, como seus sujeitos de observação favoritos, sobrevoando as atividades essenciais dos líquens, dos fungos, das bactérias e do Escritório de Administração de Terras, assim como o trabalho complexo da fotossíntese e da expropriação, onde as coisas eram sempre muito mais complicadas do que ela se dignava a assinalar. Bem, ela fizera sua parte nesse trabalho também, como qualquer um podia comprovar olhando seu passado; e agora era sua vez de voar.

Frans levou o dirigível bem para dentro do Atlântico, e depois virou à esquerda e voou para norte, na direção de Nova York. Na intersecção entre Nova Jersey e Long Island, o minúsculo ponto cinzento que era a ponte Verrazano Narrows apareceu, e ao norte dali a grande cidade ficou visível rapidamente, com toda sua magnificência inundada, visível como uma colcha de retalhos sob uma leve camada marinha de nuvens brancas. A baía de Nova York era um espaço muito humano, não havia dúvidas, apesar de também estar em uma ecozona, o incrível Ecossistema de Mannahatta. Mas o elemento humano dominava. Assombroso, sublime, até mesmo refrescante depois da monotonia dos bosques ocidentais de madeiras de lei e das planícies altas. Do ponto de vista privilegiado de Amelia, a grande baía parecia uma maquete de si mesma, um caos de minúsculos edifícios e pontes, um conjunto intrincado de formas cinzentas. A baixa Manhattan estava inundada pela água e só ocupava uma pequena porção da baía, mas era tão densamente cravejada de arranha-céus e cercada por docas que o antigo contorno da ilha ainda era fácil de se ver. A alta Manhattan permanecera acima da água e se tornara mais lotada de edifícios do que nunca, incluindo muitos novos superarranha-céus, as coloridas e proporcionais torres ao norte do Central Park que se elevavam bem mais alto no céu do que as do centro e do sul da cidade jamais tinham alcançado. Isso causava o efeito de fazer a baixa Manhattan parecer ainda mais afundada do que estava na realidade.

Amelia descreveu a vista para os espectadores com o assombro comum a todos os guias de turismo de Manhattan.

— Veem como Hoboken cresceu? Isso é que é uma muralha de arranha-céus! É como um espigão das Palisades que nunca tivesse tocado a terra na Idade do Gelo. Uma pena o que aconteceu com as Meadowlands. Era um grande pântano salgado, embora hoje forme uma bela extensão da baía, não é mesmo? O Hudson é realmente uma vala glacial cheia de água do mar. Não só um leito de rio comum. O poderoso Hudson, sim! Este é um dos maiores santuários de vida selvagem da Terra, pessoal. É outro caso de comunidades sobrepostas. — Ela virou a câmera para leste. — Brooklyn e Queens formam uma baía de aparência bem estranha. Para mim, parece algum tipo de recife de coral retangular, exposto pela maré baixa.

Frans levava o *Migração Assistida* por sobre o que restava de Governors Island, então ela disse:

— A pequena parte de Governors Island que ainda está acima da água é a ilha original. A parte subterrânea era um aterro, feito com a terra que tiraram quando escavaram o metrô da avenida Lexington. — Nicole enviou uma mensagem de texto dizendo que era hora de encerrar, então Amelia falou: — Ok, pessoal, foi ótimo estar com vocês. Obrigada a todos por viajar comigo. — A audiência de sua nuvem estivera com bons números, com uma média de trinta e dois milhões de espectadores durante toda a sua viagem, metade deles de procedência internacional. Isso a tornava uma das maiores estrelas da nuvem e rainha absoluta entre os que falavam de natureza. — Espero que voltem a me ver de novo. Por enquanto, aqui estamos sobre o canal da rua Vinte e Três. Nunca sei como chamá-las. As pessoas que vivem na baixa Manhattan não chamam mais nada de rua. Isso mostra que você é de fora da cidade. Mas como eu sou forasteira mesmo, então não importa.

Frans flutuou além dos arranha-céus do centro e virou para leste, na direção da antiga torre Met Life. Ela já conseguia ver a pequena pirâmide dourada no alto do edifício, elevando-se sobre Madison Square. Havia várias edificações altas ao redor da baía, mas aquela torre ainda dominava os arredores.

Amelia ligou para confirmar sua chegada.

— Vlade, estou chegando do oeste. Está pronto para mim?

— Sempre — respondeu Vlade depois de uma pausa curta.

De vez em quando, os ventos podiam ser caprichosos sobre Manhattan, mas hoje ela conseguiu ser amparada por um vento leste de cerca de dez nós. Parecia que havia maré alta na cidade, a água alcançando os grandes canais-avenidas quase até o Central Park; na maré baixa, o nível da água descia até perto do Empire State Building, que agora assomava-se à esquerda dela. Amelia pensara em morar ali porque o mastro para dirigíveis era muito mais alto, mas a antiga torre estava na moda, e embora ela fosse uma das estrelas mais famosas da nuvem, não podia se dar ao luxo de pagar por um apartamento ali. Além disso, gostava mais da torre Met Life.

Frans e o mastro assumiram o controle, as turbinas do dirigível zumbiam, sua gôndola desviou e se inclinou, o assobio do hélio e do ar sendo expelidos se juntou aos vários assobios do vento e do zumbido geral da cidade, um sussurro de milhares de acordes saltando dos prédios, sem contar os motores de barcos, buzinas, o barulho urbano usual. Ah, sim: Nova York! Arranha-céus e tudo mais! Amelia nascera e crescera em Grants Pass, Oregon, e por isso amava Nova York com paixão, mais do que qualquer nativo pudesse sentir. Os autênticos habitantes locais eram como peixes na água, inconscientes e não impressionáveis.

A âncora do *Migração Assistida* se prendeu ao mastro e a nave sacudiu um pouco, e logo o tubo de passagem da torre subiu até ela sob os beirais da cúpula e se prendeu à porta de estibordo de sua gôndola. A comporta interior se abriu e, com um assobio rápido, a pressão do ar se igualou. Amelia pegou sua bolsa e desceu pelas escadas infláveis até o alto do edifício, desceu a escada em caracol e depois pegou o elevador até seu apartamento no quadragésimo andar, com vista para sudeste. Lar, doce lar!

Amelia tinha uma minúscula cozinha em um canto do apartamento, mas, como a maioria dos moradores, fazia suas refeições no refeitório no térreo. Então, depois de um banho, ela desceu para comer. Como sempre, o refeitório e a sala comum estavam lotados, centenas de pessoas nas filas para se servir e amontoadas lado a lado em mesas compridas, conversando e comendo. Aquilo fazia Amelia se lembrar de girinos em uma lagoa. Várias pessoas a cumprimentaram com um aceno, mas não a incomodavam mais do que isso – e era assim que ela gostava.

Vlade estava em sua mesa perto da janela com vista para o *bacino*, sentado com uma mulher que Amelia não conhecia.

Amelia se aproximou, e Vlade as apresentou:

— Quarenta-vinte, esta é vinte-quarenta. Rá. Amelia Black, inspetora Gen Octaviasdottir.

— Prazer em conhecê-la — falou Amelia enquanto apertavam as mãos.

A policial disse que via o programa de Amelia.

— Obrigada — respondeu Amelia. — Obrigada pela audiência. Quando você se mudou para o edifício?

— Há seis anos — falou Gen. — Vim morar com minha mãe quando ela ficou doente. Quando ela morreu, eu fiquei.

— Ah, sinto muito.

Gen deu de ombros.

— Estou descobrindo que isso não é incomum por aqui.

Os cozinheiros tocaram a campainha da última chamada, e Amelia se levantou para ver o que ainda tinha.

— Esta campainha se tornou totalmente pavloviana para mim — comentou ela. — Ela toca, eu fico faminta.

Amelia voltou com um prato de salada e os restos de várias travessas quase vazias. Enquanto comia, Vlade e Gen conversavam sobre pessoas que Amelia não conhecia. Aparentemente alguém tinha desaparecido. Quando terminou de comer, olhou seu tablet de pulso para verificar o correio na nuvem e deu uma gargalhada.

— O que foi? — perguntou Vlade.

— Bem, achei que ficaria aqui por algum tempo — respondeu Amelia. — Mas isso parece bom demais para ser deixado de lado. Fui convidada para ajudar em outra migração.

— Como o que você sempre faz?

— Desta vez são ursos polares.

— Grandioso — observou Gen.

— Para onde pode movê-los? — perguntou Vlade. — Para a Lua?

— É verdade que eles não podem mais ir para o norte. Então querem levá-los para a Antártida.

— Mas eu achei que ela também tinha derretido.

— Não completamente. Eles provavelmente ficarão bem lá, mas não sei. Você não pode simplesmente mudar um predador do topo da cadeia. Eles precisam de algo para comer. Deixe-me perguntar.

Ela digitou em seu tablet para contatar sua produtora, e Nicole atendeu imediatamente.

— Amelia, estava esperando que ligasse! O que acha?

— Acho que é loucura — falou Amelia. — O que eles vão comer lá?

— Focas de Weddell, principalmente. Fizemos as análises, há muita biomassa. Não há tantas orcas quanto costumava ter, então há mais focas. Outro predador dominante poderia contribuir para manter o equilíbrio. Enquanto isso, estamos com apenas uns duzentos ursos polares selvagens em todo o Ártico, e as pessoas estão surtando. Estão prestes a ser extintos.

— Quantos vocês pensam em deslocar?

— Cerca de vinte no início. Se concordar, você levará seis deles. Seus espectadores vão amar.

— Os defensores vão odiar.

— Eu sei, mas planejamos filmar você e lançar na nuvem depois, e manteremos as locações na Antártida em segredo.

— Mesmo assim, vão me perseguir por anos a fio.

— Mas eles já fazem isso, certo?

— É verdade. Tudo bem, vou pensar no assunto.

Amelia terminou a ligação e olhou para Vlade e para a policial. Não podia deixar de sorrir.

— Defensores? — perguntou Vlade.

— Defensores da Terra. Eles não gostam de migrações assistidas.

— As coisas supostamente deviam ficar no lugar e morrerem?

— Acho que sim. Eles querem as espécies nativas nos habitats nativos. É uma boa ideia. Mas… você sabe.

— Extinção.

— Certo. Então, para mim, você salva o que pode e resolve os problemas depois. Mas nem todo mundo concorda. Na verdade, recebo várias mensagens de ódio.

Os outros dois assentiram.

— Ninguém concorda com tudo — falou Vlade, sombrio.

— Ursos polares — comentou a inspetora Gen. — Achei que já estavam extintos.

— Duzentos ursos é praticamente extinção. Parece que logo vão se juntar às espécies que só podem ser vistas nos zoológicos. E se os zoológicos conseguirem mantê-los vivos nas épocas mais frias, será um grande gargalo genético. Mas, vocês sabem… Isso é melhor do que a alternativa.

— Então você vai aceitar?

— Ah, sim. Quero dizer, estamos falando de uma megafauna carismática! Epa!

— Sua especialidade — observou Vlade.

— Bem, eu gosto de tudo. Tudo exceto sanguessugas e mosquitos. Lembra da vez que as sanguessugas me pegaram? Foi nojento. Mas os programas de mais audiência são definitivamente os que mostram os grandes mamíferos.

— E eles são os que estão mais enrascados, certo?

— Certo. Definitivamente. Algo assim. Embora, na verdade… — ela suspirou. — Tudo esteja enrascado.

•

O exterior é o que você precisa atravessar para ir do seu apartamento até um táxi.

disse Fran Lebowitz

•

g) Charlotte

O alarme de Charlotte Armstrong tocou e ela agarrou o tablet de pulso. Hora de ir para casa. Era incrível como o tempo passava rápido quando se precisava de mais dele. Ela passara a tarde tentando resolver o caso de uma família que afirmava ter percorrido a pé a distância entre a Pensilvânia e Nova York, passando por Nova Jersey. Eles contavam sua história ignorando as várias impossibilidades, insistindo que haviam feito sem realmente ser capazes de explicar como tinham evitado os pontos de controle e os pântanos, os bandidos e os lobos – não, não tinham visto nada daquilo, tinham caminhado durante a noite, talvez sobre as águas, até que em um passe de mágica chegaram a Staten Island e foram pegos por um agente de polícia que pediu seus documentos. E não tinham nenhum.

Charlotte sentara com eles no centro de detenção de imigração durante toda aquela tarde. Estavam assustados. Pareciam realmente não ter ideia de como haviam chegado ali, embora isso fosse absurdo; mas as pessoas eram absurdas, então, como saber? Talvez tivessem simplesmente seguido em frente, noite após noite, um passo por vez, como cegos. Mas um deles tinha um tablet de pulso barato, então provavelmente seu curso real poderia ser reconstruído por meio do equipamento, como ela sugerira para eles. O caso não era tão grave, e as autoridades de imigração ainda não tinham recolhido o aparelho. As leis de privacidade lutavam contra as leis de imigração, com a segurança pública sempre pesando mais, de modo que a cautela quase sempre prevalecia. Na verdade, cada caso era um teste. Ela explicara tudo aquilo para eles e eles apenas a encararam. Para que tivessem alguma chance, ela seria sua representante perante o tribunal. Era como funcionava, em geral. Ela já vira isso mil vezes; era seu trabalho. Antes, um trabalho municipal; agora, um tipo híbrido público-privado, uma agência municipal, uma ONG ou algo do gênero, feita para defender os inquilinos, os sem documentos, os sem-teto, os ratos d'água, os despossuídos. Chamar de Sindicato dos Proprietários era, na melhor das hipóteses, uma aspiração.

Bem quando ela estava terminando com eles e guardando as coisas para ir para casa, Tanganyika John, assistente da prefeita, entrou para perguntar se Charlotte poderia acompanhá-la para ajudar a prefeita a lidar com uma questão de grande importância, ainda que tenha sido vaga nos detalhes. Charlotte desconfiou daquilo, como desconfiava de Tanganyika, uma mulher arrogante, esbelta e elegante, cujo trabalho consistia em ajudar a prefeita. Isso significava que era uma das muralhas defensivas que a prefeita erguera ao seu redor com total naturalidade. A prefeita tinha várias pessoas em sua equipe que faziam coisas similares, úteis só para sua reputação, enquanto a cidade sob seus pés arfava e se esforçava para sobreviver. Mas tudo bem! A tradição de uma prefeitura autoritária em Nova York era muito antiga.

Charlotte concordou com o máximo de educação que pôde e seguiu Tanganyika pelo corredor e depois pelo elevador até o palácio administrativo da prefeitura na cobertura do edifício. Ali, três assistentes como Tanganyika pediram a Charlotte para ajudar a prefeita a escrever um comunicado à imprensa explicando por que tinham que impor cotas de imigração para o bem do povo que já vivia na cidade.

Charlotte se recusou imediatamente.

— Vocês estão infringindo uma lei federal, de todo modo — disse ela. — Eles são muito zelosos do direito que têm de estabelecer essas leis. E meu trabalho é representar exatamente as pessoas que vocês estão tentando manter fora.

Ah, não, não de verdade, eles mentiam quando a prefeita em pessoa irrompeu para fazer o mesmo pedido. Galina Estaban, bonita na aparência, suave nas maneiras, arrogante na atitude, estúpida nos atos. Charlotte estava começando a acreditar que a arrogância era uma qualidade não apenas correlata, mas uma manifestação da estupidez, um resultado da estupidez. De todo modo, ali estava Galina, em carne e osso, fazendo o mesmo pedido, como se ao vir dela Charlotte não pudesse recusar, ainda que fossem inimigas havia quase dez anos. Galina parecia pensar que a *amizade entre inimigos* era uma coisa de verdade e não apenas hipocrisia. E já que era hipócrita, talvez aquilo fosse um termo real para ela. Em qualquer caso, Charlotte rapidamente a fez desistir da ideia de que um pedido pessoal tivesse algum peso. Galina respondeu com alguma coisa sobre defender as fronteiras da grande cidade que ambas amavam etc.

— Defender as fronteiras não é possível quando não há fronteiras — comentou Charlotte.

Galina franziu o cenho, e chegou a fazer beicinho. Bem, aquele beicinho lhe conquistara o cargo de prefeita, apesar de toda a resistência. Charlotte a encarou com uma expressão pétrea. Através da tolerância e simpatia forjadas que se seguiram, Charlotte viu um brilho no olhar da outra mulher que indicava que aquela era uma pequena disputa em uma longa batalha, uma contrarresposta que seria adicionada a todo o resto. Foi Galina quem destruiu os serviços de imigração da cidade. Uma combinação público-privada, o pior de ambos os mundos!

— Temos que lidar com esse assunto de algum modo — insistiu Galina, adotando um ar sombrio de repente. — Amontoar muitas pessoas aqui pode causar uma explosão.

— Estamos em Nova York — respondeu Charlotte. — É uma cidade de imigrantes. Não dá para ser seletiva com isso.

— Podemos influenciar os números — falou Galina.

— Só sendo um bandido e infringindo a lei.

— Explicar por que precisamos de cotas não é ser bandido.

Charlotte deu de ombros e se despediu.

— Não perca tempo com isso — sugeriu ao partir.

Enquanto voltava para casa pelas passarelas, Charlotte olhava para os canais lotados sob seus pés. Começara a ir e voltar para casa do trabalho a pé após sua excursão com a inspetora Gen. Agora, a cada dia descobria linhas altas irregulares de sua própria invenção. A High Line original estava submersa e atualmente abrigava uma criação de ostras. Hoje havia passarelas que não passavam de pinguelas logo acima do nível da maré alta até longos passeios nos quadragésimos e quinquagésimos andares. Quase todas eram feitas de tubos de plástico transparente, reforçadas por misturas de compósitos de grafeno, e o resultado era uma estrutura tão leve e forte que podia se estender por quatro ou cinco quarteirões. Antes de sua caminhada com a inspetora Gen, ela quase sempre pegava o vaporetto número quatro para trabalhar e para voltar para casa, mas os canais podiam ser tão lotados que, com frequência, os pedestres que caminhavam nas passarelas pareciam avançar mais rápido do que ela. Além disso, caminhar seria melhor para sua saúde, pelo menos se seus pés pudessem aguentar. Era necessário ficar em forma para fazer o trajeto de ida e volta diariamente; ela não tinha certeza se ia funcionar, mas a simples tentativa bastou para fazer que prestasse mais atenção em si mesma de muitas maneiras. Deixe a sobremesa de lado e você não terá que carregá-la para casa quando sair do trabalho, e sofrerá menos! A dor como incentivo para a ação; ah, sim, certamente não era a primeira vez que isso acontecia.

Ela chegou em casa bem a tempo de se trocar e comer alguma coisa no refeitório antes da reunião semanal do conselho de administração. Esse conselho era quase a mesma coisa que seu trabalho. Da cidade ao edifício: a diferença na escala trazia problemas diferentes, mas não tão diferentes. Bem, ela tinha se voluntariado para o conselho em uma época em que estavam sendo processados e precisavam de ajuda. E mesmo que aquilo lembrasse seu trabalho cotidiano, era interessante. Assim como seu trabalho, na maioria das vezes. Ela só precisava de um pouco de açúcar no sangue, e tudo ficaria bem.

Na verdade, seria um pouco difícil conseguir isso, já que as bandejas de comida já estavam quase vazias quando chegou. Charlotte teve que raspar os cantos das bandejas e o fundo das tigelas – bem que podia ter enfiado a cara na travessa de salada e lambido como um cão, como aqueles dois meninos à sua frente na fila estavam fazendo. Maldição, eles estavam lambendo as tigelas! O melhor era chegar no horário para o jantar, como todo mundo sabia; uma longa fila se formava meia hora antes da abertura. Os moradores estavam sempre presentes e contabilizados para as coisas importantes, o que significava que ninguém estaria na reunião do conselho executivo. Eles realmente deveriam tentar reduzir a população à capacidade máxima; ela cometera erros a esse respeito. A tendência para acolher as pessoas era um hábito profissional, mas um erro quando realizada fora de contexto. Bocas demais para alimentar, refeitório lotado, muito barulho, pessoas sentadas no chão, recostadas nas paredes, com bandejas no colo e copos no chão ao seu lado. Ela também teve que fazer isso, abaixando-se desajeitada, cansada, sabendo que seria difícil se levantar depois. Um motivo pelo qual usava calça à noite.

Depois seguiu para o trigésimo andar, onde mantinham uma sala da qual administravam o edifício. Ela estava só um pouco atrasada, o que não teria importância se não fosse a presidente de novo. Os outros estavam sentados ao redor da mesa, conversando sobre os dois homens desaparecidos. Ela se sentou, e todos olharam para ela.

— O que foi? — perguntou ela.

— Estávamos pensando que não devíamos deixar mais ninguém morar nos andares da fazenda — falou Dana.

Os outros a olhavam como se ela fosse protestar, provavelmente porque Charlotte argumentara a favor de deixar os dois homens morarem ali.

— Por quê? — perguntou ela, em grande parte para fazer jus às expectativas deles.

— A fazenda não tem a mesma segurança que um aposento normal, como pudemos ver — respondeu Mariolino. Ele era o secretário do conselho naquele ano.

Charlotte deu de ombros.

— Não tenho problemas em proibir o acesso à fazenda. Foi só uma medida provisória.

Os outros ficaram aliviados em ouvi-la dizer aquilo. Havia cinco deles ali, agora que Alexandra chegara, e eles repassaram os itens listados na ordem do dia. Reclamações sobre barulho, prioridades na casa de barcos, solicitação de um elevador de cargas maior (Vlade revirou os olhos ao ouvir isso, mencionando o tamanho do fosso do elevador e se perguntando se um elevador mais alto satisfaria o reclamante), disputas relacionadas com a fórmula de crédito dívidas/trabalho quando aplicada a alguém que achava que a limpeza do corredor de seu andar era trabalho e merecia um crédito por isso. Relacionamento com a Sambam, a Sociedade de Ajuda Mútua da Baixa Manhattan – muitas vezes chamada Samba, de acordo com o humor de cada um –, que era a maior das muitas associações e cooperativas que existiam no centro, uma espécie de guarda-chuva para todo o restante das organizações das zonas alagadas. O câmbio entre o dólar e o *blocknecklace* da Sambam era tão divergente entre a taxa oficial e a não oficial que a Sambam propusera que eliminassem a taxa oficial e simplesmente a deixassem flutuar. Tinham que tentar manter a moeda líquida o mais forte possível se quisessem ter o mínimo de êxito. E precisam disso. Então: política monetária, só outro assunto do edifício.

E assim seguia a reunião, enquanto administravam sua pequena cidade-estado. O apartamento 428 estava vazio por conta da morte de Margaret Baker, sem herdeiros que quisessem se mudar para lá, pois viviam em Denver e queriam vender o imóvel. O contrato de Marge com a cooperativa era sólido como rocha, Charlotte sabia disso porque a ajudara a escrevê-lo, e então a família em Denver teria que vender para a cooperativa por cem por cento do valor que Marge pagara ao comprá-lo. Muito justo. A cooperativa tinha um fundo de reserva dedicado a reaquisições, de modo que não parecia haver nenhum problema.

Mas então Dana falou:

— Se comprarmos deles e depois alugarmos para pessoas que não são membros da cooperativa, podemos recuperar o dinheiro em cerca de dez meses e, a partir daí, ir gerando valor.

— Dez meses? — perguntou Charlotte.

Alexandra e os demais assentiram. Os aluguéis na baixa Manhattan estavam disparando. As pessoas gostavam da Super-Veneza, e isso fazia o preço da moradia subir. Arejamento da zona entremarés, era como disseram que isso chamava.

— Arejamento... — repetiu Charlotte com o mesmo tom de voz que Vlade usaria para dizer "mofo". — Eles não querem simplesmente dizer inflação ou especulação? Achei que o Segundo Pulso tinha nos livrado de tudo isso.

Não para sempre, disseram para ela. A vida no canal parecia excitante. Os aborrecimentos da vida cotidiana não eram evidentes para os turistas, ou para pessoas tão ricas que podiam comprar um jeito de ficar de fora das dificuldades.

— Uma das pessoas ricas que deseja comprar é Amelia Black — mencionou Vlade. — Ela tem uma unidade e uma área de estacionamento no mastro de dirigíveis. Disse que seria um pouco sacrificado para ela, o que me surpreendeu, mas que queria um lugar em Nova York, e que gosta daqui.

— Ela trabalharia para a cooperativa? — perguntou Charlotte, sem disfarçar o ceticismo. — Ela não fica fora muito tempo?

— Ela disse que trabalharia para a cooperativa. Tenho certeza de que participaria, ela é esse tipo de pessoa.

— Mas ela não fica muito tempo fora?

— Claro, é o trabalho dela. Mas se tivermos um membro que trabalha para a cooperativa quando está aqui, estar fora não é a pior coisa, do meu ponto de vista. Menos estresse no edifício, menos uso de água, eletricidade, esgoto. Mais comida que sobra para os demais.

Charlotte assentiu. Vlade era a consciência do edifício, e ela valorizava isso.

— A associação de membros pode tratar disso com ela — disse Charlotte.

— Os membros já nos mandaram uma recomendação positiva.

— Ok, então. Vamos deixar que ela compre, se eles aprovam.

— Eu falarei com ela — ofereceu-se Vlade.

— Onde ela está agora?

— No Ártico. Vai levar alguns ursos polares para o Polo Sul.

— Sério?

— Foi o que ela me disse.

— Eu não sabia disso. Ela me parece encrenca. Mas o comitê da associação de membros já se pronunciou.

Passaram para outros assuntos, percorrendo a ordem do dia o mais rápido que podiam. Todos estavam no conselho tempo suficiente para não querer prolongar uma reunião. Vlade queria que os sistemas de proteção catódica fossem substituídos em cada viga de aço do edifício, também um novo processador de esgotos para capturar e processar melhor a merda deles e transformá-la em fertilizante para a terra usada na fazenda, além de ter mais peso no conselho de aquicultura do *bacino*. Ele também queria um *upgrade* na conexão elétrica do edifício com a subestação local de energia. A tinta fotovoltaica do prédio gerava a maior parte da eletricidade de que precisavam, mas havia muito vaivém de eletricidade entre eles e a subestação, e um *upgrade* ajudaria bastante. Esses eram os itens principais na lista de desejos dele, Vlade concluiu.

O item final da ordem do dia fora acrescentado por Dana no último minuto: havia uma oferta para comprar o edifício.

— O quê? — perguntou Charlotte, surpresa. — De quem?

— Não sabemos. Chegou até nós por meio da Morningside Realty, e eles preferem manter o anonimato.

— Mas por quê? — exclamou Charlotte.

— Não sabemos. — Dana olhou suas anotações. — Emmerich acha que é uma companhia do complexo Cloister, mas pode ser só porque a Morningside tem escritórios lá em cima. Eles estão oferecendo cerca de duas vezes o que recebemos de oferta na última vez. Quatro bilhões de dólares. Se aceitarmos, ficaremos todos ricos.

— Foda-se isso — falou Charlotte.

Silêncio na sala.

— Provavelmente teremos que levar o tema a voto — disse Mariolino.

Vlade fez cara feia.

— Precisa mesmo?

— Vamos pesquisar primeiro — sugeriu Charlotte.

Eles se levantaram e se reuniram perto da janela por alguns instantes, pensando sobre o assunto. Café para alguns, vinho para outros. Charlotte escolheu um café irlandês forte, querendo ao mesmo tempo estímulo e sedação. Não funcionou: de fato, o tiro saiu pela culatra, deixando-a nervosa e confusa. Não tinha nada de café irlandês ali, devia ser café inglês.

— Vou para a cama — falou ela, mal-humorada.

Quando chegou ao seu quarto – que na verdade era apenas uma cama e uma escrivaninha em um dos dormitórios, separadas do resto de seus companheiros por cortinas –, ela encontrou uma mensagem de Gen Octaviasdottir em sua tela. Ligou e a própria Gen atendeu.

— Oi, aqui é Charlotte. O que foi?

— Estou retornando sobre aquelas pessoas desaparecidas no prédio.

— Descobriu alguma coisa?

— Não muito, mas há algumas coisas que posso contar.

— Tomamos café da manhã juntas amanhã?

— Claro.

Talvez fosse um erro colocar mais alguma coisa em sua agenda e em sua mente logo antes de dormir, ainda mais com um café irlandês no corpo. Era bem possível que seu cérebro começasse a dar voltas e mais voltas ao redor desses assuntos, causando mais uma noite cansativa de quase insônia, com ela adormecendo e acordando até que a luz do amanhecer a aliviasse da pretensão de dormir. Mas o caso é que ela caiu dura na cama e dormiu bem.

•

Amo todos os homens que mergulham.

disse Herman Melville

•

h) Stefan e Roberto

O sol se ergueu sobre um teto alto de nuvens peroladas. Outono em Nova York. Os dois garotos pegaram um pequeno barco inflável debaixo do píer do edifício Norte da Met. O peso do motor com baterias afundava a popa, e o mais alto dos meninos se sentou na proa para compensar. O mais baixo ficou atrás para manejar o timão e o motor pelos canais da cidade. Para leste, na direção do brilho do sol sobre a água. A maré crescente estava quase no máximo, o ar salobro da manhã tinha o odor das algas flutuantes. Passaram pelo grande criador de ostras da Marina Skyline e saíram no East River. Depois se aproximaram da margem e seguiram para norte, ficando fora das rotas de tráfego demarcadas por boias nas águas. Lá pelas nove, já tinham passado Turtle Bay, subido a Dezenove e já estavam prontos para cruzar o East River. Stefan olhou rio acima e rio abaixo; nada grande vinha de nenhum dos dois sentidos. Roberto acelerou o barco, e a hélice sob a popa ergueu Stefan alguns centímetros enquanto avançavam pelo rio.

— Eu gostaria que tivéssemos uma lancha. Seria tão legal.
— Enquanto isso, diminua um pouco, estou vendo o nosso sino.
— Excelente.

Roberto diminuiu a velocidade enquanto Stefan colocava uma luva de borracha comprida. Inclinando-se sobre o barco, ele enfiou a mão na água e agarrou uma corda de nylon presa a uma boia submersa que estava ancorada nas profundezas do que antes fora o extremo sul de Ward Island. Puxou com força. O outro extremo estava preso a uma argola na ponta de um grande cone de plástico transparente com um aro de ferro na borda, que o mantinha apontado para baixo. Quando o cone estava quase na superfície, ambos o puxaram para a proa. Ficaram sentados nas laterais abauladas do bote, espiando dentro do sino para ver se alguma coisa mudara. Tudo parecia bem, e Roberto se arrastou por baixo da beirada do sino para prender seus novos equipamentos nas tiras de velcro do lado de dentro.

— Parece bem — falou ele enquanto saía. — Vamos levá-lo até o lugar que o sr. Hexter disse.

Seguiram pelas margens ocidentais de Hell Gate e depois pelas águas rasas do sul do Bronx. Após vagarem um pouco por ali, à deriva, Stefan consultou o GPS em seu tablet de pulso de segunda mão e anunciou que estavam bem no ponto desejado.

— Eba! — exclamou Roberto, e jogou uma das boias submersas improvisadas na água: dois blocos de concreto amarrados a uma corda de nylon roubada, a outra ponta da corda presa à boia de modo a deixá-la sob a superfície mesmo na maré baixa. Um "X" marcava o lugar. Eles amarraram a bolina do barco na corda que subia da boia e se sentaram, esperançosos. A maré logo começaria a baixar, mas por enquanto o rio estava calmo. Hora de começar o trabalho.

Roberto era o mergulhador, porque o traje de mergulho era pequeno demais para Stefan. Todo o equipamento deles fora obtido em circunstâncias variadas e ambíguas, então não podiam ser muito exigentes com nada. Quando Roberto estava vestido, com luvas e máscara, eles levantaram o cone por um lado, com a extremidade aberta para baixo, e colocaram-no na água da forma mais horizontal possível, para que, enquanto afundasse nas águas turbulentas bem devagar, pudessem ver se havia uma boa quantidade de ar presa lá dentro. O cone era apenas um pouco mais pesado do que o ar preso dentro dele, assim agora era um sino de mergulho.

Roberto agarrou a extremidade da mangueira de ar com uma mão e a lanterna com a outra. Inspirando profundamente, escorregou pela lateral do barco rumo à água. Mergulhou até conseguir passar por baixo da beira do sino, então emergiu na bolha de ar presa lá dentro. Stefan mal conseguia distingui-lo. Logo na sequência, Roberto saiu de dentro do sino e voltou à superfície.

— Tudo certo? — inquiriu Stefan.

— Tudo certo. Vá em frente e me deixe descer.

— Ok. Vou puxar a mangueira de ar três vezes quando o oxigênio estiver acabando. Então você precisa subir. Se não subir, vou puxar o sino.

— Eu sei.

Roberto mergulhou para baixo do sino de novo. Stefan foi soltando a corda de nylon devagar, permitindo que o sino afundasse gentilmente no rio, com Roberto dentro. Eles só tinham tentado fazer isso algumas vezes, e ainda parecia um pouco estranho. Assim que a corda se soltou, Stefan soube que o sino estava no fundo, provavelmente perto ou mesmo sobre os blocos de concreto que marcavam o lugar. O GPS do tablet de pulso deles mostrava que o barco ainda estava no lugar certo. Ele ajustou o controle do tanque de oxigênio para fluxo lento, um litro por minuto. Logo o ar encheria o sino, e ele veria bolhas saindo pela superfície ao redor do barco. O cilindro de oxigênio tinha sido tirado de uma vizinha do sr. Hexter, uma velhota que precisava respirar com ajuda de um desses o tempo todo, então tinha vários ao redor da sala. Stefan prendera dois conjuntos de mangueiras de ar, formando uma extensão total de nove metros. Roberto estava a cinco metros da superfície. Tudo estava sob controle.

Stefan não conseguia ver muito de Roberto, e mesmo o sino era apenas uma espécie de brilho na água escura, iluminado pela lanterna do amigo. Mas agora Roberto estava em pé sobre uma antiga superfície de asfalto do que antes fora um estacionamento, bem atrás da antiga margem do rio na extremidade sul do Bronx. Com a ajuda da lanterna, ele conseguia ver bem embaixo o sino.

Stefan puxou a mangueira de oxigênio uma vez. *Tudo bem?*

Um puxão veio como resposta. *Tudo bem.*

Lá embaixo, Roberto instalaria seu detector de metais, depois de tirá-lo da parede interna do sino. O detector era um Golfier Maximus, procedente dos bens pessoais de outro vizinho do sr. Hexter, um mergulhador do canal que morrera havia pouco tempo e aparentemente não tinha família. Roberto usaria o detector para analisar o antigo asfalto submerso e ver se detectava algo sob o ponto indicado pelo sr. Hexter.

E, de fato, embaixo do sino de mergulho, Roberto ligou o detector, ajustou-o para "ouro" e deu um salto quando o aparelho começou a apitar no mesmo instante – sua cabeça bateu na lateral do sino, e ele soltou um grito inútil para Stefan. Pegou a ponta da mangueira de ar e exclamou:

— Encontramos! Encontramos! Encontramos! — Seu coração batia descontrolado.

Ele moveu o detector pelo perímetro do sino. Os apitos eram mais rápidos perto de uma das extremidades, que ele identificou vagamente como norte. Os bipes ficavam mais rápidos, mais do que aumentavam de volume, quando o detector era levado para perto do alvo de metal; e já soavam bem alto desde o princípio. O batimento cardíaco de Roberto aumentava no mesmo ritmo dos bipes, e ele começou a hiperventilar um pouco, murmurando:

— Ah, meu Deus, ah, meu Deus, ah, meu Deus.

Pegou uma lata de tinta spray vermelha que tinham prendido com velcro no interior do sino e marcou o asfalto molhado sob seus pés, observando a tinta borbulhar e se espalhar pelo antigo asfalto irregular. Podia não aderir muito bem, mas era o bastante. Um pouco da tinta ainda estaria lá mais tarde.

O tempo passava devagar para Stefan no barco. A brisa leve estava ficando um pouco gelada. Uma das grandes coisas sobre essa caçada era que o lugar que estavam investigando fora um estacionamento construído sobre uma área aterrada, o que significava que, por séculos, as pessoas nunca pensaram em procurar um navio afundado ali, e, se por acaso isso tivesse ocorrido a alguém, não teria sido fácil encontrá-lo. Foi só quando o Segundo Pulso devolveu à área o seu estado natural – se é que essa era a maneira correta de dizer – que foi possível ir atrás de um naufrágio ali. Caso algo fosse encontrado, poderia ser mantido em segredo sob a água durante todo o tempo, para que ninguém metesse o nariz onde não era chamado. A arqueologia marinha era bacana de ser feita por isso. E por isso era possível localizar finalmente um dos maiores tesouros afundados de todos os tempos.

Mas, por enquanto, parecia a Stefan que Roberto estava submerso havia muito tempo. O pequeno indicador do tanque de oxigênio mostrava que já estava quase vazio. Stefan puxou a mangueira de oxigênio três vezes.

Lá embaixo, Roberto viu aquilo, mas ignorou. Colocou o pé gelado sobre a mangueira para que não saísse por baixo do sino. Então puxou uma vez: *tudo bem.*

Stefan puxou novamente três vezes, com mais força do que antes. Bateria fraca, nível do oxigênio baixo, e a maré estava descendo, então ele tinha que começar a levar o bote contra a batida da água, compensando a tensão da corda do sino com a da boia e da mangueira de oxigênio. Nenhum deles podia ficar tenso demais, sobretudo a mangueira.

Ele puxou três vezes de novo, com mais força ainda. Roberto podia ser difícil de convencer mesmo quando se estava falando com ele.

— Maldição! Vou puxar você — anunciou Stefan em voz alta para o sino. Gritou, na verdade. Eles tinham um carretel preso ao assento de madeira do bote, e agora ele enrolou a corda do sino e começou a girar a manivela com força para subir o artefato – e consequentemente Roberto – do fundo.

Lá embaixo, Roberto correu para prender a lata de tinta e o detector de metais no interior do sino, antes que ele se erguesse sobre sua cabeça. A água já entrava pelo fundo e o alcançava até os joelhos. Era hora de respirar fundo, sair de debaixo do sino e nadar até a superfície, mas as ferramentas tinham que ficar em segurança antes.

Stefan continuou a girar a manivela, sabendo que era o único jeito de fazer Roberto voltar à superfície. Quando o outro colocasse a cabeça para fora da água, começaria a xingar selvagemente assim que recuperasse o fôlego, embora sua voz fosse aguda demais para tornar os xingamentos muito ofensivos. Em pouco tempo, Stefan conseguiu ver o alto do sino, e logo depois Roberto irrompeu na superfície da água, inspirando sôfrego, e então começou não a xingar, mas a gritar triunfante:

— Sim! Sim! — Seguido por: — Eu encontrei! Nós encontramos! O detector! Deu certo! Nós achamos!

E então uma tosse violenta surgiu quando ele engoliu um pouco de água do rio.

— Ah, meu Deus! — Rapidamente Stefan o ajudou a entrar no bote, e então ergueu o sino enquanto Roberto começava a tirar o traje de mergulho. — É sério? Encontrou ouro?

— Definitivamente sim. E foi bem rápido, bem rápido. Eu gritei pela mangueira de ar para contar a você, não escutou?

— Não. Não acho que mangueiras de ar transmitam vozes em distâncias muito longas.

Roberto gargalhou.

— Eu estava berrando. Foi incrível. Marquei o lugar com a tinta, não sei se vai funcionar, mas também temos a boia e o GPS. O sr. Hexter vai pirar.

Livre do traje de mergulho, parado ao vento apenas com o short molhado, ele fechou os olhos e Stefan o pulverizou com uma garrafa de água misturada com água sanitária. Então Roberto secou o rosto. A água do porto era nojenta e poderia causar uma alergia, ou coisa pior. Depois de seco e vestido, Roberto ajudou Stefan a puxar o sino de mergulho para a proa. Então desamarraram o barco da boia submersa e ligaram o motor para seguir pela jusante, conversando o tempo todo.

— Vamos ficar sem bateria — comentou Stefan. Com sorte, a vazante os ajudaria a descer o rio. — Espero que não boiemos para além do Narrows.

— Tanto faz — respondeu Roberto. Ainda que boiar para fora do Narrows não seja bom. A bateria deles era uma porcaria, se bem que melhor do que a anterior. Roberto olhou pelo East River para checar o tráfego: lotado, como sempre. Se fossem pegos à deriva em uma faixa de tráfego, podiam ser presos e ter o barco apreendido. A polícia marítima e outras autoridades podiam descobrir que não havia adultos responsáveis por eles, nenhum documento, nada. As várias pessoas em Madison Square com quem se associaram não estavam completamente cientes da situação deles, pelo menos não de maneira formal, e podiam não gostar de ter que ajudar se Stefan e Roberto os nomeassem como parte responsável. Não, tinham que evitar ser detidos.

— Se conseguirmos remar até a cidade, podemos achar uma tomada e recarregar.

— Talvez.

— E, ei, nós achamos!

Stefan assentiu. Encontrou os olhos de Roberto e sorriu. Eles comemoraram e bateram as mãos. Remaram até a primeira boia submersa e amarraram a corda do sino de mergulho, deixando o dispositivo de lado, sem qualquer ar dentro dele. O sino esperaria sob a água até a próxima visita deles.

Então seguiram para o sul até onde Hell Gate se tornava East River. Stefan localizou uma abertura no tráfego do rio, acionou o motor e cruzou as linhas de tráfego o mais rápido que pôde, consumindo a maior parte da carga da bateria. Nenhum drone da polícia parecia voar sobre eles. O amontoado de arranha-céus de Washington Heights tinha um milhão de janelas voltadas para eles, mas ninguém estaria olhando. Câmeras de vigilância de vários tipos teriam gravado enquanto eles cruzavam o rio, mas não seriam diferentes de nenhuma outra embarcação na água. Não, o principal problema agora era simplesmente chegar em casa com uma maré muito baixa.

— Então, nós achamos — repetiu Stefan. — O HMS *Hussar*. Incrível.
— Totalmente incrível, caralho!
— A que profundidade você acha que está sob o asfalto?
— Não sei, mas o bipe soava loucamente.
— Ainda assim, deve ter alguma distância.
— Sim, eu sei. Vamos precisar de uma picareta e uma pá, com certeza. Podemos nos revezar em turnos para cavar. Pode estar a nove metros, talvez mais.
— Nove metros é bastante coisa.
— Eu sei, mas vamos conseguir. Só temos que continuar cavando.
— Isso é verdade.

Então o motor deles perdeu força. Imediatamente, pegaram os remos e começaram a remar, trabalhando juntos para manter o barco na direção das águas rasas do leste de Manhattan. Mas a maré baixa se intensificava e os arrastava pelo East River, que, como todos diziam, não era realmente um rio, mas uma corrida de marés que conectava duas baías. E agora estava mais acelerada do que nunca. Os garotos já se aproximavam da ponte Queensboro. O East River era um lugar desagradável quando a maré baixava com força – uma corredeira rápida e vigorosa de águas turvas, muito difícil de controlar com os remos.

Eles se deixaram levar, o barco avançando aos saltos. Depois de tudo aquilo, a correnteza seguia na direção da cidade.

— Ei, há uma espécie de recife de telhados se aproximando. Vamos ver se conseguimos nos segurar lá com os remos e descansar um pouco.

Eles tentaram prender os remos no alto de algumas construções alagadas, mas a maré corria com tanta força que só conseguiram roçar de leve. Isso os lançou de lado na correnteza, e lutaram para impedir o barco de virar. Não era fácil. E a correnteza ficava cada vez mais forte.

Isso já ocorrera antes com eles, quando tinham oito ou nove anos, em uma das primeiras aventuras na água. Um trauma, na verdade, bem lembrado. Agora remavam desesperadamente, coordenando os movimentos o melhor que podiam. Roberto era um pouco mais rápido em condições como essa.

— Juntos — recordou-o Stefan.
— Mais rápido!
— Melhore o ritmo.

Nada funcionava. Eles começaram a rodopiar como um *coracle* conforme a correnteza ficava mais forte. Por um instante, pareceu que seria possível entrar em um dos últimos canais antes do final de Manhattan, mas a correnteza era forte demais: não conseguiram.

Agora era questão de esperar que pudessem encalhar em Governors Island e aguardar a maré. Havia um aterro ali que gostavam de revirar de tempos em tempos, mas ficar lá por causa da maré era uma perspectiva um pouco sombria, já que poderiam acabar congelados e mortos de fome. Na verdade, não havia garantia sequer de que conseguiriam fazer isso. Mais uma vez, remaram com força, tentando alcançar a ilha.

Então, embora estivessem longe das linhas de tráfego, um pequeno aerobarco veio voando bem na direção deles. Não desviou, não diminuiu a velocidade, estava prestes a atropelá-los. Era possível que estivesse fora da água o suficiente para passar por cima deles, mas os fólios estendidos como lâminas eram perfeitamente capazes de cortá-los ao meio, não só o barco, como os seus corpos.

— Ei! — gritaram, remando com mais força do que nunca.

Não estava dando certo. Não conseguiriam sair do caminho, e até parecia que o aerobarco estava ajustando o curso para interceptá-los e passar sobre eles. Stefan ficou em pé e ergueu o remo bem alto no ar, gritando.

Quando estava prestes a atingi-los, o aerobarco virou abruptamente para o lado e os fólios bateram na água, provocando um jorro que encharcou os dois meninos e inundou o barco.

Mesmo com o interior quase totalmente inundado, os tubos de borracha das laterais do barco eram tão grandes que a embarcação não afundaria, mas agora estavam meio submersos, e seria quase impossível remar. Teriam que ser rebocados para chegar a algum lugar.

— Ei! — gritou Roberto, furioso. — Você quase nos matou!

— Você nos encheu de água — gritou Stefan também, apontando para o barco. Os dois garotos estavam em pé, com água até o joelho, ensopados e ficando congelados com muita rapidez. — Nos ajude!

— Que diabos estão fazendo aqui? — falou o piloto do aerobarco com rispidez. Possivelmente estava zangado pelo susto que levou.

— Ficamos sem bateria! — contou Roberto. — Estávamos remando. Não estávamos em nenhuma faixa de navegação. O que *você* está fazendo aqui?

O homem deu de ombros, viu que o barco dos garotos não ia afundar e sentou-se como se estivesse prestes a acelerar novamente.

— Ei, reboque nosso barco! — gritou Roberto, furioso.

O homem agia como se não os escutasse.

— Ei, você não vive na torre Met, em Madison Square? — gritou Stefan de repente.

Então o homem olhou para eles. Era claro que estava prestes a deixá-los sozinhos, mas agora não podia mais, já que eles poderiam denunciá-lo. Como se os garotos não pudessem simplesmente memorizar o número do barco, que estava marcado bem ali sobre eles, A6492. O homem soltou um profundo suspiro e procurou algo dentro de sua cabine. Depois de um tempo, jogou a ponta de uma corda para eles.

— Vamos lá. Amarrem isso no cunho de proa. Vou rebocá-los para casa.

— Obrigado, senhor — falou Roberto. — Já que quase nos matou, isso nos deixa quites.

— Dê um tempo, garoto. Vocês nem deviam estar aqui. Aposto que seus pais não sabem que estão aqui.

— É por isso que estamos quites — respondeu Roberto. — Você quase nos atropelou e nos fez ficar congelados, mas como vai nos rebocar, não diremos à polícia que estava correndo no porto, sr. A6492.

— Trato feito — concordou o homem. — Bom para os dois lados.

PARTE DOIS

Excesso de confiança do especialista

Eficiência, s. Velocidade e facilidade com as quais o dinheiro se move do pobre para o rico.

Em geral, a transferência de risco do setor bancário para os setores não bancários, incluindo o setor imobiliário, parece ter aumentado a resiliência e a estabilidade do sistema financeiro – em especial pela dispersão ampla dos riscos financeiros, incluindo os do setor imobiliário. Em caso de fracasso amplo do setor imobiliário em gerenciar riscos de investimentos complexos, ou se tal setor sofrer perdas importantes devido à deterioração contínua dos mercados, poderia haver uma reação política exigindo apoio do governo como um "segurador de última instância". Também poderia haver uma exigência de regulação da indústria financeira. Dessa forma, os riscos legais e de reputação relacionados à indústria de serviços financeiros aumentaria.

Fundo Monetário Internacional, 2002
Sem noção? Clarividente? Ambos?

a) Franklin

E não é que eu quase matei aqueles dois pirralhos que estavam perdidos por aí em um bote de borracha pelo East River, bem ao sul do Battery? Deviam ter entre oito e doze anos, difícil dizer porque tinham aquela aparência raquítica das crianças malnutridas na primeira infância, como aquelas tribos que os holandeses achavam ser de pigmeus até que foram alimentados de forma adequada na infância e acabaram tão altos quanto eles. Aquelas crianças não foram incluídas no experimento. Mal conseguiam alcançar a água com os remos, e o refluxo da maré estava mais forte do que nunca. Estavam basicamente flutuando até o mar. Então tiveram sorte que quase passei por cima deles, por maior que tenha sido o susto. Há um ponto cego estreito bem na minha frente quando acelero o zumbidor, mas só se estende a cinquenta metros mais ou menos, então não sei como não consegui vê-los. Acho que estava distraído, como acontece com frequência. No fim, não houve dano, ou só um pouco, e tive que rebocá-los até a cidade porque eles sabiam onde eu vivia. Infelizmente, eram moradores do meu bairro, um pouco cautelosos em dizer com precisão onde viviam, mas pareciam conhecer o síndico do meu prédio. Então eu os trouxe de volta, e rebati as críticas contínuas do mais baixo e mais moreno dos dois, informando que eu os salvara da morte no mar e contaria tudo para seus responsáveis se não ficassem quietos. Isso me deu um pouco de paz, e voltamos a Madison Square com um pequeno pacto de danos mútuos, com os dois lados partindo sem reclamar.

No entanto, tudo isso aconteceu na mesma sexta-feira em que eu devia pegar Jojo Bernal no Píer Cinquenta e Sete, então eu tinha que subir até meu quarto e rapidamente tomar banho, fazer a barba e trocar de roupa. Amarrei o zumbidor na doca do edifício Norte da Met, paguei os moleques para cuidar do veículo para mim, corri até os elevadores e depois para meu apartamento, troquei de roupa, tentando usar algo descontraído, mas elegante, desci e saí na direção oeste, trocando ofensas finais com o menor dos dois picaretas.

Jojo estava de pé no píer, olhando para o Hudson, em meio a uma multidão de pessoas lendo seus tablets de pulso. Mais uma vez, seu cabelo brilhava ao entardecer; a postura régia, relaxada, atlética. Meu coração deu um pulo, e eu tentei me aproximar da doca com uma pitada extra de graça, embora, verdade seja dita, a água é um meio tão indulgente que é necessário algo mais desafiador do que aproximar-se de uma doca para exibir algum estilo de pilotagem. Mesmo assim, fiz uma bela aproximação e o contato com a doca também foi bom. Ela subiu a bordo da melhor maneira possível, a saia curta mostrando as coxas e revelando quadris que pareciam pedras lapidadas pelo rio, além de uma concavidade entre os quadris e as nádegas que testemunhava muito exercício nas pernas.

— Oi — falou ela.

— Oi — consegui responder. E então: — Bem-vinda ao zumbidor.

Ela deu uma risada.

— Esse é o nome do barco?

— Não. O nome que tinha quando eu o comprei era *Aranha d'água*. Então eu o chamo de zumbidor. Entre outros nomes.

Eu nos levei pelo rio, em direção ao sul. Os últimos raios de sol atingiam o rosto dela, e eu vi que seus olhos de fato eram uma combinação de vários tons de castanho, mogno e teca, e um castanho-escuro quase negro, todos espalhados, remexidos e borrados ao redor das pupilas. Falei:

— Quando eu era criança, tínhamos um gato que nossa família chamava apenas de "o gato", e parece que isso se tornou um hábito. Gosto de apelidos e afins.

— E afins, realmente. Então você chama o barco de zumbidor e do que mais?

— Ah, bem. Rasante, inseto, insetinho, bichinho... Coisas assim.

— Diminutivos.

— Sim, gosto disso. Como o zumbidor pode ser zumbidinho. Ou como Joanna pode ser Jojo.

Ela enrugou o nariz.

— Foi minha irmã quem fez isso. Ela coloca apelidos em tudo que gosta.

— Você prefere Joanna?

— Não, tanto faz. Meus amigos me chamam de Jojo, mas as pessoas no trabalho me chamam de Joanna, e eu gosto disso. É um jeito de dizer que sou uma profissional, ou algo assim.

— Entendo.

— E quanto a você? Ninguém diminui Franklin para Frank? Acho que seria natural.

— Não.

— Não? Por que não?

— Suponho que já existam Franks suficientes. E minha mãe era muito insistente quanto a isso também. Me impressionou. E eu gostava de Ben Franklin.

— Um centavo economizado é um centavo ganho.

Eu tive que rir.

— Não é a frase de Franklin que mais cito. Não é um dos meus princípios.

— Não somos altamente alavancados?

— Não mais do que qualquer um. De fato, preciso encontrar alguns investimentos novos, estou meio parado. — Mas isso soou um pouco pretencioso, então acrescentei: — Não que isso não possa mudar em um minuto, claro.

— Então você é alavancado.

— Bem, todo mundo é alavancado, certo? Mais empréstimos do que ativos?

— Se você estiver fazendo direito — respondeu ela, parecendo pensativa.

— Então você também poderia assumir alguns riscos? — sugeri, perguntando-me no que ela estava pensando.

— Ou pelo menos algumas opções — falou ela, e então sacudiu a cabeça como se quisesse mudar de assunto.

— Vamos zumbir um pouco? — perguntei. — Quando nos livrarmos do trânsito?

— Eu adoraria. Parece mágica quando você vê um desses sair da água. Como funciona?

Expliquei o funcionamento dos fólios ajustáveis que faziam o zumbidinho planar assim que atingia certa velocidade; era sempre fácil de explicar para qualquer um que já tivesse colocado a mão para fora da janela em um carro em movimento e a inclinado ao vento, sentindo que todo o braço era empurrado para cima e para baixo. Ela assentiu ao ouvir aquilo, e observei a luz do poente iluminar seu rosto, e comecei a me sentir feliz, porque ela parecia feliz. Estávamos no rio, e ela estava se divertindo. Jojo gostava de sentir o vento no rosto. Meu peito se encheu com algum tipo de alegria temerosa, e pensei: *Gosto dessa mulher*. Aquilo me assustava um pouco.

Eu disse:

— Onde gostaria de jantar? Podemos ir ao Dumbo, há um lugar ali com um terraço com vista para a cidade, ou posso ancorar em uma boia em Governors Island e grelhar alguns bifes. Tenho tudo o que precisamos aqui.

— Vamos fazer isso — falou ela. — Você não se importa de cozinhar?
— Eu gosto — respondi.
— Então podemos voar até lá?
— Ah, sim.

Nós voamos. Conservei um olho adiante para garantir que nada ficasse preso no ponto cego. O outro olho mantive nela, observando-a sentir o vento no rosto enquanto apreciava a vista.

— Você gosta de voar — comentei.

— Como não gostar? É meio surreal, porque, na maior parte do tempo que estou na água, estou velejando, ou viajando nos barcos a vapor, e isso não se parece com nada.

— Você veleja?

— Sim, faço parte de um grupo que compartilha um pequeno catamarã na Marina Skyline.

— Os catamarãs são os zumbidores dos veleiros. Na verdade, alguns deles até têm fólios.

— Eu sei. O nosso não é um desses, mas é ótimo. Eu adoro. Temos que ir lá uma hora dessas.

— Eu gostaria — falei com sinceridade. — Eu posso ser seu lastro, no barlavento, como se costuma fazer.

— Sim. A escolta.

Ao contornar a ponta do Battery Park, coloquei o aerobarco na água novamente, e zumbimos de um jeito preguiçoso até os recifes de Governors Island, onde uma flotilha de barcas estava amarrada em boias. As várias construções na parte afundada da ilha tinham sido removidas para garantir que ninguém tivesse o casco arrebentado na maré baixa, e, depois da demolição, um grande número de criadouros de ostras e peixes tinha sido depositado ali, além de pontos de ancoragem de uma espécie de marina pequena em águas abertas, um ancoradouro para pernoites ou encontros noturnos como o nosso. Certa vez, salvei um cara de morrer na terceira parcela de um título hipotecário entremarés ruim, e ele me recompensou com o direito de atracar na boia que ele tinha aqui. Um favor entremarés por outro.

Então voamos até lá, e Jojo amarrou a proa da embarcação, parecendo gloriosa ao fazer isso. O aerobarco balançava na maré vazante enquanto contemplávamos o Battery Park e Manhattan, majestosos em um crepúsculo sobre a água digno de uma poesia de Pynchon. Os outros barcos também balançavam, todos vazios, uma frota fantasma. Eu gostava daquele lugar e já tivera outros encontros ali, mas não era nisso que eu estava pensando enquanto Jojo se acomodava ao meu lado, no assento acolchoado da cabine do zumbidor.

— Ok, jantar — falei, e abri a minúscula porta da pequena cabine do inseto, muito bonita, mas onde mal dava para ficar em pé. Eu tinha abastecido a geladeira, e agora pegava uma garrafa de zinfandel da prateleira ao lado, tirava a rolha e passava para ela juntamente com duas taças. Depois tirei a churrasqueira do armário e a montei na bancada da popa. Coloquei mini pastilhas de carvão, usei um acendedor de ponta longa e de repente tínhamos um pequeno fogo, de excelente aparência, acompanhado do cheiro clássico. Tudo disposto inteligentemente sobre a água para evitar o tipo de incidente que já mandara mais de um barco dos prazeres em chamas para o fundo.

— Adoro isso — comentou ela, e mais uma vez meu coração deu um pulo.

Distribuí as pastilhas meio queimadas em um fundo plano, deixando um lado da churrasqueira mais frio. Besuntei a grelha e a coloquei no lugar. Enquanto estava esquentando, entrei na cabine e coloquei batatas no micro-ondas, tirei a travessa de medalhões de filé mignon da geladeira. Levei a carne para o lado de fora e coloquei-a na grelha, onde ela chiou lindamente. Os membros de Jojo reluziam na escuridão. Enquanto eu ia de um lado para o outro da cabine, cozinhando, ela me observava com uma expressão divertida que eu não conseguia decifrar. Eu nunca decifrava as expressões das pessoas – talvez ninguém conseguisse –, mas divertida é melhor do que entediada, isso eu sabia, e essa certeza me deixou um pouco bobo. Ela parecia feliz em seguir com aquilo.

Depois que servi a refeição e estávamos comendo, ela falou:

— Lembra aquela picada na BMC sobre a qual falamos na noite em que nos conhecemos? Viu acontecer novamente, ou teve alguma ideia do que causou aquilo?

Neguei com a cabeça, engolindo.

— Nunca mais vi. Acho que deve ter sido um teste.

— Mas do quê? Alguém testando se podia colocar uma torneira na tubulação e desviar o fluxo naquele ponto?

— Talvez. Meus amigos de análise quantitativa acham que acontece o tempo todo. É meio que uma lenda urbana entre eles. Faça um desvio de uns dez segundos e desapareça com um estoque de uma vida toda.

— Você acha que seria possível?

— Não sei. Não faço análises quantitativas.

— Eu achava que sim.

— Não. Quero dizer, eu gostaria de fazer, e posso acompanhar a conversa de um analista desses, mas sou principalmente um operador.

— Não é o que Evie e Amanda dizem. Elas falam que você finge não ser um analista quantitativo para poder fazer coisas, mas que, na verdade, é um deles.

— Eu seria se pudesse — falei com honestidade.

Por que estava sendo tão honesto, não fazia ideia. Tinha uma intuição de que ela provavelmente acharia mais divertido do que se eu fingisse ser o que não era. Eu gosto de ser divertido, quando posso.

— Vamos supor que fosse possível — continuou ela. — Você faria?

— O quê? Colocar a torneira? Não.
— Porque seria trapaça?
— Porque eu não preciso. E sim. Quero dizer, é um jogo, certo? Então trapacear significaria que você falhou no jogo.
— Não nesse tipo de jogo. É como uma aposta.
— Mas apostar com inteligência. Imaginar operações que superem até mesmo os outros operadores inteligentes. Esse é o jogo. Sem isso, seria como, o quê?... Não sei. Análise de dados? Trabalho administrativo diante de uma tela?
— É trabalho administrativo diante de uma tela.
— É um jogo. E o mais interessante está além da tela, não acha? Todos esses gêneros e temporalidades distintos, fluindo de uma única vez... É o melhor filme de todos, ao vivo diariamente.
— Vê? Você é um analista quantitativo!
— Mas isso não é matemática, é literatura. Ou como ser um detetive.
Ela assentiu, pensando naquilo.
— Por que você não investiga essa picada na BMC, então?
— Não sei — respondi. Quanta honestidade! — Talvez eu faça isso.
— Acho que devia.
Ela se aproximou de mim no almofadão.
Registrei isso e disse, meio sem jeito:
— Sobremesa? Uma bebida?
— O que você tem? — quis saber ela.
— O que você quiser — falei. — Na verdade, na geladeira só tem uísques *single malt* agora.
— Ah, bem — disse ela. — Vamos experimentar todos.

Acontece que Jojo tinha um conhecimento alarmantemente extenso de uísques caros e, como todo especialista sensível, chegara à conclusão de que não era uma questão de encontrar o melhor, mas de criar a máxima diferença, gole após gole. Gostava de se envolver, como dizia.
E em mais sentidos do que apenas beber álcool. Saí da cabine com um punhado de garrafas em cada mão e me sentei de modo meio abrupto ao lado dela. Jojo disse:
— Ah, meu Deus, um Bruichladdich Octomore 27 — inclinou-se e me beijou na boca.
— Você acaba de tomar um gole de Laphroaig — eu disse enquanto tentava recuperar o fôlego.
Ela deu uma gargalhada.
— Tudo bem! Um novo jogo!
Eu duvidava que fosse novo, mas estava satisfeito em jogar.
— Não beba demais — falou ela em determinado momento.

— Goles de beija-flor — murmurei, citando meu pai. Tentei ilustrar beijando-a na orelha, e ela cantarolou e me deu um empurrãozinho. A essa altura, seu vestido estava enrolado em torno da cintura, e como a maioria das roupas íntimas femininas, a dela era fácil de manipular. Tantos beijos me deixaram sem ar.

— Você está se arriscando comigo — murmurou ela, então subiu em mim e me beijou mais.

— Estou — respondi.

— Estou tendo uma pequena crise de liquidez — disse ela.

— Está.

— Ah. Isso é bom. Não poupe esses recursos. Aqui, use a boca.

— Farei isso.

E assim sucessivamente. Em determinado momento, ergui os olhos para contemplar seu corpo brilhante, leitoso, contra a noite estrelada, e ela me observava com aquela mesma expressão divertida de antes. Depois ela levantou a cabeça em direção ao céu e disse:

— Ah! Ah!

Depois disso, ela deslizou para se juntar a mim e caímos sobre o piso da cabine tentando fazer tudo dar certo, mas principalmente eu ainda ouvia aquele "Ah, ah", a coisa mais sexy que eu já ouvira na vida, mais eletrizante até do que meu próprio orgasmo, o que era dizer muito.

Depois de um tempo, ficamos parados ali, enroscados no chão da cabine, olhando as estrelas. Era uma noite quente para o outono, mas uma pequena brisa nos refrescava. As poucas estrelas visíveis eram grandes e borradas. Eu pensava: *Ah, merda. Gosto dessa garota. Quero essa garota.* Era assustador.

•

Nova York é, de fato, uma cidade profunda, não alta.

Roland Barthes

Onde há um será e um não será.

Ambrose Bierce

•

b) Mutt e Jeff

— O que aconteceu?

— Não sei. Onde estamos?

— Não sei. Não estávamos...
— Estávamos conversando sobre alguma coisa.
— Estamos sempre conversando sobre alguma coisa.
— Sim, mas era alguma coisa importante.
— Difícil de acreditar.
— O que era?
— Não sei, mas, enquanto isso, onde estamos?
— Em algum tipo de aposento, certo?
— Sim... Vamos lá! Vivemos no nosso hotello, no andar da fazenda da velha torre Met Life. O antigo hotel Edition; costumava ser um bom hotel. Lembra? É isso, certo?
— É isso. — Jeff sacode a cabeça com força, então a segura entre as mãos. — Sinto como se estivesse tudo nebuloso.
— Eu também. Acha que fomos drogados?
— Parece que sim. É como aquela vez que me arrancaram um dente em Tijuana.
Mutt olha para ele.
— Ou quando você fez uma colonoscopia, lembra? Você não conseguia lembrar o que aconteceu depois.
— Não, eu não me lembro disso.
— Exatamente. Desse jeito.
— Você também? Agora, quero dizer?
— Sim. Esqueci o que estávamos falando antes disso. E também como chegamos aqui. Basicamente, tudo o que diabos aconteceu.
— Eu também. Qual a última coisa da qual você se lembra? Vamos descobrir isso e ver se conseguimos seguir a partir daí.
— Bem... — pondera Mutt. — Estávamos morando no nosso hotello, no piso da fazenda da torre Met Life. Muito arejado quando se está entre as plantas. Um pouco barulhento, uma vista boa. Certo?
— Certo, estávamos lá. Estávamos lá há alguns meses, certo? Perdemos nosso quarto anterior quando afundou.
— Sim, Peter Cooper Village, uma maré superalta. Algo relacionado com a Lua. Um aterro não consegue manter um edifício em pé no longo prazo. Então...
Jeff assente.
— Sim, está certo. Estávamos tentando ficar longe do meu primo, e é por isso que estamos neste buraco de merda, para começar. Depois fomos para o Flatiron, onde Jamie vivia, e quando nos expulsaram, ele nos falou sobre a possibilidade na torre Met. Ele gosta de salvar os amigos.
— E estávamos programando para seu primo, o que definitivamente foi um erro, e dos grandes. Criptografias e atalhos, o yin e o yang. Somos algoritmos gananciosos.

— Certo, mas havia algo mais! Eu descobri alguma coisa, ou algo estava me incomodando...

Mutt assente.

— Você tinha uma correção.

— Para o algoritmo?

Mutt balança a cabeça e olha para Jeff.

— Para tudo.

— Tudo?

— Isso mesmo, para tudo. O mundo. O sistema mundial. Não lembra?

Jeff arregala os olhos.

— Ah, sim! As dezesseis correções! Estive trabalhando nisso por anos! Como pude esquecer?

— Porque estamos ferrados, por isso. Fomos drogados.

Jeff concorda.

— Nos pegaram! Alguém nos pegou!

Mutt parece em dúvida.

— Eles leram sua mente? Colocaram uma escuta em nós? Acho que não.

— Claro que não. Devemos ter tentado alguma coisa.

— Nós?

— Ok, eu devo ter tentado alguma coisa. Provavelmente, eu nos entreguei.

— Isso soa familiar. Acho que é algo que pode ter acontecido antes. Nossa carreira é longa, mas tem sido acidentada, como me lembro muito bem. Bem até demais.

— Sim, sim, mas isso é algo maior.

— Aparentemente.

Jeff se levanta, segura a cabeça com as duas mãos. Olha ao redor. Caminha até uma parede, passa os dedos pelas bordas de uma vedação em formato de porta; não há maçaneta ou fechadura dentro dessa linha na parede, embora haja uma linha retangular nesse perímetro, na altura da cintura de Jeff e dos joelhos de Mutt.

— Opa. Isso é uma vedação à prova d'água, vê o que quero dizer?

— Sim. Mas o que isso significa? Estamos submersos?

— Sim. Talvez. — Jeff apoia o ouvido na parede. — Ouça, consigo escutar gorgolejos.

— Tem certeza de que não é o sangue em seu ouvido?

— Não sei. Venha ver e diga o que acha.

Mutt se levanta, geme, olha ao redor. O aposento é comprido, e seria um quadrado se visto de perfil. Há duas camas de solteiro nele, uma mesa e uma lâmpada, embora a iluminação pareça vir também do teto branco levemente aceso, cerca de dois metros acima deles. Há um pequeno banheiro triangular encravado no canto, no mesmo estilo de qualquer hotel barato. Vaso sanitário, pia e chuveiro, com água quente e fria. A descarga é feita com um vácuo rápido. No teto há dois exaustores de ar pequenos, ambos cobertos com uma malha pesada. Mutt sai do banheiro e percorre o aposento de um lado para o outro, colocando o calcanhar logo depois do dedão do pé, contando os passos, lábios se movendo enquanto calcula.

— Uns seis metros — diz ele. — E cerca de dois metros e meio de altura, certo? E o mesmo do outro lado. — Olha para Jeff. — É o tamanho de um contêiner grande. Você sabe, como um contêiner de navio. Seis metros por dois e meio.

Ele coloca o ouvido na parede de frente para Jeff.

— Ah, sim. Há algum tipo de barulho vindo de fora.

— Eu disse. Um barulho de água, certo? Como descargas, ou alguém tomando banho?

— Ou a correnteza de um rio.

— O quê?

— Escute. Como um rio? Certo?

— Não sei. Não sei como é o barulho de um rio, quero dizer, quando você está dentro dele ou o que quer que isso seja.

Os dois homens olham um para o outro.

— Então estamos...

— Não sei.

— Que diabos *isso* quer dizer?

— Não sei.

•

Corporação, s. Dispositivo engenhoso para se obter benefício individual sem responsabilidade individual.

Dinheiro, s. Uma bênção que não nos traz vantagem exceto quando nos separamos dele.

Ambrose Bierce, *Dicionário do diabo*

A privatização da governança. Esta última não é mais tratada apenas pelo Estado, mas por um corpo de instituições não estatais (bancos centrais independentes, mercados, agências de qualificação, fundos de pensão, instituições supranacionais etc.) no qual as administrações estatais, embora não tenham perdido a importância, são apenas uma instituição entre outras.

atribuído a Maurizio Lazzarato

•

c) aquele cidadão

A companhia de seguro Metropolitan Life comprou o terreno na esquina sudeste de Madison Square na década de 1890, e construiu ali sua sede. No final do século, o arquiteto Napoleão LeBrun foi contratado para adicionar uma torre ao novo edifício. Ele decidiu projetá-la com base na aparência do campanário da Piazza San Marco, em Veneza. A torre ficou pronta em 1909 e, naquele momento, era o edifício mais alto da Terra, tendo superado o Flatiron, no canto sudoeste de Madison Square. O edifício Woolworth abriu suas portas em 1913 e assumiu o recorde de altura, e depois disso a torre da Met Life ficou famosa principalmente por seus quatro grandes relógios que mostravam as horas para os quatro pontos cardeais. Os painéis dos relógios eram tão grandes que os ponteiros do minuto pesavam meia tonelada cada.

Na década de 1920, a Met Life comprou a igreja ao norte da torre, derrubou-a e construiu seu edifício Norte. A intenção era que fosse um arranha-céu de cem andares, bem mais alto do que o Empire State, que também estava sendo projetado naquela época. Mas quando a Grande Depressão chegou, o pessoal da Met Life cancelou os planos e limitou a construção a trinta e dois andares. Ainda dá para ver que a base foi feita para algo muito maior, parece um pedestal gigante que perdeu sua estátua. E há trinta elevadores dentro do edifício, todos prontos para transportar as pessoas até os sessenta e oito andares que faltam. Talvez, depois que se recuperarem da histeria das inundações, as pessoas possam completar a torre com compósitos de grafeno e, quem sabe, possam elevá-la para trezentos andares, por que não? Perderam a oportunidade de fazer isso para celebrar o bicentenário, mas, ei, o que é um século para o mundo imobiliário de Nova York? Em 2230, algum trapaceiro já terá uma proposta pronta para um mega-arranha-céu no tricentenário. De qualquer modo, agora Madison Square é dominado por uma réplica enorme do grande campanário de Veneza. Há que se amar a coincidência, o que dá ao *bacino* que agora toma conta da quadra a aparência de italianidade que o torna um dos cartões-postais da Super-Veneza.

Coisas como essa continuam acontecendo em Madison Square. O lugar começou como um pântano, criado por uma nascente de água doce que durante muitos anos foi canalizada em uma fonte artesiana situada bem diante da Met, com taças de estanho presas à fonte para que as pessoas bebessem. A água saltava para fora em jatos que diziam ser sugestivos, como uma ejaculação, mas parece que isso era apenas mais um indicativo da irreprimível mentalidade suja da América vitoriana. Aquela fonte de pedra agora reside em algum lugar de Long Island.

Assim que o pântano foi aterrado, usando terra tirada das colinas ao redor, aquilo se converteu em uma praça de armas para o arsenal do exército dos

Estados Unidos, assim como um cruzamento das rotas postais entre Boston e Broadway. A praça de armas foi ficando cada vez menor, e menor, e quando a famosa grade de ruas de leste a oeste e avenidas de norte a sul foi imposta na paisagem, a praça de armas foi reduzida ao retângulo que ainda está ali, com cerca de seis acres de tamanho: da Vinte e Três até a Vinte e Seis, entre a avenida Madison e a Quinta Avenida, com a Broadway entrando em ângulo e acrescentando outra fatia ao parque.

No princípio, a quadra era ocupada no lado norte por um grande asilo, um lugar para encarcerar delinquentes juvenis. Mais tarde, o Hipódromo Franconi acrescentou um espaço interior para espetáculos de vários tipos, incluindo corridas de cães e lutas de boxe.

Uma família suíça estabeleceu o popular Delmonico no lado oeste, e o Hotel da Quinta Avenida veio na sequência, no mesmo espaço. Stanford White construiu o primeiro Madison Square Garden no lado norte, e multidões iam até lá para navegar em gôndolas em um sistema de canais artificiais; isso foi antes que o campanário da Met fosse construído, então talvez LeBrun tenha tido a inspiração veneziana de White, que já construíra uma torre sobre seu complexo de jardins; por dezesseis anos, a quadra ostentou as duas torres. White foi morto com um tiro pelo marido ciumento da mulher com quem estava saindo, bem no meio dos jardins, enquanto assistia a um espetáculo noturno. Quando derrubaram seu edifício e construíram o novo Madison Square Garden entre a Quarenta e Nove e a Oitenta, a estrutura de aço foi conservada, e também resiste em algum lugar em Long Island. Talvez.

Antes, várias estátuas de norte-americanos dignos de lembrança lotavam a quadra – a estátua de um general servia inclusive como sua tumba. Arcos eram erguidos com frequência pela avenida Park para celebrar o sucesso militar dos Estados Unidos em uma ou outra guerra. A polícia avançou sobre um grupo de manifestantes de esquerda no Primeiro de Maio de 1919, mas essa vitória sobre as forças da escuridão não foi imortalizada com um arco. Tampouco a repressão do distúrbio que aconteceu quando o anúncio do recrutamento de 1864, feito por Lincoln, foi condenado com veemência. Pelo jeito, os arcos foram reservados para vitórias no exterior.

O melhor de tudo, em termos de monumentos, a mão e a tocha da Estátua da Liberdade passaram seis anos em Madison Square, ocupando o extremo norte do parque de modo bastante surrealista, erguendo-se duas a três vezes mais alto do que as árvores da região. As fotos daquela época são incríveis, e se o local não fosse atualmente um *bacino* de cinco metros de profundidade, com o fundo repleto de gaiolas de aquicultura, faria sentido advogar pela amputação da mão e da tocha da velha garota, para trazê-las de volta ao mesmo lugar. Não que ela precise atualmente da tocha, digamos: o farol que recepcionava os imigrantes há muito se apagou. Provavelmente, existiriam algumas resistências para um plano como esse, mas que belo enfeite para o parque. Daria, inclusive, para subir nelas e dar uma boa olhada nas redondezas. Cobre brilhante daqueles dias.

Teddy Roosevelt nasceu a uma quadra de distância e na infância teve aulas de dança na região (ele chutava as garotinhas, claro), e coordenou sua campanha presidencial de 1912 da própria torre Met: *Pra frente, Progressistas!* Se os progressistas que agora ocupam a torre conseguissem mudar o mundo, será que o Bull Moose[1] levaria algum crédito? Certamente. Ainda que, de fato, ele tenha perdido aquela eleição.

Edith Wharton nasceu na mesma área e, mais tarde, viveu ali. Herman Melville morou um quarteirão a leste e atravessava o local todo dia a caminho do trabalho nas docas de West Street, inclusive durante os seis anos em que a mão e a tocha da Estátua da Liberdade permaneceram lá. Será que ele parava de vez em quando para apreciar a bizarrice daquilo, talvez até pensando que pudesse ser um sinal de seu próprio destino estranhamente amputado? Você sabe que sim. Um dia, ele levou a neta de quatro anos para brincar no parque, sentou-se em um banco e ficou olhando para a tocha com tanta intensidade que se esqueceu de que a menina estava correndo ao redor dos canteiros de tulipas, e foi embora sem ela. A pobre garota encontrou sozinha o caminho para casa, bem quando a criada estava expulsando Melville pela porta para que fosse buscá-la. Sim, nosso homem era um cadete espacial.

Madison Square foi o primeiro lugar nos Estados Unidos em que uma estátua nua foi exibida em público, uma Diana. Ela foi colocada no alto da torre Stanford White, então, na verdade, estava setenta e cinco metros acima dos olhos curiosos de seus admiradores, mesmo assim... Alguns compraram telescópios. Possivelmente esse foi o início da alegre tradição nova-iorquina de espiar os vizinhos pelados. Agora ela está em um museu na Filadélfia. Naqueles mesmos anos, o bar do hotel Park Avenue exibia uma das pinturas de nus mais surpreendentes da *Belle Epoque*: um grupo de voluptuosas ninfas prestes a se aproveitar de um sátiro com ar preocupado. Essa pintura agora reside em um museu em Williamstown, Massachusetts. Madison Square era a central do sexo naquela época!

Também foi em Madison Square que a primeira árvore de natal iluminada foi erguida para diversão do público. Durante a Segunda Guerra Mundial, as árvores de natal ficavam apagadas, e dizia-se que a região parecia ter voltado a ser uma floresta primitiva. O que não quer dizer muito em Nova York. Também foi o primeiro lugar em que um anúncio com iluminação elétrica foi colocado, a propaganda de uma espécie de resort oceânico, na fachada do Flatiron. E mais tarde chegou o *New York Times*, vangloriando-se de sempre publicar todas as notícias que cabiam.

---

1. Bull Moose Party era o apelido do Partido Progressista. (N.T.)

O edifício Flatiron foi o primeiro arranha-céu da cidade com o formato de ferro de passar roupa, e o mais alto edifício do mundo por um ou dois anos. Também criou o lugar mais ventoso da cidade no extremo norte, segundo dizem, e os homens gostavam de se reunir ali para – isso mesmo – ver os vestidos das mulheres serem erguidos como o de Marilyn Monroe quando ela estava sobre as grades do metrô. Dois policiais foram designados para patrulhar esse cruzamento lascivo e espantar os homens. Definitivamente, uma obra-prima, esse Flatiron, uma ótima silhueta para Alfred Stieglitz fotografar, uma figura quase tão estupenda quanto a de Georgia O'Keeffe. Stieglitz e O'Keeffe tinham seu estúdio no lado norte.

E o beisebol foi inventado em Madison Square! Então, ok: terra sagrada. Que Belém que nada!

O primeiro espetáculo impressionista francês nos Estados Unidos? Claro. Os primeiros postes de luz iluminados a gás? Adivinhou. Os primeiros postes elétricos? Idem. Esses últimos eram, a princípio, conhecidos como "torres solares", com seis mil velas de potência cada um, e podiam ser vistos até em Orange Mountains, a vinte e cinco quilômetros de distância. As pessoas tinham que usar óculos de sol para ficar sob eles sem serem ofuscadas, e havia reclamações de que, sob essa luz, a carne humana parecia nitidamente morta. O próprio Edison teve que se encarregar de descobrir como reduzir a intensidade.

As primeiras gaiolas de aquicultura do *bacino*? Claro, bem ali, com a primeira gaiola instalada em 2121. Também a primeira casa de barcos de vários andares, montada na antiga torre Met quando a reformaram para transformá-la em residencial, após o Primeiro Pulso. Uma ideia muito popular, imediatamente imitada por toda a zona inundada.

Até agora está claro que Madison Square sempre foi o lugar mais incrível desta cidade incrível, certo? Um tipo de ônfalo mágico da história, o ponto do qual todas as linhas telúricas da cultura se entrecruzam ou emanam, tornando-o um centro de poder além de todos os centros de poder! Mas, não. Na verdade, é uma área nova-iorquina perfeitamente comum, medíocre em todos os aspectos – e várias outras áreas são, na verdade, muito mais famosas e capazes de reunir sua própria lista de primazias, residentes famosos e acontecimentos curiosos. Union Square, Washington Square, Tompkins Square, Battery Park estão todos repletos de curiosidades históricas famosas, embora esquecidas. Além de ser o berço do beisebol, admitidamente um evento tão sagrado quanto o Big Bang, o que torna Madison Square especial é apenas o resultado de Nova York ser assim em todos os lugares. Aponte o dedo para seu pequeno mapa de turista e, onde quer que ele pouse, coisas incríveis terão acontecido. Os fantasmas se elevarão pelas tampas de bueiro como vapor em uma manhã vazia, fazendo seus relatos com a mesma intensidade de um antigo marinheiro enfadonho e maníaco que qualquer nova-iorquino manifesta quando começar a falar de história. Não lhes dê trela! Porque um nova-iorquino interessado na história de Nova York é, por definição, um lunático, alguém que vai contra a maré, nadando ou remando corrente acima contra a pressão de seus concidadãos, os quais não dão a mínima para essa bobagem sobre o passado. E daí? A história é uma tolice, como o famoso imbecil antissemita Henry Ford brincava. E embora muitos nova-iorquinos cuspiriam no túmulo de Ford se conhecessem sua história, eles não fazem isso. Nesse sentido, são almas gêmeas do imenso cretino em pessoa. Fique de olho na bola que vem do futuro. Concentre-se na trapaça que existe e na que virá, ou você acabará frito, meu amigo, e a cidade o servirá no almoço.

•

Não há nada de especial no fato de viver a vida rodeado de pessoas que você não conhece.

Lyn Lofland

Sério?

•

d) Inspetora Gen

Gen Octaviasdottir costumava acordar ao nascer do sol. As janelas de seu apartamento no vigésimo andar davam para leste, e quase sempre ela se levantava com a primeira luz sobre o Brooklyn, um brilho de magnésio sobre a algazarra na água. Sempre parecia que algo glorioso iria acontecer.

Nesse sentido, todo dia era um pequeno desapontamento. Não havia muita glória por aí. Mas, nesta manhã, como na maioria delas, ela estava disposta a tentar mais uma vez. *Aguente firme!*, como anunciava um cartão de aniversário pendurado no espelho do banheiro, juntamente com algumas outras mensagens e imagens deixadas pelo pai para sua mãe: *Carpe Diem/Carpe Noctun*. *O Grande Azul*. Uma pintura de um casal de tigres. Outra do Mickey e da Minnie. Uma foto de uma estátua de um faraó e sua irmã/esposa, que o pai de Gen achava que se parecia com ela e com a mãe dela. E quase pareciam.

Gen ainda pretendia jogar tudo aquilo fora, serviam apenas para juntar pó, mas nunca chegou a fazê-lo. Seus pais tiveram um bom casamento, mas a tentativa que a própria Gen fizera na juventude fracassara terrivelmente, e depois disso ela deixou que a polícia de Nova York ocupasse seu tempo. Após a morte do pai, ela cuidara da mãe até que também falecesse; e era aquilo. E ali estava ela, outro dia. Jamais pensou que acabaria daquele jeito.

Ela desceu para o refeitório, para tomar o café da manhã com Charlotte Armstrong. Engraçado como era possível morar em um prédio por anos e nunca encontrar alguém que vivia no andar de baixo. Claro que aquilo era Nova York. Falar com uma pessoa e depois com outra, para descobrir se eram alguém com quem se podia conversar. Era uma das coisas das quais gostava em seu trabalho. Tantas histórias. Mesmo que a maioria delas incluísse um crime. Sempre havia a possibilidade de ela tornar as coisas melhores, mesmo que fosse para outra pessoa. Para os sobreviventes. De todo modo, era interessante. Um conjunto de quebra-cabeças.

Gen chegou ao refeitório no mesmo momento que Charlotte, ambas pontuais. Comentaram isso enquanto faziam fila para pegar pães e ovos mexidos, depois foram buscar café e se sentaram. Charlotte tomava seu café com leite. As pessoas tendem a se parecer com seus hábitos.

— Então seu assistente descobriu algo sobre nossos rapazes desaparecidos? — perguntou Charlotte depois que se sentaram. Não era de perder tempo com conversa fiada.

Gen assentiu e pegou seu tablet.

— Ele me mandou algumas coisas. Talvez seja interessante — respondeu enquanto acessava a mensagem de Olmstead. — Eles trabalhavam no setor financeiro, como você disse. Talvez fossem o que a indústria chama de quantitativos, porque se dedicavam a programação e design de sistemas.

— Eram matemáticos?

— Me disseram que finanças não exigem matemática muito complexa. Um cara me falou que se você projetar uma interface de dados simples, as pessoas ficam alucinadas. Talvez tenha mais a ver com programação avançada. Ralph Muttchopf se formou em ciência da computação. Jeffrey Rosen tem um diploma de filosofia e trabalhou na equipe parlamentar do Comitê de Finanças do Senado, há cerca de quinze anos. Então não eram os típicos quantitativos.

— Ou talvez fossem, se não é coisa que exija apenas matemática.

— Certo. De todo modo, algumas coisas que meu sargento descobriu sobre Rosen: enquanto estava trabalhando nas finanças do Senado, ele se declarou impedido durante uma investigação sobre um assunto relacionado a informações privilegiadas sistêmicas, porque um primo seu dirigia uma das empresas de Wall Street envolvidas.

— Que empresa?

— Adirondack.

— Não pode ser. Sério?

— Sim, mas por que diz isso?

— O primo era um tal de Larry Jackman?

— Não. Henry Vinson. Ele agora dirige seu próprio fundo de investimentos, Alban Albany. Mas era diretor-executivo da Adirondack na época da investigação do Senado. Mas por que pergunta sobre Larry Jackman?

Charlotte revirou os olhos.

— Porque Jackman era diretor financeiro da Adirondack. Também é meu ex.

— Ex-marido?

— Sim. — Charlotte deu de ombros. — Foi há muito tempo. Estávamos na Universidade de Nova York na época. Nos casamos para ver se isso ajudaria a nos manter juntos.

— Boa ideia — comentou Gen, e ficou aliviada quando Charlotte deu uma gargalhada.

— Sim — admitiu Charlotte. — Sempre uma boa ideia. De qualquer modo, o casamento só durou uns dois anos, e, depois que nos separamos, eu não o vi por muito tempo. Então nossos caminhos se cruzaram algumas vezes, e agora temos um ao outro nos contatos, e nos encontramos para um café de vez em quando.

— Agora ele trabalha em algo do governo, se me lembro bem, certo?

— Presidente do Federal Reserve.

— Uau! — exclamou Gen.

Charlotte deu de ombros.

— Mas ele não fala muito sobre a família, então pensei que esse Jeff Rosen pudesse ser um de seus primos.

— Muitas pessoas têm um monte de primos.

— Sim. Tanto o pai quanto a mãe de Larry tinham vários irmãos. Mas, continue... Você diz que Jeffrey Rosen era parente de Vinson. Então por que você achou essa conexão interessante?

— É só um ponto de partida — explicou Gen. — Esses caras estão desaparecidos, e não há rastro deles física ou eletronicamente. Eles não usaram os cartões de crédito ou acessaram a nuvem, o que é difícil de manter por muito tempo. Isso pode significar que algo de ruim aconteceu, é claro. Mas também nos deixa sem nenhuma pista para seguir. Quando isso acontece, olhamos para tudo o que podemos. Essa conexão não é muita coisa, mas a investigação do Senado incluiu a Adirondack, e Rosen se declarou impedido.

— E Jackman agora dirige o Federal Reserve — acrescentou Charlotte, parecendo um pouco sombria. — Lembro-me de algo sobre a saída dele da Adirondack. O conselho de diretores escolheu Vinson como diretor-executivo, em vez dele, então pouco tempo depois ele deixou a empresa e começou um negócio próprio. Ele nunca me falou muito sobre esse assunto, mas fiquei com a impressão de ter sido uma sequência dolorosa de acontecimentos.

— É possível. Meu sargento diz que parece que a Adirondack se deu mal. Então, mais recentemente, Rosen e Muttchopf fizeram algum trabalho para o *hedge fund* de Vinson, a Alban Albany, o suficiente para constar na declaração de impostos deles no ano passado. Então há outra conexão.

— Mas é a mesma conexão.

— Mas duas vezes. Não estou dizendo que signifique alguma coisa, mas nos dá algo para onde olhar. Vinson tem muitos colegas e conhecidos, assim como Muttchopf e Rosen. E a Adirondack é uma das maiores firmas de investimento. Então há muitos fios para seguir. Vamos ver para onde vão.
— Claro.
Gen a olhou com firmeza enquanto dizia:
— Por favor, não fale nada sobre isso com Larry Jackman.
Será que ela entendia que esse pedido deixava implícito que poderia haver linhas de investigação que desembocariam nela?
Ela entendia. Charlotte compreendeu as implicações e assumiu uma expressão neutra.
— Não, claro que não — respondeu. — Quero dizer, é muito raro que nos encontremos, como eu disse.
— Ótimo. Isso quer dizer que não será difícil.
— De jeito algum.
— Então me conte novamente: como os dois rapazes acabaram aqui?
— Eles tinham um amigo no edifício Flatiron, e estavam acampando na fazenda que há no telhado, do outro lado da quadra, virados para cá. Então, quando o conselho do Flatiron pediu que fossem embora, eles vieram até aqui e nos pediram para ficar.
— Eles apresentaram um pedido para o conselho de residentes?
— Eles perguntaram para Vlade, e Vlade me perguntou. Eu me encontrei com eles e achei que estava tudo bem, então pedi ao conselho de residentes que os deixasse ficar com uma autorização temporária. Pensei que pudéssemos usar a ajuda deles para analisar o fundo de reservas do edifício, que não está indo muito bem.
— Eu não sabia disso.
— Está nas atas.
Gen deu de ombros.
— Não costumo lê-las.
— Acho que a maioria das pessoas não lê.
Gen pensou no que acabara de ouvir.
— É normal que você interfira dessa forma no conselho de residentes?
Agora ela devia saber com certeza que estava sendo interrogada.
Ela assentiu, como se reconhecesse isso, e falou:
— Faço isso de tempos em tempos, se vejo uma situação na qual acho que posso ajudar pessoas e ajudar o edifício. Acho que o conselho não gosta, porque estamos um pouco saturados. Eles já têm bastante com o que lidar só com a lista regular de espera. Além dos casos especiais que eles mesmos trazem.
— Mas as oportunidades continuam acontecendo.
— Claro. Dificilmente alguém se muda daqui, mas vários residentes já estão aqui há muito tempo e há uma certa taxa de mortalidade.

— Neste sentido, as pessoas são confiáveis.

— Sim.

— É por isso que estou aqui, na verdade. Eu me mudei para tomar conta da minha mãe depois que meu pai morreu e, quando ela morreu, eu herdei a associação dela na cooperativa.

— Ah. Quando foi isso?

— Há três anos.

— Então talvez seja por isso que você é membro da cooperativa, mas não presta atenção nos assuntos do edifício.

Gen deu de ombros.

— Você acaba de dizer que ninguém presta atenção.

— Bem, as reservas financeiras são um pouco esotéricas. Mas é uma cooperativa, você sabe. Então, na verdade, muitas pessoas colocam a mão no negócio, de um jeito ou de outro.

— Provavelmente, eu também deveria — concordou Gen.

Charlotte assentiu, mas então outra coisa chamou sua atenção:

— Muito em breve todos vão ficar sabendo sobre algo que surgiu na última reunião do conselho. Há uma oferta de compra do edifício.

— Alguém quer comprar o edifício inteiro?

— Isso mesmo.

— Quem?

— Não sabemos. Estão operando por meio de um corretor.

Gen tinha uma tendência para ver padrões. Sem dúvida era um efeito de seu trabalho: reconhecia isso, mas não podia evitar. Como agora: duas pessoas desapareciam de um edifício, ambos com parentes e colegas influentes, o edifício recebia uma oferta. Ela não podia deixar de se perguntar se havia uma conexão.

— Podemos recusar a oferta, certo?

— Claro, mas provavelmente teremos que votar. Conseguir uma opinião dos membros, até mesmo uma decisão. E a oferta é cerca de duas vezes o valor do edifício, então isso vai tentar muita gente. É quase como uma oferta de aquisição hostil.

— Espero que não aconteça — disse Gen. — Não quero me mudar, e aposto que muitos residentes tampouco desejam isso. Quero dizer, para onde iríamos?

Charlotte deu de ombros.

— Algumas pessoas acham que dinheiro pode resolver tudo.

Gen falou:

— Como você sabe que a oferta deles é duas vezes o valor do edifício? Como alguém pode assegurar o valor de alguma coisa nos dias de hoje?

— Comparando com negócios similares — explicou Charlotte.

— Estão acontecendo negócios como esses?

— Alguns. Eu converso com pessoas que fazem parte de conselhos de outros edifícios. A Sambam se reúne uma vez por mês, e muita gente está relatando ofertas, até mesmo algumas compras já realizadas. Odeio o que isso significa.

— O que isso significa?

— Bem, acho que agora que o nível do mar parece ter estabilizado, as pessoas deixaram para trás os anos críticos... Bem, aquilo foi um esforço imenso. E exigiu muito capital líquido.

— A geração mais importante — citou Gen.

— As pessoas gostam de achar que sim.

— Em especial, as pessoas daquela geração.

— Exatamente. Os retornados, os ratos d'água, ou como quer que se chamem.

— Nossos pais.

— Isso mesmo. E, na verdade, eles fizeram muito. Não sei quanto a você, mas as histórias que minha mãe costumava contar, e o pai dela...

Gen assentiu.

— Sou a quarta geração de policiais, e manter algum tipo de ordem durante as inundações era difícil. Eles tinham que manter a linha.

— Tenho certeza. Mas agora, você sabe, a baixa Manhattan é um lugar interessante. Então as pessoas estão falando sobre oportunidades de investimentos e retorno da gentrificação. Nova York ainda é Nova York. E a parte alta da cidade é um monstro. E bilionários de todos os lugares gostam de colocar dinheiro aqui. Se você fizer isso, pode aparecer aqui de vez em quando e passar uma noite na cidade.

— Sempre foi assim.

— Claro, mas não significa que eu goste disso. Na verdade, detesto.

Gen assentiu enquanto observava Charlotte. Buscava algum sinal de dissimulação, porque Charlotte estava relacionada com os homens desaparecidos de mais de uma maneira, então havia motivos para ficar atenta. E era uma mulher de opiniões fortes. Gen começava a ver por que seu casamento na juventude fracassara: um financista e uma assistente social entram em um bar...

Mas a verdade era que Gen não via sinais de dissimulação. Pelo contrário: Charlotte parecia muito aberta e franca. Embora fosse verdade que se mostrar sincera em uma área poderia servir para ocultar algo em outras. Portanto, Gen ainda não tinha certeza.

— Então você gostaria de impedir essa oferta pelo edifício?

— Claro que sim. Como eu acabo de dizer, não gosto do que isso significa. E gosto deste lugar. Não quero me mudar.

— Acho que será a opinião da maioria — falou Gen, tranquilizadora. Então mudou de assunto sem avisar, um hábito que tinha para causar surpresa e ver se conseguia alguma reação. — E quanto ao nosso síndico? Ele poderia estar envolvido nisso?

— No desaparecimento? — Definitivamente, surpresa. — Por que ele estaria?

— Não sei. Mas ele tem acesso aos sistemas de segurança do edifício, e as câmeras estavam fora do ar bem quando eles desapareceram. Não acho que isso seja coincidência. Então tem isso. E também, se os compradores que fizeram a tal oferta quisessem ajuda de dentro, eles poderiam oferecer para alguém daqui um acordo melhor se o negócio se concretizar.

Charlotte negava com a cabeça enquanto ouvia a maioria das coisas que Gen dizia.

— Vlade é este edifício. Não acho que ele reagiria bem a qualquer um que tentasse fodê-lo de algum modo.

— Bem, ok. Mas o dinheiro pode fazer as pessoas pensarem que estão ajudando quando não estão. Sabe o que quero dizer?

— Sei. Mas ele veria algo assim como suborno, eu acho, e então as pessoas teriam sorte de escapar sem ser jogadas no canal. Não, Vlade ama este lugar, sei disso.

— Ele está aqui há muito tempo?

— Sim. Ele chegou há quinze anos, depois que algumas coisas ruins aconteceram.

— Está falando de problemas com a lei?

— Não. Ele era casado, e o filho deles morreu em um acidente. Depois disso, o casamento acabou, e foi quando nós o contratamos.

— Você já fazia parte do conselho naquela época?

— Sim — respondeu Charlotte pesadamente. — Já naquela época.

— Então não acha que ele possa estar envolvido em nada disso.

— Exato.

Ambas já tinham terminado de comer, as xícaras de café estavam vazias, e elas sabiam que as cafeteiras também já tinham sido esvaziadas. Nunca havia café suficiente na Met. E Gen sabia que tinha conseguido irritar Charlotte mais de uma vez. Fizera isso de propósito, mas já era o suficiente. Por enquanto, pelo menos.

— Vou lhe dizer — falou Gen —, continuarei procurando esses caras. E, quanto ao edifício, vou começar a participar das reuniões de associados, e conversarei com as pessoas que conheço no prédio para convencê-las a manter o que temos.

Isso se reduzia a alguns poucos vizinhos perto de sua porta, mas ela esperava que tal disposição amenizasse um pouco a situação.

— Obrigada — respondeu Charlotte. — Sempre há reuniões.

•

A época de maior congestionamento de Nova York foi 1904. Ou 2104.

A cidade se encontra a quarenta graus de latitude norte, como Madri, Ancara ou Pequim.

Como foram feitas todas as fortunas de Nova York? Astor, Vanderbilt, Fish... Com o negócio imobiliário, é claro.

observou John Dos Passos

Venho do canal. Não sei nada. É bom perguntar o que precisamos saber.
William Bronk
descendente de Bronx Bronks

•

e) Vlade

— Alerta — a Met disse pelo monitor de parede de Vlade. Ele escolhera uma voz feminina para o edifício, e agora estava sentado na cama, procurando o interruptor de luz e suas roupas.
— O que foi? — perguntou ele. — Informe.
— Água no subporão.
— Merda. — Ele se levantou de um pulo e vestiu sua jaqueta impermeável. — Quanta, a que ritmo, e onde?
— O informe é relativo aos primeiros sinais de umidade. A velocidade de entrada do fluxo não foi estabelecida. Sala B201.
— Ok, me diga a velocidade do fluxo quando souber.
— Farei isso.
Vlade desceu correndo as escadas até o subporão com as luzes se acendendo diante dele, antecipando seu passo. O subporão não ficava só abaixo do nível da água, mas também abaixo do nível do solo, já que havia sido escavado no leito rochoso durante a construção do edifício, nos primeiros anos do século vinte. Todo o edifício, exceto a torre, havia sido reformado em 1999, quando a fundação foi aprofundada ainda mais. Naquela época, ninguém se preocupava com impermeabilização, e o leito rochoso tinha rachaduras por toda parte, como acontece com toda rocha. Quando a ilha era terra firme, aquilo não importava, mas agora sim, já que água dos canais se infiltrava lenta, mas inexoravelmente, pelas

rachaduras. O revestimento de concreto nas paredes do subporão era, portanto, mais difícil de impermeabilizar do que o dos pisos superiores, já que esses podiam ser acessados pelo exterior, fosse mergulhando ou represando os canais. Acesso era tudo e, dada a falta de acesso, Vlade só podia vedar a superfície interna das paredes do subporão. Isso era profundamente insatisfatório, já que deixava o concreto das paredes e do chão exposto às infiltrações e, com elas, à consequente degradação: corrosão, derretimento, deslizamento, desintegração. Mas não havia nada que pudesse ser feito.

Por causa desse problema insolúvel, Vlade mantinha o subporão vazio, o chão e as paredes inteiramente limpos. Algumas pessoas no conselho reclamavam que isso era um desperdício de espaço, mas ele era inflexível. Tinha que ser capaz de ver o que estava acontecendo. Essa era a pior vulnerabilidade do prédio inteiro.

Então, quando chegou correndo à sala B201, pôde ver tudo imediatamente. Uma grande área brilhante que parecia inteiramente molhada porque as luzes refletiam sobre o chamado revestimento de diamante que cobria toda a superfície. Na verdade, era um compósito de grafeno, mas tão transparente e brilhante que Vlade, como todo mundo, o chamava de diamante. Não era tão duro quanto o diamante, era mais flexível e podia ser aplicado com spray. Os novos compósitos eram simplesmente maravilhosos em termos de dureza, flexibilidade, peso, tudo o que você podia desejar para materiais de construção. Eles tornavam a vida subaquática possível.

O piso era levemente rugoso para melhorar a aderência dos passos; as paredes eram mais lisas, mas com a textura do alumínio escovado, precisamente para reduzir a intensidade da luz refletida. O que significava que era uma pequena cintilação, em vez de algo resplandecente, uma cintilação como se tudo estivesse úmido e brilhante pelo orvalho. Era o bastante para lhe causar um pequeno desânimo, ainda que sempre tivesse esse aspecto.

Sendo esse o caso, ele tinha que procurar o vazamento. O edifício havia relatado o primeiro sinal de umidade; ele só conseguiu encontrá-lo acionando a haste com sensor de umidade. A mancha úmida estava no canto mais distante, na confluência da parede norte com a leste e o solo. O que era estranho, já que precisamente esse ponto tinha a camada isolante mais grossa do que a normal. Mesmo assim, ali estava, onde a haste estava apontando. Ele se sentou no chão frio, passando a mão pelo local da infiltração. Sim, molhado. Tentou cheirar a umidade, mas não sentiu nada. Tirou a lanterna do cinto de ferramentas e apontou o feixe de luz mais potente para o canto. Teve que mover um pouco a cabeça para a frente e para trás no intuito de conseguir o enfoque mais adequado para seus olhos cansados, mas por fim localizou: fratura. Uma microfratura.

Mas aquilo não fazia sentido. Ele tirou a lupa de bolso, apoiou-se sobre os joelhos e segurou a lanterna em ângulo, movendo a lupa para dentro e para fora do feixe. Conseguiu uma imagem borrada da massa de spray de diamante que tinha cristalizado, secado ou o que quer que fosse no canto. Fratura, sim. A água que se juntou na rachadura aumentou até que a tensão superficial a fez deslizar para o chão, como teria ocorrido em escalas maiores. Mas o incrível era que o buraco parecia furado com broca.

Ele limpou bem o canto e tirou uma foto macro com seu tablet de pulso. A rachadura realmente tinha aparência redonda, dois pequenos buracos, na verdade. A água se juntava de forma hemisférica, como o sangue através de dois furinhos. Sangue transparente.

— Maldição.

Voltou a limpar a área e cobriu o lugar com uma demão de selante. Queria usar algo mais substancial mais tarde, como uma camada grossa de spray de diamante, mas por enquanto aquilo deveria bastar.

— Vlade — falou a voz da Met em seu fone de ouvido. — Alerta. Água no porão do meio, canto sudoeste, sala B104.

— Quanta?

— Primeira detecção de umidade. Velocidade do fluxo de entrada ainda indeterminada.

Ele se apressou em subir as escadas largas e cruzou o aposento em direção à sala B104, procurando não apoiar muito peso no joelho esquerdo. As salas nesse andar eram menores do que no andar de baixo. Vlade mantinha as paredes igualmente vazias, embora o meio do aposento estivesse cheio de caixas empilhadas que ele mesmo organizara. O piso era de concreto simples, as paredes cobertas de diamante, como embaixo. Aqui, o lado de fora do edifício ficava sob a água até mesmo na maré baixa, como também acontecia no nível imediatamente superior, que antigamente dava para a rua. O que vinha na sequência era entremarés. Naquele momento, estavam na maré alta, então havia um pouco mais de pressão para qualquer vazamento subaquático, mas o fato de duas infiltrações aparecerem quase no mesmo instante deixou Vlade muito desconfiado, sobretudo pela posição no canto e pela aparência perfurada do andar de baixo.

Mais uma vez, sua haste detectora de umidade o levou rapidamente até o vazamento, que estava bem abaixo em uma parede. Ali a parede era revestida tanto por dentro quanto por fora, então uma infiltração fazia ainda menos sentido do que no subporão. Essa infiltração parecia mais uma rachadura do que um furo. Como uma fratura de estresse, talvez. A água vazava da parte de cima da rachadura, que era quase vertical. Gotas de água empoçando e caindo pela parede.

— Maldição.

Ele tampou a rachadura com outra demão generosa de selante, pensou no que acabara de fazer e saiu correndo para o elevador até seus aposentos. Tirou a jaqueta impermeável e vestiu o traje de banho, xingando o tempo todo. O vazamento inferior necessariamente tinha sido perfurado pelo lado de dentro. Ele não queria dar nenhuma ordem verbal para o edifício a respeito das câmeras de segurança, porque essa questão ainda não fora resolvida de modo satisfatório, e o sistema todo poderia estar comprometido. Então teria que esperar para verificar até que os outros estivessem lá para ajudar e testemunhar. A prioridade agora era inspecionar o exterior do edifício para comprovar se a rachadura de cima atravessava a parede até o lado de fora. Se esse fosse o caso, seria mais simples do que se fosse um vazamento complexo no qual a rachadura interior não tinha correlação com uma no exterior. Mas, de todo modo, a situação não era boa.

O traje de mergulho, os tanques e equipamentos estavam na casa de barcos, em uma sala de armazenamento ao lado de seu escritório. As pessoas saíam de suas embarcações sem muita tensão, e Su, ao vê-lo, acenou com a cabeça de modo nervoso para dizer que tudo estava bem.

— Vou dar um mergulho rápido — falou Vlade para ele, o que fez Su franzir o cenho. Supostamente, ninguém devia mergulhar sozinho, mas Vlade fazia isso o tempo todo ao redor do edifício, acompanhado só por uma pequena prancha submarina.

— Deixarei o telefone acionado — falou Su para recordá-lo, e Vlade concordou e começou o árduo processo de vestir seu traje de mergulho. Para as inspeções do edifício, ele podia usar o tanque menor, e na cabeça apenas uma máscara colocada sobre a touca, como se fosse um snorkel. Não era completamente hermética, mas suficiente para uma tarefa breve perto da superfície, e ele podia limpá-la depois.

Havia degraus para se entrar na água dentro da casa de barcos. Agora só três eram visíveis, o que significava que era quase maré alta. Ele desceu, sentindo-se como o monstro do pântano do filme homônimo, o mais horripilante de todos da história do cinema em sua opinião. Felizmente, ele não arrastava uma pobre jovem consigo. Nem mesmo a prancha, que não era necessária para um mergulho como esse.

A água estava fria como sempre, mesmo com o traje de mergulho, mas ele sentia tanto calor que era bom resfriar um pouco. Depois de submergir, testou rapidamente o equipamento e saiu pela porta da casa de barcos em direção ao *bacino*, nadando na horizontal. Os pés do traje de mergulho eram ligeiramente palmados e com barbatanas, e isso também era bom. Acendeu a lanterna de cabeça, um feixe de luz poderoso que iluminou as partículas flutuando nas sempre turvas águas da cidade. Na verdade, as centenas de milhões de moluscos nas gaiolas de aquicultura por toda zona entremarés faziam o trabalho pesado de filtrar a água. Com a luz, ele podia ver pelo menos dois ou três metros, algumas vezes até mais. Tinha que submergir o bastante para não ser atingido na cabeça pela quilha de algum barco, mas manter altura suficiente para não acertar as gaiolas de aquicultura do *bacino*. A familiar leveza da flutuabilidade neutra, da vida subaquática horizontal. Muitos peixes nas gaiolas mais altas: salmões, trutas marinhas, bagres, com os corpos sinuosos apertados nas laterais de suas celas.

Vlade virou a nado a esquina noroeste do edifício, pairando sobre a antiga calçada como um fantasma. Calçada, meio-fio, rua: sempre lhe dava uma pequena pontada de estranheza ver esses sinais de como Nova York costumava ser. Rua Vinte e Quatro.

Do outro lado da esquina, ele flutuou até o ponto da parede externa da sala B104. O GPS garantia que estava no lugar certo. Aproximou o rosto da parede e inspecionou a camada de diamante centímetro por centímetro, passando os dedos enluvados sobre ela também. Nada muito óbvio... Ah, sim, bem do outro lado da rachadura interior, aparentemente: uma rachadura exterior. Que merda era aquela?

Vlade passara dez anos na divisão de mergulho do município, trabalhando nas tubulações de esgoto, túneis de manutenção, túneis de metrô, aquifazendas, principalmente. Então, ficar submerso em um dos canais era quase tão comum para ele quanto caminhar pelas ruas da parte alta da cidade, ou até mesmo mais comum, já que dificilmente ia até a parte alta. A superfície sobre sua cabeça subia ligeiramente para a frente e para trás, como uma coisa que respirava. Havia um brilho opalescente a leste, onde o sol se erguia entre os edifícios. O despertar que se entrecruzava, chocando contra a torre Met e o edifício Norte, ricocheteando e colidindo um contra o outro, bolhas que surgiam e desapareciam em um lapso efêmero. Agora era possível ter um vislumbre do sol estilhaçando-se na água, quando Vlade olhou para leste pela Vinte e Quatro. Tudo normal; mesmo assim, estava nervoso. Alguma coisa estava errada.

Só para garantir, nadou até a esquina nordeste do edifício e iluminou a junção do prédio com a calçada com sua lanterna de cabeça, olhando cinco ou seis metros de ambos os lados. Era sempre uma visão estranha: a substância viscosa que vedava a junção do edifício com a antiga calçada parecia lava cinzenta petrificada, e a própria calçada tinha uma cobertura de diamante que chegava até parte da velha superfície da rua. Esse era o ponto fraco de qualquer edifício que ainda se mantinha em pé na parte baixa de Manhattan: você só podia vedar as superfícies até certa distância do prédio; depois disso, elas eram permeáveis. De fato, um dos projetos municipais pretendia fechar com diques todas as ruas inundadas da cidade, bombear toda a água para fora – cerca de trezentos quilômetros de ruas no total – e então recobrir com diamante cada superfície que pudesse ser coberta pela maré alta. Só aí deixariam a água voltar. Isso só poderia ser bem-sucedido em parte, já que notadamente havia água por todo lado no nível da rua, saturando o concreto, o asfalto e o solo antigos, então eles estariam vedando uma parte enquanto o resto ficaria como estava. E não se mostrava claro para Vlade que isso seria particularmente útil. Era como fechar a porta do estábulo depois que os cavalos tinham escapado, na opinião de Vlade e de muitos outros ratos d'água, mas os hidrólogos declaravam que isso ajudaria a situação, e então era feito lentamente. Como se não houvesse tarefas muito mais urgentes na lista. Mas, dane-se. Olhando para a borda do selador, para a cobertura e para o começo da rua de concreto, agora o fundo do canal, Vlade podia sentir em suas entranhas por que os hidrólogos queriam tentar alguma coisa. Qualquer coisa.

Inspeção completa, ele nadou lentamente de volta para a casa de barcos e subiu pelos degraus, dessa vez parecendo ele mesmo o monstro da lagoa negra.

Depois que tirou o traje de mergulho e borrifou água sanitária no rosto e no pescoço, enxaguando em seguida, Vlade se secou e colocou novamente suas roupas cotidianas. Então ligou para seu velho amigo Armando, dos serviços subaquáticos Lame Ass.

— Ei, Mando, pode dar um pulo aqui para dar uma olhada no meu prédio? Tenho dois vazamentos. — Mando concordou em agendar um horário. — Obrigado.

Vlade olhou para as fotos em seu tablet, voltou-se em seguida para sua tela e acessou os registros de vazamento do prédio. E, depois de alguma hesitação, as câmeras de segurança do edifício.

Nada óbvio. Mas então ele checou os registros: não havia nada gravado nas câmeras do porão, mesmo em dias em que tinha ido gente até aquelas salas do subsolo, como gravado nos registros.

Vlade costumava se sentir enjoado depois de mergulhar – acontecia com todo mundo de tempos em tempos. Dizia-se que era o acúmulo de nitrogênio, a anóxia ou a água tóxica com todos os seus componentes orgânicos, efluentes e microflora e fauna, somados a uma variedade de venenos, o caldo químico que formava o fluxo do estuário da cidade. Meu Deus! Aquilo deixava qualquer um doente, era assim que era. Mas hoje ele se sentia pior do que o normal.

Ligou para Charlotte Armstrong.

— Charlotte, onde você está?

— Estou caminhando até meu escritório, estou quase lá. Fiz o caminho todo a pé. — Ela parecia satisfeita consigo mesma.

— Ótimo. Ei, desculpe ser o portador de más notícias, mas parece que alguém está sabotando nosso edifício.

•

Alfred Stieglitz e Georgia O'Keeffe foram os primeiros artistas dos Estados Unidos a morar e trabalhar em um arranha-céu.

supostamente

Amor em Manhattan? Acho que não.

Candace Bushnell, *Sex and the city*

La Guardia: Estou fazendo cerveja.
Policial Mennella: Tudo bem.
La Guardia: Por que você não me prende?
Policial Mennella: Acho que, se alguém tem que fazer isso, é um agente da Lei Seca.
La Guardia: Bem, estou desafiando você. Achei que poderia me alojar.

•

f) Amelia

O dirigível de Amelia, o *Migração Assistida*, era um Friedrichshafen Deluxe Midi, e ela o adorava. No início, ela batizara o piloto automático de Coronel Blimp, mas a voz dele era tão amigável, prestativa e alemã, que ela mudou o nome para Frans. Quando encarava algum tipo de problema, que era a parte do programa que seus espectadores mais amavam (em especial se, de algum modo, ela perdesse as roupas), ela dizia:

— Ah, Frans, caramba, por favor, faça um trezentos e sessenta aqui e nos tire disso!

E Frans assumia o controle, executando a manobra que fosse mais adequada, enquanto fazia uma piada pesada – quase sempre a mesma – sobre como um giro de trezentos e sessenta graus leva novamente ao ponto inicial. Todo mundo já tinha escutado isso, então era uma piada corrente, ou uma piada voadora, como Frans costumava chamar. Mas também, em termos práticos, parte de um problema resolvido. Frans era esperto. Claro que tinha que deixar algumas decisões para ela, já que julgamentos estavam fora de sua competência. Mas era surpreendentemente engenhoso, mesmo no que podia ser considerado o âmbito mais humano das funções executivas.

A nave, na verdade um dirigível – se admitirmos que uma armação interna poderia ser apenas semirrígida, feita de aerogéis e não muito mais pesada do que o gás nos balonetes –, tinha quarenta metros de comprimento e uma gôndola espaçosa, que percorria a parte de baixo como uma quilha grossa. Fora feita em Friedrichshafen antes do final do século, e desde então percorrera uma infinidade de quilômetros, em uma carreira bem parecida com a dos lentos navios a vapor do final do século dezenove. As chaves de sua durabilidade eram sua flexibilidade e leveza, assim como a cobertura fotovoltaica da bolsa de gás, que a convertia em um veículo autônomo do ponto de vista energético. Claro que de vez em quando havia danos causados pelo sol, e suprimentos também eram necessários em bases regulares, mas com frequência era possível reabastecer sem aterrissar, apenas atracando nas aerovilas pelas quais passavam. Então, como milhares de outras naves similares que vagavam pelos céus, não tinham que pousar. E, como milhões de outros ocupantes dessas naves, por muitos anos Amelia não colocara os pés em terra firme. Aquele era o refúgio que ela precisava. Ao longo daqueles anos, foram raras as vezes em que ela não viu outros dirigíveis ao longe, mas aquilo não a incomodava. Chegava a ser reconfortante, já que lhe dava a ideia da existência de outras pessoas sem a presença real delas, e tornava a atmosfera um espaço humano, uma cidade como as de Calvino em perpétua mudança. Era como se, depois que as costas foram inundadas, as pessoas tivessem tomado os céus como as sementes de dente-de-leão, para reunirem-se nas nuvens.

Hoje, mais uma vez, ela estava vendo que nas latitudes polares os céus eram menos ocupados. A trezentos quilômetros ao norte de Quebec, ela só localizava algumas poucas naves, a maioria grandes cargueiros em altitudes muito maiores, aproveitando a vantagem de não ter tripulação humana para alcançar as correntes de ar mais altas e mais velozes e chegar mais rápido à parada seguinte.

Ao se aproximarem da baía do Hudson, Frans desceu de modo pronunciado, alterando a altura à medida que bombeava hélio nos balonetes e inclinava as abas localizadas atrás das poderosas turbinas alojadas em dois grandes cilindros presos nas laterais da nave. Juntas, essas ações inclinaram o nariz do dirigível e o mandou zunindo na direção do solo.

As noites de outubro estavam ficando mais longas e a paisagem gelada era uma negra brancura em cada horizonte, com o brilho gelado de cem lagos testemunhando como o escudo canadense fora esmagado e depois inundado pela grande camada de gelo da última era glacial. Parecia mais um arquipélago do que um continente. Perto do amanhecer, um ponto luminoso ao norte, no horizonte, assinalou a posição da cidade que iam visitar: Churchill, Manitoba. Enquanto desciam sobre a cidade rumo ao aeródromo, comprovaram que era um pequeno conjunto desolado de construções, longe o bastante da costa ocidental da baía do Hudson para não receber o tráfego da concorrida Passagem Nordeste, exceto por um cruzeiro ocasional visitando o lugar na esperança de ver algum urso polar remanescente.

O que era muito difícil de acontecer. Isso porque os ursos agora estavam presos em terra firme todo o ano, desde a ruptura do gelo do mar na primavera até que a água voltasse a congelar no outono. Isso os mantinha afastados das focas, que eram sua principal fonte de alimento. Passavam tanta fome que nunca tinham três filhotes, dificilmente tinham dois, e quando apareciam na cidade para tentar cruzar o mar gelado, faziam uma parada para ver se havia algo para comer nos arredores. Esse padrão já existia havia mais de um século, e o Programa de Alerta de Urso Polar da cidade tinha desenvolvido uma espécie de rotina havia tempos para lidar com o fluxo de ursos que se dirigiam para as superfícies recém-congeladas em outubro: acertavam os invasores ursinos com tranquilizante e os levavam em redes presas em dirigíveis até um ponto da costa onde o gelo recente e as focas tendiam a se reunir. Neste ano, em vez de levar todos os intrusos para fora da cidade, os responsáveis pelo programa tinham mantido a maioria cativos, com a ideia de que alguns desses ursos enjaulados, os mais agressivos da região, pudessem ser selecionados para ser levados muito mais ao sul do que o habitual.

Depois que Frans atracou em um mastro de dirigível na fronteira da cidade e a nave foi trazida ao solo por uma equipe local, Amelia saiu e cumprimentou um grupo de moradores. Na verdade, aquela era quase a população total do lugar, contaram para ela. Amelia apertou a mão de todos e agradeceu-os por recebê-la, filmando todo o tempo com um enxame de câmeras-moscas. Depois daquilo, ela os seguiu pela cidade até o tanque de contenção.

— Estamos nos aproximando da jaula dos ursos polares em Churchill — narrava Amelia sem necessidade alguma, enquanto filmava. A equipe dela não estava transmitindo ao vivo, então ela se sentia mais relaxada do que o normal, mas também tentava ser consciencisosa. — Essa jaula e os responsáveis pelo controle de animais literalmente salvaram milhares de ursos polares da morte prematura. Antes que o programa tivesse início, uma média de vinte ursos por ano era abatida para impedir que os animais atacassem as pessoas aqui da cidade. Agora, é raro o ano em que um urso leva um tiro. Quando se atravessa uma estação inteira sem a morte de um urso, os cidadãos humanos da cidade celebram a conquista fazendo um urso polar gigante de neve.

Ela filmou as caminhonetes que iam transportar os emigrantes da jaula até o *Migração Assistida*. Eram caminhonetes bem volumosas, com rodas envoltas em correntes mais altas do que a própria Amelia. Os ursos polares não hibernavam, contaram para ela, então, durante a viagem para o sul, deviam ficar confinados nos grandes aposentos para animais na extremidade da popa, na gôndola do dirigível, projetada para ser um único recinto espaçoso. Aparentemente, fora decidido que os animais tolerariam melhor a viagem se fossem acomodados todos juntos. Os produtores de Amelia tinham preparado o aposento antes da partida e estocado nos freezers e geladeiras da aeronave a carne de foca necessária para alimentar os ursos no trajeto.

Enquanto os responsáveis locais pelo programa usavam um guindaste para içar os ursos sedados e capturados na caçamba da caminhonete, para depois levá-los até o dirigível, Amelia filmava e narrava, improvisando, consciente de que, de qualquer jeito, a edição posterior mudaria tudo.

— Algumas pessoas parecem não entender o problema que é a extinção! É difícil imaginar, mas é claramente verdade, porque não somos capazes de fazer com que todos concordem que mover alguns ursos polares para um ambiente realmente polar é a última chance de sobrevivência para eles na natureza. Com o tempo, vinte ursos serão transportados. Isso é cerca de dez por cento de todos os ursos que restam na natureza. Vou levar seis deles. Ao fazer isso, nós ajudamos a superar esse momento de crise para lhes proporcionar um futuro viável. Neste século, o gargalo genético desses animais será tão estreito quanto um canudinho, mas é melhor do que a extinção, certo? É isso ou o fim, então eu digo: vamos carregá-los e levá-los para o sul!

Os ursos, sedados e presos em redes, pareciam desgrenhados e amarelados. As imensas caminhonetes foram de ré até o acesso da popa da gôndola do dirigível, onde haviam colocado uma grua portátil para erguer os ursos um a um até uma pequena empilhadeira. Esta parecia minúscula por causa da carga, mas deu conta do recado para transportar os animais pela rampa até o aposento preparado para eles. Durante a viagem, o salão seria mantido em uma temperatura ártica, e tudo o que um urso polar pudesse desejar no outono estava a bordo. A viagem para o sul estava programada para durar duas semanas, se o clima permitisse.

Logo depois que os ursos foram embarcados, eles estavam prontos para decolar. Frans soltou a âncora e começaram a viagem, elevando-se um pouco mais devagar do que o normal, com cerca de cinco toneladas de peso extra.

Uma semana mais tarde, deram de cara com uma tempestade tropical que vinha do norte de Trinidad e Tobago. Amelia pediu para Frans seguir para a borda ocidental da circulação da tempestade, o que daria a seus espectadores uma vista bastante dramática do que poderia se transformar em um furacão, ao mesmo tempo em que o sistema os empurrava para o sul, em seu fluxo anti-horário. A tempestade agora era chamada de Harold, nome do irmão mais novo de Amelia, então ela apelidou a tempestade de Irmãozinho. O sistema como um todo movia-se para o norte a cerca de vinte quilômetros por hora, mas a margem ocidental rodopiava tanto que os ventos empurravam para o sul a quase duzentos quilômetros por hora.

— Isso nos dá um empurrão para o sul de uns cento e oitenta quilômetros por hora — informou Amelia para sua futura audiência —, o que é ótimo, mesmo se só durar algumas horas, pois nossos nativos estão ficando um pouco inquietos, me parece.

Ela disse isso com seu assombro tolerante habitual, as sobrancelhas erguidas e os olhos arregalados, muito ao estilo de Lucille Ball. Sempre funcionava. As câmeras-moscas zumbiam ao redor dela, contribuindo para o efeito com suas lentes olho de peixe.

Supostamente, os ursos deviam entrar em modo inverno, o que não era uma hibernação, mas um estado em que ficavam meio como ursos zumbis, assim havia explicado um dos responsáveis pelo programa em Churchill. Mas a impressão de Amelia era outra. Da popa vinham rugidos subsônicos que faziam o estômago vibrar, vagamente leoninos, e também latidos que lembravam *O cão dos Baskervilles*.

— Ursos polares infelizes? — perguntou ela. — Será que estão vendo a tempestade pela janela? Estão com fome? Parecem tão chateados!

Então foram pegos pela borda exterior do Harold, e por quase dez minutos o barulho do vento foi ensurdecedor. As sacudidas foram fortes, e era difícil dizer se os ursos ainda estavam reclamando, já que era impossível ouvir qualquer coisa, mas o estômago de Amelia ainda vibrava como um tambor próximo a outro tambor que estava sendo tocado, então provavelmente os animais ainda rugiam.

— Aguente firme, pessoal! — falou Amelia em voz alta. — Vocês sabem como é isso... O barulho vai continuar até que o dirigível atinja velocidade. Claro que quase não há resistência para impedir nossa aceleração; não é como um navio no oceano, o que levei um tempo para entender, por certo, pois aqui em cima nos movemos basicamente com as correntes de ar. Então o vento não passa por nós, como se fôssemos um navio ou mesmo um aeroplano. Se desligarmos nossas turbinas, seguiremos avançando com qualquer vento que sopre. É por isso que voamos em meio a furacões sem perigo, desde que não tentemos ir a lugar algum que não seja onde ele quer nos levar. Só temos que nos deixar levar como uma rolha na correnteza, lenta ou rápida, não importa. Certo, Frans?

Mas desta vez estava chacoalhando bastante. Havia turbulência quando o redemoinho de vento interagia com o ar mais lento ao redor deles; as coisas eram melhores quando eles se moviam um pouco mais para dentro do furacão, conforme Amelia explicou, não pela primeira vez. Mesmo assim, ainda ficaria um pouco acidentado. Estavam nas nuvens, e uma nuvem era como um lago difuso, com alguma agitação derivada da distribuição variável das gotas de água. Assim que, apesar de se deslocarem na mesma velocidade do vento, também se aprofundavam na nuvem, e a vibração estremecedora ou as ocasionais sacudidas mantinham a sensação de aceleração, mesmo que não pudessem ver nada.

— A turbulência é parte do fluxo aerodinâmico — narrou Amelia. — A própria nuvem trepida!

Embora talvez fosse apenas o dirigível, flexionando sua estrutura de aerogel. Amelia tinha certeza de que não era normal haver tantas sacudidas dentro das nuvens, mesmo em nuvens de furacão. Não estavam resistindo ao vento, não estavam tentando sair da tempestade; apenas seguindo o fluxo, com Frans tentando modular o sobe e desce das ondas internas nas nuvens. Mesmo assim, balançavam bastante, de maneira irregular, tanto para cima e para baixo quanto de um lado para o outro.

— Não sei — anunciou Amelia —, isso não faz sentido, mas estou me perguntando se essas sacudidas estão sendo causadas pelos ursos.

Não era provável, mas nada mais lhe parecia provável. Era quase certeza de que os ursos não estavam se jogando de um lado para o outro, de modo organizado. De qualquer forma, ela esperava que não. Eles pesavam mais de trezentos quilos cada, então mesmo sem coordenar seus movimentos, mesmo se só estivessem batendo uns nos outros, ou talvez lutando uns com os outros, cada um jogando o outro como se fossem lutadores de sumô... Sim, eles certamente teriam massa suficiente para balançar a nave. O dirigível era apenas semirrígido, na melhor das hipóteses, e altamente sensível a mudanças internas de peso. Então, se estivessem levando uma carga raivosa...

— Ah, os ursos, os ursos, os ursos, meu Deus!

Ela seguiu até a popa pelo corredor central para dar uma olhada. Havia uma janela na porta do corredor que dava para a metade da gôndola onde estavam os animais. Amelia pegou uma câmera portátil e a prendeu no cabelo, e olhou para ver como os ursos estavam indo.

A primeira coisa que viu foi sangue.

— Ah, não!

As paredes estavam manchadas de vermelho, em parte salpicadas, em parte marcadas com garras.

— Frans, o que está acontecendo aqui?
— Todos os sistemas estão normais — relatou Frans.
— O que está falando? Dê uma olhada!
— Olhar aonde?
— Na sala dos ursos!

Amelia foi até o armário de ferramentas no corredor, abriu-o e pegou uma pistola de dardos tranquilizantes do fundo. Voltou até a porta do corredor e olhou pela janela: não viu nada, então destrancou a porta e foi imediatamente arremessada para trás quando a porta se abriu com tudo sobre ela. Gigantes brancos e ensanguentados passaram por ela como cães, como imensos labradores albinos, ou homens grandes envoltos em casacos de pele brancos e mal ajustados que corriam em quatro patas. Ela permaneceu largada contra a parede oposta, fingindo-se de morta, e com sorte não chamou a atenção de nenhuma das criaturas. Disparou um dardo tranquilizante na traseira de um deles que passou correndo em direção à ponte. Então, quando eles sumiram de vista, ela lutou para ficar em pé e correu até o armário de ferramentas. Entrou lá dentro e fechou a porta atrás de si, trancando a trava por dentro, bem no momento em que algo começou a bater violentamente na porta pelo lado de fora. Uma pata imensa estava arranhando a porta! Arranhando com força!

Ah, não!

Fechada no armário, com pelo menos três ursos soltos na aeronave, possivelmente seis; um dirigível em um furacão. De algum modo, ela tinha feito de novo.

— Frans?

•

Sou por uma arte que diga a hora do dia, ou onde tais e tais ruas ficam. Sou por uma arte que ajude velhinhas a atravessar a rua.

disse Claes Oldenburg

As ruas têm dezoito metros de largura, e as avenidas, trinta. Seria possível colocar uma quadra de tênis em uma dessas avenidas. Dizem que as ruas foram projetadas com a ideia de que os edifícios enfileirados nelas tivessem quatro ou cinco andares.

O crepúsculo de chumbo pesa sobre os membros secos de um velho que caminha na direção da Broadway. Ao dar a volta no quiosque de esquina do Nedick's, algo salta diante de seus olhos. Boneco quebrado entre as filas de bonecos envernizados e articulados, ele se lança cabisbaixo no forno latejante de letreiros luminosos. "Lembro quando tudo isso era campo", ele murmura para o garotinho.

John Dos Passos, *Manhattan transfer*

•

g) Stefan e Roberto

Stefan e Roberto não tiveram oportunidade de recarregar a bateria que impulsionava seu pequeno bote, então caminharam pelas passarelas para oeste e pegaram o barco a vapor na Sexta, para norte, a fim de se encontrar com seu amigo sr. Hexter. Chovia pesado, o canal enlouquecido com as gordas gotas de água e os salpicos que se espalhavam, pequenos anéis expandindo-se em anéis maiores, todos cobertos pelos rastros dos barcos e pela perpétua ondulação de um forte vento sul: uma correnteza cinzenta e enlouquecida sob um céu também cinzento, movendo-se até onde alcançava a vista. As pessoas esperavam nas docas, embaixo dos abrigos que pudessem encontrar, paradas com guarda-chuvas ou estoicas sob o aguaceiro. Os meninos estavam na proa, os casacos impermeáveis ficando encharcados. Não se importavam.

A maré baixa revelava a linha do nível da água em todos os edifícios do bairro. Marés de meio metro, as pessoas diziam. Os garotos queriam aproveitar a corrente da subida da maré para explorar, parando no caminho na casa do sr. Hexter na rua do Fundy, ou seja, na Sexta entre a Trinta e Dois e o Central Park.

Deixaram o barco a vapor na doca perto da lanchonete do Ernesto, na Trinta e Um, onde pegaram emprestados um par de pranchas e roupas de mergulho. Dali, caminharam para oeste, pelo calçadão da Sexta que seguia como um toldo plano estendido entre as fachadas dos edifícios, até o comprido *bacino* triangular, onde a Sexta e a Broadway encontravam a Trinta e Quatro, logo ao norte da linha da maré baixa. Esse era o início da rua do Fundy, uma renomeação desse pedaço da Sexta, e muito melhor do que Avenida das Américas, um nome político brega mais adequado para as avenidas Madison ou Denver. Esse nome – que servia também para designar fundamentalistas religiosos – era muito apropriado, já que as marés na rua do Fundy eram excessivas tanto na cheia quanto na vazante.

Este trecho do centro era a parte mais larga da zona entremarés, uma bagunça em grande parte, mas interessante, uma área de invasores, trapaceiros e gente de rua que tinha que se divertir. Pessoas como Stefan e Roberto, que adoravam se juntar aos praticantes de *skimboard* que se reuniam quando a maré subia, vindos tanto da Broadway quanto da Sexta, e que combinavam deslizar na inclinação da Sexta, cada avanço da espuma branca sibilando para norte com rapidez surpreendente, em especial quando empurrada pelo vento sul. Se ficasse parado na Quarenta e olhasse para sul durante a maré cheia, você veria a borda da baía ficando cada vez mais recoberta pelo fluido verde trazido pelas ondas baixas, rolando sobre a cobertura de algas oleosas com a agitação da espuma branca, e a rua sendo engolida antes que a espuma fosse sugada de volta para, em seguida, colidir com a próxima onda que avançava, erguendo uma pequena parede branca que rapidamente desmoronava e se dobrava na arremetida seguinte.

Toda aquela ação significava que se alguém pegasse a onda em uma prancha de *skimboard*, como Stefan e Roberto pretendiam fazer, seria possível avançar pelas miniquebras de ondas e seguir pela rua de meio-fio em meio-fio, girar rapidamente na lama ou saltar a calçada, e sair com um giro, às vezes até mesmo pegando o rebote de uma onda vinda de um edifício e saltando do meio-fio de volta para a rua.

Stefan e Roberto se juntaram ao grupo com alguns gritos para anunciar sua presença. As objeções do grupo foram devidamente anotadas e rejeitadas, e então saíram todos, avançando quarteirão após quarteirão com a subida da maré, competindo por uma posição nas ondas, fazendo giros quando possível, voltas no meio-fio, subindo em calçadas se necessário, até mesmo caindo de vez em quando, o que podia ser dolorido, já que a água nunca era funda o bastante para impedir de bater no asfalto, ainda que dez centímetros pudessem amortecer o golpe, em especial para quem confiava na água e se deixava levar por ela.

Por outro lado, a Sexta era plana o bastante na parte alta da zona entremarés, em especial entre a Trinta e Sete e a Quarenta e Um, tanto que as últimas ondas de uma boa maré cheia podiam levar alguém de uma só vez até a marca da maré alta, onde o asfalto, embora rachado e gasto, voltava a ser preto em vez de esverdeado. Na zona entremarés, ele sempre tendia a ser verde. Vida! A vida adorava a entremarés.

Era fantástico sentir a resistência da água sendo comprimida entre a prancha e a rua, uma sensação claramente tangível sob os pés. Tanto que era possível mudar o peso de uma perna para a outra, só um pouquinho, usando a precisão mais absurda, para fazer que a prancha avançasse sobre a água, impedindo-a de tocar as ruas por muito pouco: a poucos milímetros da rua e totalmente livre de fricção! Se você não acertasse o fundo e se desequilibrasse, o mundo era um turbilhão! E se isso acontecesse, você despencava da prancha, virava-se e a pegava antes que alguém acertasse seus tornozelos, jogava-a na água novamente e saltava sobre ela, dando a pressão suficiente na aterrissagem para empurrar a prancha para baixo e conseguir pegar impulso mais uma vez!

Também era muito divertido esperar o refluxo e ver como a água corria rua abaixo. Não dava para montar nela, realmente não funcionava, embora os mais ousados sempre tentassem; mas era ótimo apenas ficar sentado ali na rua, passando o tempo, todo molhado no traje de mergulho, e ver a água simplesmente ir embora, sugada das ruas como se a Mãe Oceano tivesse inspirado com força ou estivesse preparando algum tsunami terrível. Naquele momento, parecia que o mundo todo podia ficar seco diante dos olhos deles. Mas, não, era só o refluxo da maré comum, que se estabilizaria novamente perto da Trinta e Um, na linha da maré baixa, além da qual estava a verdadeira baixa Manhattan, a zona submersa, suas águas. Sua cidade.

Ótima diversão por todas as partes! Ao terminar, eles tiraram as roupas de mergulho velhas do Ernesto e se limparam, primeiro com água sanitária e depois com um pouco de água proveniente de uma grande tubulação de tratamento. Depois, tiritando de frio, secaram-se com toalhas, estremecendo e fazendo caretas com os pequenos cortes que tinham, que quase com certeza infeccionariam um pouco. Por fim agradeceram ao Ernesto quando devolveram suas coisas, prometendo fazer algumas entregas para ele mais tarde. Muita verbosidade com os outros praticantes de *skimboard* que guardavam suas coisas na lanchonete do Ernesto; não havia muitos deles, já que as quedas podiam ser um pouco violentas demais. Então era um grupo muito unido, uma das numerosas pequenas subculturas nessa cidade tão afeita a clubes exclusivos.

Depois que estavam secos e vestidos e de devorar algumas rosquinhas amanhecidas que Ernesto lhes deu, Stefan e Roberto caminharam para oeste pelas calçadas de tábuas e blocos de concreto até a Oitava e para o labirinto inundado que era Chelsea.

Ali, quase todos os prédios que não tinham desmoronado haviam sido condenados, e com razão. Quando estava agitado, o Hudson tendia a entrar com força nessa vizinhança, e as fundações das construções não tinham sido feitas em leito rochoso. O concreto acabava se tornando quebradiço no longo prazo, e embora o aço fosse mais forte, em geral estava apoiado no concreto, enferrujado ou não, e se tornava irrelevante quando todo o resto se desfazia. Certa vez, uma lei estatal condenou todo o bairro, o sr. Hexter contara, mas naturalmente as pessoas ignoraram a lei e ocuparam os edifícios assim como fizeram em todos os outros lugares. Só que a lei provavelmente estava certa.

Então a vizinhança estava tranquila. Os garotos seguiram pelas tábuas colocadas sobre os blocos de concreto até uma doca rústica, feita de tábuas pregadas em velhos blocos de isopor do tamanho de pallets, amarrada diante de um predinho baixo na Vinte e Nove. Não havia ninguém à vista, o que era estranho. Quase sem querer, eles abaixaram a voz. Todos os edifícios das redondezas tinham janelas quebradas, e só algumas estavam vedadas; a maioria eram buracos vazios, em geral um sinal confiável de abandono. Não havia uma única janela com o vidro intacto. Estava silencioso o bastante para que se pudesse ouvir claramente o barulho das ondas contra as paredes e o assobio das bolhas resultantes, todas enchendo o ar com um sussurro que era estranhamente agradável aos ouvidos, comparado com as buzinas e os gritos comuns da cidade.

Os dois meninos olharam ao redor para ver se alguém os observava. Não viram ninguém. Entraram na porta aberta do predinho e subiram por uma escada mofada e desgastada.

Cinco andares a pé. O chão de madeira rangia sob seus pés. Cheirava a mofo, bolor e penicos sem esvaziar.

— Essência de Nova York — observou Roberto enquanto atravessavam o corredor escuro até a porta dos fundos.

Bateram usando o código que o velho dava para os amigos, e esperaram. Ao redor deles, o edifício rangia e fedia.

A porta se abriu, e o rosto enrugado do amigo olhou para eles.

— Ah, cavalheiros — falou o homem. — Entrem. Obrigado por virem.

Eles entraram no apartamento, que cheirava menos do que o corredor, mas inevitavelmente fedia. Até que bastante, para dizer a verdade. O velho se acostumara com o cheiro há tempos, presumiram. O quarto era muito pobre, lotado de livros e caixas de roupas e tranqueiras, mas até que bem organizado. As pilhas de livros estavam por toda parte, em geral mais altas do que o homem, mas eram estruturas firmes, com os volumes maiores embaixo e todas as lombadas viradas para fora, para uma visualização mais fácil. Várias baterias e lanternas a óleo estavam sobre as pilhas. Os armários tinham gavetas que os meninos sabiam estar cheias de mapas dobrados e enrolados, e o aposento era dominado por uma grande mapoteca quadrada, da altura do peito. Uma pia no canto tinha uma torneira que despejava água em uma bacia.

O velho sabia onde estava cada coisa, e podia pegar o que quisesse sem hesitar. De vez em quando, pedia que os meninos o ajudassem a mudar os livros de lugar, para pegar um volume maior que estivesse na parte de baixo da pilha, mas os dois ficavam felizes com a obrigação. O velho tinha mais livros do que qualquer pessoa que conheciam; na verdade, mais do que o total de todos os outros livros que já tinham visto. Stefan e Roberto não gostavam de falar sobre isso, mas nenhum dos dois sabia ler. Por isso, gostavam mais dos mapas.

— Sentem-se, cavalheiros. Gostariam de um chá? O que os traz aqui hoje?
— Nós achamos — falou Roberto.
O velho se endireitou e olhou para eles.
— Sério?
— Achamos que sim — respondeu Stefan. — O detector de metais registrou algo grande, bem no ponto do GPS que o senhor nos deu. Tivemos que ir embora, mas marcamos o lugar, e conseguiremos achá-lo de novo.
— Maravilha — disse o velho. — O sinal era forte?
— Apitava como louco — comentou Roberto. — E o detector estava ajustado para ouro.
— Bem no ponto do GPS?
— Bem embaixo dele.
— Maravilhoso. Magnífico.
— Mas a questão é: a que profundidade está? — perguntou Stefan. — Quanto teremos que cavar?

O velho deu de ombros, franzindo o cenho. Sua expressão o fazia parecer uma criança com algum tipo de doença degenerativa.
— A que distância o detector de metais chega?
— Dizem que dez metros, mas depende de quanto metal há, e quão encharcado está o solo, e coisas assim.

Ele assentiu.
— Bem, pode ser nessa profundidade. — Ele foi mancando até a mapoteca e pegou um mapa enrolado. — Aqui, olhem isso.

Os meninos se sentaram um de cada lado do homem. Era um mapa topográfico do Serviço Geológico dos Estados Unidos de antes das inundações, de Manhattan e algumas áreas do entorno do porto. Tinha tanto as curvas de nível quanto as ruas e edifícios – um mapa bem detalhado, no qual o velho também desenhara as linhas originais da costa em verde, e a costa atual em vermelho. E ali, ao sul do Bronx, distante da costa, segundo o mapa, mas submerso conforme as marcas vermelhas e verdes, havia um X em preto. Hexter tamborilou sobre ele com o indicador, como sempre; o meio do X estava até um pouco gasto.

— Então, vocês já sabem o que eu disse antes — começou ele com o preâmbulo usual. — Como eu já contei, o HMS *Hussar* parte de perto do Battery Park, onde os ingleses têm suas docas. É dia vinte e três de novembro de 1780. Trinta e quatro metros de comprimento, dez de largura, uma fragata de sexta classe com vinte e oito canhões e aproximadamente uma centena de tripulantes. Talvez uns setenta prisioneiros de guerra norte-americanos. O capitão Maurice Pole quer atravessar Hell Gate até o estreito de Long Island, ainda que seu piloto local, um escravo negro chamado sr. Swan, desaconselhe por ser perigoso. Eles percorrem a maior parte do caminho de Hell Gate, mas dão de cara com Pot Rock, que é uma rocha que se sobressai em Astoria. O capitão Pole desce para inspecionar o interior do navio e vê um buraco gigante na proa. Sobe e diz que precisam conduzir o barco até a costa e desembarcar todo mundo. A correnteza os leva para norte, então eles pensam em ir para Port Morris, na costa do Bronx, ou para North Brother Island, chamada na época de ilha de Montressor, enquanto a água continua entrando. E lá vão eles. Tudo acontece bem rápido, e o *Hussar* afunda em águas tão rasas que os mastros continuaram de fora quando o barco atingiu o fundo. A maioria dos marinheiros chegou viva na costa, em botes, embora houvesse um rumor, por um tempo, de que todos os setenta prisioneiros norte-americanos se afogaram, ainda acorrentados no convés inferior.

— Mas isso é bom, certo? — perguntou Roberto.

— O quê? Setenta norte-americanos afogados?

— Não, que eles tenham afundado no raso.

— Eu sabia que era disso que você estava falando. Sim, é bom. Mas logo depois os ingleses colocaram correntes sob o casco do navio e o arrastaram, tentando trazê-lo para a superfície. Mas o barco se partiu, e eles nunca recuperaram o ouro. Quatro milhões de dólares em moedas de ouro para pagar soldados britânicos, em dois baús de madeira fechados com argolas de metal. Quatro milhões nos valores de 1780. As moedas deviam ser guinéus, ou algo assim, então não sei por que sempre dão o valor em dólares, mas que seja.

— Muito ouro.

— Ah, sim. E agora essa quantidade de ouro deve valer um zilhão.

— Quanto, na verdade?

— Não sei. Acho que uns dois bilhões.

— E em águas rasas.

— Certo. Mas são águas turvas, e o rio se move rápido nas duas direções. Ele só se acalma na maré baixa e no máximo da maré alta, por cerca de uma hora, como vocês bem sabem. E o navio se partiu quando tentavam içá-lo, então é provável que os restos estejam espalhados pelo leito do rio. Mas é quase certo. Os baús de ouro não devem ter se afastado muito. Eles estão ali, bem ali embaixo. Mas o rio continua mudando suas margens, arrebentando-as e fazendo outras novas. Na década de 1910, aterraram a margem do Bronx naquela área, fizeram algumas docas novas e uma zona de carga logo atrás. Levei anos em bibliotecas para descobrir os mapas sobreviventes que os funcionários do município fizeram antes e depois do aterramento. Além disso, encontrei um mapa da década de 1820, que mostrava onde os ingleses foram quando tentaram resgatar o barco. Eles sabiam onde o *Hussar* estava, e tentaram resgatá-lo duas vezes. Claro que estavam atrás do ouro. Então eu consegui juntar todas as peças e marcar o lugar. Depois configurei as coordenadas no GPS. E foi até lá que vocês foram. E lá estava.

Os garotos assentiram.

— Mas a que profundidade? — insistiu Roberto, quando Hexter pareceu começar a cochilar.

Hexter levantou a cabeça e olhou para os garotos.

— O navio foi construído em 1763 e tinha vinte e oito canhões. Um deles foi resgatado e colocado no Central Park, e só mais tarde averiguaram que ainda havia uma bala no interior, com pólvora preparada. Tiveram que desarmá-lo com um esquadrão antibomba! Enfim, uma fragata de sexta classe como essa só tem um único convés, e por isso a linha de flutuação é bastante elevada; devia sobressair uns três metros da água. E os mastros ainda saíam para fora da água, de onde se deduz que o barco afundou a uma profundidade entre quatro e, digamos, doze metros. Mas o rio não é tão profundo tão perto da margem, assim que deixemos em seis metros. E essa parte do rio foi aterrada posteriormente, mas só alguns poucos metros acima do nível da maré alta, não mais do que dois metros e meio. E dizem que o nível do mar está cerca de quinze metros mais alto do que antes; então, o quê, chegaremos ao fundo a uns doze metros?

— Mais provável que seis — comentou Stefan.

— Ok, bem, talvez a costa esteja menos funda do que eu pensava. De todo modo, isso implica que os baús estarão nove ou doze metros abaixo do fundo atual.

— Mas o detector de metais os detectou — mencionou Stefan.

— Correto. O que sugere que a distância mais próxima seja de nove metros.

— Nós conseguimos cavar isso — declarou Roberto.

Stefan não tinha tanta certeza.

— Quero dizer, se conseguirmos, se voltarmos vezes suficientes, mas não sei se há espaço para tanta terra sob nosso sino de mergulho. Na verdade, sei que não há.

— Teremos que circundar o buraco, tirar a terra em diferentes direções — falou Roberto. — Ou colocá-la em baldes.

Stefan assentiu, não muito convencido.

— Seria melhor se conseguíssemos equipamentos de mergulho para essa tarefa. Nosso sino de mergulho é pequeno demais.

O velho olhava para ambos, assentindo enquanto pensava.

— Talvez eu consiga...

O aposento sacudiu violentamente para o lado, derrubando pilhas de livros por todas as partes. Os garotos se mantiveram em pé, mas o velho foi jogado no chão por uma pilha de atlas. Eles o libertaram do peso e o ajudaram a se levantar. Enquanto procurava seus óculos, o velho gemia sem parar.

— O que aconteceu? O que aconteceu?

— Olhem as paredes! — exclamou Stefan, chocado.

O quarto estava inclinado como uma das pilhas de livros que ainda estava em pé. Atrás da estante e dos livros, era possível ver a luz do dia e o edifício ao lado.

— Temos que sair daqui! — falou Roberto para o sr. Hexter, puxando-o para fora.

— Preciso dos meus óculos — choramingou o velho. — Não consigo ver sem eles.

— Ok, mas vamos logo!

Os dois garotos se agacharam e começaram a afastar os livros com cuidado, mas rapidamente, até que Roberto encontrou os óculos; ainda estavam intactos. Hexter os colocou e olhou ao redor.

— Ah, não — falou. — É o edifício, não é?

— É sim. Vamos nos apressar e dar o fora daqui. Vamos ajudá-lo a descer.

Edifícios como aquele desmoronavam o tempo todo; era uma coisa normal. Os meninos costumavam zombar dessas histórias, mas agora se lembravam de como Vlade sempre chamava a zona entremarés de zona da morte. *Não passem muito tempo na zona da morte*, ele diria, explicando que os escaladores costumavam chamar as montanhas com mais de seis mil metros da mesma forma. Como passavam muito tempo na zona entremarés e agora já estavam mergulhando no rio, eles tendiam a apenas concordar com o síndico e deixar o assunto para lá, talvez considerando-se tão durões quanto os escaladores. Mas agora estavam apoiando o velho pelos cotovelos e correndo com ele pelos corredores inclinados o melhor que podiam. Desceram as escadas, um passo por vez, para garantir que Hexter não caísse, o que os faria perder tempo – chegaram a agarrar o tornozelo do velho para apoiá-lo no degrau seguinte. A escada estava meio destruída, já sem corrimão, grandes rachaduras nas paredes mostrando o prédio vizinho. O cheiro de algas e o fedor anóxico da lama remexida, pior do que qualquer penico. Houve um novo estrondo do lado de fora, depois vários gritos, batidas e outros sons. Feixes de luz cruzavam o ar nebuloso da escada em ângulos estranhos e alarmantes, e vários degraus cediam sob seus pés. Era claro que o velho edifício podia cair a qualquer momento. Um fedor meloso impregnava o ar, como se fosse as entranhas do prédio, ou algo assim.

Quando alcançaram a porta que dava para a rua, agora um paralelogramo muito feio de se ver, chegaram a uma doca deformada de onde era possível ver que o canal estava cheio de tijolos e restos de concreto, vigas de madeira, vidro quebrado, móveis destruídos e várias outras coisas. Aparentemente, uma das torres de vinte andares no quarteirão seguinte tinha desmoronado, e a onda de choque do ar, ou a onda da água do canal, ou o impacto direto de partes do prédio, ou alguma combinação de todos esses fatores, tinha sacudido os edifícios vizinhos menores. Dos dois lados do canal havia edifícios tombados ou desmoronando. As pessoas ainda saíam deles, reunindo-se atordoadas entre os montes ou pilhas de escombros. Algumas subiam nos montes; a maioria ficava parada, olhando ao redor, chocada e aparentemente sem entender. A água turva do canal borbulhava, e era perturbada por várias pequenas ondas: os ratos fugiam a nado. O sr. Hexter ajustou os óculos ao ver isso e falou:

— Que merda! Os ratos estão abandonando o navio! Nunca pensei que veria isso.

— Sério? — perguntou Roberto. — Vemos isso o tempo todo.

Stefan revirou os olhos e sugeriu que fossem para algum outro lugar.

Nesse instante, o edifício de Hexter deu um gemido alto atrás deles. Stefan e Roberto pegaram o homem pelos cotovelos e o afastaram dali o mais rápido que puderam entre os escombros do canal. Eles o ergueram por sobre os obstáculos, bufando com o peso inesperado, e o ajudaram a andar pelas áreas inundadas, algumas vezes andando com água na altura da coxa, mas sempre achando um jeito de avançar. Atrás deles, o edifício gritava e gemia, e aquilo lhes dava força. Quando chegaram ao cruzamento do canal com a Oitava, olharam para trás e viram que o edifício do sr. Hexter ainda estava em pé, se é que essa palavra podia ser utilizada no caso: a construção estava ainda mais inclinada do que quando saíram dela, e só tinha parado de tombar porque estava apoiada no prédio ao lado, esmagando o vizinho, mas não desmoronando de vez.

Hexter ficou parado, olhando por um tempo.

— Agora é como se eu estivesse olhando para Sodoma e Gomorra — comentou. — Tampouco esperei ver isso.

Os meninos continuavam apoiando o velho pelos braços.

— O senhor está bem? — perguntou Stefan mais uma vez.

— Suponho que ficar molhado deste jeito não deve ser bom para nós.

— Temos uma garrafa de água sanitária no nosso bote. Vamos borrifá-lo. Vamos pegar o barco a vapor para a Vinte e Três. Temos que sair daqui.

Stefan falou para Roberto:

— Vamos levá-lo para a Met?

— O que mais podemos fazer?

Os garotos explicaram o plano para o sr. Hexter. O homem parecia confuso e infeliz.

— Vamos lá — incentivou Roberto. — Ficaremos bem.

— Meus mapas! — lamentou Hexter. — Vocês pegaram meus mapas?

— Não — respondeu Roberto. — Mas temos a posição do GPS no nosso tablet.

— Mas meus mapas!

— Podemos voltar mais tarde para buscá-los.

Aquilo não confortou o velho. Mas não havia mais nada a fazer além de esperar o barco a vapor e tentar se abrigar da chuva, que por sorte tinha se reduzido a uma garoa. Não que aquilo importasse: já estavam encharcados. De uma área da doca do barco a vapor, eles conseguiram ver o imenso monte de escombros que marcava a torre desmoronada; parecia ter sido achatada até os andares inferiores e depois empurrada para o sul, espalhando os andares mais altos por dois ou três canais. Pessoas em barcos tinham parado bem no meio da Oitava para olhar a tragédia, causando um grande engarrafamento. Levaria um tempo até o barco a vapor chegar aonde estavam. Dava para ouvir sirenes ao longe, mas a verdade é que sempre dava para ouvir sirenes ao longe. Não dava para saber se as sirenes eram respostas ao desmoronamento. Era provável que várias pessoas tivessem sido esmagadas e estivessem morrendo nos destroços da torre, mas nenhuma era visível.

— Espero que não nos tornemos colunas de sal — comentou o sr. Hexter.

•

Os arranha-céus de Nova York são pequenos demais.
sugeriu Le Corbusier

A ampliação da desigualdade de renda é o desafio que define nosso tempo. Descobrimos uma relação inversa entre a participação da renda dos ricos (os vinte por cento mais ricos) e o crescimento econômico. Os benefícios não vão para baixo.
observou o Fundo Monetário Internacional
anos depois

•

h) Franklin

Jojo e eu abrimos uma janela de bate-papo em nossas telas. Não conversamos muito sobre trabalho, embora ambos sigamos alguns dos mesmos *feeds*, já que eram indispensáveis para qualquer um que operasse como agente de negócios futuros costeiros. Sobretudo, era um jeito de ficar em contato, e dava um brilho especial vê-la no canto superior direito da minha tela. De vez em quando discutíamos alguns movimentos interessantes no negócio. Como ela escreveu:

Por que seu IPPE está caindo tanto?
Uma torre em Chelsea acaba de desabar.

É tão sensível assim?
Assim é meu índice por você.
Fanfarrão. Está baixando agora?
É necessário cobrir, certo?
Acha que vai cair mais?
Um pouco. Pelo menos até Xangai voltar a subir. Enquanto isso, pegue uma onda.
Você não está indo longe demais na zona entremarés?
Nem tanto.
Eu achava que as questões de propriedade eram esclarecedoras.
Entremarés não se referem só à incerteza de propriedade.
Física?
Sim. Se a posse se solidificar em propriedades que desabaram, como fica?
Ah. Isso é fatorado no índice?
Sim. É um instrumento sensível.
Como seu inventor.
Obrigado. Uma bebida depois do trabalho?
Claro.
Encontro com você na aranha d'água.
Perfeito.

Então trabalhei durante a tarde, bastante distraído pelo nosso encontro à noite e pela minha lembrança vívida do "Ah, ah" dela – o bastante para fazer-me olhar de modo tumescente para o relógio, perguntando-me como seria aquela noite, enquanto consultava os gráficos da maré e da Lua e imaginava o rio ao anoitecer, o humor melvilleano do Narrows à noite, misterioso sob a luz da lua.

De fato, o IPPE de Nova York caíra brevemente com a notícia do edifício que desmoronara em Chelsea, mas agora se estabilizara e até subia um pouco. Um instrumento realmente sensível. O índice, bem como os derivativos que havíamos inventado na WaterPrice para tirar proveito dele, aumentavam todos de maneira gratificante. A favor do nosso sucesso estava o fato de que a contínua flexibilização quantitativa impulsionada pelo pânico desde o Segundo Pulso havia liberado mais dinheiro do que o necessário para comprar os títulos de qualidade disponíveis. Queria dizer que os investidores estavam, para ser bem honesto, *muito ricos*. Isso significava que novas oportunidades de investimento precisavam ser inventadas, e ali estavam elas. A demanda fora suprida.

E acontece que descobrimos que não era tão difícil inventar novos derivativos, porque as inundações de fato foram um caso de destruição criativa, o que, claro, é o nome do meio do capitalismo. Estou dizendo que as inundações, a pior catástrofe da história humana, equivalente ou maior do que as guerras do século vinte em devastação, na verdade foram boas para o capitalismo? Sim, estou.

Dito isso, a zona entremarés estava se tornando mais difícil de lidar do que a zona completamente submersa, por mais contraditório que pudesse parecer para pessoas de Denver, que poderiam presumir que, quanto mais fundo você se afoga, mais morto você fica. Não é o caso. A zona entremarés, que não é nem uma coisa nem outra, que alterna duas vezes por dia de molhado a seco, criou problemas de saúde e segurança que com frequência eram desastrosos, até mesmo letais. Pior ainda, havia questões legais.

Leis bem estabelecidas, que remontam ao direito romano, até ao próprio Código de Justiniano, de fato, acabam sendo muito claras em relação à zona entremarés. É incrível de ler, como se fosse futurologia romana:

As coisas que naturalmente pertencem a todos são: o ar, a água corrente, o mar e o litoral. Então ninguém pode ser impedido de ir ao litoral. O litoral se estende até onde chega a maré mais alta de inverno. A lei de todos os povos dá ao público um direito de usar o litoral, e o mar em si. Todos são livres para colocar uma cabana lá para se abrigar. O ponto de vista correto é de que a propriedade da costa não pode recair sobre ninguém. O status legal delas é o mesmo do mar e da terra ou areia sob o mar.

Grande parte da Europa e das Américas ainda segue os princípios do direito romano, e algumas das primeiras decisões tomadas logo após o Primeiro Pulso estabeleceram que a nova zona entremarés era terra pública. E, por público, não estavam se referindo ao Estado exatamente, mas ao "público não organizado", o que quer que isso quisesse dizer. Como se o público alguma vez tivesse se organizado; mas, enfim, redundante ou não, a zona entremarés foi criada para ser de propriedade (ou não propriedade) do público não organizado. Os advogados não tardaram em começar a discutir sobre isso, cobrando por hora, claro, e esse vestígio do direito romano no mundo moderno desde então vem balizando os assuntos de qualquer um interessado em trabalhar (ou seja, investir) na zona entremarés. Quem é o dono? Ninguém! Ou todo mundo! Não é nem propriedade privada nem propriedade do governo, e, portanto, alguns teóricos jurídicos se aventuram a dizer que talvez seja algum tipo de retorno ao comunitário. Tema sobre o qual o direito romano também tem muito a dizer, o que aumenta em muitas horas a necessidade de opiniões legais. Mas, em última instância, o comunitário pertencia historicamente ao âmbito do direito consuetudinário, como parecia ser apropriado – e isso significava principalmente usos e costumes, o que se traduzia em uma profunda ambiguidade legal que fazia a analogia entre zona entremarés e comunitário ser de pouca ajuda para quem estivesse interessado em jogar um pouco de luz sobre o assunto, em especial do ponto de vista financeiro.

Então como se constrói algo na zona entremarés? Como recuperar, restaurar, renovar – como *investir* em uma zona mutilada e ambígua que ainda sofre as investidas do fluxo ultrajante da maré? Se as pessoas afirmam possuir prédios caindo aos pedaços dos quais elas ou seus predecessores legais costumavam dispor, mas não possuem as terras nas quais os edifícios estão, qual o valor dessas propriedades?

Essa era uma das coisas que o IPPE fazia. Era um tipo de índice Case-Shiller para bens entremarés. As pessoas adoravam ter cifras, o que ajudava a avaliar investimentos de todos os tipos, incluindo apostas na performance do próprio índice.

Talvez, mais importante ainda, o IPPE ajudava a calcular quanto os proprietários e ex-proprietários de propriedades entremarés tinham perdido e em quanto podiam ser indenizados, um número que a Swiss Re – uma das mais importantes companhias de resseguro que garantia todos os outros seguros – estimava em algo em torno de 1.300 trilhões de dólares. Isso é 1,3 quatrilhão de dólares, mas acho que 1.300 trilhões parece uma quantia mais impressionante. US$ 1.300.000.000.000.000.

Bem, mas antes de mais nada, essa era uma avaliação muito baixa para quem está buscando um preço exato dos litorais do mundo que realmente têm valor para a humanidade. Sem realizar esse exercício considerável de desconto do futuro – o que, é claro, o mercado financeiro sempre faz –, a zona entremarés valeria trocentos zilhões de dólares. Por que digo isso? Porque o futuro da humanidade como civilização global depende completamente de sua presença no litoral, é por isso.

Sendo esse o caso, a atual zona arruinada também representou, portanto, um número igualmente gigantesco em perdas. E, mesmo assim, ninguém sabia quem eram os proprietários, ou em que coluna do livro de contabilidade anotar cada um daqueles bens. Se você fosse dono de uma propriedade localizada em uma praia que não é de ninguém, estaria endividado ou rico? Quem saberia?

Meu índice saberia.

E isso era bom, porque se a zona entremarés tivesse algum tipo de valor, mesmo que fosse só um ou dois zilhões, então alguém iria querer ser dono disso. E outras pessoas quereriam alavancar esse valor umas cinquenta vezes, seja ele qual fosse. Cinquenta zilhões de dólares em oportunidades de alavancagem, se alguém puder colocar um número plausível ou (o que na verdade é a mesma coisa) permitir que as pessoas apostem em qual será esse número plausível, criando assim um valor.

Era o que meu índice fazia.

Era simples. Bem, não, não era simples. Exigia todos os quantitativos à minha disposição para funcionar, e toda a minha "quantitatividade" para entender até mesmo o que eu estava pedindo aos quantitativos que quantificassem. Mas a ideia básica era simples – e era minha. Eu decidia como as várias peças do quebra-cabeça impactavam umas às outras e à situação como um todo, cozinhava tudo nesse único número do índice e assegurava para todo mundo que era uma avaliação precisa da situação. Eu listava para inspeção todos os elementos que entravam na avaliação, e as bases de cálculo que usavam mecanismos básicos de Black-Scholes para fixar os preços dos derivativos. Mas, além disso, eu não dava a receita completa do algoritmo, nem mesmo para a WaterPrice. Deixei claro para eles que, como linha de base, comecei no mesmo ponto inicial de Case-Shiller, para que os dois índices pudessem ser melhor comparados, e o *spread* entre ambos era claramente uma das coisas em que as pessoas gostavam de apostar. Na década de 1890, Case-Shiller tinha designado a média de preço dos imóveis como valor normativo "cem", e desde então valorizava os preços em função dessa base. Mais tarde, Shiller observou que, apesar de todas as altas e baixas da história, quando ajustado pela inflação o preço dos imóveis nunca ficou muito distante do que fora em 1890; mesmo a maior das bolhas não levou o índice muito acima de cento e quarenta, e quedas raramente iam abaixo de noventa e cinco.

Então o IPPE pegou os preços dos imóveis e o aumento do nível do mar e acrescentou a esses dois fatores básicos o seguinte: uma avaliação de melhorias nas técnicas de construção entremarés; uma avaliação da velocidade com a qual o estoque imobiliário existente estava desmoronando; uma "mudança na violência climatológica extrema", fator derivado dos dados da NOAA;[2] taxas de câmbio; uma classificação do status legal da zona entremarés; e um amálgama de índices de confiança do consumidor, tão cruciais aqui quanto em qualquer outra parte da economia – embora acrescentar isso ao IPPE tenha sido um movimento controverso e novo da minha parte, já que não é um fato usado no Case-Shiller. Com essa mistura de entradas, o IPPE indicava que, durante os anos imediatamente posteriores ao Segundo Pulso, o valor das zonas submersas e entremarés tinha caído até perto de zero segundo o Case-Shiller, mas não podia ser de outra forma. Foi uma época devastadora. Mas que, em uma avaliação retroativa, em 2136, ano em que introduzimos o índice, calculamos que esse número seria quarenta e sete. E tem aumentado, instável mas inexoravelmente, desde então. Essa era outra chave para seu sucesso, é claro: um mercado que cresce no longo prazo converte em gênio rico qualquer um que trabalhe nele.

Outra chave era simplesmente o nome em si: Índice de Preços de Propriedades Entremarés. Propriedade, entende? O nome em si afirmava algo que antes fora questionável. Ainda era questionável, mas em todo o mundo a propriedade estava um pouco liquefeita; propriedade agora é só uma reivindicação sobre um rendimento. Então o nome era um golpe. Muito bom. Tranquilizador. Reconfortante.

Então. Atualmente, o IPPE global estava em cento e quatro, o regional de Nova York em cento e dezesseis, e ambos apresentavam um ritmo de crescimento muito

---

[2]. National Oceanic and Atmospheric Administration ou Administração Oceânica e Atmosférica Nacional. (N.E.)

superior ao do Case-Shiller não costeiro, que estava agora em cento e trinta e cinco. E no final são o crescimento, o valor relativo e a vantagem diferencial que importam para determinar quão bem você está se saindo. Então um viva para o IPPE!

Quanto aos instrumentos usados para operar sobre o IPPE, era só uma questão de empacotar e oferecer títulos à venda, tanto na alta quanto na baixa do índice. De jeito algum éramos os únicos a fazer isso; era um investimento popular, com as múltiplas variáveis em um mercado de alto risco e de alto rendimento, atrativo para quem queria esse tipo de coisa. Toda semana havia um "estrondo e solavanco", como chamávamos, e então um novo método para aeração do mundo submarino seria anunciado, algo que chamávamos de "preço e ascensão". Enquanto isso, todo mundo tinha uma opinião sobre como as coisas se comportariam e como as pessoas reagiriam a isso. E os investidores estavam famintos por oportunidades, e o IPPE estava funcionando bem, a julgar apenas pelo número de apostas feitas; tão bem que até se superava, no comportamento clássico de correr para o abraço que comanda os mercados e talvez nosso cérebro também: ia tão bem que acabava indo melhor ainda.

Claro que era verdade que certas presunções que eu colocara no IPPE precisavam continuar válidas para o índice ser preciso. Uma era de que a zona entremarés continuaria legalmente ambígua, arrastando-se pelos tribunais a uma velocidade morosa. A outra era de que não muitas dessas propriedades antigas-e-futuras-e-portanto-presentes desabassem muito rápido. Se a taxa de destruição no líquido não fosse exponencial ou, pior do que isso, se continuasse, mesmo acelerando, em um ritmo mensurável que pudesse ser transformado em um número cuja projeção em um gráfico não fosse muito errática, era possível seguir essa tendência para cima ou para baixo, ver outras tendências e talvez prever o futuro. E, sim, apostar novamente sem que o próprio IPPE colapsasse, mesmo que isso ocorresse com os ativos físicos atuais.

Assim, meu índice continha e depois ocultava algumas presunções e analogias, algumas aproximações e suposições. Ninguém sabia disso melhor do que eu, porque sou aquele que faz as escolhas quando os quantitativos as expõem para quantificar as várias qualidades envolvidas. Eu só escolho uma! Mas isso é que torna a coisa toda economia e não física. Em última instância, o IPPE permitia que as pessoas (incluindo a WaterPrice) inventassem instrumentos derivativos que podiam ser oferecidos e comprados; e então podiam ser agrupados em títulos maiores e vendidos mais uma vez. As pessoas amavam o índice e seus números, e não examinavam a lógica subjacente muito de perto. Um papel novo era valioso por si só, em especial quando bem avaliado pelas agências de classificação. Estas, como tudo mais em finanças, felizmente tinham memória curta no que se refere a seus próprios erros absurdos de julgamento – então as classificações ainda eram consideradas um selo de legitimidade, algo ridículo uma vez que se tratava de um serviço comprado pelos mesmos agentes que seriam qualificados. Agora, como sempre, era possível conseguir uma avaliação AAA, não para hipotecas de risco, obviamente tóxicas, mas para hipotecas submersas, claramente muito melhores! E o fato de que todas as propriedades submersas fossem, de algum modo, extremamente de alto risco não era mencionado, exceto como um dos aspectos dos fatores muito lucrativos envolvidos.

Uma nova bolha, seria possível dizer, e provavelmente estaria certo. Mas as pessoas ficam cegas para uma bolha quando estão dentro dela, não conseguem vê-la. O que é muito bacana se você por acaso tem um ângulo de visão que o permita ver isso. Assustador, claro, mas bacana, porque você pode especular de acordo com esse conhecimento. Em resumo, você pode operar no curto prazo. Você pode, como descobri com a prática, inventar uma possibilidade de investimento "bolhístico" mais ou menos por acidente, depois vendê-lo para os outros e observar seu progresso, sabendo o tempo todo que aquilo está se transformando em uma bolha; enquanto isso, você opera no curto prazo, preparando-se para o momento em que a bolha explodir.

Hipocrisia? Não. Esquema Ponzi? Nada disso! Apenas *finanças*. Totalmente legal.

Então, durante os seis meses anteriores, analisando as estatísticas dos litorais ao redor do mundo e tentando calcular todas as tendências, lendo as folhas de chá, os jornais de engenharia, tudo, incluindo as lendas urbanas, comecei a acreditar que o momento em que a bolha estouraria estava se aproximando. Alguns lugares, como a velha Manhattan, tinham um fluxo imenso de inovação tecnológica, capital humano e dinheiro, e era dali que tiraríamos o maior proveito da zona entremarés. Mas a maior parte do mundo estava muito distante da vanguarda em todas essas áreas relevantes e, como resultado, suas zonas entremarés desmoronavam mais rápido do que eram renovadas. Já havia passado cerca de cinquenta e cinco anos do início do Segundo Pulso, quarenta desde o seu fim, e ao redor do mundo os edifícios estavam indo desta para a melhor e afundando para sempre. Prédios pequenos, prédios grandes, arranha-céus – estes últimos caíam com uma poderosa pancada na água, e o mercado titubeava e estremecia com as ondas causadas –, abalos muito breves, só o bastante para ajustar o IPPE, aproveitar o choque resultante e colocar mais alguns pontos em nossa conta. E então a bolha continuava a se expandir. Mas parecia que um momento de crise global se aproximava, e mais e mais eu me esforçava para diminuir as operações na bolha que eu mesmo ajudara a criar.

O que podia ser estressantemente bacana.

E eu ia sair com Jojo para um drinque de sexta-feira, e depois talvez flutuar no rio, a maré alta à meia-noite, em uma noite de lua cheia. Perfeito! Ah! Ah!

Então eu saí do trabalho e desci até a Eldorado Equity, no Canal com a Mercer. Ao virar no canal Canal (nome que os turistas adoravam pela redundância), descobri que, como sempre, estava lotado com o trânsito do final de tarde: embarcações de todos os tipos amontoadas, proa com popa, frustração após frustração, até o ponto em que era possível ver mais barcos do que água. Dava para percorrer o canal a pé, passando de barco em barco, sem ter que saltar, e na verdade alguns vendedores de flores e meros pedestres faziam exatamente isso.

Jojo esperava na doca da frente de seu prédio, e eu senti um pequeno pico no cardiógrafo. Encostei a embarcação com o estibordo do aerobarco e falei:

— Olá.

— Oi — respondeu ela depois de olhar de relance para o pulso, mas eu estava no horário, e ela assentiu como se reconhecesse isso. Passou da doca para a cabine do barco com um passo gracioso. Contemplando sua figura de onde eu estava, em frente ao leme, parecia que suas pernas eram intermináveis.

— Eu estava pensando no bar Reef Forty Oyster.

— Parece bom — disse ela. — Então, você tem champanhe neste barco chique?

— Claro — respondi. — O que estamos comemorando?

— A sexta-feira — respondeu ela. — Mas também fiz um pequeno investimento anjo em algumas habitações em Montana que parece ir muito bem.

— Bom trabalho! — falei. — Tenho certeza de que as pessoas lá ficarão muito felizes.

— Bem, de fato. A seguridade fará isso.

— O champanhe está na geladeira — falei —, a menos que queira assumir a direção.

— Claro.

Desci e logo subi com duas garrafas pequenas.

— Temo que só tenha destas.

— Essas servem. De todo modo, logo estaremos no Reef Forty Oyster.

— Verdade.

Ambos tínhamos trabalhado até tarde, como de costume, e agora só sobrava cerca de meia hora de luz do dia. Zumbi com a aranha d'água pela West Broadway até a Quatorze, e virei para oeste. Enquanto navegávamos pelo canal iluminado pelo sol poente em meio ao tráfego, abri as garrafas de champanhe.

— Muito bom — falou ela depois de tomar um gole.

Os últimos raios de sol salpicavam a água agitada, movimentando uma miríade de bolhas laranja sobre um fundo profundamente escuro, a luz refletida oscilando em todas as direções. Outro momento típico da Super-Veneza, e brindamos a isso enquanto eu avançava com a aranha d'água por entre o tráfego. A luz do sol refletida na água incidia no rosto de Jojo, e era como se estivéssemos em um palco estupendo em uma peça dirigida pelos deuses. Mais uma vez, aquela sensação de que eu não sabia nada ergueu-se no fundo da minha garganta, como se meu coração estivesse inchando; eu tive que engolir em seco, era quase como um tipo de medo, medo de que eu pudesse me sentir atraído por alguém. E se realmente fosse possível conhecer alguém? E se realmente fosse possível duas pessoas se darem bem?

Então meu tablet tocou as três primeiras notas de "Fanfarra para o Homem Comum". Eu resmunguei e verifiquei antes que me ocorresse que o melhor teria sido simplesmente desligar. Mas antes de fazer isso, vi o aviso: a torre em Chelsea tinha desabado e matado muita gente, talvez centenas de pessoas.

— Ah, não! — soltei antes que pudesse me impedir.
— O que foi?
— Aquele edifício que caiu em Chelsea. Estão encontrando corpos.
— Ah, não.

Ela bebericou o champanhe.

— Seu IPPE já voltou a subir?
— Em grande parte.
— Quer dar uma olhada nos danos?

Acho que fiquei boquiaberto por um segundo. Eu queria dar uma olhada, mas, por outro lado, eu não queria, porque embora fosse importante que eu ficasse em dia com os acontecimentos da zona entremarés e saísse antes que a bolha estourasse, aquele estouro não ia acontecer apenas porque essa torre tinha dado uma de Margaret Hamilton. E eu estava indo para o Reef Forty Oyster para ver o pôr do sol com Jojo Bernal, e eu não queria que ela pensasse que deixara de ser minha prioridade naquele momento.

Mas, no meio das minhas reflexões, ela riu para mim.

— Ande, vamos até lá — falou ela. — É quase no caminho.
— Verdade.
— E se achar que pode ser um acontecimento gatilho, você só precisa apertar um botão e cair fora, certo? Está preparado para se mexer rápido?
— Nanossegundos — respondi com orgulho, embora não fosse muito preciso, e virei a aranha d'água para subir a West Broadway.

Foi um pouco desvantajoso subir a Vinte e Sete na aranha d'água, porque os fólios davam uma elevação mínima de um metro e meio à embarcação. Felizmente, havia passado umas duas horas desde a maré alta, o que nos permitiu avançar para a parte alta antes que eu tivesse que virar para oeste, para fora da cidade.

Conforme nos aproximávamos do lugar do desmoronamento, o fedor desagradável de amoníaco se juntou a outro cheiro, talvez creosoto, com toques de amianto, madeiras podres, tijolos quebrados, restos de concreto, aço enferrujado e retorcido, e a atmosfera rançosa de bolor ganhou o ar livre como se fossem ovos podres. Sim, um edifício entremarés desmoronado. Eles têm um odor característico.

Diminuí a velocidade. O pôr do sol despejava sua luz horizontal sobre a cena, iluminando os canais e edifícios. Uma marca estreita do nível da maré alta podia ser vista em todos os prédios. Ah, sim, a zona entremarés, uma área de incerteza e dúvida, espaço de riscos e recompensas, a costa que pertencia ao público não organizado. Extensão do oceano, cada edifício uma nave ancorada que esperava não afundar.

Mas agora uma delas afundara. Não era um arranha-céu monstruoso, só uma das quatro torres de vinte andares ao sul do velho escritório dos correios. Provavelmente, o valor de uso e o preço dos outros três prédios tinha desabado junto com o que desmoronara, dependendo, é claro, se seria possível determinar o motivo do acidente. Nunca era fácil averiguar algo assim, o que tornava a conclusão da investigação um objetivo bastante importante para o próprio mercado. Era normal que os desabamentos acontecessem sem um motivo aparente, respondendo ao estresse invisível. Eu disse isso para Jojo, ela sorriu e assentiu.

Seguimos lentamente pela Sétima, observando as ruas próximas ao desmoronamento. Não era bom aproximar-se demais, já que os canais ao redor do acidente agora apresentavam perigosos recifes. Isso era óbvio em lugares nos quais os escombros saíam para fora da água, e era fortemente sugerido onde os rodamoinhos, ondulações e pequenas manchas de espuma branca perturbavam as águas escuras conforme a maré descia por toda a parte sul da vizinhança. Outras partes dos canais apresentavam um aspecto normal e, mesmo assim, podiam ser estripadoras de cascos. Então optei por me aproximar do desmoronamento a partir de vários canais, avançando até onde julgava ser seguro e depois dando meia-volta.

Era claro que a torre tinha despencado de uma vez, esmagando talvez metade dos andares antes de se espalhar para sul e para leste. O que restou do telhado plano estava de tal modo inclinado que era possível ver todos os tanques de água, a terra e os cultivos do andar da fazenda. Talvez tivesse caído por excesso de peso, embora isso sempre fosse algo que só se tornava óbvio depois do acidente. O pessoal de resgate tateava com cuidado os destroços a partir de barcos bombeiros e cruzadores policiais, usando os trajes característicos, laranja e amarelo, presentes em todos os desastres.

Vários edifícios menores tinham sido esmagados pelos restos da torre, e, além deles, outros prédios estavam meio inclinados. O desaparecimento de paredes externas revelava aposentos vazios ou mobiliados, mas, nos dois casos, patéticos.

— Todo o bairro está em ruínas! — comentou Jojo.

Eu só pude assentir.

— Muita gente deve ter morrido.

— É o que dizem. Embora pareça que vários desses prédios estivessem vazios.

— Virei a embarcação em direção à Oitava. — Deixe-me pensar sobre isso no Reef Forty Oyster. Preciso de uma bebida.

— E algumas ostras.

— Claro.

Pilotei a aranha d'água pela Oitava. Quando passamos pela Trinta e Um, ouvi um grito.

— Ei, senhor! Ei, *senhor*!

— Socorro.

Eram as duas crianças que eu quase atropelara ao sul do Battery.

— Ah, não — falei, e mantive o barco acelerado.

— Espere! Socorro, socorro, socorro!

Aquilo era ruim. Eu teria ignorado os dois e seguido em frente, mas Jojo me encarava com expressão perplexa, sem dúvida surpresa que eu continuasse em frente, ignorando apelo tão direto. E os garotos estavam segurando um velho entre os dois, um velho que parecia abalado e que era pouca coisa mais alto do que eles. Como se tivesse sido cortado na altura dos joelhos. Os três estavam encharcados, e um dos meninos tinha o rosto sujo de lama.

Desliguei o motor.

— Oi. O que vocês dois estão fazendo aqui?

— O prédio caiu em cima da gente!

— A casa do sr. Hexter desmoronou lá atrás.

— Ah, tá.

O garoto mais alto falou:

— Nosso tablet de pulso ficou molhado e parou de funcionar, então estávamos andando até o barco a vapor. Podemos usar seu tablet para fazer uma ligação?

— Ou será que o senhor podia nos dar uma carona? — corrigiu o menor e mais descarado.

O velho que estava entre os dois ficava olhando por sobre o ombro, vendo o que restara de sua vizinhança. Estava desolado.

— O amigo de vocês está bem? — perguntou Jojo.

— Não estou bem — exclamou o velho sem olhar para ela. — Perdi tudo. Perdi meus mapas.

— Que mapas? — perguntei.

— Ele tinha uma coleção — explicou o garoto menor. — Todos os tipos de mapas dos Estados Unidos e de vários outros lugares. Mas principalmente de Nova York. Mas agora ele precisa ir para algum lugar.

— Você está machucado? — perguntou Jojo.

O velho não respondeu.

— Ele está atordoado — falou o menino maior. — Passamos por muita coisa.

Vi a expressão de Jojo e disse:

— Está bem. Subam a bordo.

Eles deixaram minha cabine uma bagunça, assim como meus planos. Ofereci-me para levá-los de volta ao edifício do velho, pensando que, já que tudo estava cheio de barro, eu poderia muito bem completar minha filantropia, mas os três negaram com a cabeça ao mesmo tempo.

— Vamos tentar voltar mais tarde — explicou o garoto menor. — Agora precisamos conseguir um lugar onde o sr. Hexter possa se secar e tudo mais.

— Por exemplo?

Eles deram de ombros.

— Na Met, talvez? Vlade saberá o que fazer.

— Vocês vivem na Met, em Madison Square? — perguntou Jojo, parecendo surpresa.

— Ali perto — respondeu o garoto menor, olhando para ela. — Ei, você mora no Flatiron, certo?

— Isso mesmo.

— Você mora lá? — perguntei.

— Isso mesmo — repetiu ela.

— Então somos vizinhos! — falei. — Você sabia disso?

— Eu achei que você soubesse.

Agora eu estava confuso e pensando sem parar, e tinha certeza de que era visível. Era possível que eu não tivesse mencionado onde morava; passávamos a maior parte do tempo falando de trabalho, e eu não sabia onde ela vivia. Depois da nossa noite ancorados em Governors Island, eu a deixara em seu escritório, a pedido dela, presumindo, percebi, que ela vivia naquele edifício. E então eu fora para casa.

— Você pode me emprestar seu tablet? — perguntou o garoto menor para Jojo.

Ela assentiu e estendeu o braço. Ele digitou algo e falou:

— Vlade, nosso tablet está encharcado. Podemos nos secar em seu escritório? Estamos com um amigo cujo edifício desabou.

— Eu estava me perguntando se vocês andavam por esses lados — a voz do síndico saiu do tablet de Jojo. — Onde vocês estão?

— Estamos na Trinta e Um com a Oitava, mas conseguimos uma carona com o cara que tem um aerobarco e que mora no seu prédio.

— Quem é ele?

Os garotos olharam para nós.

— Franklin Garr — respondi.

— Ah, sim, oi. Sei quem você é. Então, você pode trazê-los até o edifício?

Olhei para Jojo de relance e depois respondi para o tablet.

— Vamos levá-los. Eles estão com um amigo que precisa de uma pequena ajuda, eu diria. A casa dele foi atingida quando aquela torre em Chelsea caiu esta tarde.

— Sinto ouvir isso. Alguém que eu conheça?

— O sr. Hexter — respondeu o garoto menor. — Estávamos visitando-o quando aconteceu.

— Ok. Bem, venham para cá e veremos o que podemos fazer.

— Claro — concordei. — Nos vemos aí.

Então eu virei a aranha d'água em direção à Broadway, e descemos o grande canal pelo trânsito do começo de noite até a Met, sentindo-me frustrado, mas tentando disfarçar. Aquilo era um péssimo substituto para o que eu tinha em mente aquela noite, mas o que fazer. Nossos resgatados pingavam, sentados no chão da cabine, e o barco avançava pesado na água, inclinando bastante enquanto eu o guiava pelo tráfego denso da noite nos canais. A regra para barcos pequenos era três cascos, três pessoas, mas não esta noite.

Por fim cruzei o *bacino* de Madison Square até a porta da casa de barcos da Met, e esperei que o síndico acenasse para que entrássemos. Não queria irritá-lo com aquele zoológico que tinha a bordo.

Ele enfiou a cabeça dentro da cabine e assentiu.

— Vamos entrar. Vocês, garotos, parecem ratos afogados.

— Vimos um monte de ratos fugindo a nado!

— O edifício vizinho à casa do sr. Hexter se desfez, e a onda nos pegou pelo lado!

O síndico balançou a cabeça, lúgubre, como costumava fazer.

— Roberto e Stefan, agentes do caos.

Eles gostaram daquilo.

— Dá para deixar o sr. Hexter em uma das moradias temporárias? — perguntou um deles. — Ele precisa se aquecer e se limpar. Comer um pouco e descansar, certo, sr. Hex?

O velho assentiu. Ainda estava aturdido. Fazia sentido; as pessoas que ocupavam as construções na zona entremarés em geral estavam sem outras opções.

O síndico negou com a cabeça.

— Estamos lotados, vocês sabem disso. Precisamos falar com Charlotte sobre isso.

— Como sempre — comentou o garoto menor.

Parecia que Jojo estava meio que gostando de tudo aquilo, mas eu não entendia o motivo.

— Ela deve voltar em uma hora, mais ou menos — contou o síndico. — Enquanto isso, vocês podem usar os banheiros do refeitório. Ele pode se limpar lá. E verei se Heloise pode improvisar algum lugar para ele, se Charlotte concordar.

Entrei na casa de barcos, e todo mundo desceu na doca interna. As crianças levaram o amigo mais velho pelas escadas, em direção ao refeitório, e eu olhei para Jojo.

— Podemos ir? — sugeri.

— Já que estamos aqui — respondeu ela —, eu gostaria de passar no Flatiron e trocar de roupa. Depois podíamos comer aqui? Estou meio cansada.

— Tudo bem — falei, sentindo-me inquieto. Ela definitivamente não estava mais no mesmo estado de espírito de quando a peguei, e eu não tinha certeza do motivo. Algo relacionado com os meninos e com o velho? Comigo? Era assustador. Eu queria que ela fosse a mesma da última vez. Mas não havia nada a fazer além de seguir em frente e manter a esperança.

Deixei que o síndico pendurasse meu barco para tirá-lo do caminho, pedindo que o colocasse em um lugar do qual eu pudesse sair rápido esta noite, pensando que talvez Jojo mudasse de ideia. O homem se limitou a apertar os lábios e enganchou a aranha d'água na corrente da grua sem responder. Não sei o que os outros moradores achavam dele. Se dependesse de mim, ele já estaria no olho da rua. Mas não dependia de mim, porque eu não perdia tempo lidando com os vários comitês e conselhos do prédio. Já tinha muito o que fazer no trabalho, e estava satisfeito em simplesmente alugar um apartamento em um belo edifício com vista para o *bacino*. Eu gostava do fato de não estar perto demais do trabalho, pois assim podia zumbir um pouco todos os dias. Eu podia me dar ao luxo de arcar com os encargos para quem não era membro da cooperativa, embora fosse uma quantia vergonhosa, um mecanismo feito para extorquir os não participantes como eu. De vez em quando, eu esperava que alguém denunciasse essa cobrança nos tribunais; parecia-me muito prejudicial e, possivelmente, ilegal, mas ninguém iria tão longe. Enquanto eu esperava que Jojo voltasse do Flatiron, bufando por causa dos rumos que a noite tomava, ocorreu-me que alguém que se importasse o suficiente para desperdiçar tempo desafiando essa regra, de cara seria pobre demais para alugar uma moradia no edifício. Os preços dos aluguéis haviam sido estabelecidos para garantir a indiferença da riqueza dos inquilinos não membros, uma estratégia esperta, provavelmente ideia da presidente do conselho, notória guerreira pela justiça social tanto no trabalho quanto em casa, uma controladora maluca da mesma classe do síndico, uma mulher que administrava o conselho e também o prédio há não sei quanto tempo, mas por tempo demais. Ela já estava no cargo quando cheguei. Naturalmente, ela e o síndico eram unha e carne.

Falando do diabo, lá estava ela em pessoa, conversando com os meninos e com o velho: Charlotte Armstrong, parecendo esgotada, mas intensa, vívida e imponente. Meu dia estava completo. Segui todos eles até o refeitório, ficando atrás o suficiente para não ter que me juntar a eles antes do estritamente necessário. Mas então Jojo apareceu na entrada do refeitório, após caminhar pelas passarelas que nos ligavam ao One Madison e depois ao Flatiron, ou pelo menos foi o que presumi. Ela se aproximou dos meninos antes mesmo de me ver, então não tive outra escolha a não ser me juntar a eles.

Cumprimentei-os, e a presidente do conselho foi bastante gentil comigo, de um jeito que Jojo percebeu. Eu tive que erguer as sobrancelhas de maneira inocente antes de admitir que era verdade, e mais uma vez salvei as ratazanas de um destino desanimador.

— Vamos comer? — perguntei ao notar que estava com fome.

Alguns concordaram, enquanto outros continuaram perguntando ao velho, o mais novo sem-teto de Chelsea, como ele se sentia. A presidente Charlotte e Jojo me seguiram até as vitrines de comida do refeitório, e mostrei meu cartão de carne para o funcionário enquanto ouvia as duas mulheres conversando. Elas pareciam bastante tensas e desconfortáveis; uma trabalhadora social e outra financeira não era uma combinação muito boa. Ao nosso redor, na fila, muitos rostos que eu conhecia e muitos totalmente desconhecidos. Pessoas demais viviam naquele prédio para conhecer alguém de verdade, mesmo se muitos rostos fossem familiares.

O funcionário passou o cartão de carne pelo leitor, e eu me dirigi à bandeja de carne de porco, recheei uma *tortilla* e a enrolei. Era necessário trabalhar pela carne que se comia neste refeitório; era um jeito de criar vários vegetarianos e deixar carne suficiente para o restante de nós, porque poucos tinham estômago, rá, rá, rá, para criar um porquinho até a idade do abate e depois matá-lo, mesmo com os sistemas humanitários elétricos que tínhamos, que essencialmente liquidavam o animal em uma fração de segundo. Muita gente adere ao antropomorfismo e decide que é mais fácil comer carne de mentira ou se tornar vegetariana, ou comer fora quando quer comer carne. Eu, pessoalmente, descobri por experiência própria que a inevitável antropomorfização dos porcos da fazenda não tinha efeito restritivo sobre minha mão fatal, porque se você pensa no porco como um humano, é de fato um humano muito feio, e provavelmente ele gostaria que você colocasse um fim ao seu sofrimento. Então, eu costumava pensar neles como no síndico ou no meu tio, e desfrutava do sabor deles durante a semana, sem sentir o menor desgosto enquanto mastigava, como se na verdade não tivesse feito ao animal nada além de um favor, da fazenda para o garfo, do nascimento para a boca. Eles nem mesmo teriam existido se não fosse por mim e pelo resto dos carnívoros ao meu redor, e aproveitavam uns bons dois anos de vida, melhores do que a maioria dos humanos da cidade.

— Comendo carne de novo? — perguntou Jojo quando nos encontramos na mesa das saladas.

— Sim, estou.

— Você tem aquela coisa de qualificação do andar da carne na fazenda do prédio?

— Tenho. Isso definitivamente torna a coisa mais real, mais como um compromisso. Meio que ser um operador na bolsa, não acha?

— Não, não acho.

— Só estou brincando.

E claro que era estupidez da minha parte brincar com nossa profissão, dado o rumo que a noite tomava, mas com frequência eu atiro antes de mirar, em especial nas horas que seguem um longo dia diante da tela. Quando termino essas sessões de trabalho, meu sentido de disciplina relaxa, e então coisas estranhas saem da minha boca. Já notei isso em muitas noites. Então lembrei a mim mesmo de que precisava ser legal esta noite, e segui Jojo até nossa mesa, mais uma vez enfeitiçado por seus ombros, pelo balanço de seus cabelos. Malditos moleques.

Todos nos sentamos em uma única mesa: os meninos e o amigo ancião; Jojo e Charlotte, a presidente; o síndico, cujo nome era Vlade – muito apropriado, como Vlade, o Empalador, com o rosto como o de um executor ucraniano –, e eu. Havia gente demais para se ter uma conversa única com facilidade, sem falar que havia centenas de pessoas no refeitório, o qual, portanto, era bem barulhento. Em especial, porque um grupo em um canto tocava "Música para Dezoito Músicos", de Reich, tamborilando com um conjunto de colheres de tamanhos variados enquanto cantarolavam. Mesmo assim, todo mundo começou perguntando ao velho como ele se sentia, e Charlotte, ouvindo sua história e fazendo uma expressão de descontentamento pela inexistente – e até mesmo negativa – capacidade de acolhimento do nosso edifício, ofereceu um lugar temporário para ele ficar, "até que você possa voltar para casa ou consiga achar algo mais adequado".

— Ele não pode simplesmente *ficar* aqui? — perguntou o garoto menor.

Charlotte respondeu:

— Estamos lotados no momento, este é o problema. E há uma lista de espera também. Então, tudo o que eu consigo fazer realmente é oferecer um dos nossos espaços temporários. Mesmo estes estão lotados, e não são muito confortáveis para longas estadas.

— Melhor do que nada — disse o garoto menor. Aparentemente, seu nome era Roberto. Ou Roberto ou Stefan.

— O edifício dele está condenado? — perguntei para mostrar interesse.

O velho fez uma careta. O mais alto dos dois garotos, provavelmente Stefan, disse:

— Está inclinado, como em diagonal.

O velho gemeu ao ouvir isso. Ainda estava em estado de choque.

— Posso pegar algo para você beber? — perguntei para ele. Jojo não pareceu perceber meu gesto, mas Charlotte me deu um olhar agradecido quando me levantei. Claro que eu pretendia encher meu copo novamente também. O velho assentiu quando peguei seu copo.

— Vinho tinto, por favor — falou. Ele aprenderia a evitar o tinto se ficasse no edifício mais do que uns dois dias, mas só depois de provar esse tanino que pegava na boca diretamente, então concordei e me afastei para encher seu copo e servir-me novamente de vinho verde. Ambos eram da pequena vinícola do telhado do Flatiron, que se estendia de modo pitoresco pela fachada dos dois lados, mas o verde era muito melhor do que o outro. Voltei com as duas mãos ocupadas e perguntei:

— Alguém mais, já que estou em pé?

Mas todos estavam ouvindo o velho descrever a destruição de seu prédio e só balançaram a cabeça.

— O principal é pegar meus mapas — concluiu ele, olhando para os garotos que o flanqueavam. — Estão em armários na minha sala. Tenho uma cópia do mapa do Quartel General, e um punhado de outros. Eles não podem se molhar, então, o quanto antes, melhor.

— Iremos amanhã — garantiu Roberto, com um pequeno aceno de cabeça para seu amigo ancião que queria dizer "não fale sobre isso agora". Eu me perguntei o que aquilo poderia significar; possivelmente, não queriam que Vlade achasse que iriam voltar para a zona entremarés. De fato, o síndico estava franzindo o cenho, mas o garoto mais alto percebeu e falou:

— Deixa disso, Vlade. Andamos por aquelas bandas todos os dias.

— O fundo será completamente diferente agora que o edifício desabou — comentou ele.

— Nós sabemos disso. Tomaremos cuidado.

Enquanto continuavam tentando tranquilizar o síndico e o velho, Charlotte e Jojo estavam se conhecendo.

— E o que você faz? — perguntou Jojo.

Charlotte franziu o cenho.

— Trabalho para o Sindicato dos Proprietários.

— Então, você faz exatamente o que está fazendo para o sr. Hexter aqui.

— Praticamente. E você?

— Trabalho na Eldorado Equity.

— *Hedge fund*?

— Isso mesmo.

Charlotte não parecia impressionada. Fez uma reavaliação rápida de Jojo, antes de voltar a atenção para seu prato.

— Isso é interessante?

— Eu acho. Estamos financiando reconstruções no Soho, parece estar indo muito bem. Eu não ficaria surpresa se alguns dos seus assistidos tivessem se alojado lá, é uma área de baixa renda. E até o ano passado era apenas uma casca, como a maior parte daquela vizinhança. Exige investimento trazer um bairro alagado de volta ao jogo.

— De fato — concordou Charlotte, apertando levemente os olhos. Ela parecia disposta a acolher a ideia, o que fazia sentido, considerando seu trabalho. A cidade sempre precisava de mais alojamentos do que tinha, em especial na zona submersa.

— Espere, ouvi você respondendo de forma positiva a um investimento financeiro? — perguntei. — Preciso gravar isso.

Charlotte me olhou feio, mas a expressão de Jojo foi ainda pior. Voltei minha atenção para o velho.

— Você parece bastante cansado — falei. — Gostaria de ajuda para ir até seu quarto?

— Ainda não decidimos onde ele vai ficar — disse Charlotte.

— Então, talvez devamos fazer isso? — sugeri.

Ela me deu um olhar que indicava que não estava revirando os olhos só por extremo controle muscular.

Sorri.

— O hotello está na fazenda? — sugeri.

— Ele não é uma cena de crime? — perguntou Vlade.

Charlotte negou com a cabeça.

— Já fizeram tudo o que precisavam ali. Gen nos disse que podíamos usá-lo novamente. Mas será que não está muito frio?

— Meu quarto era um gelo — comentou o velho. — Não me incomodo com isso.

— Ok, então — decidiu Charlotte. — É a opção mais fácil, certamente.

Os garotos trocaram olhares incômodos. Era provável que tivessem que assumir a tarefa de ser companheiros de quarto do amigo. Charlotte parecia não perceber a inquietação dos meninos. Possivelmente, eles viviam perto ou no edifício sem que ela soubesse. Não era hora de perguntar isso para eles. Eu tinha a sensação de que nada do que eu dissesse naquela mesa ia terminar bem, e parecia que minha melhor opção era comer e ir embora, com uma boa desculpa, claro.

Meu prato estava vazio, assim como o do velho. E ele realmente parecia abatido.

— Vou ajudá-lo a ir lá para cima — falei, levantando-me. — Venham, meninos. — O prato deles tinha se esvaziado segundos depois que se sentaram para comer. — Vocês podem terminar o que começaram.

Vlade assentiu para eles e se juntou a nós enquanto seguíamos para os elevadores, deixando as duas mulheres para trás. Eu teria dado qualquer coisa para ser uma mosca só para ouvir a conversa delas, mas não era possível. E se eu estivesse presente, a conversa não seria a mesma. Então, com certo receio, passei por Jojo e disse:

— Nos vemos daqui a pouco?

Ela franziu o cenho.

— Estou cansada. Acho que vou para casa já já.

— Tudo bem — respondi. — Descerei quando terminar, para ver se você ainda está aqui.

— Subo daqui a pouco — falou Charlotte. — Quero ver como as coisas vão se ajeitar lá em cima.

Então a noite estava acabada. E, de fato, tudo fora um desastre na maior parte do tempo, a julgar pela expressão de Jojo. Isso me preocupava muito. Ajustes seriam necessários, mas quais? E por quê?

PARTE TRÊS

A armadilha da liquidez

•

Afogado, empapado, visitando Davy Jones, a seis braças de profundidade, molhado, todo molhado, embolorado, mofado, na maré, pantanoso, espirrado, na prancha de surf, no *body surf*, no mergulho, na bebida, com a tripa cheia d'água, bêbado, úmido, submerso, afundado, no mergulho em alto mar, chapinhando, bêbado, rabugento, regado, cascateado, com snorkel, nas corredeiras, nadando de costas, surfando, amordaçado, prendendo a respiração, no tubo, banhado, tomando banho, na ducha, nadando, nadando com peixes, visitando tubarões, conversando com amêijoas, descansando com lagostas, conversando com Jonas, na barriga da baleia, piloto de pesqueiro, como Leviatã, com barbatanas, embriagado, mergulhado, selado, pegando moluscos, salgando, em salmoura, mergulhando de barriga, arrastando, alimentando-se no fundo, respirando água, comendo água, dando descarga, lavando a máquina, submarino, precipitando-se, descendo até a Mãe Oceano, sugando, sugando água, respirando água, virando H_2O, liquidado, liquefeito, aplastado, empapado, derramado, esguichado, urinado, mijado, sob uma chuva dourada, desfazendo Plutão, no estuário, imerso, emulsionado, abrigado, na ostra, seco com rodo, derretido, derretendo, de bordas infinitas, carregado de profundidade, torpedeado, inundado, lavado, diluviado, fluvializado, fluvial, alagado, como Noé, vizinho de Noé, no submarino, universalmente solvente,

ad aqua infinitum

•

a) o cidadão

O Primeiro Pulso não foi ignorado por toda uma geração de cérebros de minhoca, isso é um mito. Embora tenha uma parte de verdade – como muitos mitos –, é uma história que vem sendo objeto de certo exagero. A verdade é que o Primeiro Pulso foi uma comoção profunda, como não podia ser de outra forma, já que o nível do mar se elevou três metros em dez anos. Isso já era suficiente para perturbar as áreas costeiras de todo o mundo e atrapalhar os principais portos ao redor do planeta, assim como o comércio: milhões de contêineres circulavam por meio de navios e caminhões movidos a diesel, transportando todas as coisas que as pessoas queriam, produzidas em um continente e consumidas em outro, seguindo a maior taxa de retorno – a única regra que as pessoas observavam na época. A negligência sobre as consequências da queima de carbono derreteu as calotas polares, e isso causou a elevação do nível do mar que destroçou o sistema de distribuição global e causou uma depressão que foi até mais danosa para o povo daquela geração do que a consequente crise de refugiados que, usando a unidade de medida popular na época, foi equivalente a cinquenta Katrinas. Uma situação bem ruim, mas a profunda interrupção do comércio mundial foi ainda pior, pelo menos do ponto de vista da economia. Então, sim, o Primeiro Pulso foi uma catástrofe de primeira magnitude: um evento que chamou a atenção das pessoas, e mudanças foram feitas, naturalmente. As pessoas pararam de queimar carbono muito mais rápido do que achavam que conseguiriam antes do Primeiro Pulso. Elas fecharam a porta do estábulo no mesmo instante em que os cavalos saíram. Quatro cavalos, para ser exato.

Tarde demais, claro. O aquecimento global iniciado antes do Primeiro Pulso já estava no auge, e não podia ser detido por nada que as pessoas fizessem depois. Então, apesar de "mudar tudo" e de descarbonizar tão rápido quanto deveriam ter feito cinquenta anos antes, as pessoas continuaram sendo cozidas como insetos na chapa. Nem mesmo jogar alguns bilhões de toneladas de dióxido de enxofre na atmosfera para imitar uma erupção vulcânica e, assim, desviar um pouco da luz do sol, diminuindo a temperatura por uma ou duas décadas – o que fizeram nos anos de 2060 com grande fanfarrice e/ou ranger de dentes –, foi suficiente para deter o aquecimento. O calor relevante já estava nas profundezas do oceano e não ia a lugar algum no curto prazo, não importava como as pessoas brincassem com o termostato global, imaginando ter poderes divinos. Não tinham.

Foi esse calor oceânico que fez o Primeiro Pulso pulsar e, mais tarde, trouxe o segundo. De vez em quando, as pessoas falam que ninguém viu o que estava por vir, mas não, errado: elas viram. Paleoclimatologistas da época analisaram a situação e constataram que os níveis de CO_2 haviam subido de duzentos e oitenta para quatrocentos e cinquenta partes por milhão em menos de trezentos anos, mais rápido do que jamais ocorrera nos cinco bilhões de anos anteriores da existência da Terra (podemos falar de "Antropoceno", classe?). Eles pesquisaram o registro geológico em busca da melhor analogia para esse fato sem precedentes, e disseram *Uau*. Disseram *Puta merda. Ei pessoal*, falaram, *o nível do mar está subindo! Durante o período Eemiano, que andamos analisando, o mundo viu um aumento de temperatura que só foi a metade do que o que estamos causando, e o aumento rápido e dramático do nível do mar se seguiu imediatamente.* Colocaram a questão em termos marqueteiros: *Um maciço aumento do nível do mar se seguirá à nossa liberação sem precedentes de CO_2!* Publicaram artigos, gritaram e acenaram os braços, e alguns poucos escritores de ficção científica, sagazes e profundamente pensativos, escreveram relatos lúgubres sobre tal eventualidade, e o resto da civilização continuou queimando o planeta como se fosse a obra-prima de um pirômano. Sério. Isso era o tanto que aqueles idiotas se importavam com seus netos, e isso era o quanto eles acreditavam em seus cientistas, embora sempre que sentiam o menor sinal de resfriado corressem até o cientista mais próximo (ou seja, o médico) para buscar ajuda.

Mas, tudo bem. Ninguém imagina que uma catástrofe vai cair sobre sua cabeça até que isso aconteça. As pessoas simplesmente não têm esse tipo de capacidade mental. Se tivessem, elas ficariam paralisadas de medo o tempo todo, porque há algumas catástrofes garantidas que ameaçam cair sobre todos nós e que ninguém é capaz de evitar (a morte, por exemplo). Então, a evolução gentilmente nos deu um ponto cego mental estrategicamente localizado, uma incapacidade de imaginar desastres futuros de um modo realmente crível, e assim podemos continuar funcionando, por mais sem sentido que possa ser. É uma aporia, como os gregos e os intelectuais entre nós diriam, um "não ver". Portanto, ótimo. Útil. Só que desastrosamente nocivo.

Então as pessoas da década de 2060 atravessaram como puderam a grande depressão que se seguiu ao Primeiro Pulso, e claro que havia uma multidão naquela geração, um por cento específico da população, que por acaso se deu muito bem, e considerou que aquilo tudo era realmente um ato de destruição criativa, já que nada de ruim as tocara, e que o que todos precisavam fazer era lidar com isso apertando o cinto e admitindo a ideia de austeridade – o que significava mais pobreza para os pobres –, era aceitar um estado policial com muita liberdade de expressão e estilos de vida extravagantes – a fim de envolver o punho de ferro com luvas de pelica –, e pronto! O show deve continuar! Humanos são durões!

Mas façam uma pausa, ainda que pequena – e os que estão ansiosos para voltar à narrativa das bizarrices de humanos individuais podem pular para o capítulo seguinte, e saibam que qualquer outro discurso expositivo, qualquer outra informação *despejada* (em seu carpete) por este nova-iorquino será impressa em tinta vermelha para adverti-los a ignorá-la (só que não) –, façam uma pausa, leitores de mente aberta mais intelectualmente flexíveis, para pensar em por que o Primeiro Pulso aconteceu, antes de mais nada. Dióxido de carbono na atmosfera prende o calor por meio do já bem conhecido efeito estufa; ele fecha uma lacuna no espectro pela qual a luz do sol refletida costumava voltar para o espaço e, em vez disso, a converte em calor. É como fechar totalmente as janelas do carro em um dia quente, em vez de deixá-las parcialmente abertas. Na verdade, não, mas é parecido o bastante para elucidar o fenômeno, caso ainda não tenham entendido. Então, ok, esse calor preso na atmosfera é transferido muito fácil e naturalmente para os oceanos, aquecendo a água. As águas dos oceanos circulam, e a água da superfície aquecida em algum momento é empurrada para baixo, para níveis mais profundos. Não até o fundo, nem de perto, porém mais baixo. O calor em si expande um tantinho a água dos oceanos, elevando um pouco o nível do mar, mas essa não é a parte importante. A parte importante é que essas correntes oceânicas mais quentes circulam pelo planeta, incluindo a Antártida, que fica nos confins do mundo como um grande bolo de gelo. Um bolo de gelo realmente grande. Derreta todo esse gelo e despeje-o nos oceanos (embora ele se despeje sozinho), e o nível o mar fica oitenta metros mais elevado do que no período do Holoceno.

Contudo, derreter todo o gelo da Antártida é um trabalho e tanto, e não acontece de uma hora para outra, mesmo no Antropoceno. Mas qualquer gelo antártico que deslize rumo ao oceano flutua para longe, deixando espaço para que mais fragmentos se soltem, e no século vinte e um, assim como nos três milhões de anos anteriores, muito gelo antártico foi empilhado nos declives de bacia, significando vales gigantes que desciam na direção do oceano. O gelo escorrega pela colina como água, só que mais devagar – mas se deslizar (esquiar?) em uma camada de água líquida, não vai ser tão devagar. Então todo aquele gelo amontoado sobre a beira do oceano estava empoleirado ali, e não deslizava muito rápido porque havia contrafortes de gelo bem na linha do litoral ou logo abaixo dela, que basicamente mantinham tudo no lugar. Esse gelo da costa estava apoiado diretamente no chão, ancorado pelo próprio peso imenso, formando de fato longas represas que rodeiam toda a Antártida, represas que de algum modo mantinham no lugar as grandes bacias de gelo acima delas. Mas esses contrafortes de gelo nos extremos oceânicos das gigantescas bacias de gelo estavam fixos no lugar principalmente pelas bordas frontais, que estavam aterradas sob a água, levemente fora da costa – ainda mantidas no chão pelo próprio peso maciço, mas presas sob a água em solos rochosos que se erguiam como a borda inferior de uma tigela, resultado de uma ação anterior do gelo em épocas passadas. Os cientistas chamavam essas bordas mais periféricas das represas de gelo de "contrafortes dos contrafortes". Esse nome não é encantador?

Então, sim, os contrafortes dos contrafortes estavam no lugar, mas como o nome pode sugerir, eles não eram tão grandes em comparação às massas de gelo que continham, nem estavam bem localizados. Simplesmente estavam ali, na parte rasa da Antártida, aquele bolo de gelo de tamanho continental, aquele bolo de três quilômetros de espessura e mil e quatrocentos quilômetros de diâmetro. Façam as contas, os versados em matemática entre vocês. Para os demais, o aumento de oitenta e dois metros do nível do oceano é a resposta já dada anteriormente. E, por último, as correntes oceânicas circumpolares em rápido aquecimento, já mencionadas, circulavam a um ou dois quilômetros de profundidade, ou seja, como vocês podem imaginar, bem no nível em que repousavam os contrafortes. E o gelo, embora apoiado em terra firme, incluindo o que está no fundo das águas rasas quando tem peso suficiente, flutua na água quando a água está sob ele. Como é bem sabido. Consulte seu coquetel para confirmar esse fenômeno.

Então, o primeiro contraforte de um contraforte a flutuar para longe estava na desembocadura da geleira Cook, que mantinha a bacia Wilkes/Victoria na Antártida ocidental. Aquela bacia continha gelo suficiente para elevar em mais de três metros o nível do mar, e embora nem tudo se desprendesse de uma só vez, ao longo das duas décadas seguintes o fenômeno ocorreu mais rápido do que o esperado, até que mais da metade estava à deriva, derretendo nas profundezas salgadas de modo acelerado.

Por falar nisso, a Groenlândia – um partícipe que não deve ser desconsiderado em tudo isso – também derretia cada vez mais rápido. Sua calota de gelo era uma anomalia, um remanescente da imensa calota do Polo Norte na última grande era do gelo, localizada muito mais ao sul do que poderia ser explicado por qualquer fator que não fosse seu status fossilizado. De fato, seu derretimento já estava atrasado em uns dez mil anos, mas o fato de estar em uma grande banheira formada por cadeias de montanhas de algum modo mantinha a calota estável e refrigerada. Mas esse gelo também estava derretendo na superfície e abria frestas na base das geleiras, lubrificando assim sua descida por grandes cânions que cortavam a montanha costeira com infiltrações na banheira. Como resultado, a Groenlândia também derretia, ao mesmo tempo que a bacia Wilkes/Victoria afundava no oceano meridional. O derretimento da Groenlândia é o motivo pelo qual ainda dá para ver um ponto azul-claro, a sudeste desse território, quando você olha para mapas que mostram a temperatura média na Terra naquele período – e mesmo décadas antes disso, e o mundo todo era um vermelho vivo zangado. Alguém poderia se perguntar, naquelas décadas, o que fazia com que o oceano ali fosse frio; que mistério, essa pessoa diria, e então voltaria a queimar carbono.

Então, o Primeiro Pulso foi basicamente obra da bacia Wilkes/Victoria, com ajuda da Groenlândia e da Antártida Ocidental, outro colaborador secundário, mas com uma contribuição importante, já que suas bacias estão quase inteiramente sob o nível do mar, de modo que quebraram rapidamente seus contrafortes e ficaram à deriva no oceano. Todo esse gelo, quebrando e caindo no mar. Anos dos maiores aumentos, 2052-2061, e de repente o nível do oceano estava três metros mais alto. Ah, não! Como fora possível?

As próprias taxas de mudança haviam mudado, por isso foi possível. Digamos que o ritmo de derretimento dobra a cada dez anos. Quantas décadas são necessárias antes que estejamos fodidos? Não muitas. É como juros compostos. Ou como a velha história do grande imperador mongol que foi convencido a recompensar um camponês que salvou sua vida dando-lhe um grão de arroz e depois dois, e dobrando a quantidade a cada casa de um tabuleiro de xadrez. Possivelmente, o grão-vizir ou o astrônomo-chefe recomendara esse pagamento, ou talvez o camponês astuto, e o imperador ingênuo disse, claro, é um bom acordo, quem se importa com grãos de arroz. E começou a soltar o pagamento, tendo sido bem treinado para contar grãos de arroz por uma certa dervixe sérvia de passagem. Depois de algumas fileiras do tabuleiro, ele se dá conta do que aceitou e manda decapitar o vizir, o astrônomo ou o camponês. Talvez os três, como seria o estilo imperial. O um por cento fica perverso quando seus bens são ameaçados.

Pois foi assim que aconteceu com o Primeiro Pulso. Grande surpresa. E quanto ao Segundo Pulso, você pergunta? Não pergunte. Foi mais do mesmo, mas dobrado, já que tudo se soltava com o aquecimento crescente e os mares mais altos. Principalmente, o contraforte da bacia Aurora cedeu e seu gelo desceu pela geleira Totten. A Aurora era uma bacia ainda maior do que a Wilkes/Victoria. Então, com o nível do mar já elevado em cinco metros e depois em seis, *todos* os contrafortes dos contrafortes se desprenderam ao redor de todo o continente antártico. Depois disso, os contrafortes acabaram sendo empurrados para o mar, e a gravidade fez seu trabalho com o gelo em todas as bacias da Antártida Ocidental, e todo aquele gelo rapidamente se derreteu quando chegou à água – e mesmo quando ainda era gelo e flutuava, com frequência na forma de icebergs tabulares do tamanho de países, já estava modificando o oceano tanto quanto aconteceria quando terminasse de derreter. Por que isso acontecia é deixado como um exercício para o leitor resolver, depois do qual ele pode sair correndo pelado da banheira transbordante gritando *Eureka*!

Vale a pena acrescentar que o Segundo Pulso foi muito pior do que o Primeiro, no que diz respeito aos seus efeitos, porque o aumento total do nível do mar chegou ao redor dos quinze metros. Isso realmente destruiu todas as áreas costeiras do planeta, causando uma crise de refugiados quantificada em dez mil Katrinas. Um oitavo da população mundial vivia perto da costa e foi mais ou menos impactada, assim como a pesca e a aquicultura, o que significava um terço da comida da humanidade, além de uma boa porção da agricultura costeira (chover sobre o molhado), bem como o transporte já mencionado. E com o transporte afetado, o comércio mundial foi impactado, e a base do tão alardeado conto do sucesso global neoliberal que fizera tanto por tão poucos também foi destruída. Nunca tanto foi feito a tantos por tão poucos!

Tudo isso aconteceu muito rápido, nos últimos anos do século vinte e um. Apocalíptico, armagedônico, escolha o adjetivo que preferir. Antropogênico seria um. Aniquilador, outro. Evento de extinção em massa antropogênico é o termo usado com frequência. Fim de uma era. Geologicamente falando, poderia ser o fim de uma época, idade, período ou éon, mas isso não pode ser decidido até que ocorra o ciclo completo, então a frase típica "fim de uma era" é aceitável para o próximo bilhão ou mais de anos, depois do que podemos revisar o nome de modo apropriado.

Mas, ei! Um fim é um começo! Destruição criativa, certo? Aplique mais estado policial e mais austeridade, adote medidas drásticas e proceda como antes. Limpar a bagunça é uma grande oportunidade de investimento! Vamos, baby, vamos!

É verdade que as regiões costeiras recém-alagadas, no início abandonadas, foram rapidamente reocupadas por carniceiros desesperados, posseiros, pescadores e assim por diante, os ratos d'água, como eram chamados entre vários outros nomes bem-humorados. Havia muita gente assim, e muitos deles eram o que você poderia chamar de radicalizados por suas experiências. E embora serviços básicos como eletricidade, água, esgoto e policiamento sumissem no início, grande parte da infraestrutura ainda estava ali, resistindo de modo anfíbio nas águas pouco profundas, ou sendo repetidamente ocupada e evacuada nas zonas que intercalavam as marés baixa e alta. Imediatamente, como uma parte integral da resposta humana natural à tragédia e ao desastre, os processos judiciais proliferaram. Muitos estavam preocupados com o status legal dessa terra alagada, que, devia-se admitir, era efetiva e talvez até tecnicamente (o que significava legalmente) o fundo do oceano, e com essa possibilidade as leis que a definiam e a regulavam não eram as mesmas de quando as áreas em questão eram terra firme. Mas visto que já estava tudo destruído, o povo em Denver não se importava, na verdade. Nem as pessoas em Pequim, que podiam dar uma olhada em Hong Kong, Londres, Washington, São Paulo, Tóquio e assim por diante, ao redor de todo o globo, e dizer: *Ah, meu caro! Que azar você teve! Boa sorte! Ajudaremos no que for possível, em especial aqui em casa, na China, mas no resto do mundo também, e a uma taxa reduzida de juros, se você assinar aqui.*

E eles também podem ter sentido, junto com todos os outros naquele afortunado grupo do um por cento, que alguma experimentação social nas margens alagadas poderia contribuir para liberar parte da pressão de certas populações iradas, pressão social que poderia até mesmo gerar alguma inovação útil sem querer. Então, nas palavras imortais de Bertold Brecht, eles "dissolveram o povo e elegeram outro", ou seja, mudaram-se para Denver e deixaram que os ratos d'água se arranjassem o melhor que pudessem. Um experimento de vida molhada. Esperar para ver o que aquele povo maluco faria com tudo aquilo, e se fosse bom, comprá-lo. Como sempre, certo? Vocês, valentes, audazes e profundamente manipuladores de vanguarda, já sabem, quer estejam lendo isto em 2144, 2312, 3333 ou em 6666.

E foi isso. Difícil de acreditar, mas essas coisas aconteceram. As palavras imortais de quem quer que seja: "A história é só uma maldita coisa depois da outra". A não ser que tenha sido Henry Ford a dizer isso, cancele. Mas foi ele quem disse: "A história é uma mentira". Não que seja a mesma coisa. De fato, cancele esses dois ditos estúpidos e cínicos. A história é a humanidade tentando assumir o controle. Obviamente não é fácil. Mas seria melhor se prestassem um pouco mais de atenção a certos detalhes, como, por exemplo, nosso planeta.

Já basta de "eu te disse"! Vamos voltar aos nossos intrépidos heróis e heroínas!

•

O poeta Charles Reznikoff percorria a pé cerca trinta quilômetros diários pelas ruas de Manhattan.

Um certo Thomas J. Kean, com sessenta e cinco anos de idade, percorreu cada rua, avenida, calçadão, beco, quarteirão e bairro da ilha de Manhattan. Levou quatro anos, durante os quais atravessou mais de oitocentos quilômetros, em um total de três mil e vinte e duas quadras. Primeiro percorreu as ruas, depois as avenidas, por último a Broadway.

•

b) Mutt e Jeff

— Alguma vez você leu *Esperando Godot*?
— Não.
— Alguma vez você leu *Rosencrantz e Guildenstern estão mortos*?
— Não.
— Você já leu *O beijo da mulher aranha*?
— Não.
— Já leu?...
— Jeff, pare. Eu nunca leio nada.
— Alguns programadores leem.
— Sim, é verdade. Já li *R cookbook*. Também li *Tudo o que você sempre quis saber sobre R*. Ah, e *R para idiotas*.
— Não gosto de R.
— É por isso que leio tanto sobre o assunto.
— Não entendo o motivo. Não usamos tanto R.
— Eu uso para ajudar a descobrir o que estamos fazendo.
— Nós sabemos o que estamos fazendo.
— Você sabe. Ou você sabia. Eu mesmo não tenho tanta certeza. E aqui estamos; então, quanto você sabe, na verdade?
— Não sei.
— Aí está sua resposta.
— Olhe, R nunca vai me ajudar a entender o que fizemos para acabar aqui. Isso eu sei.
— Você não sabe.
Jeff balança a cabeça.
— Não acredito que você não leu *Esperando Godot*.
— Godot era um programador, entendo.
— Sim, acho que sim. Nunca chegaram e descobrir. Em geral as pessoas presumem que Godot era Deus. Uns dizem: "É Deus em inglês"; outros

dizem: "Oh!" e então juntam tudo e fica God-oh, depois é só colocar um sotaque francês.

— Não lamento em nada não ter lido esse livro.

— Não. Quero dizer, agora que estamos vivendo isto, não acho que o livro seja realmente necessário. Seria redundante. Mas pelo menos era curto. Isto é comprido demais. Há quanto tempo estamos aqui?

— Vinte e nove dias, eu acho.

— Ok. Isso é comprido.

— Parece muito mais.

— Verdade, parece. Mas é só um mês. Poderia durar mais.

— Obviamente.

— Mas alguém deve estar procurando por nós, certo?

— Espero que sim.

Jeff suspira.

— Coloquei alguns interruptores tipo "homem morto" em partes do que mandei para você, sabe. Alguns devem se ativar logo.

— Mas as pessoas já saberão que estamos desaparecidos. De que vai servir quando isso for ativado? Só vai confirmar o que os outros já sabem.

— Mas eles saberão que há um motivo para nosso desaparecimento.

— Que é qual?

— Bem, se eu estiver certo, seria a informação que mandamos para as pessoas com quem nos contatamos.

— Quer dizer, que *você* mandou para as pessoas com quem se contatou.

— Certo. Pessoas que entenderiam a informação e investigariam o problema, e talvez isso as traga até nós.

— Aqui, no fundo do rio.

— Bem, quem quer que tenha nos colocado aqui deve ter deixado um registro ao fazer isso.

Mutt balança a cabeça.

— Isso não é o tipo de coisa sobre a qual as pessoas escrevam ou falem.

— Então o quê? Elas dão uma piscadinha? Usam linguagem de sinais?

— Algo do tipo. Para bom entendedor, meia palavra basta. Sem registros.

— Bem, temos que ter esperança de que esse não seja o caso. Além disso, tenho um chip injetado na pele que transmite um sinal de GPS.

— Qual o alcance?

— Não sei.

— Qual o tamanho do chip?

— Um pouco mais de um centímetro? Dá para sentir, aqui na minha nuca.

— Então, talvez uns trinta metros? Se você não estivesse no fundo de um rio?

— A água enfraquece as ondas de rádio?

— Não sei.

— Bem, fiz o que era possível.

— Você chamou a Comissão de Títulos e Câmbio sem me contar, foi isso o que você fez. Chamou a Comissão e alguns *dark pools*,[3] se entendi direito.

— Foi só um teste. Eu não estava roubando nem nada assim. Foi só um assobio para chamar a atenção.

— Bom saber. Mas agora nós é que estamos no fundo de um lago bem escuro.

— Eu queria ver se conseguíamos abrir uma porta. E conseguimos, o que é bom. Nem tenho certeza se foi isso que nos fez acabar presos aqui. Fomos nós que escrevemos o código de segurança daquele servidor, e eu escrevi um canal secreto para que nós pudéssemos usá-lo, e não havia como mais alguém notar aquilo.

— Mas você ainda parece pensar que foi isso que nos trouxe até aqui.

— Eu só não consigo pensar em mais nada que pudéssemos ter feito. Quero dizer, já faz muito tempo que eu irritei você sabe quem. E ninguém ouviu aquele assobio. Eu pretendia criar uma buzina e saiu um apito para cães.

— E quanto aos dezesseis ajustes do sistema mundial sobre o qual você estava falando? E se o sistema mundial não gostou da ideia?

— Mas como ele saberia?

— Eu pensei que você tivesse dito que o sistema é consciente de si mesmo.

Jeff encara Mutt por alguns instantes.

— Foi uma metáfora. Uma hipérbole. Um simbolismo.

— Eu achei que era programação. Todos os programas interligados em um tipo de programa mestre. Foi o que você disse.

— Como Gaia, Mutt. É como Gaia, que engloba tudo o que é vivo na Terra, que influencia todo o resto, como as rochas, o ar e essas coisas. Como a nuvem, talvez. Mas ambos são metáforas. Não há ninguém em casa de verdade em nenhum dos casos.

— Se é o que você diz. Mas, olhe, você colocou sua porta lá, por meio do canal secreto, nada menos do que isso, e a coisa seguinte que sabemos é que estamos presos em um contêiner enfeitado como uma espécie de limbo. Talvez a nuvem tenha nos matado, e isto seja nós dois mortos.

— Não. Isso era *Esperando Godot*. Nós estamos apenas em um contêiner em algum lugar. Um lugar com barulho de água corrente nas paredes exteriores, presos e tal. Com comida ruim.

— Pode ser que a comida no limbo seja ruim.

— Mutt, por favor. Por que, depois de catorze anos de literalidade total, você escolheria bem agora para dar uma de metafísico para o meu lado? Não sei se aguento isso.

---

3. Lagos escuros, em inglês. (N.E.)

Mutt dá de ombros.
— É misterioso, só isso. Altamente misterioso.
Jeff só consegue concordar.
— Me conte mais uma vez o que sua porta ia fazer.
Jeff faz um gesto de pouco caso com a mão.
— Eu ia introduzir uma meta-porta pela qual cada transação realizada na Bolsa Mercantil de Chicago enviaria um ponto ao fundo de operações da Comissão de Títulos e Câmbio.
Mutt o encara.
— Um ponto por transação?
— Eu disse um ponto? Talvez seja um centésimo de ponto.
— Mesmo assim. De repente a Comissão tem um trilhão de dólares que não consegue identificar em sua conta de operações?
— Não foi tanto. Só alguns bilhões.
— Por dia?
— Bem, por hora.
Mutt se levanta de maneira quase involuntária, olhando para Jeff, que tem os olhos fixos no chão.
— E você se pergunta por que alguém veio atrás de nós?
Jeff dá de ombros.
— Fiz outros ajustes que poderiam ter causado muito mais barulho, você sabe.
— Mais do que roubar alguns bilhões de dólares por hora?
— Não era roubo, era redirecionamento. E para a Comissão de Títulos e Câmbio, nada menos do que isso. Não tenho certeza se esse tipo de coisa não acontece o tempo todo. Se acontecesse, quem saberia? A Comissão saberia? São trilhões fictícios, são derivativos, títulos e a enésima parcela de um monte de bônus. Se alguém tivesse uma porta de entrada, se existissem portas por todas as partes, ninguém seria capaz de saber. Algumas contas bancárias em um paraíso fiscal ficariam mais gordinhas e ninguém saberia.
— Por que você fez isso então?
— Para alertar a Comissão de Títulos e Câmbio de que isso pode acontecer. Talvez também dar a eles os fundos necessários para lidar com essa merda toda. Demitir algumas pessoas dos *hedge funds*, dar musculatura às leis. Criar um maldito xerife, pelo amor de Deus!
— Então você queria que eles notassem.
— Acho que sim. Sim, eu queria. Queria que a Comissão notasse. Fiz um monte de coisas. Pode ser que nem foi isso que chamou a atenção.
— Não? O que mais você fez?
— Acabei com todos esses paraísos fiscais.
Mutt o encara.
— Acabou com eles?

—Eu alterei a lista dos países para os quais é ilegal enviar fundos. Você sabe que há cerca de dez países que patrocinam o terrorismo para os quais você não pode mandar dinheiro? Acrescentei todos os paraísos fiscais a essa lista.

— Quer dizer... Tipo a Inglaterra?

— Todos eles.

— Então, como supostamente a economia do mundo vai funcionar? O dinheiro não pode circular se não pode ir para os paraísos fiscais.

— Não devia ser assim. Os paraísos fiscais não deviam existir.

Mutt lança as mãos ao ar.

— O que mais você fez? Se eu posso perguntar.

— Eu dei uma de Piketty com o código fiscal dos Estados Unidos.

— E o que isso significa?

—Imposto progressivo acentuado dos ativos financeiros. Todos os bens de capital nos Estados Unidos tributados em uma taxa progressiva que vai até noventa por cento em qualquer carteira que supere os cem milhões.

Mutt volta a se sentar em sua cama.

— Então isso seria como... — E faz um gesto de cortar com a mão.

— Seria o que Keynes chamava de eutanásia do rentista. Sim. Ele realmente esperava que isso acontecesse, e isso há dois séculos.

— Ele não disse também que os economistas supostamente mais espertos são idiotas trabalhando com ideias centenárias?

— Disse algo do tipo, sim. E estava certo.

— Então agora você também está fazendo isso?

— Pareceu uma boa ideia na hora. Keynes é atemporal.

Mutt balança a cabeça.

— Decapitação da oligarquia... Esse não é outro termo para isso? Significa guilhotina, certo?

— Mas só com o dinheiro deles — diz Jeff. — Secamos a fonte do dinheiro. Do excesso de dinheiro. Todo mundo ficou com, no máximo, cinco milhões. Cinco milhões de dólares... Quero dizer, é o bastante, certo?

— Para eles, dinheiro nunca é o bastante.

— É o que as pessoas dizem, mas não é verdade! Depois de um tempo, você está comprando assentos de privada de mármore e voando em jatos particulares para a Lua a fim de tentar gastar o excesso de dinheiro, mas tudo o que ganha de fato são guarda-costas, contadores, crianças malucas, noites sem dormir e refluxo ácido! É demais, e demais é uma maldição! É um maldito toque de Midas.

— Não sei. Eu experimentaria para ver. Eu seria voluntário para provar uma vida dessas e depois faria um relato para você.

— Todo mundo acha isso. Mas ninguém consegue fazer dar certo.

— Conseguem, sim. Fazem doações, trabalhos beneficentes, comem bem, exercícios.

— Nada disso. Ficam estressados e malucos. E seus filhos são ainda mais malucos. Não! Não! Estamos fazendo um favor para eles!

— Decapitação, o grande favor! Pessoas fazendo fila aos pés da guilhotina. Por favor! Eu primeiro! Corte meu pescoço bem aqui!

Jeff suspira.

— Acho que depois de um tempo a coisa se normalizaria. As pessoas veriam o sentido disso.

— Todas essas cabeças rolando no chão, seus rostos encarando uns aos outros. Ei, isso é ótimo! Que boa ideia!

— Comida, água, abrigo, roupas. É tudo o que você precisa.

— Temos tudo isso aqui — aponta Mutt.

Jeff deixa escapar outro suspiro.

— Não é tudo o que precisamos — insiste Mutt.

— Está bem! Parecia uma boa ideia!

— Mas você mostrou suas cartas. E era impossível manter isso. Seria como pichar uma parede qualquer.

Jeff assente.

— Bem... Uma pichação bem assustadora, para quem quer que tenha feito isso conosco.

— Concordo com você nisso. Na verdade, estou surpreso que não estejamos mortos.

— Ninguém matou Piketty. Ele fez uma turnê de muito sucesso para falar de seu livro, se não me engano.

— Isso porque foi há centenas de anos, e era um livro. Ninguém se importa com livros. É por isso que você pode escrever qualquer coisa neles. São com as leis que as pessoas se importam. E você está mexendo nas leis. Você fez sua pichação bem nas leis.

— Eu tentei — concorda Jeff. — Por Deus, eu tentei. Então me pergunto quem notou primeiro. E como a notícia chegou em quem quer que tenha nos capturado.

Mutt balança a cabeça.

— Podemos ter sido rendidos. Eu me sinto um pouco acabado, agora que você mencionou. Podemos estar no Uruguai. No fundo do rio da Prata ou sabe-se onde.

Jeff franze o cenho.

— Não parece coisa de governo — diz ele. — Este aposento é bom demais.

— Você acha? Bom?

— Eficaz. Ostensivamente hermético. Bons lacres. Impermeável, isso não é fácil. A entrada da comida também é à prova d'água. Comida duas vezes ao dia. É estranho.

— A marinha faz isso o tempo todo. Podemos estar em um submarino nuclear, e ficar submersos por cinco anos.

— Eles ficam tanto tempo assim sob a água?
— Cinco anos e um dia.
— Não — diz Jeff depois de um tempo. — Não acho que estejamos nos movendo.
— Não brinca.

•

Não devemos nos preocupar com especulações sobre como a raça humana será destruída no final, se por fogo ou por outra coisa. Seria muito fácil cortar seus fios em qualquer momento com uma explosão um pouco mais forte vinda do norte.

Thoreau

Por cem vezes, pensei: Nova York é uma catástrofe; e cinquenta vezes: é uma bela catástrofe.

Le Corbusier

Deixar de lado cinquenta vezes não é tão belo.

•

c) Charlotte

Charlotte observava aquela tal de Jojo cuidadosamente. Estavam sentadas uma de frente para a outra na comprida mesa de jantar. Alta, elegante, atlética, inteligente. Saindo com Franklin Garr e, como ele, trabalhava na área de finanças – exatamente com o quê, Charlotte não sabia. Mas sabia o geral: ela ganhava dinheiro manipulando dinheiro. Trinta e poucos anos. Charlotte não gostou dela.

Mas reprimiu esse sentimento, mesmo internamente, já que antipatia era uma coisa que as pessoas percebiam com rapidez. Manter a mente aberta etc. Parte de seu trabalho, e algo que Charlotte sempre gostava de fazer de toda forma, como progresso pessoal. Ainda havia um longo caminho a percorrer, já que tinha uma tendência para odiar as pessoas à primeira vista. Em especial pessoas da área de finanças. Mas ela gostava de Franklin Garr, embora parecesse estranho, então talvez pudesse estender isso àquela mulher.

— Então — disse Charlotte —, alguém ou alguma empresa fez uma oferta para comprar o edifício inteiro. Você sabe algo sobre isso?

— Não. Por que eu deveria? Você não sabe quem é?

— Veio por intermédio de um corretor, então, não. Mas por que alguém iria querer fazer algo assim?

— Não sei. Não trabalho com imóveis.

— Aquele investimento no Soho não tinha a ver com imóveis? E quando você trabalha com títulos imobiliários?

— Bem, suponho que esteja certa. Mas títulos são derivativos. É como negociar com o próprio risco, mais do que com uma commodity em particular.

— Edifícios são commodities?

— Tudo o que pode ser negociado é uma commodity.

— Incluindo o risco.

— Claro. Os mercados futuros se baseiam no risco.

— Então, essa oferta pelo nosso edifício. Há algum modo de descobrirmos quem é o responsável?

— Acho que o corretor deles tem que apresentar a oferta em conjunto com a cidade, certo?

— Não. Eles podem fazer a oferta eles mesmos, de fato. E quanto à resistência? O que acontece se não quisermos vender?

— Não vendam. Mas isto é uma cooperativa, certo? Você tem certeza de que os outros não querem vender?

— Há uma cláusula no contrato que diz que eles não podem vender os apartamentos.

— Claro, mas e o edifício inteiro? São proibidos de fazer isso?

Charlotte encarou a mulher. Estivera certa em odiá-la.

— Você iria querer vender se morasse aqui? — perguntou, por fim.

— Não sei. Depende do preço, acho. E se eu poderia ou não ficar. Esse tipo de coisa.

— É esse tipo de coisa que vocês chamam de aeração?

— Eu achava que isso significava bombear espaços submarinos e lacrá-los para que permanecessem secos.

— Sim, mas ouvi que o termo também vem sendo usado para descrever a recuperação da zona entremarés pelo capital global. Você areja o espaço e, de repente, ele está de volta ao sistema. Acho que querem sugerir que a área deixa de ser alagada.

— Não tinha ouvido.

Arejamento era um termo usado todo o tempo no lado esquerdo da nuvem onde Charlotte tendia a ler os comentários, mas era óbvio que essa mulher não fazia suas leituras por ali.

— Mesmo que você invista na zona entremarés?

— Certo. O que faço em geral é chamado de resgate ou reabilitação.

— Entendo. Mas e se votarmos para lutar contra essa oferta de compra do edifício? Tem alguma sugestão?

— Acho que é só dizer não para eles, e ponto final.

Charlotte voltou a encará-la.

— Você realmente acha que isso bastaria?

Jojo deu de ombros com elegância, e ver isso fez Charlotte começar a odiá-la com mais intensidade. Ou ela fingia ser ignorante ou era uma idiota, e ela não parecia ser uma idiota, então era isso: fingimento. Charlotte não gostava quando as pessoas fingiam acreditar em coisas que todo mundo sabia que elas não acreditavam; era uma forma de menosprezo, de arrogância com tendência ao desprezo. Com esse gesto, ela estava dizendo que Charlotte não era digna de falar sobre o assunto.

Charlotte deu de ombros também, uma imitação grosseira.

— Você nunca ouviu falar em uma oferta boa demais para se recusar? Nunca ouviu falar de uma aquisição hostil que teve sucesso?

Jojo arregalou os olhos um pouco.

— Claro que já ouvir falar. Não acho que uma oferta como essa atinja esse nível. Se disser não e eles não desistirem, é quando você precisa começar a se preocupar.

Charlotte balançou a cabeça.

— Eles estão interessados, ok? É o suficiente para causar preocupação, se me perguntar.

— Poupo minhas preocupações para coisas mais relevantes. É o único jeito de não ficar louca.

— Já disse que fizeram uma oferta. Temos que responder.

— Não dá simplesmente para ignorar?

— Não. Temos que responder. Então, a hora é agora. Temos um problema.

— Bem, boa sorte — respondeu Jojo.

Charlotte estava prestes a dizer algo mais contundente quando seu tablet tocou as primeiras notas da Quarta Sinfonia de Tchaikovsky. Charlotte atendeu.

— Desculpe-me, sra. Armstrong, aqui é Amelia Black; moro na Met quando estou em Nova York. Estou procurando Vlade, mas não consigo falar com ele. Há alguma chance de ele estar aí por perto?

— Não, mas vou encontrá-lo agora. Estamos acomodando um novo hóspede no hotello da fazenda. O que aconteceu?

— Bem, estou meio encrencada. Cometi um engano, acho que podemos chamar dessa forma. E então tudo aconteceu rápido demais.

— O que foi? — Charlotte começou a caminhar na direção do elevador e, por algum motivo, Jojo a acompanhou.

— Bem... — Amelia começou a dizer. — Basicamente, meus ursos polares tomaram meu dirigível.

— Como é?

— Não acho que fizeram isso de verdade, mas Frans está pilotando a nave, e os ursos estão na ponte de comando com ele.

— Como isso pode ser? Eles não o comeram ou algo assim?

— Desculpe. Frans é o piloto automático. Até agora os animais o deixaram em paz, mas se desligarem ou alterarem alguma coisa, temo que possa ser um problema.

— O piloto automático é algo que um urso poderia modificar?

— Bem, ele responde a comandos verbais, então, se os animais rugirem ou algo assim, alguma coisa pode acontecer.

— E estão rugindo?

— Bem, sim. Meio que estão. Acho que estão ficando com fome. E eu também — acrescentou Amelia com tom lastimoso.

— Onde você está?

— Estou no armário de ferramentas.

— Consegue chegar à despensa?

— Não sem atravessar, você sabe, o país dos ursos.

— Hummm. Bem, espere só um segundo. Estou quase na fazenda, e Vlade está lá. Vamos ver o que ele diz sobre tudo isso.

— Claro. Obrigada.

Jojo ergueu uma sobrancelha quando Charlotte olhou para ela, e falou em voz baixa:

— Desculpe. Eu só quero saber o que vai acontecer aqui, se estiver tudo bem. E ver como está Franklin.

— Por mim, tudo bem — respondeu Charlotte. As portas do elevador se abriram no andar da fazenda e as duas mulheres se apressaram para o canto sudeste. Vlade, Franklin, os garotos e seu amigo ancião estavam todos reunidos do lado de fora do hotello, sentados em cadeiras e rodeados de pequenas ferramentas de jardim.

Charlotte os interrompeu:

— Vlade, pode me ajudar um segundo aqui? Estou com Amelia no telefone, e ela está com um problema no dirigível. Os ursos polares se soltaram.

Aquilo chamou a atenção de todos imediatamente, e Vlade disse em voz alta:

— Amelia, isso é verdade? Você está aí?

— Sim — confirmou a moça, infeliz.

— Diga-me o que aconteceu.

Amelia descreveu a sequência de ações questionáveis que a levou a se trancar em um armário em uma aeronave cheia de ursos polares soltos. Vlade balançava a cabeça enquanto ouvia.

— Bem, Amelia — falou o síndico quando ela terminou o relato. — Eu disse para você nunca voar sozinha, que não era seguro.

— Eu sempre voo sozinha.

— Isso não torna a viagem segura.

— Torna-a perigosa — opinou Franklin. — O programa dela é exatamente sobre isso.

— Eu ouvi isso — observou Amelia. — Quem é?

— Aqui é Franklin Garr. Vivo no trigésimo sexto andar.

— Ah, oi, prazer em conhecê-lo. Mas, sabe, eu não quero contradizê-lo nem nada disso, mas não é verdade o que você disse. E, de toda forma, isso não me ajuda em nada agora.

— Desculpe! — exclamou Franklin. Com um olhar de relance incômodo para Jojo, agora parada em pé ao seu lado (o que lhe agradava muito, Charlotte notou), ele acrescentou: — Está em contato com o piloto automático? Consegue controlar essa coisa?

— Sim.

— Será que não dá para inclinar o dirigível o máximo possível, para ver se os ursos voltam a cair no aposento deles? Meio que conseguir uma ajuda da gravidade?

Vlade olhou com surpresa para Franklin.

— Vale a pena tentar — concordou ele. — Se não der certo, você não vai perder nada.

— Mas eu não sei quão bem conseguimos flutuar quando estamos na vertical.

— Vai flutuar do mesmo jeito — respondeu Franklin, confiante. — Mais ou menos. É a mesma quantidade de hélio, certo? Talvez você pudesse até acelerar um pouco para cima. Para aumentar a força da gravidade sobre os ursos.

Mais uma vez, Vlade concordou que era uma boa ideia.

— Ok — cedeu Amelia. — Acho que vou tentar. Podem ficar na linha?

— Não perderíamos isso por nada, querida — garantiu Charlotte. — É como uma radionovela.

— Não tirem sarro de mim! Estou com fome! E tenho que ir ao banheiro.

— A maioria dos armários de ferramentas tem baldes — sugeriu Vlade.

— Ah, meu Deus, estou inclinando. O dirigível está inclinando!

— Aguente firme! — vários deles a incentivaram.

— Ah, meu Deus! Estão lá fora.

Na sequência, ouviram vários golpes altos. Depois o rádio ficou em silêncio.

— Amelia? — chamou Charlotte. — Você está bem?

Uma pausa longa e tensa.

Então ela respondeu:

— Estou bem. Depois ligo de novo. Tenho que resolver umas coisas.

E desligou.

— Uau! — exclamou Franklin depois de um silêncio cheio de expectativas. Charlotte viu Jojo dar uma cotovelada nas costelas dele, viu-o estremecer e depois ignorar o gesto da moça, olhando-a de soslaio.

Os demais permaneciam reunidos ali, sem saber muito bem o que fazer. Charlotte gesticulou na direção da porta do hotello.

— Já olharam lá dentro?

— Não, íamos fazer exatamente isso — respondeu Vlade.

— Pois vamos olhar. Nossa estrela da nuvem voltará a entrar em contato quando puder.

O hotello era apenas uma pequena tenda, então Charlotte, Franklin e Jojo permaneceram do lado de fora enquanto Vlade levara o velho e os garotos para dentro. Para Charlotte, aquela inspeção era apenas uma formalidade; mendigos não podiam escolher. Ela se aproximou da parede sul da fazenda, sentou-se em uma das cadeiras perto do parapeito e olhou para leste, na direção de Peter Cooper Village, agora um tipo de baía repleta de vestígios dos muitos prédios de quinze andares que antes ficavam ali. Tudo o que fora construído sobre aterros em vez de leitos rochosos estava desmoronando. Ao sul, algumas torres de luz iluminavam a parte baixa da cidade, em grande parte escura: as antigas torres de Wall Street, parecendo espaçonaves prontas para decolar. As finanças voltavam para casa para descansar. Isso lhe dava arrepios.

Um vento sul veio por sobre o parapeito. Era ameno para o outono, mas ela puxou o suéter mais perto do corpo. As duas grandes torres envidraçadas bem ao sul deles estragavam a vista, e ela esperava, como sempre fazia, que aquela leve inclinação para leste significasse que logo despencariam como peças de dominó. Ela odiava aqueles edifícios como se fossem modelos de moda arquitetônica: magérrimos, vazios, sem expressão, propriedades do mundo financeiro, nada a ver com a vida real. Um apartamento gigante por andar. Pessoas vivendo em casas de vidro e, mesmo assim, jogando pedras. Ela ouvira dizer que a maioria dos donos daqueles apartamentos só ocupava as propriedades uma ou duas semanas por ano. Oligarcas, plutocratas, voando pelo mundo como o próprio capital vampiro. E a coisa piorava para o norte, nos novos superarranha-céus de grafeno.

Os homens saíram do hotello e se sentaram ao redor dela, todos exceto o velho, que ficou em pé perto do parapeito, apoiando os cotovelos na balaustrada, olhando para baixo. Os garotos sentaram-se aos pés do ancião, Vlade na cadeira ao lado de Charlotte, Franklin e Jojo atrás deles. Uma rara oportunidade para descansar.

— Odeio esses *hashi* — comentou Charlotte com o velho, gesticulando para as duas torres de vidro. Elas tinham se recusado a entrar na Sambam, e até mesmo na Associação de Madison Square. Charlotte considerara isso uma afronta pessoal, já que ajudava a organizar os edifícios ao redor do *bacino* em uma aliança efetiva dentro da Sambam, como um anel de cidades-estados ao redor de um pequeno lago retangular.

O velho a olhou de relance.

— Dinheiro — respondeu.

— Isso mesmo.

— Estou surpreso que ainda não tenham desmoronado.

— Eu também. Mas estão inclinando. Podem cair ainda.

— Vão nos atingir?

— Acho que não. Estão inclinando para leste, vê? São como torres inclinadas de dinheiro.

— Parece perigoso. — Ele espiou para leste. — Está escuro daquele lado. Mas parece que ainda há edifícios que poderiam ser atingidos.

— Claro — concordou Charlotte. — É difícil dizer o que há ali à noite. Gosto disso. Parece bom, não acha?

Ele assentiu.

— É lindo.

— Como sempre.

O ancião franziu o cenho e negou com a cabeça.

— Nem sempre.

— O que quer dizer?

— Não no dia em que afundou, quero dizer. Aquilo não foi bonito.

— Você viu? — perguntou Roberto incrédulo, erguendo os olhos para o amigo. O velho olhou para ele, esfregando o queixo.

— Sim, eu vi — confirmou ele. — O início do Segundo Pulso. A ruptura do Muro de Bjarke. Eu tinha a sua idade. Não dá para imaginar que já fui tão jovem, dá?

— Não — disse Roberto.

— Bem, eu já fui. Mas é difícil de acreditar. Eu mesmo não acredito. Mas sei que é verdade, pois eu estava lá.

Ele esfregou o rosto com a mão direita, olhando o chão de maneira absorta. Os demais se olharam entre si.

O velho continuou:

— Todo mundo achava que ia acontecer de forma gradual, e em alguns bairros realmente foi assim. Mas haviam construído um muro de contenção um século antes, o Muro de Bjarke, para impedir que a cidade baixa fosse alagada. Também funcionou. Era uma berma. Era diferente em lugares diferentes, porque tinha que se encaixar como desse. Incrível que pudessem fazer tudo aquilo, mas fizeram. Rodeava toda a parte baixa da cidade, de Riverside West, passando por trás do Battery Park, subia para leste até o edifício da ONU, onde cortava até o Central Park. Vinte quilômetros. Fizeram cortes que correspondiam às ruas e tudo mais, com portões que podiam ser fechados em caso de inundação. Já tinham fechado várias vezes e dava certo. Mas a maré alta ficava cada vez mais alta, e os portões tinham que ser fechados mais e mais vezes. Era o mesmo em Londres, com a Barreira do Tâmisa. Quando fechavam a muralha, meu pai costumava me levar pela passarela que seguia pelo alto da construção, na Trinta e Três. De vez em quando, o Hudson passava furioso, todo coberto de espuma branca. E a água subia tanto que dava para ver que o nível do rio estava mais alto do que a cidade. Dava para perder o equilíbrio se você olhasse para os dois lados de uma vez. Meio que deixava você mareado. Porque o nível da água era mais alto do que a terra firme. Vocês não iam acreditar. As pessoas costumavam ajudar os cambaleantes, e rir ou chorar. Era uma coisa.

— Eu gostaria de ter visto — comentou Roberto.

— Talvez sim. Todos nós íamos olhar. Dava para ver o que ia acontecer. E então aconteceu.

— Você estava lá? — perguntou Roberto.

— Eu estava lá. Foi numa tempestade. Eu era como você, queria ir à berma ver, mas meu pai não me deixou. Disse que podia ser daquela vez. Meu pai era inteligente. Então ele não me deixou ir, mas, depois da escola, fui mesmo assim. A berma estava lotada de gente. O rio estava enlouquecido, empurrado pelo vento sul. E chovia também. Você tinha que ficar de costas. Não podia dar um passo sem o risco de cair. A maioria de nós se sentou e ficou ensopada, mas ficamos lá, ainda que eu não soubesse bem o motivo. Era uma coisa. Mas então as ruas do lado de dentro da berma começaram a inundar. Todo mundo pegou o caminho norte da berma, de volta à Quarenta e Dois, porque podíamos ver que o muro devia ruir em algum lugar da parte baixa da cidade. Algumas pessoas gritavam que devíamos caminhar, e não correr. Gritavam bem alto. Eram tipo... Insistentes. Mas sabíamos que estávamos prestes a ficar em uma berma com água dos dois lados, então andávamos bem rápido. Mas andávamos.

Por alguns instantes, o velho ficou olhando para oeste.

— E você conseguiu sair da berma? — perguntou Roberto.

— Sim. Segui a massa. Víamos as coisas de relance. A água que entrava era marrom e branca. Cheia de detritos. Inundava as entradas do metrô e então era disparada no ar. Era muito barulhento. Depois de um tempo, ninguém ouvia o que os outros diziam. Táxis flutuavam por todos os lados. Era uma loucura. Não parecia com nada que se possa ver agora. Foi um momento enlouquecedor.

— Não havia pessoas lá? — quis saber Roberto.

— Algumas. A maioria fugiu para as partes altas e foi embora, mas outras ficaram presas de algum modo, claro. Flutuando na água como troncos, usando suas roupas. Estavam usando suas próprias roupas.

— O que mais deveriam usar? — perguntou Franklin, e Jojo lhe deu uma cotovelada tão forte que a cadeira gemeu, e ele também. Charlotte começou a gostar um pouco da moça.

— Foi tudo muito rápido, só isso. Essas pessoas deviam ter saído para um dia qualquer. Mas, bum! E foi isso. Depois disseram que levou menos do que duas horas. Disseram que a primeira rachadura foi em um portão perto do Píer

Quarenta. Depois disso, o rio se precipitou, fazendo uma abertura de duzentos metros de largura na berma. Todos os edifícios nas redondezas desabaram. A água é poderosa.

— O que você fez depois que saiu da berma? — perguntou Stefan.

— Todo mundo foi para norte. Sabíamos que tínhamos que ir para norte. Era como se toda a cidade fosse ficar alagada, mas a parte alta é muito mais alta do que a parte baixa. É óbvio agora, mas naquele dia foi a primeira vez que ficou óbvio. A enxurrada veio pela Trigésima. E, apesar de vir rápido, levou duas horas. Então as pessoas correram para o norte antes da água. Abandonaram tudo o que estavam fazendo e correram pelas ruas. Nós corremos também. O Central Park tinha milhões de pessoas, paradas ali, olhando umas para as outras. Tentando ajudar as que estavam feridas. Falando sobre o que acontecera. Ninguém conseguia acreditar. Mas era verdade. Um novo dia chegara. Sabíamos que aconteceria, porque estávamos lá. Sabíamos que nunca mais seria o mesmo. A parte baixa da cidade se fora. Aquilo era muito estranho. As pessoas estavam atônitas, dava para ver. Ficávamos parados ali, olhando uns para os outros! Ninguém podia acreditar, mas ali estávamos. Todo mundo estava tipo, bem, estamos aqui... Deve ser real. Mas era como um sonho. Eu podia ver que os adultos estavam tão surpresos quanto eu. Eu via que os adultos eram exatamente como eu, só que maiores. Achei aquilo muito estanho. O que aconteceria na sequência? O que íamos fazer? Muita gente tinha perdido tudo. Mas estávamos vivos, sabe? Era só... estranho.

— Sua casa foi inundada? — perguntou Roberto.

O velho assentiu.

— Ah, sim. Mas meus pais trabalhavam na parte alta da cidade. Então caminhei até o escritório do meu pai, e ele não estava lá, mas eles o chamaram e ele veio me buscar. Ele estava tão aliviado em me ver que esqueceu que estava bravo. Mas algumas pessoas que ele conhecia estavam desaparecidas. Então ainda estávamos tristes. Foi um dia muito triste.

Ele ficou olhando a cidade abaixo deles, serena sob a luz do luar, quase silenciosa.

— Difícil de acreditar — repetiu Stefan.

Mais uma vez, o velho assentiu.

Eles olharam para a cidade. Nova York submersa. Nova York com água até o pescoço.

O velho deu um suspiro profundo.

— Aquele dia é o motivo pelo qual nunca vão fazer diques na baía. Não sei por que as pessoas ainda falam sobre isso. Represar Narrows e Hell Gate, bombear a água do Hudson para o mar... É loucura. Alguma coisa quebra e bum!... Vai tudo para baixo da água de novo. Incluindo Brooklyn, Queens e Bronx. Não consigo nem imaginar quantas pessoas morreriam.

— Tudo isso não foi inundado também? — perguntou Stefan.

— Claro, porém mais devagar, e antes, porque não contavam com o muro. O Muro de Bjarke deu cerca de dez anos a mais para a baixa Manhattan.

— Sabem quantas pessoas morreram nesse dia? — perguntou Roberto.

— Só estimam. Alguns milhares, acho que disseram.

Um longo silêncio. O barulho da cidade lá embaixo. A água correndo nos canais.

O velho deu as costas para o parapeito e se sentou em uma cadeira de balanço.

— Mas aqui estamos. A vida continua. Então obrigado pela bela tenda. Gostei muito. Espero que amanhã os garotos me ajudem a tirar algumas coisas do meu apartamento.

— Alguns de nós também podem ajudar — sugeriu Charlotte.

— Não, não — responderam os três em uníssono. — Nós conseguimos.

Estão tramando alguma coisa, Charlotte pensou. *Vão pegar alguma coisa que não querem que ninguém saiba o que é.* Bem, os despossuídos com frequência tinham a necessidade de possuir alguma coisa. Ela via isso com frequência em seu trabalho. Coisas às quais se agarravam com todas as forças, porque significavam que ainda eram eles. Uma mala, um cão – alguma coisa.

Ela falou para o velho:

— Você deve estar cansado. Devia descansar um pouco. E acho que Vlade e eu vamos voltar a falar com Amelia, ver como ela está indo.

— Ah, sim — respondeu o velho. — Boa sorte com isso! Parece que ela está em apuros.

•

Adoro experimentos tolos. Não deixo de fazê-los.

disse Charles Darwin

•

d) Amelia

Frans inclinou a aeronave de Amelia tão na vertical, com a proa para cima e a popa para baixo, que a moça foi obrigada a se sentar no fundo do armário, em um amontoado de tranqueiras. Ela esqueceu a fome e a vontade de ir ao banheiro enquanto ouvia as batidas do lado de fora do móvel. Parecia que os ursos estavam despencando na direção da popa, embora não desse para ter certeza. As garras dos animais, embora incríveis, provavelmente não seriam suficientes para conter os corpos imensos se o piso de repente se transformasse em uma parede, o que tinha acontecido. O que fariam se agora estivessem pendurados em algum lugar em cima de seu armário? Amelia tinha dificuldade de imaginar, ainda que acreditasse, de coração, que todo mamífero era tão inteligente quanto ela, uma ideia que parecia reforçada pelas evidências de todos os lados da questão; mesmo assim, de vez em quando acontecia alguma coisa para lembrá-la de que, embora todos os mamíferos fossem igualmente inteligentes, alguns eram mais iguais do que outros. Ao compreender a importância de uma situação nova, algumas vezes os humanos eram mais rápidos na tomada de decisões do que seus parentes. Algumas vezes. Neste caso, talvez ajudasse o fato de ela saber que estavam voando em um dirigível que acabara de apontar a proa para o céu. Esses pobres (mas perigosos) ursos podiam nem mesmo estar cientes de que estavam voando, então essa inclinação devia ter sido bastante desconcertante. Mas quem saberia dizer?

Além disso, alguns deles podiam ter caído na parede da ponte de comando, e, portanto, ainda estarem por lá. Parecia bem possível. Mas não havia como saber sem olhar. E se ela fosse até lá e desse de cara com um deles? Não tinha certeza do que fazer em uma situação dessas.

Apertando os dentes, segurando a respiração e com a pele corada, ela abriu a porta do armário de ferramentas só um pouquinho e deu uma olhada pelo corredor, pronta para fechar a porta de novo se fosse necessário. Seu campo de visão estava restrito à popa, ou seja, para baixo, e de fato conseguiu ver os ursos, que pareciam pessoas grandes com casacos de pele brancos, sentados lá embaixo, na parede dos fundos de seu recinto. Um deles estava de costas, outro estava sentado e farejava o ar com curiosidade, muito parecido com um cachorro; mais dois estavam enroscados um no outro, parecendo uma massa, como lutadores de vale-tudo que tivessem perdido a briga. Estavam dentro do espaço preparado para os animais, e aparentemente tinham descido pela porta que ficara totalmente aberta contra a parede, por sorte.

Aquilo era encorajador, mas ainda faltavam dois ursos. Talvez eles tivessem caído só até a parede de popa da ponte, mas ainda era para lá que ela precisava ir. Além disso, se seguisse pelo corredor, nada impediria que ela também despencasse até onde estavam os animais. Isso não seria nada bom. Se conseguisse descer até a porta e fechá-la, isso seria bom até certo ponto; pois se ainda havia dois ursos soltos, eles agora ficariam trancados para fora do recinto dos animais, e isso seria muito ruim. Parecia haver mais pontos negativos do que positivos na situação, mas ela não podia permanecer para sempre onde estava. De algum modo, tinha que se aproveitar da situação enquanto durasse. Não tinha certeza de quanto tempo o *Migração Assistida* podia ficar naquela posição; para Amelia, aquilo parecia estranho e nada aerodinâmico. Até então, nem sabia que era possível fazer aquilo sem cair. Como aconteceria agora com ela, se não tivesse cuidado.

Isso lhe deu a ideia de se converter em um pequeno dirigível dentro do dirigível. No início não conseguia imaginar como acessar o hélio disponível a bordo, nem como calcular quanto precisaria para flutuar até a proa. Mas acontece que havia um tanque alto de hélio na bagunça que se formara no fundo do armário de ferramentas. Uma espécie de suprimento de emergência, talvez para o caso de um dos balões ter algum tipo de microvazamento ou algo do gênero. Revirando as coisas amontoadas, ela também achou um rolo de sacos plásticos de lixo, com amarras ao redor das aberturas. Se enchesse alguns desses sacos com hélio, talvez dois ou três deles, amarrasse bem as aberturas e depois prendesse os balões com uma corda atada ao seu corpo, de modo que os extremos abertos ficassem para baixo, talvez os sacos mantivessem o hélio como um balão aerostático, pelo menos por um tempo. E Amelia poderia sair flutuando.

Estava verificando a válvula do tanque de hélio e colocando um saco dentro da outro, para reforçar, quando a porta do armário se fechou com uma batida imensa, assustando-a quase até a morte. Uma recordação difusa do desastre do *Hindenburg* devia estar presa ao subconsciente de todo mundo que voava em um dirigível, tanto que tais ruídos altos não eram bem-vindos. Depois de refletir, ela imaginou que outro urso devia ter deslizado pelo corredor até seus companheiros. Isso era bom, embora ainda faltasse um. Era uma preocupação, mas não podia ficar no armário para sempre, então agora parecia ser sua melhor oportunidade.

Encheu quatro sacos de lixo com hélio e os colocou para fora do armário, no corredor, presos com a corda que havia usado para amarrar as extremidades abertas. Tudo funcionou como imaginara, puxando-a na direção da ponte de comando. Mas quatro balões não pareciam ser suficientes. Amelia soltou mais corda para os sacos que já estavam cheios, puxou-os para testar sua resistência e se sentou para começar a encher mais quatro. Era muito hélio, e uma parte do gás enchia o armário. Ela começava a se sentir um pouco nauseada.

— Vamos ver o mago! — cantou e, sim, sua voz estava tão aguda como a dos anões de *O Mágico de Oz*. Seria engraçado se não estivesse preocupada em desmaiar a qualquer momento. Era hora de testar seu método, antes de se matar sem querer. O que lhe deu a ideia de nocautear o urso na ponte de comando enchendo o ambiente de hélio por um curto espaço de tempo. Os problemas relativos àquele plano a incomodavam, e ainda havia um dardo tranquilizante no armário, que ela podia levar consigo. Então Amelia decidiu se ater ao plano de flutuar até a ponte de comando e ver o que estava acontecendo. Mas, ah, sim: era importante colocar a câmera de cabeça e ligá-la a fim de gravar tudo para o programa ou para a posteridade!

— Vamos ver o mago! — cantarolou mais uma vez, a voz tão aguda quanto antes (se não mais), e com aquele mesmo tom de voz de anão de filme de fantasia, começou a narrar sua subida até a ponte.

— Aqui vamos nós, pessoal! Vou deixar estes sacos cheios de hélio me carregarem lá para cima, até a ponte, e tenho uma arma com um dardo tranquilizante que posso usar para lidar com qualquer urso que possa estar preso lá. Acho que ainda falta um no recinto, que provavelmente está lá em cima. Contarei tudo para vocês mais tarde; por enquanto, o melhor que tenho a fazer é sair deste aposento, como podem ouvir. Definitivamente, me sinto um pouco tonta. Espero que isso me ajude a subir assim que esta porta se abrir!

Enrolou os cordões ao redor do cinto e segurou-os com firmeza na mão esquerda, sentindo o puxão para cima dos sacos de lixo. Lançou-se para fora do armário, no corredor. Os ursos polares lá embaixo olharam para cima, encarando-a com surpresa, e um deles tentou se levantar. E, de fato, agora que estava completamente suspensa pelos balões e pendurada livremente no corredor, percebeu que começava a descer lentamente na direção dos ursos. Parecia que mais uns dois sacos teriam dado a flutuabilidade necessária, mas não havia tempo para isso. Ela se encaixou em um ângulo de noventa graus entre o piso e a parede, gritando:

— Ah, não! Ah, não!

Amelia apoiou um pé no chão e o outro na parede, fazendo o que um alpinista teria chamado de fresta tipo livro aberto. O dirigível não estava totalmente na vertical, então ela estava diante de uma inclinação íngreme, mas escalável. Escalara poucas vezes na vida, sempre seguindo a liderança de seu ex-namorado Elrond, e não conseguia se lembrar se esse tipo de abertura tinha mais ou menos de noventa graus. De qualquer forma, era com o que precisava lidar, então ela se impulsionou com força com os dois pés e segurou na fresta com os dedos da mão direita, enquanto mantinha os cordões presos aos sacos de lixo sobre a cabeça o mais distante possível da fresta, para que os balões de ar pudessem erguê-la sem que tivesse que se soltar. A manobra pareceu estabilizá-la, e Amelia percebeu que poderia, com cuidado, subir até a ponte agarrando-se no corredor. O fato de não estar totalmente na vertical era a chave, e assim que percebeu isso, sentiu que a aeronave estava ficando ainda mais inclinada do que antes.

— Ah, não! — repetiu, mas pelo menos agora era sua própria voz. O efeito do hélio acabara. — Frans, pare! Mantenha o ângulo!

Arranhou o piso com as unhas e se impulsionou com os dedos dos pés, subindo lentamente em direção à ponte. Sem dúvida, os balões de hélio ajudavam; era possível que estivesse a poucas gramas de conseguir flutuabilidade total. Amelia escorregou uma ou duas vezes ao longo do caminho, o que a fazia exclamar "Ah, não" e suar frio. Por sorte sua câmera de cabeça estava apontada para cima, para os balões de saco de lixo, e ela não faria *selfies* até alcançar um ponto de apoio melhor, não importava quanto Nicole a repreendesse depois. A gravação que fazia agora, que certamente incluía suas mãos, contaria um relato muito mais vívido do que qualquer *selfie*. Embora passasse por sua cabeça que Nicole teria pedido que ela usasse algumas câmeras-drone. Amelia podia tê-las enviado para fazer um reconhecimento da ponte. Mas o problema é que esses aparelhos estavam guardados na ponte de comando, em um armário. Então, dava no mesmo! Ela estava a caminho.

Ainda que tenha levado um tempo, por fim Amelia chegou à porta que dava acesso à ponte de comando, agora parecendo um alçapão quadrado que levava a um sótão. Ela teve que mover os cordões sem desviar de seu rumo para fazer que os balões de hélio passassem pela porta até a ponte de comando; depois foi se arrastando pela última parte da parede até conseguir segurar a maçaneta da porta, pendurada em sua direção. Por fim, conseguiu puxar-se pelo corredor até a sala que esperava alcançar nas últimas trinta horas.

— Consegui! — exclamou para sua futura audiência. Viu o último urso polar: parecia ser uma fêmea, deitada na parede de popa da ponte, parecendo confusa e infeliz. — Ah! — exclamou Amelia. — Oi! Oi, ursinha! Fique bem boazinha!

A involuntária rima infantil a inspirou a fazer um movimento tipo marionete de Peter Pan para terminar de entrar na ponte, puxando com força o batente da porta para se lançar para cima, enquanto sacava a pistola de dardos tranquilizantes do cinto. Esteve a poucos gramas por centímetro quadrado de atirar em si mesma na barriga, mas isso não aconteceu. Quando passou pela porta, apoiou os dedos dos pés no chão e saltou para cima, e os sacos de lixo inflados a ajudaram a fazer um movimento bem elegante, quase elegante demais, quando os balões bateram na janela dianteira da cabine e ela se chocou contra eles. Amelia começou a cair na direção da ursa, que estava sentada sobre as patas traseiras com uma expressão curiosa ou, pelo menos, perturbada. Então, sem a menor relutância, atirou no ombro da ursa, e mais uma vez no peito, antes de aterrissar na parede ao lado do animal. A ursa olhava o dardo em seu peito, infeliz. Arrancou-o com um gesto e começou a rosnar alto, tão alto que, instintivamente, Amelia saltou de novo e descobriu, surpresa, que os balões de hélio ainda eram de alguma serventia, permitindo que fizesse um movimento pendular sobre a ursa que sacudia a pata em sua direção, já meio grogue. Então o animal começou a se deitar e adormeceu. Amelia evitou uma nova queda no corredor com alguns passos habilidosos, e depois aterrissou e se sentou novamente na parede ao lado da porta aberta, que agora era uma armadilha para a perdição. Estava hiperventilando.

— Ah, meu Deus.

Quando a ursa pareceu realmente apagada, Amelia pediu que Frans endireitasse a nave. Então pensou melhor e desfez o pedido. Aproximou-se da ursa drogada para ver se conseguia mover o animal até a porta e fazê-la escorregar desmaiada pelo corredor até o alojamento apropriado. Era impossível. Totalmente impossível. A ursa era um enorme peso morto, como um cachorro adormecido que sabia onde queria dormir e não seria levado para nenhum outro lugar, nem mesmo inconsciente. Até um cão podia fazer isso com Amelia, e essa ursa pesava uns trezentos quilos.

— Se eu tivesse uma alavanca, poderia mover a ursa — falou Amelia em voz alta. Isso a fez se lembrar de que havia um pé de cabra no armário de ferramentas, mas que agora isso não servia de nada.

— Escute, Frans — falou ela, olhando com cuidado pela ponte de comando. — Vire de modo que este urso escorregue até a porta. Entende o que quero dizer?

— Não.

Amelia teve que pensar nas direções, e depois dizer a Frans para que lado inclinar. Ela mesma não era muito melhor nisso do que o piloto automático, e foram necessárias algumas experiências. Mas depois de um tempo ela conseguiu que o dirigível inclinasse do modo certo, e a ursa em coma escorregou em direção à porta, agora um tipo de armadilha. Quando o animal ficou perto da beirada, Amelia usou uma vassoura como pé de cabra e empurrou a ursa pela porta. Preparada para esse momento, a moça ordenou que Frans ficasse um pouco mais na vertical no mesmo momento em que a ursa rolava pelo vão. Aparentemente, Frans inclinara a nave o bastante para que a ursa mais escorregasse do que caísse ao atingir o extremo da popa. Por fim, o animal desceu pela porta até o recinto dos ursos.

— Agora eu tenho que fechar a porta! — exclamou Amelia, saltando pela porta ainda com os balões de hélio.

Lançou-se pelo corredor como uma paraquedista, mais ou menos, até ficar perto da porta do alojamento dos ursos. Foi por pouco que evitou cair direto pela abertura – o que teria o resultado nada bom de colocá-la junto aos ursos —, apoiando-se com as pernas bem abertas. Rapidamente fechou e trancou a porta de contenção.

— Frans, endireite a nave! — pediu, triunfante, e então desligou as câmeras e se arrastou até o banheiro para fazer xixi. — Iupi!

•

As pessoas nascidas e criadas para viver entre um punhado de vizinhos aprenderam a preservar seus próprios mundos particulares ignorando-se indistintamente, exceto por convite direto.
John Michael Hayes e Cornell Woolrich, *Janela indiscreta*

•

e) Inspetora Gen

A inspetora Gen percorria as passarelas até o trabalho. Um dia com brisas outonais. Outono em Nova York, a grande canção da cidade. Mais abaixo, as ondas desenhavam padrões de diamantes nas águas, iluminadas pelo sol matutino que vinha do sul. Era sua época favorita do ano. Tinha que sair com um casaco mais pesado.

Na delegacia, a correria habitual. À beira do pandemônio. Como era possível cometer um crime em um dia tão lindo? Muitos tipos de fome. Olhos desesperados em um rosto inexpressivo, mãos algemadas, correntes ao redor da cintura. Ah, o desperdício. Era necessário se manter firme.

Ela entrou em seu escritório e se sentou atrás da escrivaninha. Mantinha a mesa limpa, o único jeito de impedir que fosse inundada. Pegou um único bilhete no mata-borrão e viu que sua assistente, a tenente Claire Clooney, queria uma reunião com ela e com o sargento Olmstead. Estava prestes a chamar Claire quando um tumulto irrompeu do lado de fora de sua porta. Deu uma olhada e lá estava aquela mesma face inexpressiva, agora repuxada em um ricto de desespero e raiva, dentes expostos, espuma na boca. Atacando com violência, três policiais tentavam subjugar a pessoa – Gen não tinha certeza se era homem ou mulher. Algemar pelas costas era sempre mais seguro, mesmo com os pulsos na altura da cintura. Era uma lição que, de algum modo, não se convertia em norma, e ela não sabia o motivo.

— Qual é o problema? — perguntou ela ao prisioneiro enlouquecido.

O preso abriu a boca, soltou um ruído ininteligível e espumou mais um pouco. Reação a alguma droga, aparentemente. Gen estremeceu ao ver as mãos algemadas acertarem um golpe nas costas de um dos policiais. Deixaria um hematoma, mas o policial conseguiu enfiar um braço por baixo dos braços do preso agitado e simplesmente ergueu-o no ar. A luta do prisioneiro não deu em nada, e ao tentar dar uma dentada cruel só conseguiu alcançar o boné do policial, e ficou aturdido. Os outros policiais avançaram e um disparo de *taser* arqueou as costas do preso e o fez cair sobre uma capa que um dos agentes segurava. A capa era uma espécie de camisa de força sem mangas. Logo a pessoa foi levada embora.

— Para o hospital — ordenou Gen, mas claro que o preso já estava sendo levado para lá, e os policiais só assentiram antes de desaparecer pelo corredor. O Bellevue era convenientemente perto.

— Alguém sabe o que foi isso? — perguntou Gen para os que estavam no outro lado do corredor, cuidando de suas coisas.

— Essa merda de Kips Bay — explicou o sargento Fripp. — É o terceiro em um dia.

— Ah, inferno.

As drogas sempre foram a ruína da cidade, desde a época do Demon Rum. Ela nunca tinha entendido aquilo. Para ela, qualquer coisa além de cerveja era doença, se não o inferno. E ali, às oito da manhã, com uma bela brisa matutina, o pobre infeliz espumava pela boca. As pessoas eram estranhas.

— Sabemos onde conseguem?

— Parece que na área do parque da Trinta e Três. Alguém disse que no Mezzrow's.

— Sério?

— Foi o que ela disse.

— Não parece coisa deles.

— Não, não parece.

Gen pensou naquilo.

— Acho que eu devia dar um pulo lá e falar com eles, ver o que está acontecendo. Não parece coisa deles.

— Quer que um de nós vá com a senhora?

— Levarei Claire e Ezra.

Como se tivessem sido chamados, Claire apareceu, com Olmstead ao seu lado. Quando se sentaram, Gen olhou seu quadro branco sem muito entusiasmo. A grande tela que ocupava a parede oposta, com um mapa SIG da cidade em tempo real marcado com vários tipos de indicadores, não era mais inspiradora.

Quando chegaram perto do fim de uma longa lista de problemas pendentes, Claire reportou que ainda não havia pistas dos dois homens desaparecidos na antiga torre Met. Era bem possível que estivessem mortos. Por outro lado, nenhum dos dois estava entre os corpos encontrados recentemente.

Talvez tivessem fugido e se escondido por algum motivo. Talvez tivessem sido sequestrados. Qualquer uma das possibilidades era estranha, mas coisas estranhas aconteciam de verdade. As pessoas eram bem documentadas nos dias atuais, não em um único sistema, mas em uma pilha de todos os sistemas, em um megassistema ocasional. Manter-se fora do radar era muito difícil. Mesmo assim, o sistema não era absoluto, então podia acontecer.

Olmstead a atualizou sobre o que havia encontrado na esfera de dados, e Gen desenhou coisas no quadro branco, só para ajudá-la a visualizar a situação: iniciais, letras X e O, setas aqui e ali, linhas contínuas ou pontilhadas.

O contrato de trabalho dos dois homens para o *hedge fund* de Henry Vinson, Alban Albany, tinha acabado há três meses. A Alban Albany, assim como a maioria dos *hedge funds*, era muito reservada com suas atividades financeiras, mas Sean descobrira indícios que apontavam para o envolvimento com operações de alta frequência nos *dark pools* que negociam fora do complexo Cloister. No trabalho anterior para a Adirondack Investing, quando colaborou com Larry Jackman, Vinson fazia esse tipo de operação, e Rosen e Muttchopf também tinham trabalhado para a Adirondack. A Adirondack fora uma das firmas de investimento investigadas pelo Comitê de Finanças do Senado quando Rosen se declarou impedido. O trabalho recente de Rosen e Muttchopf para a Alban Albany pagara quarenta mil dólares para cada um. Então eles foram embora e começaram a vagar por aí.

Tanto a segurança corporativa quanto a segurança pessoal de Vinson eram gerenciadas por uma empresa chamada Pinscher Pinkerton. Uma firma internacional com sede na Grand Cayman, como não podia deixar de ser. Olmstead explicou, com expressão sombria, que a empresa era muito obscura, embora seu nome soasse por aí como um dos tantos exércitos de aluguel que percorriam o mundo. Um polvo, como as corporações com subsidiárias em todos os lugares eram chamadas. Ou, mais provavelmente, um tentáculo de um polvo ainda maior.

Na noite em que Rosen e Muttchopf desapareceram, Sean contou, houve um evento estranho na Bolsa Mercantil de Chicago. Uma picada em todas as transações, depois da qual tudo voltou ao normal. Juntamente com a picada, uma bolada de informações foi enviada para a Comissão de Títulos e Câmbio, sobre a qual a Comissão não falava nada. Nenhuma conexão óbvia com os dois homens, exceto que tudo ocorrera na mesma noite.

— Seria bom conseguir que a Comissão nos contasse o que descobriram naquela noite.

— Estou tentando — afirmou Olmstead. — Eles são muito lentos.

Essas eram todas as novidades do caso. A pedido de Gen, Olmstead também investigara a oferta recebida pela torre Met que tanto perturbara Charlotte. Até agora, só conseguira confirmar que fora intermediada pela grande corretora Morningside Realty, com sede na parte alta da cidade e que fazia negócios em toda a área metropolitana de Nova York.

Gen anotou isso em seu quadro branco. As descobertas sobre os dois homens estavam em vermelho. A torre Met estava em uma caixa azul, com Charlotte Armstrong de um lado e Vlade Marovich do outro.

Ela meneou a cabeça para o quadro por um tempo, tentando desenhar cenários. Tinham que descobrir o que o *hedge fund* de Vinson estava fazendo, e se estava por trás da oferta pela Met. Precisavam investigar todos os empregados de Vlade na Met. Era um alívio pensar que nem Charlotte nem Vlade tinham um bom motivo para estar envolvidos no desaparecimento, mas Gen desconfiava de seu alívio. Sentimentos assim faziam com que detalhes fossem perdidos. Por outro lado, grande parte de seu trabalho envolvia intuição.

Vamos supor que os dois homens desaparecidos tivessem mergulhado no *dark pool* da Alban Albany enquanto trabalhavam lá e, ao fazer isso, tivessem deixado o acesso necessário para disparar a picada na BMC. Isso poderia explicar a rápida resposta sugerida pelo desaparecimento de ambos na mesma noite. Em termos de operações de alta frequência, uma hora era como uma década.

Ou vamos supor que Vinson estivesse por trás da oferta da Morningside pelo edifício, e Rosen e Muttchopf tivessem descoberto ou, de algum modo, interferido no negócio. Talvez fosse a política padrão na Alban Albany delegar qualquer decisão corporativa sobre Rosen diretamente a Vinson; podia ser que seu pessoal tivesse instruções para ficar de olho no primo do chefe. Uma patrulha para a ovelha negra, era como isso se chamava; muitas famílias tinham esse tipo de coisa, incluindo famílias na polícia de Nova York.

Enquanto ela dava voltas aleatórias nas ideias rabiscadas no quadro branco, Sean e Claire a olhavam com carinho. A inspetora era das antigas. Para seus jovens assistentes, aquilo era em parte bonitinho, em parte impressionante, de um jeito misterioso e até mesmo frustrante. Era comum ela conseguir resultados depois de ficar divagando diante do quadro branco, por mais inútil que pudesse parecer. Apesar disso, de tempos em tempos Sean balançava a cabeça e até erguia a mão.

— Isso é exatamente o que não é — reclamava ele. — Não é um diagrama, não é mapeável. Você está só se confundindo com essas coisas todas.

— Um fio através do labirinto — respondia ela. — O labirinto sempre tem quatro dimensões.

— Mas pense em seis dimensões — sugeria Sean.

E ela negava com a cabeça.

— Só existem quatro dimensões, meu jovem. Tente manter o foco nelas.

E ele balançava a cabeça. *Tão antiquada!*, a expressão dele parecia dizer. *Só quatro dimensões! Quando claramente existem seis!* Mas Gen se recusava a perguntar a ele sobre isso. Ela não queria que lhe explicassem sobre aquelas duas dimensões a mais, tão claramente ficcionais. Que os jovens navegassem nesse reino.

Agora ela perguntava aos assistentes o que tinham conseguido descobrir sobre a ovelha negra. Aparentemente, os dois primos viveram na mesma casa por um tempo, depois que a casa da infância de Jeff foi inundada no Segundo Pulso. Isso pode ter levado a sentimentos fraternos ou a um ódio por toda a vida. Cinquenta por cento de chance para cada opção, mas só depois de começar com outra dicotomia em partes iguais: se a coabitação tinha produzido emoções fortes ou completa indiferença. Mesmo isso sugeria uma chance de vinte e cinco por cento de que, mais tarde, Vinson quisesse ser mantido informado sobre o primo programador ovelha negra.

Ainda assim, ele contratara o primo duas vezes. Uma delas bem depois que Rosen se declarara impedido enquanto Vinson estava sendo investigado. Mantenha os amigos por perto e os inimigos mais perto ainda? Mantenha a ovelha negra no cercado? E então veio a picada surpresa na BMC. A confiança entre operadores era fácil de se perder, difícil de recuperar. Então, mande a ovelha de volta para o pasto, em algum lugar bem distante.

— Teorias de mais, dados de menos — ela concluiu, e os assistentes pareceram aliviados com essa observação. Mas ela tinha a sensação de que a explicação devia estar em algum lugar daquele quadro, independentemente das objeções de Olmstead. Bagunçada, sem dúvida, mas os jogadores estavam ali. Talvez. Se fosse um caso com algum sentido; às vezes, simplesmente não era assim. — Vejam se conseguem acessar os dados confidenciais da Morningside Realty.

Olmstead enrugou o nariz.

— Difícil sem um mandado.

— Não vamos conseguir um. Vejam se conseguem subornar alguém de dentro.

Os assistentes bufaram ao mesmo tempo.

— Vamos lá — reclamou Gen. — São da polícia de Nova York ou não?

Eles olharam para ela como se não soubessem do que ela estava falando. Gen bufou. Talvez devesse descobrir algumas dessas coisas por conta própria, por baixo do pano. Usar seus "Irregulares do *Bacino*". Ou seus amigos federais. Ou ambos. Gente que ainda vivia em três dimensões.

Os dois jovens saíram da sala. Logo seria hora do almoço. Sua lista de tarefas mal tinha começado a ser cumprida. O jeito era comer em sua escrivaninha, como tantas vezes.

Então continuou trabalhando. Assuntos do departamento. Horas desperdiçadas. E já eram quase quatro, e ela decidiu que realmente seria bom visitar seus amigos do Mezzrow's. Hora de voltar para casa, mergulhar novamente nas profundezas do lar. Pois ela também fora uma ovelha negra em sua família.

A tenente Claire se juntou à inspetora Gen na estreita doca do lado de fora da delegacia, na Vinte e Um, e ambas esperaram a chegada do sargento Fripp em sua lancha, um aerobarco estreito, agora usado como veículo rápido padrão da polícia.

— É sério que vocês querem voltar lá? — perguntou Fripp quando elas embarcaram. Dentes brancos destacados em uma barba negra; Ezra Fripp gostava de ir ao Mezzrow's ou a qualquer lugar que estivesse sobre a água ou debaixo dela, para cutucar o caos.

O desrespeito de Gen em relação aos anfíbios, seus bares clandestinos e casas de banho, tinha endurecido nos últimos anos; muitas coisas mudaram, muitos crimes foram cometidos, mas ela sempre podia recorrer a esse núcleo nostálgico pelos velhos tempos se se esforçasse o bastante.

— Sim — respondeu para Fripp.

Fripp subiu pela Segunda até a Trinta e Três, virou para oeste e navegou até parar perto da velha estação de metrô. Os cruzamentos estavam lotados de barcos que seguiam a velha convenção de *esperar a vez antes de virar*. A doca estreita no lado oeste estava cheia, mas a polícia ainda tinha algumas de suas antigas prerrogativas, e Ezra embicou sem pressa, mas sem perder tempo. Amarrou a embarcação a um dos cunhos da doca e eles desembarcaram, deixando o cruzador guardado por um drone de vigilância.

No extremo norte da doca, desceram pelas escadas de um grande tubo de grafeno com uma inclinação de quarenta e cinco graus até uma toca submarina que antigamente fora uma estação de metrô. A porta do bar clandestino no final da escadaria era de estilo clássico, e Gen bateu nela usando o antigo código da gangue submarina da qual fizera parte em Hoboken trinta anos atrás. Alguém apareceu no olho mágico, e depois de um instante a porta se abriu e eles foram escoltados para dentro.

— Ellie está me esperando — falou Gen para o porteiro, o que não era verdade exceto porque era uma condição permanente. Ellie e ela tinham uma longa história.

Não demorou para que Ellie aparecesse e acenasse para que a acompanhassem até um aposento nos fundos, dominado por uma mesa de bilhar antiga, mas imaculada, suportes de tacos nas paredes. As luzes eram fracas, os suportes estavam vazios. Ainda era cedo para o estabelecimento de Ellie.

— Sentem-se — disse Ellie. — O que os traz aqui? Querem alguma coisa?

— Água — pediu Gen só para irritar. Ezra e Claire perguntaram se podiam usar a mesa de bilhar, e quando Ellie assentiu, ouviu-se o som de bolas se chocando sem muito sinal de que estavam sendo encaçapadas. Ellie se sentou em uma mesa no canto, e Gen se juntou a ela.

— Então? — perguntou Ellie.

Ela ainda era muito elegante. Sueca, com o cabelo tão claro que havia rumores de que fosse albina, o que muita gente do povo submarino achava engraçado, como uma piada redundante. Media um metro e setenta e cinco, pesava cinquenta e cinco quilos, bem distribuídos no pouco que havia dela. Glamorosa. Ellie estendeu os dedos na mesa, como se quisesse exibi-los. Ela sempre tentava intimidar Gen com sua beleza marmórea e pálida, e a inspetora tinha que admitir que era necessário um esforço para que isso não fizesse efeito. Claro que não era difícil manter-se magra vivendo a base de fentanil, como Ellie fazia, fácil ficar relaxada. Gen sabia tudo isso e, mesmo assim, ainda era difícil não se sentir um pouco desmazelada. Como uma policial. Como uma grande policial negra casada com seu trabalho. Ébano e marfim, rainhas branca e negra do xadrez, a supermodelo e a macambúzia, a flauta e o baixo, e assim por diante. Mas, principalmente, velhas amigas que seguiram caminhos distintos.

Havia sido assim por muitos anos. E saber que Ellie estava ali significava que Gen sabia o que acontecia sob a água. Ela sabia que os acordos fechados ali eram coisa pequena, como negócios simples, pelo menos se comparados com o que poderiam ter sido. Ocupar-se dos anfíbios significava saber quem levava o quê, aonde, desenvolver relacionamentos e usá-los quando possível. Isso podia ser aplicado às duas mulheres.

— Ouvi dizer que tem um lixo sendo vendido em Kips Bay — falou Gen. — E vim até aqui conferir. Não parecia ser coisa sua. Eu não acreditei que fosse.

Ellie franziu o cenho. Isso era direto demais, como Gen bem sabia. Mas já era hora de deixar de lado a conversa fiada sobre as novas modas submarinas e coisas do tipo. A sueca deixou o charme de lado diante daquela bola rápida, e respondeu:

— Sei do que está falando, Gen, mas isso não é coisa nossa. Você sabe que eu não permitiria.

— Então, de quem é?

Ellie deu de ombros, olhando ao redor da sala. O aposento era uma gaiola de Faraday cuja carga magnética interferia em qualquer gravação. De toda forma, Gen não estava gravando. Nenhum gravador, nenhuma câmera de corpo, era parte do protocolo entre elas. Melhor conversar ali do que na delegacia, coisas do tipo. Gen assentiu para confirmar, e Ellie se inclinou para a frente antes de falar:

— Há um grupo da parte alta da cidade que está trazendo essa merda, acho que para tentar destruir os ânimos aqui de baixo. É tão estúpido que acho que deve ser de propósito. Perdemos alguém semana passada, então agora coloquei todo mundo em alerta, para ficar de olho em desconhecidos e coisas assim.

— E quem são?

— Ainda não sei, e é interessante como é difícil descobrir. Ninguém de baixo da água vai falar nada sobre isso. Acho que estão sentindo a pressão, e não querem ser hostis, mas tampouco ajudam. Então, terei que lidar com isso mais tarde, mas, por enquanto, tenho um contato nos Cloisters do MET que diz que ouviu alguém lá em cima dizer que estamos maduros.

— Maduros?

— Maduros para o desenvolvimento.

— Imobiliário? — perguntou Gen.

— Como sempre, certo? Quero dizer, quando não é um assunto imobiliário?

— Mas na zona entremarés?

— A zona entremarés está madura. É o que estão dizendo. Tem problemas, é uma bagunça, mas as pessoas já lidaram com isso e agora começa a funcionar. Então agora a parte alta quer tomar tudo novamente. É tipo "acabou a renovação, agora é hora de sacudir".

— Mas você tem que possuir a coisa antes de vendê-la.

— Verdade.

— E as questões legais? Supostamente ninguém é dono da zona entremarés.

— A posse corresponde a nove décimos da lei, certo? Mas, claro, as compras não estão indo tão bem, e pode ser que isso seja parte do assunto. Tem havido muita resistência. Dificilmente alguém vai querer vender para esses imbecis, mesmo com esses preços que eles acham que vão funcionar. Estão oferecendo muito dinheiro. Ouvi falar em trinta mil por metro quadrado em alguns edifícios. Mas, você sabe. Se gosta da água, você só vai ter isso na água. Não importa quanto dinheiro é oferecido a esses moluscos. Então os imbecis oferecem mais, até que ficamos loucos, e então você vê que as ofertas são ameaças, certo? Tipo, pegue nosso dinheiro e faça as malas, ou então... Se você não aceita, então a culpa é sua. Você não está jogando direito. Coisas ruins acontecem com quem não joga direito, e é sua culpa se não está jogando.

— Isso está acontecendo com você — falou Gen.

— Claro que está. Está acontecendo com todo mundo que está na água. Nova York é Nova York, Gen. As pessoas querem este lugar, alagado ou não.

— E o mofo? — questionou Gen.

— Veneza está mofada, e as pessoas ainda querem Veneza. E aqui é Super-Veneza.

— Então estão vendendo mercadoria estragada para que vocês fiquem com má reputação?

— É o que parece para mim. Não são meus amigos que estão fazendo isso, tenho certeza. Tomamos conta dos nossos. Tudo o que as pessoas precisam é testado antes, e a maioria das coisas é cultivada embaixo d'água. Sei que não estou dizendo nada que você já não saiba, certo?

Gen assentiu.

— É por isso que vim perguntar a você o que está acontecendo. Isso estava estranho.

— Isso é estranho.

As duas mulheres se olharam por um tempo. Duas figuras poderosas na baixa Manhattan. Mas ninguém era capaz de resistir à pressão da cidade alta por conta própria. Era necessário trabalho de equipe. Era isso o que revelava o rosto elegante de Ellie, agora parecendo deformado e debilitado. Gen só pôde assentir.

Ellie deu um sorriso tenso.

— Quando soubemos que você estava vindo para cá, alguns queriam que eu perguntasse se você voltaria ao ringue. Apostas já estão sendo feitas.

Gen negou com a cabeça.

— Estou aposentada, você sabe. Estou velha demais.

O sorriso de Ellie ficou um pouco mais amigável.

— Então alguns já perderam suas apostas.

— E outros ganharam. Verei os combates com você. Sempre é divertido ver um ou dois.

— Ok. Melhor do que nada. Eles vão gostar de ver a campeã mais uma vez.

— A antiga campeã.

— Por favor, pare de me lembrar disso. Sou mais velha do que você.

— Um mês, certo?

— Isso mesmo. — Ellie se levantou e foi até a porta falar com alguém.

Gen gesticulou para Ezra e Claire, que ainda davam mostra de falta de destreza com as bolas na mesa de bilhar. Não haviam esbanjado sua juventude, isso era claro. Crianças digitais, certamente. Não podiam lidar com três dimensões. Péssimos em pingue-pongue também, Gen presumiu.

— Vocês precisam comparecer à sexta dimensão — falou a inspetora, mas aquilo era coisa de Sean. Os dois não entenderam. — Vou assistir a um combate de sumô aquático — explicou. — Venham comigo e fiquem de olho nos

155

espectadores. Não se distraiam. Vejam se alguém vigia Ellie durante o combate, observando-a em vez de prestar atenção na piscina.

Eles assentiram.

Ellie retornou e os levou por um longo corredor, rumo a uma escada. Desceram vários lances até ficar bem abaixo das ruas da cidade, talvez uns vinte metros abaixo da maré baixa, em uma parte arejada de um túnel de metrô. As antigas paredes e anteparos do túnel estavam cobertos por uma densa camada de spray de diamante que mantinha afastadas as águas subterrâneas. Essas câmaras eram chamadas de balões de diamantes ou cavernas de diamantes, e podiam ser bem grandes. A cobertura de diamante era tudo o que as mantinha secas, isso e o antigo leito rochoso da própria ilha.

Chegaram a uma grande câmara clara que tinha uma piscina turquesa redonda bem no meio, iluminando o ambiente como um abajur de lava azul. Uma casa de banho nova-iorquina, claro; outra viagem nostálgica, como o bar clandestino. A mesma ideia. A piscina principal era uma banheira de água quente ao estilo das lagoas azuis islandesas, que borbulhava de modo distinto em diferentes temperaturas. Um lugar para as pessoas curtirem na água quente, bebendo e conversando. Tudo muito familiar para Gen. Ela passara várias horas em ringues como esse, mas fora há tanto tempo que já superara a própria nostalgia, e aparentemente não tinha vontade de voltar. Seus joelhos doíam só de pensar nisso, e algumas vezes ela tinha dificuldade de respirar até mesmo ao ar livre. Não, era uma brincadeira de crianças, como muitos dos que estavam lá eram.

Uma multidão chegava de outros aposentos e outras piscinas, muitos com traje de banho, outros sem, e já molhados. Gen sentou-se ao lado de Ellie e desfrutou do ambiente, dos cumprimentos amistosos: *Ah, ela voltou*, *De volta para a casa*, esse tipo de coisa.

— Por favor, Gen-gen, volte ao ringue!

— Sem chance — respondeu ela. — Mostre-me o que você tem.

— Aceito até dinheiro! Até mesmo dinheiro!

— Elas chegarão em um segundo — falou Ellie para Gen.

Gen assentiu.

— Alguém que eu conheça?

— Duvido. São jovens. Ginger e Diane.

— Ok, tudo bem. Mas olhe, depois vem a hora de socializar, e não poderemos voltar aos negócios. Mas eu quero que você descubra quem está se metendo nas suas coisas, ok?

— Estou tentando — reclamou Ellie. — Tenho interesse em descobrir quem é.

— Então, talvez seja bom ficar de olho em uma empresa de segurança chamada Pinscher Pinkerton.

Ellie ergueu uma sobrancelha.

— Você acha?

— Eu tentaria saber mais.
— Isso é interessante, porque mais alguém está falando sobre eles.
— *Isso* é interessante. Fique de olho.

Então as duas jovens entraram, já molhadas, em trajes de banho de duas peças, vermelho e azul. Duas mulheres fortes e curvilíneas, e a multidão aplaudia e vaiava. Mais gente chegava dos outros salões, e o aposento ficou rapidamente lotado.

As lutadoras entraram no ringue central na piscina. Apertaram as mãos de modo agradável e amigável. A multidão se acomodou ao redor da piscina, sentada ou de pé nos deques. Muitos eram de gênero indeterminado, usando trajes de banho chamativos ou totalmente sem roupa. Havia muito intergênero na zona entremarés; tudo o que era "inter" estava na moda agora, a "anfibiguidade" era um estilo definido que, como todos os outros estilos, gostava de ver e ser visto. A ampla câmara inferior, agora inteiramente iluminada pelas luzes da piscina, estava de fato se transformando em algo muito bonito, de modo que era melhor não olhar muito de perto o que acontecia nos cantos, mas todo mundo era realmente amigável. Essa era a norma na casa de Ellie ou em qualquer bar clandestino e casa de banho, então Gen achou tudo aquilo familiar e reconfortante. Ezra e Claire pareciam um pouco chocados; claramente não eram moradores das profundezas, como Gen fora no passado. Mas estavam bem posicionados para observar a multidão e ver se Ellie estava sendo vigiada.

A árbitra perguntou se Gen queria presidir a luta. Isso era, em grande parte, apenas uma formalidade, já que os golpes e lances eram basicamente determinados por laser e por câmeras. Ela concordou, e aceitou a cacofonia de aplausos e gritos. Bateu na água a fim de indicar para as duas lutadoras que a disputa começara. Elas enfiaram a cabeça na água e ressurgiram maravilhosas. Diane parecia uma lutadora muito precisa, de pele morena e sólida; Ginger era mais mediterrânea, e lembrava uma jogadora de polo aquático. Em vários aspectos o sumô aquático tinha muito em comum com o trabalho de pernas do polo aquático, embora, na verdade, fosse considerado muito menos brutal.

As duas se encontraram no meio da piscina e esperaram que os aplausos e encorajamentos diminuíssem. Gen pegou a varinha de Cy, a árbitra habitual, que naquela noite usava um tapa-olho vermelho, e usou-a para acender a luz. Um cilindro de laser vermelho disparou do teto direto na piscina, tangível através do ar úmido e da água, marcando vividamente um círculo vermelho no chão da piscina. Esse círculo iluminado e o cilindro eram os limites do sumô; quem quer que fosse arremessado para fora, perdia. Um jogo antigo e simples, importado do Japão para as casas de banho de Nova York havia muitas décadas. Gen fora campeã no passado, e sentia uma agitação no fundo de seu ser enquanto observava as duas lutadoras se prepararem.

Ela advertiu:

— Sem dedo no olho, apertões, socos e agarrar o rosto, moças! Vocês conhecem as regras: lutem o sumô de maneira limpa, para que eu não tenha que interferir em nada. Teremos três saídas para a vitória, e se for *la belle*, eu as avisarei.

As duas mulheres estavam em pé na piscina, com água na altura do peito. Um metro e vinte ainda era o padrão. Gen exclamou:

— Agora!

Elas se aproximaram uma da outra, deram as mãos e se afastaram. Então Ginger mergulhou, e Diane fez o mesmo.

Em algumas modalidades da disputa você tinha que manter a cabeça fora d'água, mas a imersão total se tornara padrão ainda na época de Gen. Então agora as duas mulheres tinham enchido os pulmões de ar e estavam embaixo d'água olhando uma para a outra. O aroma do cloro quente inundava o ar, enquanto o público observava em silêncio a ação submersa. Como uma visita ao aquário.

Ginger fez o primeiro ataque, e Diane apoiou o pé no chão da piscina e se inclinou em sua direção. A jovem Ginger saltou para a direita da adversária, e Diane foi atrás; Ginger apoiou o pé para contra-atacar, então Diane torceu o corpo de lado, aproveitou a inércia da outra e a puxou pela cintura e pelo traseiro. Ginger foi arremessada para fora do círculo e Gen declarou a saída, para alegria do público. Uma de três.

Depois daquilo, as duas se colocaram em posição e se esforçaram ainda mais. Ginger mantinha a cabeça sob a água, Diane fazia o mesmo. Elas espelharam uma à outra por um bom tempo, cada qual tentando frustrar a adversária. Mas por já ter sido arremessada, Ginger ficara mais conservadora, e parecia mais rápida. No fim, foi Diane quem se impacientou primeiro, e Ginger agarrou rapidamente seu pulso e a puxou, fazendo-a sair do círculo com um chute no traseiro. As pessoas adoravam ver mulheres lutando, e Gen também gostava. Agora estava um a um, e a menor era mais rápida do que a mais pesada. Claro que era assim que seria.

Nesse ponto, Diane recorreu à rã. Era o que Gen teria feito na juventude. Ir até o fundo e arremeter o corpo dali; entrar sob a adversária e empurrá-la para cima e para fora. Muito eficiente se a lutadora conseguisse segurar o ar por tempo suficiente e manter o equilíbrio durante a posição de rã. O que Diane conseguia fazer. Ela agarrou Ginger pelos tornozelos e girou-a como um disco para fora do círculo.

Aquilo deixou Ginger muito nervosa, e quando a luta recomeçou, ela atacou imediatamente. Mas, no sumô, o importante era a massa estática, por isso a defesa era sempre o principal, e não demorou para que Diane deslizasse de lado, mergulhasse mais uma vez, entrasse sob a adversária e arremetesse do fundo, pegando Ginger bem no estômago e empurrando-a para fora do círculo. Diane saiu logo depois, com trinta centímetros de diferença, pelo que Gen julgou: o pé esquerdo, e as câmeras confirmaram. Vitória para Diane. As duas ficaram em pé e apertaram as mãos, primeiro entre si, depois com Gen. A inspetora gostou de ver que as lutadoras estavam felizes com sua presença ali. De fato, todo mundo adorava ter uma policial, a famosa inspetora submarina, ali na casa de banho, atuando como árbitra. Como na superfície! Se as coisas estivessem indo bem.

•

Maré baixa, luz do dia minguando,
O perfumado frescor do mar chega à terra, odor de junco e sal,
Com muitas vozes vagamente percebidas, enviadas pelos redemoinhos,
Muitas confissões abafadas – muitos soluços e palavras sussurradas,
Como se de oradores distantes ou escondidos.
                                                               Walt Whitman

•

f) Mutt e Jeff

— Jeff? Você está bem?
— Não estou bem. Como eu poderia estar bem se estamos em uma prisão? Nós nos perdemos na prisão do nosso próprio legado. Do meu, quis dizer. Sinto muito por ter metido você em tudo isso, Mutt. Eu realmente sinto muito. Peço desculpas.
— Não se preocupe com isso. Tome seu café da manhã.
— Acha que é de manhã?
— São panquecas. Apenas coma.
— Não posso comer agora. Estou com o estômago enjoado. Sinto náuseas.
— Mas você não comeu nada ontem. Nem no dia anterior, se não me engano. Não está com fome? Você deveria estar com fome.
— Estou com fome, mas estou enjoado, então não tenho vontade de comer. Não consigo comer agora.
— Bem, então beba alguma coisa. Tome, só um pouco de água. Vou misturar um pouco de xarope de bordo na água, pode ser? Vai ficar com um gosto melhor e descer com facilidade.
— Não, você vai me deixar enjoado.
— Não, não vou. Só experimente e verá. Você precisa de açúcar no corpo. Está ficando fraco. Quero dizer, você já está até se desculpando. É um mau sinal. Não é do seu feitio.

Jeff balança a cabeça. O rosto pálido e barbudo em um travesseiro manchado, um pouco de saliva nos cantos da boca.

— Eu o meti nisso. Eu devia ter perguntado o que você achava antes de fazer qualquer coisa.

— Sim, devia. Mas agora isso são águas passadas. Agora você precisa beber alguma coisa, e depois comer algo. Precisa ficar forte, para que possamos sair disso. Então, é melhor manter suas convicções. Porque eu preciso de você.

Jeff toma um pouco de água, talvez o equivalente a uma colher de sopa. Um pouco cai em sua barba. Mutt seca o queixo do amigo com um guardanapo.

— Mais — pede Mutt. — Beba mais. Quando estiver hidratado, vai sentir fome.

Jeff assente, bebe mais. Mutt dá colheradas de água em sua boca. Depois de um tempo, coloca a colher em um recipiente de xarope de bordo e dá um pouco para Jeff. Este tosse um pouco, assente, ergue o corpo e toma mais algumas colheradas.

— Já está bom — diz ele. — Agora mais água.

Jeff se senta na cama, apoia a cabeça e os ombros contra a parede. Dá minúsculas mordidas em uma panqueca mergulhada em xarope de bordo, engasga um pouco, balança a cabeça quando Mutt lhe oferece mais. Mutt volta a lhe dar água. Depois de um tempo, Jeff apoia um copo de água na barriga e começa a beber sozinho.

— Posso sentir a água atrás da parede — diz Jeff. — Posso senti-la se mover, ou talvez esteja ouvindo. Eu me pergunto o que será. Acho que o som é estranho embaixo d'água. Vai até mais longe, ou tem mais força ou algo assim.

— Não sei. Que tal um pouco mais de panqueca?

— Não. Pare com isso. Você está me intimidando.

— Vejo que está se sentindo melhor.

— Sabia que intimidar em inglês é *hector*? Como o herói de Troia, Heitor. Acho que de algum modo essa palavra conquistou uma má reputação. Alguém vem e sitia a cidade do cara, tenta matar todo mundo lá dentro. Ele organiza e lidera a resistência, é morto e seu corpo é arrastado pelos calcanhares, e seu nome se torna um verbo que significa assediar alguém? Como isso pode ser justo?

— Assediar alguém a fazer a coisa certa — sugere Mutt.

— Mesmo assim. Ele está ferrado. O alcoviteiro mereceu o destino que teve, mas Heitor não. E como os verdadeiros idiotas escaparam dali? Como falamos em tendão de Aquiles quando queremos falar do ponto fraco de alguém? Nós os chamamos de *prima donnas*, mas *prima donnas* são escoteiros quando comparados a ele. Ou que tal: "Você deu uma de Ajax". Eu definitivamente dei uma de Ajax naquela coisa que tentei, desculpe novamente por isso, mas tudo bem, vou adiar o pedido de desculpas para mais tarde. Ajax é coisa grande. Ou o maldito Zeus. Se alguém entra em uma viagem narcisista, dizemos que está dando uma de Zeus? Não, não fazemos isso. Não ulissizamos a situação. Nem agamenonizamos.

— Você está uma bela Cassandra — sugere Mutt.

— Vê? Eu sabia que você lia mais do que livros de programação.

— Na verdade, não. É só coisas que você pega lendo tranqueiras na nuvem.

Agora o discurso de Jeff diminui de tom até se tornar um sussurro rouco. Parece estar entre a vigília e o sonho.

— *Tranqueiras na nuvem*. Uma novela das cloacas celestiais. Eu podia escrever isso. Estive na merda tanto tempo que parece ótimo para mim. O que eu devia ter feito era esperar o momento apropriado, até poder fazer algo bom. Eu definitivamente ferrei tudo, e sinto muito. Vou pedir desculpas mais tarde. Espero que saiba que só fiz isso porque não aguentava mais. Aqui estamos, neste belo planeta, se é que não estamos mortos e no limbo, e eles estão arrancando nossas cabeças. Fingindo que havia escassez e terrorismo, e nos jogando uns contra os outros enquanto tomam noventa e nove por cento de tudo. Condenar à miséria as mesmas pessoas que o mantém vivo. Que deus ou idiota faria isso em Homero? Nenhum deles. Eles são piores do que os piores deuses em Homero. É o que estão fazendo, Mutt. Eu não aguentava mais.

— Eu sei.

— Porque está errado!

— Eu sei. Não se preocupe com isso agora, no entanto. Você tem que conservar sua energia. Não enumere os crimes da classe dominante, por favor. Eu já os conheço. Você precisa guardar forças. Está com fome?

— Estou enjoado. Enjoado desses bastardos arrancando tudo de nós. Citam Davos para dizer uns aos outros como são maravilhosos, quantas coisas boas estão fazendo. Malditos hipócritas e bastardos! E sempre se saem bem!

— Jeff, pare com isso agora. Pare. Está desperdiçando energia nisso, está pregando para o coro da igreja. Eu já concordo com você, então não há sentido em falar tudo isso de novo. O mundo está ferrado, concordo. Os ricos são babacas estúpidos, concordo. Mas você precisa parar de dizer isso.

— Não consigo.

— Eu sei. Mas precisa. Só desta vez. Deixe para mais tarde.

— Não posso. Eu tento, mas não posso. Malditos...

Felizmente, Jeff cai no sono. Mutt tenta enfiar uma última colherada de água com xarope de bordo no canto de sua boca. Depois seca o queixo do amigo mais uma vez e puxa o lençol sobre o peito dele.

Ele se senta em uma cadeira ao lado da cama, balançando para a frente e para trás por um tempinho. Por fim, pega um dos pratos da bandeja e limpa-o até transformá-lo em um disco de cerâmica lisa. Usa um dos saquinhos de geleia de morango para escrever:

Meu amigo está doente. Precisa de um médico imediatamente.

•

Os arranha-céus parecem lápides gigantes.

José M. Irizarry Rodríguez

> Há fantasmas em Nova York. Um dia, serei um deles.
>
> disse Fred Goodman

•

g) Stefan e Roberto

Stefan e Roberto ficaram felizes em ver o velho se alojar na fazenda da torre Met. Parecia um lugar melhor para ele do que aquele cubículo mofado, em especial agora que o edifício estava prestes a terminar de desabar com a maré. O próprio ancião não concordava, e estava ansioso por conseguir suas coisas de volta, em especial os mapas. Isso eles podiam entender bem, e passaram os dois dias seguintes indo de barco até as ruínas e tentando audaciosamente recuperá-los. Assim que os mapas voltaram para as mãos do sr. Hexter, o velho ficou tão grato que pediu que buscassem mais coisas. Acontece que ele tinha carinho por algumas coisas que seriam inconvenientes, senão impossíveis, de transportar de barco, como a mapoteca. Mas havia alguns itens na lista que os garotos podiam pegar, então arriscaram mais viagens até lá. Cada uma dessas idas os expunha a uma possível aparição da polícia aquática, que supostamente queria manter todo mundo fora da zona colapsada. Mas o sr. Hexter prometera que pagaria a fiança dos meninos se eles fossem presos – compraria para ambos um barco novo, afirmaria ser seu professor, adotaria os dois, o que fosse preciso. Ele não parecia entender que havia situações nas quais não seria capaz de ajudar os garotos.

Para apoiar a história de que o velho era professor dos garotos, ele lhes dera um pequeno tablet de pulso que tinha alguns audiolivros (tipo um milhão) e uma cópia mofada do livro *As aventuras de Huckleberry Finn*, de Mark Twain. Ele lhes dissera para ouvir o livro enquanto olhavam as páginas, e assim aprenderiam a ler. Desde que conhecessem o abecedário, para que as palavras nas páginas não fossem apenas formas engraçadas, mas marcas que representassem sons. Ele jurou que o método funcionaria, então os garotos tentaram quando estavam em seu barco embaixo da doca à noite, olhando as páginas iluminadas por lanternas o máximo de tempo que conseguiam, enquanto ouviam as palavras. Estas se iluminavam quando eram pronunciadas pela gravação, mas depois de um tempo eles desistiram e simplesmente continuaram a ouvir a história. Uma história interessante – piegas, mas divertida. Eles também tinham passado fome e roubado comida; também tinham sido ameaçados e, uma ou duas vezes, tinham sido capturados e abusados por adultos. Era estranho ouvir uma história sobre todas aquelas coisas. Na noite seguinte, retrocediam a gravação até encontrar a página na qual tinham parado de ler, e olhavam por um tempo enquanto ouviam mais uma vez. Não demoraram para começar a entender o que o velho queria dizer. Era um sistema bastante simples, embora a ortografia com frequência fosse estranhamente errada. Eles acabaram conhecendo bem a história de Huck, e gostavam de conversar sobre ela enquanto traçavam o caminho a seguir. Tempos selvagens no Mississippi. Similar em muitas formas à vida no Hudson. Enquanto isso, durante o dia atravessavam a cidade de barco para recuperar os livros (pesados) do sr. Hexter, suas roupas (mofadas) e as botas de borracha (fedidas).

Agora Vlade sabia que eles dormiam no barco sob a doca, e com frequência lhes dava comida, além de uma carga grátis na bateria para que pudessem percorrer os escombros sem necessidade de remar. Eles sempre optavam pelos canais não cercados pela polícia aquática. Todo mundo dizia que as três torres restantes também desabariam. Tinham que ficar ao sul de todo o bairro o máximo que pudessem, e depois atravessá-lo.

Um dia, ao chegar ao edifício, descobriram que estava ainda mais inclinado.

— Cara. É como a casa flutuante de Pap no Mississippi.

— Não acho que a casa fosse dele — comentou Roberto. — Acho que Jim e Huck simplesmente o encontraram lá.

— Foi só Jim quem o encontrou. Ele contou depois para Huck.

— Sim, eu sei.

— Mas por que Pap estaria lá se não fosse dele?

— Não sei, não acho que já nos disseram. Talvez a explicação venha mais tarde na história.

— Talvez. Enquanto isso, temos um problema aqui. Temos que dizer ao velho que este lugar está perigoso demais.

— Mas está mesmo? Acho que devíamos dar uma olhada.

— O que quer dizer? Dá para ver daqui!

— Não tenho tanta certeza.

— Ah, deixa disso. Não seja como aquele Tom Sawyer.

— Que idiota! Não gosto daquele trouxa.

— Bem, então não seja como ele.

Rodeado por alguns de seus pertences, o hotello começava a se parecer com a antiga casa de Hexter: um labirinto de caixas e pilhas de livros.

— Benditos sejam, garotos — falou ele naquela noite. — Pagarei vocês quando puder. Talvez possam me ajudar a levar essas coisas de volta quando eu voltar para casa, e pagarei o dobro. Enquanto isso, suponho que queiram voltar à escavação no Bronx?

— Exatamente. Era isso mesmo que estávamos pensando.

Então, no dia seguinte eles se esgueiraram pela cozinha da Met e afanaram uma travessa de pão recém-saída do forno, enquanto Vlade olhava para o outro lado, como fazia o tempo todo agora. Definitivamente, estavam comendo com mais regularidade nos últimos tempos. Vlade fazia o mesmo pelos gatos do *bacino*. Os garotos saíram para o frio daquele belo dia de novembro, rumando para norte, e navegaram por edifícios alagados, engradados de aquicultura e sobre os leitos de ostras de Turtle Bay.

Depois de atravessar o rio Harlem por baixo da ponte RFK e, na sequência, a velha ponte ferroviária (esse monstro que as pessoas diziam que duraria mil anos), percorreram a costa leste de Ward Island até seu destino, ao sul do Bronx. Encontraram a pequena boia que marcava o lugar e comemoraram. Assim que amarraram o barco nela, prepararam o sino de mergulho e o jogaram pela borda. Roberto vestiu o traje de mergulho, e Stefan o ajudou a colocar o equipamento. Tudo ia bem, quando Stefan disse:

— Ainda não sei como vamos cavar tão fundo.

— Vamos insistir — respondeu Roberto. — Posso colocar a lama no lado oriental do buraco, e entre as escavações a maré vai levá-la para cima e para baixo, mas não de volta ao buraco. Vai ficar cada vez mais fundo, até atingirmos o *Hussar*.

Stefan balançou a cabeça.

— Espero que sim — falou. — Mas, olhe, já que não vamos poder fazer isso de uma só vez, você tem que subir quando eu mandar.

— Sim. Três puxões na mangueira de ar, e eu subo.

Roberto se deixou cair de lado na água e Stefan levantou o sino pela lateral do barco para colocá-lo sobre o amigo. Dava para ver Roberto embaixo do plástico transparente, balançando o sino para deixar sair um pouco de ar. Um monte de bolhas explodiu na superfície, e então Roberto e o sino começaram a afundar. Estavam na maré alta, de modo que havia um bom pedaço até lá embaixo, o que preocupava Stefan. Ele observou o outro menino desaparecer na escuridão e começou a monitorar o tanque de oxigênio. Era a única coisa que podia fazer para permanecer ocupado, então observou o mostrador até que o viu se mexer. Olhou ao redor para se assegurar de que ninguém se aproximava enquanto cuidavam de seus negócios. O sol já havia despontado ao sul, resplandecendo uma faixa de luz espelhada no rio manso, que, de outra forma, tinha um belo tom azul escuro. Havia algumas barcaças alinhadas no centro do canal, mas nada menor podia ser visto perto deles.

Então uma onda agitou a água e acertou a embarcação, antes de se desfazer em inúmeras ondas minúsculas. O barco começou a dar voltas até que a corda presa na ponta do sino de mergulho ficou repuxada de lado, da mesma forma que a mangueira de oxigênio. De repente, Stefan viu que a mangueira de oxigênio continuava tensionada, mas a corda estava flácida. Ele puxou a corda e deixou escapar um grito involuntário quando ela cedeu. Não havia resistência; a corda não estava mais amarrada ao sino! Puxou novamente para ter certeza, e ela veio até sair da água. A ponta estava enrolada, da mesma maneira que uma corda de plástico desamarrada após ter ficado amarrada por muito tempo. Não fazia sentido, mas ali estava. Roberto estava lá embaixo e não havia como puxá-lo para cima.

— Ah, não! — exclamou Stefan.

A mangueira de oxigênio se estendia sob a borda do sino, e a ponta se curvava para cima no cone de ar preso. Stefan puxou-a três vezes e depois gritou para o amigo, embora soubesse que a mangueira não transportaria o som de sua voz até o fundo. Por enquanto, Roberto tinha ar, mas quando o tanque de oxigênio esvaziasse (e o tanque reserva também, embaixo do banco), não seria possível erguer o sino. Talvez Roberto pudesse levantar uma das extremidades, passar por debaixo e nadar até a superfície. Sim, isso poderia dar certo, se ele conseguisse. Se soubesse que tinha que fazer isso. Mais uma vez, Stefan gritou o nome de Roberto, e mais uma vez puxou a mangueira três vezes, mas agora sem muita força, pois tinha medo de arrancá-la de dentro do sino lá embaixo. O sino era pesado, um peso maior do que o cone de ar aprisionado podia levantar, e a água também fazia pressão para baixo com a força da maré alta. Era muito provável que o outro garoto não conseguisse erguer o sino o suficiente para escapulir por baixo.

O vento soprava na contracorrente com força suficiente para esticar a mangueira de oxigênio sobre a lateral do barco. O fluxo de gás poderia ser interrompido, ou a mangueira estourar. Stefan acionou o motor e levou a embarcação de volta para a boia, agarrando-se a ela. Pendurado na boia, com o peso do corpo sobre os cotovelos, a respiração acelerada, tremendo, embora o sol já tivesse saído; ele estava apavorado.

Acionou o tablet de pulso e ligou para Vlade.

Vlade atendeu, graças a Deus, e Stefan explicou a situação rapidamente.

— Um sino de mergulho? — repetiu Vlade, pegando a essência do problema. — Por quê?

— Não temos tempo para isso — implorou Stefan. — Contaremos mais tarde, mas você pode vir até aqui ajudar a tirá-lo de lá? Ele só tem mais uma hora de ar no tanque de oxigênio, e depois terei que trocar os tanques, e só temos um reserva.

— Não dá para pedir para ele subir nadando?

— Não, e eu não acho que ele consiga levantar o sino sozinho lá embaixo! Normalmente, quem está no barco é que puxa para cima. Até usando uma manivela é difícil.

— Em que profundidade ele está?

— Uns oito metros.

— Seus pestinhas! — respondeu Vlade, seco. — Não consigo acreditar nisso.

— Mas pode vir nos ajudar, por favor?

— Onde mesmo vocês estão?

Stefan explicou.

Mais uma vez, Vlade ficou incrédulo.

— Que merda! — exclamou. — Por quê?

— Venha nos ajudar, e nós contaremos — prometeu Stefan.

Agora o menino estava sentado com a cabeça para fora do barco, olhando a água opaca sem ver nada, sentindo que ia vomitar.

— Por favor, rápido!

•

Em janeiro de 1925, quando ocorreu um eclipse total do sol na cidade de Nova York, as pessoas diziam que parecia uma cidade surgida do fundo do mar.

•

h) Vlade

Vlade subiu correndo as escadas até a doca da casa de barcos enquanto repassava mentalmente o que poderia precisar. A profundidade era suficiente para usar equipamento de mergulho; ele não era muito bom em mergulho livre. O que mais precisava era de um barco rápido, e bem quando chegou à doca viu Franklin Garr esperando que Su desprendesse o pequeno aerobarco das vigas em que Vlade o colocara. Parecia impaciente como sempre.

— Ei — falou Vlade —, preciso do seu barco.

— Como é que é?

— Desculpe, mas aqueles meninos, Roberto e Stefan, estão encrencados no sul do Bronx.

— Eles de novo?!?

— Sim, e um deles pode se afogar se eu não chegar lá rápido o suficiente para tirá-lo da água. Você tem o barco mais veloz das redondezas, então que tal me emprestar? Ou você pode vir comigo.

— Ah, pelo amor de Deus — respondeu Garr com um ar repentino de ferocidade.

Vlade deu de ombros, imaginando como faria se tivesse que tirar o barco do cara à força. Isso já era uma versão no mundo real de um pesadelo que tivera muitas vezes ao longo dos últimos quinze anos, sonhos nos quais a chance de salvar Marko estava bem diante dele, só para ser atrapalhada por vários obstáculos malucos. Então estava nauseado de medo, e pronto para simplesmente bater no cara e ir embora. Era possível que isso fosse aparente em seu rosto, porque o homem xingou mais uma vez, mas acrescentou:

— Vou também. Onde é que eles estão mesmo?

— Ao sul do Bronx, a leste das pontes.

— Que diabos estão aprontando?

— Não disseram. Obrigado pela ajuda. Estou com minhas coisas bem aqui.

— O que você vai fazer? — perguntou Garr enquanto entravam no aerobarco.

— Vou descer até o sino de mergulho e amarrar a corda novamente.

— Um sino de mergulho? Sério?

— Foi o que Stefan falou. É estúpido.

— Bota estúpido nisso.

— Bem, assim são eles. Mas não podemos deixá-los se afogar. — Ao dizer isso, um nó tão grande se formou em sua garganta que ele teve que desviar o olhar.

— Suponho que não — admitiu Garr, e seguiram para leste pela Vinte e Seis. O canal estava lotado a essa hora do dia, mas ele era bom em desviar do tráfego, e pela primeira vez tinha uma desculpa para fazer isso, então lançou o barco por sobre as ondas e nos espaços entre as barcaças, caiaques, barcos a vapor, barcos de remo e gôndolas, espaços menores do que nos que Vlade teria ousado se arriscar. Trabalho de um óbvio patife, um trapaceiro do Brooklyn, mas muito útil naquele dia.

Ao chegar ao East River, ele empurrou o acelerador para a frente e o pequeno aerobarco fez jus ao nome, ergueu-se em seus fólios e voou. O vento passava pela cúpula transparente da frente da cabine. Vlade ficou maravilhado com a velocidade com a qual o edifício das Nações Unidas passou à sua esquerda. Então passaram pelas pilhas de escombros alagados de Roosevelt Island à direita deles, na ampla confluência que era Hell Gate, deslizando como um avião voando baixo. Avançavam a uma velocidade que variava de noventa a cem quilômetros por hora, uma excelente notícia, dada a necessidade. Mesmo sem querer, Vlade estava impressionado, e quase sentia um pequeno sinal de alívio no nó em seu estômago. Também estava redescobrindo o que alguém lhe explicara certa vez: que parte de um pós-trauma era a incapacidade de pensar com clareza quando o gatilho era disparado. Você simplesmente retornava ao trauma e tudo era como fora naquele momento, uma vez e mais outra.

Perto da margem, em um recife quebrado e oxidado que era a parte submersa do sul do Bronx, um pequeno barco inflável cinza flutuava. O barco dos meninos, com certeza, com um deles em pé, acenando desesperado com os braços erguidos sobre a cabeça.

— Parece que são eles — constatou Garr, e diminuiu a velocidade o suficiente para que o barco voltasse à água com o mesmo impacto que teria o peito de um cisne. Mesmo assim, avançaram rapidamente pelas águas pouco profundas, com as asas brancas abertas em cada lado e Garr em pé, olhando adiante para ver se avistava algo perigoso. Em circunstâncias normais, Vlade teria achado a velocidade excessiva, mas, dadas as circunstâncias, estava feliz que o homem fosse imprudente. Desde que não encalhasse em algum lugar ou algo do tipo. Vlade segurou a respiração enquanto atravessavam alguns pontos mais escuros na água azul, mas passaram com segurança. Ele não sabia se os fólios da embarcação se contraíam ou não.

Alguns modelos tinham essa funcionalidade, outros não. Algo para perguntar mais tarde. Ainda não tinha certeza de qual era sua opinião sobre aquele jovem profissional da área de finanças, um cara bem arrogante e preocupado consigo mesmo, ou pelo menos era o que parecia. Mas pilotava bem sua pequena lancha.

Pararam perto de Stefan, ainda em pé no bote inflável, parecendo aliviado. O garoto manteve o equilíbrio quando sua embarcação balançou, e apontou para baixo.

— Ele está lá!
— A que profundidade? — perguntou Vlade.
— No fundo.
— E quanto é isso?
— Na maré alta, uns oito metros e meio.

Vlade suspirou. A maré alta estava no auge. Ele já tinha lutado para vestir o traje de mergulho, agora ajeitava os ombros no tanque pequeno, pegava o colete, a máscara, a mangueira, o regulador e o computador. Tudo certo, colocou a máscara com cuidado sobre a touca do traje. Luvas vestidas, corda na mão.

— Ok, vou descer — falou Vlade para seus companheiros, para seguir o protocolo. — Deixem a corda solta. Quero poder me mover ao redor dela.

Saltou na água e sentiu o frio de uma só vez. Como sempre, a primeira sensação foi de alívio do calor que sentia preso ao traje impermeável. Estava a ponto de começar a suar. Agora estava fresco, logo estaria gelado, mas não direto em sua pele, mais como se algo gelado o sugasse do lado de fora.

O rio já era escuro a trinta centímetros da superfície, como sempre acontecia nas áreas rasas alagadas dos bairros. Sua lanterna de cabeça não iluminava nada além de partículas aquáticas de vários tipos – algas, sujeira, pequenas criaturas, detritos. Era o auge da maré alta. Bem no fundo, ele viu um leve brilho de alguma coisa.

Vlade estava com a corda do bote inflável dos garotos na mão. Nadou para o fundo, até se aproximar do brilho. Era uma espécie de sino de plástico transparente, denso e grosso o bastante para refletir sua luz e não o deixar ver o que havia no interior. Era provável que fosse Roberto, então ele bateu três vezes na lateral do sino, amarrou a corda com três voltas e depois puxou com força. Feito isso, voltou para a superfície, saiu da água e tirou a máscara.

— Você o viu? — perguntou Stefan ansioso. — Amarrou a corda?
— A corda está presa ao sino! Puxe um pouco e eu vou tirá-lo lá de baixo.

Stefan e Garr começaram a puxar a corda. No início, claro, houve certa resistência, tanto que Vlade ficou surpreso de que os meninos tivessem conseguido puxar o sino sozinhos. Havia um carretel de mão parafusado no banco do bote, mas era pequeno e exigia esforço usá-lo. Então os dois no bote começaram a enrolar a corda no carretel. Vlade colocou novamente a máscara e mergulhou para ajudar Roberto a sair por debaixo do sino e voltar à superfície. Uma boa ideia, já que quando ele enfiou a cabeça por debaixo da lateral do sino e olhou para cima, para a bolsa de ar preso, o garoto parecia aturdido e só semiconsciente. Estava pendurado em uma tira de velcro presa na parte de dentro do sino, seus olhos estavam saltados e sua boca apertada como um nó. Estava pronto para segurar a respiração, e não ia respirar até estar ao ar livre. Bom rapaz. Ainda estava consciente. Vlade assentiu para ele, apontou para cima e o puxou para dentro da água, por sob a borda do sino, e para cima, até a superfície. Então empurrou-o por baixo enquanto os outros dois o puxavam pela lateral do bote inflável, que tinha uma cabine menor do que a do aerobarco de Garr, mas estava mais próximo do nível da água.

Vlade se apoiou na lateral do bote, nunca um movimento fácil, mas logo conseguiu superar o gordo tubo de borracha inflável e subir a bordo. Roberto estava deitado perto dele, no fundo do bote, molhado, sujo de lama, o rosto tingido de marrom e meio azulado. O menino tremia. Lábios e nariz estavam brancos pelo frio ou pela anóxia, ou por ambos. Vlade tirou sua máscara, soltou o tanque de oxigênio e livrou-se do traje de mergulho. Depois se sentou ao lado de Roberto e segurou sua mãozinha azulada. Muito gelada.

— Você tem água quente no seu barco? — perguntou Vlade para Garr.

— Tenho um aquecedor rápido — respondeu Garr.

— Suba lá e nos traga uma tigela com a água mais quente que conseguir — disse Vlade. — Precisamos aquecer este menino. — Aproximou seu rosto do de Roberto e perguntou: — Roberto, que diabos foi aquilo? Você podia ter morrido lá embaixo! — De repente, sua garganta se fechou novamente, e ele não pôde dizer mais nada. Afastou os olhos que ardiam, tentando se recompor. Há um ano não sentia a antiga punhalada com tanta força. Era exatamente como em seus pesadelos, como o acontecimento que os originara. Mas agora, aqui e agora, se conseguisse manter o garoto aquecido...

Roberto tremia demais para responder, mas assentiu. Tremia tanto que seu corpo magro sacudia no fundo do barco.

— Você tem uma toalha? — perguntou Vlade para Stefan.

Stefan assentiu e tirou uma toalha do compartimento embaixo do banco. Vlade pegou-a e começou a secar a cabeça de Roberto, ao mesmo tempo que o massageava um pouco para reativar a circulação do sangue.

— Vamos tirar essa roupa de mergulho dele.

Ainda que isso talvez ajudasse a aquecê-lo, também era possível que Roberto ficasse mais aquecido com o traje do que sem ele. Vlade tentou pensar com clareza para lembrar o procedimento padrão entre os mergulhadores municipais. Não deviam aquecer as extremidades rápido demais, sabia disso, era muito perigoso, já que podia levar o sangue frio até o coração e provocar uma parada. Em geral, isso tinha que ser feito aos poucos, mas, de um jeito ou de outro, era claro que tinham que aquecer o garoto.

— O oxigênio continuou chegando até você o tempo todo? — perguntou Vlade para Roberto.

O menino balançou a cabeça e disse, com dificuldade:
— A borda do sino esmagou a mangueira. Ergui o sino. Pelo menos tentei.
— Bom garoto. Acho que vamos ficar bem. — Não fazia sentido brigar com o menino agora; o medo provavelmente estava gelando suas extremidades, juntamente com todo o resto. — Vamos colocar um pouco da água quente que o sr. Garr trouxe aqui no seu peito.

Garr passou pela amurada até a cabine do bote inflável derramando o mínimo possível do conteúdo da tigela em suas mãos. Vlade pegou a tigela e testou a temperatura da água com a mão, molhando os dedos, mais pelo contraste de temperatura do que pela temperatura real da água. Depois derramou um pouco no peito de Roberto. O calor se espalharia pelo traje de mergulho, o que era bom. Vlade já superara seu *flashback* agora, e estava de volta ao presente momento com aquela criança, que ia ficar bem.

— Devagar — falou Vlade, enquanto indicava para Stefan que continuasse a secar o cabelo de Roberto com a toalha. Rapidamente a água esfriou até um ponto em que ele pôde colocar a mão do menino na tigela. Roberto ainda tremia, com espasmos ocasionais causados por um tremor mais forte, mas tremer era um bom sinal; havia um momento em que a pessoa ficava gelada demais para tremer, e era muito difícil se recuperar. Mas o garoto não chegara a esse ponto; tremia como louco. Stefan terminou de secar a cabeça do amigo. Então tiraram o traje de mergulho, secaram seu corpo e o vestiram: calça, camiseta, um casaco folgado e outra toalha seca ao redor da cabeça como um turbante.

— Ok — falou Vlade depois de um tempo. Disse para Garr: — Que tal você nos rebocar para casa?

Franklin assentiu uma vez.

— Não acredito que estou rebocando vocês dois para casa de novo — falou ele para Stefan e Roberto.

— Obrigado — disseram os meninos com um fio de voz.

— O que devemos fazer com o sino de mergulho? — perguntou Franklin para Vlade.

— Corte a corda. Podemos pegá-lo mais tarde.

Enquanto Garr pilotava o barco em sua cabine, Vlade sentou-se atrás, entre Roberto e o vento.

— Tudo bem — disse ele. — Que diabos foi isso?

Roberto engoliu em seco.

— Estávamos procurando um tesouro.

Vlade negou com a cabeça.

— Deixem disso. Sem sacanagem.

— É verdade! — exclamaram os dois meninos.

Eles olharam um para o outro por um segundo.

— É o *Hussar* — contou Roberto. — É o HMS *Hussar*.

— Ah, parem com isso — exclamou Vlade. — Aquele barco velho?
Os garotos pareceram surpresos.
— Você sabe sobre ele?
— Todo mundo sabe sobre ele. O navio do tesouro britânico, bateu em uma rocha e afundou em Hell Gate. Todo rato d'água da história de Nova York já mergulhou atrás dele. Agora é a vez de vocês, rapazes.
— Mas nós encontramos! De verdade!
— Certo.
Stefan falou:
— Encontramos graças ao sr. Hexter. Ele estudou os mapas e os registros.
— Tenho certeza disso. E o que vocês encontraram lá embaixo?
— Pegamos emprestado um detector de metais que pode captar ouro a nove metros de profundidade, e o levamos até onde o sr. Hexter disse que o navio deveria estar, e conseguimos um sinal bem forte.
— Um sinal realmente forte!
— Tenho certeza disso. E então vocês começaram a escavar sob a água?
— Isso mesmo.
— Sob o sino de mergulho?
— Isso mesmo.
— Mas como isso ia funcionar? Ali é um aterro, certo? Parte do Bronx.
— Sim, isso mesmo. Era onde o barco estava.
— Então o *Hussar* afundou no rio e depois o sul do Bronx foi estendido em cima dele. É o que estão dizendo?
— Exatamente.
— E como vocês vão cavar todo aquele aterro embaixo de um sino de mergulho? Onde iam colocar a terra que tirassem do chão?
— Foi o que eu disse — concordou Stefan depois de um curto silêncio.
— Eu tinha um plano — murmurou Roberto, desconsolado.
— Tenho certeza que sim — respondeu Vlade. Desfez o turbante de Roberto.
— Vou dizer uma coisa para vocês: vou guardar essas notícias para mim, e teremos uma pequena conferência com seu velho amigo dos mapas quando voltarmos e vocês estiverem adequadamente secos, aquecidos e alimentados. Parece bom?
— Obrigado, Vlade.

•

> O capital privado e o capital público (do Estado) trabalham juntos e com um mesmo fim. Suas ações têm sido absolutamente complementares durante a crise, mirando salvaguardar os mercados, pelos quais estão dispostos a sacrificar a sociedade, a coesão social e a democracia.
>
> afirmou Maurizio Lazzarato

A autora deste livro deve ser elogiada pelo zelo com que rastreou muito material desconhecido, nunca antes publicado... Não que a Guerra dos Carrinhos de Mão tenha sido uma guerra simples. Contudo, ficou confinada às ruas de uma cidade, e só durou quatro meses. Durante esses quatro meses, claro, o destino de uma das maiores cidades do mundo pendeu na balança.

Jean Merrill, *The pushcart war*

Fungibilidade, *s*. A tendência de tudo ser completamente intercambiável por dinheiro. A saúde, por exemplo.

•

i) aquele cidadão

Lembrem-se, se seus poderes de retenção permitirem, de que depois do Segundo Pulso, enquanto o século vinte e dois começava sua existência surreal e majestosa, o nível do mar aumentara uns quinze metros em relação ao que fora no início do século vinte e um. Esse aumento notável fora ruim para as pessoas – para a maioria delas. Mas, nesse ponto, as quatrocentas pessoas mais ricas do planeta eram donas de metade da riqueza da Terra, e o um por cento mais endinheirado tinha oitenta por cento da riqueza do mundo. Para eles, não era tão mal.

Essa distribuição memorável era apenas um resultado da progressão lógica do funcionamento ordinário do capitalismo, seguindo o princípio operacional de acumulação do capital no índice de rentabilidade mais alto. Capturar esse índice mais alto de rentabilidade era um processo interessante, que adquiriu relevância direta para o que aconteceu nos anos pós-pulso. Porque as áreas nas quais os índices de retorno mais altos podem ser obtidos vão se deslocando pelo mundo com o passar do tempo, seguindo as diferenças no desenvolvimento e nas taxas de câmbio das moedas. Os índices mais altos de rentabilidade vêm durante períodos de desenvolvimento rápido, mas não é qualquer área que pode ser desenvolvida rapidamente; deve existir uma infraestrutura preliminar, capital circulante e uma população estável e relativamente educada, ambiciosa em si mesma e desejosa em se sacrificar pelos filhos para trabalhar duro por baixos salários. Com essas condições dadas, o capital de investimento pode descer como uma aerovila sobre um pomar, e essa região experimenta um rápido crescimento e a taxa de rentabilidade para investidores globais é alta. Mas, como em tudo mais, a curva logística manda; os índices de rentabilidade baixam à medida que os trabalhadores esperam remunerações e benefícios maiores, e os mercados locais ficam saturados quando todo mundo consegue atender suas necessidades básicas. Então, nesse ponto, o capital se move para a próxima oportunidade geocultural, voando para outro lugar. As pessoas na região recém-abandonada são deixadas para lidar com o novo status de decadentes, abandonadas a destinos que oscilam do simulacro turístico à calmaria de Chernobyl. Intelectuais locais descobrem o biorregionalismo e proclamam as virtudes de se virar com o que pode ser feito com aquele divisor de águas, o que acaba não sendo muito, em especial quando os jovens se mudam para outro lugar, seguindo as vilas aéreas do capital líquido.

E assim vai, região após região, oportunidade após oportunidade. A marcha do progresso! Desenvolvimento sustentável! Sempre há um lema encorajador para marcar a migração sem remorsos do capital de um antigo índice de retorno mais alto para a próxima região preparada. E, de fato, o desenvolvimento do capital continua sustentado.

Então, nesse processo – chamem de globalização, capitalismo neoliberal, Antropoceno, afogamento simulado, como for –, o Segundo Pulso se tornou apenas um sinal extraordinariamente claro de que era hora do capital seguir em frente. Tendo os índices de rentabilidade de todas as áreas costeiras ido definitivamente para o ralo, o capital (que tem bem mais liquidez do que a água) desceu pelo caminho de menor resistência, ou subiu, ou foi para o lado – não importa, já que o dinheiro é tão escorregadio e antigravitacional, sem restrições à fuga de capital ou a qualquer outro impedimento que o frágil sistema Estado-Nação possa pensar em aplicar, se é que já não foi comprado e agora é propriedade do mesmo capital que diz adeus ao novo charco de pobreza.

Então, primeiro você sai das áreas costeiras, porque elas estão uma bagunça e em meio a uma operação de resgate de emergência. Os pobres e antigos governos existem para lidar com situações como essa. O capital vai imediatamente para Denver. Embora Denver continue sendo Denver, ou seja, um tédio além de qualquer comparação, uma boa parte do capital de Nova York simplesmente se muda para a parte alta da cidade, onde a ilha de Manhattan ainda se sobressai do mar com margem suficiente. Importante do ponto de vista local, mas, falando globalmente, o capital foi para Denver, Pequim, Moscou, Chicago etc.; assim como a lista das cidades alagadas podia durar para sempre, de modo que certos escritores extraordinários que gostam de listas já teriam infligido suas relações incríveis de cidades costeiras aos leitores – mas, por enquanto, por favor, consultem um mapa ou um globo terrestre e façam-na vocês mesmos –, outra lista poderia ter sido feita de todas as maravilhosas cidades do interior que não foram afetadas pela elevação do nível do mar, mesmo se localizadas em lagos ou rios, como acontece com frequência. Então o capital tinha vários destinos com índices de rentabilidade mais atraentes para os quais afluir; na verdade, praticamente qualquer lugar que não estivesse nas áreas costeiras alagadas. Os lugares competiam por se rebaixar para conseguir alguma coisa do que ficou conhecido como capital refugiado, que na realidade era apenas a mudança imperial para o palácio de verão, como sempre.

Isso não quer dizer que as coisas não ficaram mais esquisitas depois do Segundo Pulso, porque ficaram. A inundação causou uma perda sem precedentes de ativos e uma cessação do comércio, estimulando uma recessão substancial, ou, vamos dizer, uma pequena depressão bem grande. Como sempre, em momentos como esse, que continuam ocorrendo a cada geração (para a imensa surpresa de todos), os grandes bancos privados e firmas de investimento correram até os bancos centrais – o que significa os governos do mundo – e exigiram ser salvos dos impactos das inundações em suas atividades. Os governos, que há muito tempo já eram subsidiárias dos bancos, voltaram a ceder e salvaram os bancos em cada centavo de dólar, causando um déficit público tão imenso que não poderia ser pago nem em todo o tempo de vida que sobrava ao universo. Ah, queridos, que dilema. Dez anos depois do fim do Segundo Pulso, parecia que o combate centenário entre Estado e capital terminara em uma vitória decisiva para o capital. Possivelmente, o combate sempre fora uma farsa, completamente encenada do início ao fim, mas, em todo caso, parecia terminado.

Porque o resgate dos bancos após a crise do Segundo Pulso foi imenso. Sempre é. O resgate da crise de 2008, que serviu como modelo para os dois que se seguiram, foi calculado por historiadores como sendo algo entre cinco e quinze trilhões de dólares. Um palpite cuidadoso estimou que foram sete vírgula sete trilhões de dólares, e outro, treze trilhões; ambos acrescentavam que isso era mais do que o custo (ajustado pela inflação) da compra da Louisiana, do New Deal, do Plano Marshall, da Guerra da Coreia, da Guerra do Vietnã, do resgate da poupança e dos empréstimos na década de 1980, das guerras do Iraque e de todo o programa espacial da Nasa, *combinados*. Conclusão: guerras, terras e programas sociais não devem ser muito caros. E, comparados com o resgate financeiro do próprio sistema, não são.

Mas as guerras também são boas para as finanças, e algumas mais aconteceram no século vinte e dois, claro. Centenas de milhões de pessoas de repente se tornaram refugiadas, e isso é um monte de terroristas para reprimir. Essa foi uma continuação do estado de vigilância que vinha crescendo desde o século vinte e um, que em outros tempos teria sido chamado de estado policial, mas neste momento esse termo teria sido uma aspiração. A ideia de que essa guerra permanente contra o terror poderia ter continuado como uma ação da polícia – e com maior eficácia em seus objetivos declarados do que quando era travada como uma pseudoguerra – era mencionada apenas por radicais cujas palavras encorajavam os terroristas.

Enquanto isso, esse aspecto das coisas também criou novas oportunidades financeiras. Os governos, esvaziados pelas dívidas, não podiam financiar adequadamente a segurança necessária para lidar com a oposição em potencial, nem eram bons em guerras assimétricas de pequena escala (o que significava ação policial, na qual, de fato, costumavam ser bons). Já que havia a necessidade de mais polícia, mas não existia dinheiro para pagá-la, os exércitos de segurança privada apareceram para cobrir o buraco. Muitos deles. Os ricos – que também são pessoas e fazem tudo o que podem para lidar com as tensões e os terrores originados no fato de ganharem mil e quatrocentas vezes mais dinheiro do que aqueles que trabalhavam para eles – asseguravam-se de financiar a melhor segurança pessoal e corporativa que o dinheiro poderia comprar, e os mercenários vindos de todas as guerras de refugiados eram numerosos e estavam disponíveis. Isso era bom: quando você é uma pequena minoria e tem a riqueza da maioria, segurança é uma consideração primordial.

Então os exércitos de segurança privada começaram a surgir em todas as partes, de Denver até a parte alta de Manhattan. Essa nova indústria parecia desafiar um princípio que costumava ser chamado de monopólio estatal da violência, mas já sabemos que se as finanças tinham assumido o Estado, possivelmente o Estado já era, de fato, um tipo de força de segurança privada, então não havia conflito nenhum ali, apenas a sedimentação de um mercado, uma oferta que satisfazia uma demanda. Infelizmente, como sempre acontece, havia um número grande de novas empresas incompetentes no negócio. E uma empresa de segurança incompetente é uma coisa assustadora. Se o Estado ainda era uma força contrária a esses exércitos privados e se tal mistério podia ser revelado de alguma forma que alguém quisesse ver no mundo real, era difícil saber. Uma revolta estatal contra o sistema financeiro global? Democracia *versus* capitalismo? Poderia ficar bem feio.

Dito isso, devemos voltar nossa atenção ao conceito de *soft power* e à derrota de Pirro, sobre os quais falaremos mais tarde. Nesse meio-tempo, coisas interessantes aconteceram ao longo das áreas costeiras alagadas também. Agora existia em todo o mundo uma faixa muito comprida de águas rasas recém-surgidas, inúteis, mesmo assim estratégicas. Ninguém podia fazer muita coisa nessa faixa logo após o ocorrido, exceto fugir dali e depois recuperar os portos comerciais e operacionalizá-los. As pessoas recuaram para o interior, o capital levantou acampamento. Os governos também deixaram o litoral, aliviados porque os problemas que restavam eram sem solução. Os esforços de salvamento e reparação ocorreriam por conta dos mercados, declararam, mas a verdade era que as forças do mercado se provaram desinteressadas. As zonas alagadas não só não tinham os índices de rentabilidade mais altos, como tinham os mais baixos; eram rotuladas de "sumidouros de desenvolvimento", o que significava que eram lugares nos quais, independentemente de quanto dinheiro fosse investido, não haveria lucro a ser realizado. O mesmo fora dito da África durante séculos, e vejam só como essa profecia se autorrealizou. Lembrem-se dos requisitos para os mais altos índices de rendimento: uma população estável e faminta; boa infraestrutura; capital circulante; acesso aos mercados mundiais; governos complacentes e incontestados. Nada disso era encontrado na zona entremarés.

Então, primeiro, saqueadores, equipes de resgate e residentes deslocados entravam e saíam com o que pudesse ser carregado. Depois os posseiros e os teimosos tomaram conta. Outros vieram de lugares distintos, imigrantes para o desastre. A estreita, mas globalmente extensa, faixa de destroços que eles ocupavam era perigosa e insalubre, mas ainda havia alguma infraestrutura intacta, e uma opção imediata era viver naquelas ruínas. Embora muitos trechos da nova costa fossem mais ou menos abandonados, Nova York, a grande blá-blá-blá, tinha a parte alta da cidade ainda elevada e seca – sim, as pessoas voltaram para as partes inundadas de Nova York. Há uma certa teimosia em muitos nova-iorquinos, por mais que pareça clichê dizer isso, e, na verdade, muitos deles já viviam em espeluncas antes das inundações, e estar imerso na água pouco importava. Não poucos experimentaram melhorias materiais nas circunstâncias e na qualidade de vida. Claro que os aluguéis abaixaram muito, quase até zero. Então muita gente ficou.

Posseiros. Despossuídos. Ratos d'água. Habitantes das profundezas, cidadãos das águas rasas. E muitos deles estavam interessados em tentar algo diferente, incluindo as autoridades para as quais davam seu consentimento a fim de que os governassem. A hegemonia se afogara com o resto; então, nos anos após a inundação houve uma proliferação de cooperativas, associações de vizinhos, comunas, agremiações, escambos, moedas alternativas, economias solidárias, usufrutos solares, aldeias de cultura pesqueira, vilarejos, sindicatos, franco-maçonarias, discursos anarquistas e tecnoculturas submarinas, incluindo arejamento e aquicultura. Também se diversificou a vida no céu, em aerovilas que usavam as cidades inundadas como bases de ancoragem e festivos pontos de trocas; navios cargueiros e veleiros transformados em ilhas flutuantes. Arte, não trabalho; a cidade era considerada uma obra de arte colaborativa gigante. Verdor azul, anfibiguidade, heterogeneticidade, horizontalização, deoligarquificação, assim como universidades livres e abertas, escolas de comércio e de arte gratuitas. E não era incomum que todos esses experimentos ocorressem em um mesmo edifício. A baixa Manhattan se tornou um verdadeiro viveiro de teoria e prática, como sempre dissera ser, mas desta vez era real.

Tudo muito interessante. Um fermento, um tumulto, uma confusão. É possível que Nova York nunca tenha sido tão interessante, o que já é dizer muito, mesmo descontando todas as besteiras. Em qualquer caso, muito interessante.

Mas sempre que há um espaço comum, há um cercado. Você pode bancar algo. Ou ser bancado por algo. Por assim dizer. E com as coisas indo tão bem quanto estavam na baixa Manhattan – tanto que alguns até reclamavam de estar voltando à mesma bagunça burguesa e burocrática que era antes das enchentes –, começaram a ficar cada vez mais visíveis uma infraestrutura e uma cultura dos canais, novas e viáveis: a zona entremarés, a Super-Veneza, ocupada e criada por pessoas enérgicas que tinham fome de mais. Em outras palavras, e visto em conjunto, um lugar que poderia oferecer um alto índice de rentabilidade! Então uma situação estava em desenvolvimento. Chegava a hora da verdade. E quando chega esse momento... Bem, quem sabe? Tudo pode acontecer.

PARTE QUATRO

Caro ou impagável?

> A propriedade se torna um direito sobre o rendimento.
> Maurizio Lazzarato, *O governo do homem endividado*

> A mão invisível nunca pega o cheque.

a) Franklin

Quando voltei, depois de salvar os dois ratinhos afogados com o síndico do prédio, estava atrasado para pegar Jojo.

— Garotos malditos — falei enquanto nos aproximávamos da casa de barcos —, fizeram com que eu me atrasasse.

— A um encontro muito importante — acrescentou Vlade com seriedade.

— Obrigado, sr. Garr — disse Roberto. — O senhor salvou minha vida.

Eu não sabia se ele estava sendo sarcástico ou não.

— Vão logo, saiam daqui — falei. — Scraminski, nos vemos no jantar e vamos comemorar sua sobrevivência. Preciso ir.

— Claro, chefe.

Eu os deixei no cais com suas coisas e voltei para o rio a fim de chegar ao escritório o mais rápido possível. Na verdade, eu não estava assim tão atrasado que não desse para dar uma parada no trabalho e ver como estavam as coisas, antes de buscar Jojo. Já que eu estava um pouco atrasado, mais um pouco não faria diferença.

Paguei o encarregado pela doca em nosso edifício para me dar meia hora e corri até o elevador. No meu escritório, as telas estavam sempre ligadas, então me sentei e comecei a lê-las com profundo interesse. Porque a coisa sobre as bolhas é que, quando elas estouram, elas estouram. A metáfora é extremamente adequada, porque a velocidade do estouro de uma bolha é seu aspecto mais notável. Está ali, e então não está mais. Se você entrou na onda e investiu dinheiro, a grana já era quando isso acontece. É muito importante sair antes que aconteça.

Então eu não queria que essa bolha específica de títulos submarinos do IPPE estourasse, já que ainda não estava preparado para o *grand finale*. Bolha, onda, *grand finale*, sim, era um emaranhado de metáforas, um verdadeiro pântano, alguém diria, acrescentando outra às já existentes, mas é para onde todas as complexidades do jogo nos levam: tudo ficou tão complexo que não pode ser compreendido, então todo mundo recorre a histórias de um período mais simples. Parte do meu trabalho era vasculhar todas as metáforas para ver se podia agarrar a coisa real por baixo delas, o que não era exatamente matemático, graças a Deus, porém mais um sistema, como um jogo. Nos vários influxos de informação que minhas telas me davam, o sistema era revelado em partes (como peças de um quebra-cabeça, sim, mas não), e esse sistema no fim não era como nada além de si mesmo. Uma vasta inteligência artificial, sim, mas se era realmente inteligente, acho que é também outra metáfora, como Gaia ou Deus. De fato, ninguém está realmente no controle, então toda inteligência nesse sistema, tal como era concebido, estava na realidade nas pessoas que participavam dele. O que significava que podia não haver muita inteligência ali. E era imensamente fragmentada. Então, muitas inteligências refinadas ou não tão refinadas tinham efetivamente combinado de formar uma equipe, mas sem nenhuma coerência e sem capacidade de obter uma percepção global da situação. Esquizofrênica, mas não maluca. Mente de colmeia, mas sem mente. A pilha, como em propriedades emergentes empilhadas, mas, na verdade, emergências empilhadas. Era realmente pensar naquilo como um tipo de jogo. Talvez. Um jogo, ou um sistema para jogar com as coisas.

Em todo caso, naquela tarde minhas telas mostravam que tudo ia bem. Nenhuma catástrofe nas últimas duas horas. Eu achava que o desastre em Chelsea iria arrastar um pouco mais o IPPE local para baixo. Houve um tremor, uma onda de choque que lembrava o pequeno tsunami que irradiara do próprio edifício desmoronado, mas parou nisso; uma queda de cerca de 0,06 no IPPE global, 2,1 no regional de Nova York. Isso era um indicador do quanto Nova York tendia a ser padrão como "A Cidade" para todos os outros lugares. Mas a bolsa de Hong Kong absorvera a notícia e conseguira amortecer a queda, sem dúvida porque os edifícios por lá estavam sempre desmoronando, portanto eles estavam acostumados com isso. Então, em menos de uma semana a situação passara pelas notícias do desastre, pela reação negativa e pela recaptura de investimentos, e tudo seguia sem maiores problemas, com tendência para cima, como de costume. Eu via o que era: as pessoas não queriam que a bolha estourasse. Seria necessário mais do que um edifício ou um bairro, porque gente demais estava fazendo dinheiro havia tempos.

Foi só o tempo para um suspiro de alívio, escrever uma mensagem para meu amigo Bao, em Hong Kong, a fim de animá-lo a seguir com o bom trabalho de me dar sua opinião sobre as tendências de lá, fechar alguns acordos, desligar e sair correndo até o escritório de Jojo. Neste ponto, eu já estava quarenta e cinco minutos atrasado, e só um pouco excitado pelos acontecimentos do dia.

— Desculpe pelo atraso — comecei a falar assim que entrei no escritório dela e pude ver pela expressão em seu rosto que tinha sido bom eu começar desse jeito. — Vlade pediu minha ajuda quando eu estava saindo da Met, e tivemos que voar até o Bronx e resgatar aqueles dois moleques que salvaram o velho. Foi a vez deles de serem salvos.

E eu expliquei como conseguiram deixar Roberto preso no fundo d'água, no sul do Bronx, com Stefan no barco segurando o tanque e oxigênio e nada mais.

— Jesus — exclamou Jojo. — O que estavam fazendo lá?

— Não sei — falei. — Alguma besteira, como costumam fazer.

Ela me deu um olhar que não consegui decifrar, e começou a desligar suas telas e guardar as coisas na bolsa.

— Ok. Estou pronta. Aonde quer ir?

— Que tal voltarmos ao bar onde nos conhecemos?

— Parece bom.

No zumbidor, agora cenário das boas lembranças do nosso encontro glorioso na baía, senti que a vibração das coisas ia bem e, nesse estado de espírito, descrevi com alguns detalhes meu alívio com o fato de que o mercado submarino tinha aguentado bem o choque do desmoronamento em Chelsea.

— Preciso ir para o curto prazo o máximo que puder, antes que a crise chegue, ou então não conseguirei tirar total vantagem da queda. É incrível quando você junta tudo. Agora que o IPPE está acima de cem, é como um ponto de inflexão psicológico. Acho que todo mundo acha que vai começar a subir.

— Você acha que seu índice os está enganando? — perguntou Jojo, observando as outras embarcações do canal.

— O quê? Se eu estou trapaceando ou algo assim?

— Não, só que continua subindo, não importa o que aconteça.

— Sim, bem, a confiança é um dos fatores levados em conta, então é mais como se a pessoas quisessem que subisse.

— Você não quer também? Quero dizer, isso não significaria que as coisas estão melhorando para quem vive lá?

— Os preços subirem? Não tenho tanta certeza. Mas tenho certeza de que tem um enorme colapso vindo do estoque de casas. Todas as melhorias tecnológicas não serão suficientes para compensar isso.

— Mas o índice continua subindo.

— Porque as pessoas querem que suba.

Ela suspirou.

— Índices são estranhos.

— São. Mas as pessoas gostam de situações complexas reduzidas a um único número.

— Algo em que apostar.

— Ou um jeito de tentar acompanhar as taxas de inflação. Quero dizer, o Índice do Custo de Viver Extremamente Bem? Para que serve isso?

Ela fez uma careta.

— Isso é para rir do quão rico alguém é. Verifica o iate, o casaco de pele, o avião, o advogado, o terapeuta, o filho em Harvard, o que quer que esteja na lista.

— É definitivamente mais divertido de se olhar do que o Índice de Miséria — comentei. Era um índice simples, condizente com o tema: inflação mais desemprego. — Acho que seria possível adicionar mais algumas variáveis a ele também. — Tais como falências pessoais, divórcios, visitas ao banco de alimentos, suicídios... Não parecia que listar essas variáveis fosse uma boa ideia agora. — Ou talvez o Índice de Gini, talvez seja um tipo de intersecção entre o Índice do Custo de Viver Extremamente Bem e o Índice de Miséria. Ou você podia ir por outro lado e verificar o Índice de Felicidade.

— Índices... — comentou Jojo com desprezo.

— Ei, por acaso você não usa nenhum deles? — falei, sentindo-me na defensiva.

— Uso índices de volatilidade — admitiu ela. — Você meio que tem que fazer isso.

Assenti.

— Foi uma das inspirações para o IPPE. Gosto do jeito como eles tentam descrever o futuro com números.

— O que quer dizer?

— Bem, porque reúnem todas as taxas que os papéis vencidos no próximo mês vão receber. Então é meio que adiantar um mês. Quero fazer o mesmo para a zona entremarés.

— Ler as folhas de chá, revelar o destino deles.

— Suponho que sim.

— Enquanto as coisas continuam despencando.

— Sim, esse é o equilíbrio, as duas coisas estão acontecendo. Então é o paraíso dos investimentos de risco. Você tem que jogar de ambos os lados.

— Mas agora você está reduzindo o prazo.

— Sim, acho que o longo é longo demais, como eu disse. É uma bolha. Claro que, de certo modo, é bom, como eu disse. Mais para arrecadar quando estourar. Então estou trabalhando nesse ângulo também, continuo a comprar opções de venda.

— Então você está trapaceando!

— Não. Eu compro de verdade. Vendo às vezes, só para ajudar a manter tudo girando até que eu esteja pronto.

— Então você está interferindo no processo.

— Não, não. Não quero fazer isso.

— É como aqueles trapaceiros sem querer. Você realmente pensa que os índices estão subindo. Mas acho que disse que não iam continuar assim.

— Mas as pessoas pensam que sim. E vão continuar a pensar até que estoure, então eu quero que continue subindo.

— Até você estar pronto.

— Você sabe o que quero dizer. Com tudo no lugar. Enquanto isso, é um caso de quanto mais, melhor.

Ela deu uma risada curta.

— É melhor você ter cuidado, no entanto. Se a queda for grande demais, não vai sobrar ninguém para honrar seus títulos de curto prazo.

— Bem — comentei, surpreso. — Isso seria definitivo. Tipo o fim da civilização.

— Já aconteceu antes.

— Já?

— Claro. A Grande Depressão, o Primeiro Pulso.

— Certo, mas você fala de finanças. Fim de uma civilização financeira.

— É tudo o que seria necessário, em termos de perder todos aqueles que poderiam pagar para você.

— Mas eles continuam voltando. O governo os resgata.

— Mas não as mesmas pessoas. Gente nova. Os antigos perderam tudo.

— Tentarei me esquivar desse destino.

— Tenho certeza que sim. Todo mundo tenta.

Ela balançou a cabeça, dando um sorrisinho pelo meu... pelo meu otimismo? Minha confiança? Minha ingenuidade? Eu não sabia dizer. Não estava acostumado que esse sorriso em particular fosse direcionado para mim, e aquilo me deixou inquieto, um pouco irritado.

Chegamos ao Píer Cinquenta e Sete e deixei o barco em um dos últimos atracadouros da marina. Nós nos juntamos à multidão no bar. Encontramos Amanda, com John e Ray, e eles nos cumprimentaram animados; Amanda um pouco surpresa, mas depois com um sorriso de compreensão quando viu que tínhamos chegado juntos. Era bom causar aquele tipo de surpresa, assim como nunca era agradável ser dispensado. Mas éramos amigos, e sorri de volta, feliz por estar com Jojo na frente dos meus amigos. Inky estava flertando no bar, e as nuvens que cobriam Hoboken começavam a ganhar uma tonalidade rosa e dourada sobre um sol que já se escondia baixo no rio. Maré alta e ânimos elevados.

Depois de uma bebida, todos nos retiramos para o restaurante na cobertura com vista para a água, diante do crepúsculo e, depois, da escuridão. Um trio no canto tocava a sonata "Appassionata", de Beethoven, com flautas de pan. Os músicos tinham o rosto vermelho e hiperventilavam. Estava quente para novembro, até mesmo um pouco abafado. Os mexilhões no vapor, recém-tirados das gaiolas filtradas, bem abaixo de nós, estavam saborosos, assim como as bebidas de Inky, que trouxemos conosco para a mesa. O grupo se divertia, mas algo parecia diferente para mim. Jojo conversava com Amanda, dando-me as costas, e, claro, Amanda estava adorando. Mas não eram amigas, e eu podia sentir uma frieza emanando de Jojo que eu não podia demonstrar, não na frente dos demais. Então conversei com John sobre os acontecimentos da semana, e concordamos que as coisas estavam ficando interessantes com o novo procurador-geral

assumindo seu posto, pois o homem era conhecido por ser um verdadeiro xerife, embora nós dois tivéssemos nossas dúvidas.
— São sempre um pouco medíocres — comentou John, e eu concordei. — Você vai da criação do valor à destruição do valor, consegue um tipo diferente de personalidade envolvida. Não é tão ruim quanto as agências de classificação, mas é ruim o suficiente.
— Mas esse cara veio do setor financeiro — falei. — Vamos ver se ele consegue ser um pouco mais astuto. Ou brutal.
— Astuto *e* brutal, essa seria a combinação de dar medo.
— Verdade. Mas já tivemos outros assim. O barco seguirá em frente.
— Verdade.
Depois de um tempo todos os pratos foram comidos, as bebidas tomadas e, como antes, Jojo e eu éramos de longe os mais sóbrios no grupo. Sobre nossas cabeças, as estrelas flutuavam em meio à bruma, mas era uma leve neblina que surgia do rio, não algum efeito de nossa mente. Para os demais, poderia ter sido uma noite estrelada de Van Gogh, a julgar pelas gargalhadas.
Pagamos a conta. Percorremos o caminho até a marina, depois até o zumbidor, e até o rio. As estrelas eram refletidas no manto de água negra sobre o qual deslizávamos. Ah, Deus, ah, deus; meu rosto estava quente, meus pés, frios, meus dedos formigavam um pouco. Sob a luz tênue da cabine que entrava pela porta, Jojo parecia Ingrid Bergman. Ela experimentara um orgasmo de primeira ao meu toque, bem ali; eu sentia o estremecimento daquela lembrança, o início de uma ereção.
— Quer uma bebida?
— Ah, acho que não. Na verdade, estou me sentindo meio cansada esta noite. Não sei o motivo. Você se incomodaria se voltássemos logo para casa?
— Não quer apenas sair daqui? Podíamos passar por Governors Island e dar a volta pelo outro lado.
— Não, acho que não.
— Você está me vendendo a descoberto! — deixei escapar.
Ela me olhou como se eu tivesse acabado de dizer algo bem estúpido. Ou como se sentisse pena de mim. De repente, percebi que eu não a conhecia bem o suficiente para ter ideia do que aquela expressão significava ou no que ela estava pensando.
— Desculpe, não quis fazer piada — falei, novamente sem pretender dizer aquilo, sem pensar antes de lançar as palavras.
— Eu sei — respondeu Jojo, com um leve franzir nos cantos da boca. Ela me observava atentamente. — Bem — ela prosseguiu, tentando amenizar o clima —, todo mundo faz investimentos de risco, certo?
— Não! — exclamei. — Chega disso!
Ela deu de ombros, como se dissesse: *Se é isso que você quer...*

— E então?...

— Então... — Eu não sabia o que dizer. Tinha que falar alguma coisa. — Mas eu gosto de você.

Mais uma vez ela deu de ombros, como se dissesse: *E daí?* E eu percebi que não tinha a menor ideia do que ela realmente gostava.

Virei o barco na direção da margem. Os poucos edifícios iluminados diante de nós faziam que o West Village parecesse uma boca que perdera a maior parte dos dentes.

— Não, é sério — falei, novamente surpreendendo a mim mesmo. — Me diga o que há de errado?

Ela deu de ombros pela terceira vez. Achei que não ia dizer mais nada, e a sensação de vazio no meu estômago afundou até apertar meu escroto, pressionando os testículos no meio das minhas pernas.

— Não sei... acho que não está dando certo para mim. Quero dizer, você é um cara legal, mas é meio que retrógrado, sabe? Muita operação de bolsa, um pouco de trapaça acidental, esperando um tiro certeiro... Como se tudo se resumisse a dinheiro.

Pensei no que ela acabara de dizer.

— Estamos no mercado financeiro — destaquei. — *Tudo* se resume a dinheiro.

— Mas o dinheiro pode ser outra coisa, quero dizer. Você pode fazer coisas com o dinheiro.

— Trabalhamos para *hedge funds* — recordei-a. — Trabalhamos para que gente suficientemente rica possa se dar ao luxo de contratar pessoas que vão lhes garantir um índice de rentabilidade melhor do que a média. É o que fazemos.

— Sim, mas uma das formas de se gerar alfa para elas é criar capital de risco e investi-lo em coisas boas. Você pode fazer a diferença na vida das pessoas, tornar a vida delas melhor e, ainda assim, atingir os objetivos dos seus clientes.

— E receber seus bônus.

— Sim, é claro. Mas nem tudo são bônus. É investir na economia real, no trabalho de verdade. Fazer as coisas acontecerem.

— É isso o que você faz? — perguntei.

Ela assentiu na escuridão. Cada *hedge fund* guardava seus métodos, de modo que ela tinha um compromisso de confidencialidade. Toda vantagem competitiva entre fundos vinha de um mix patenteado de estratégias que em geral era estabelecido pelo fundador do fundo, como gênio local, e depois por seus conselheiros mais próximos. Essa Eldorado fora para algo tão incerto e sem liquidez como o capital de risco – eles tinham uma indicação do gênero em seu mix –, algo sobre o qual Jojo não devia falar. Mas ela me disse, basicamente a fim de me deixar saber por que esfriara em nosso relacionamento. Era uma ideia que ainda me fazia tremer como se estivéssemos em uma geada. Olhei para ela e percebi que desejava muito que isso desse certo. Não tinha sido como com Amanda ou com a maioria das outras. Maldição! Eu fiz aquela coisa estúpida, tinha me deixado levar pelo instinto em vez de fazer uma análise cuidadosa. Mais uma vez.

— Bem, é interessante. Vou pensar sobre isso — falei. — E espero que você possa jantar comigo, pelo menos de vez em quando. Mesmo que seja na Met — acrescentei, desesperado, quando ela afastou o olhar para contemplar o rio. — Quero dizer, você mora no prédio ao lado. Então, em vez de comer em casa, talvez...

— Seria ótimo — cedeu Jojo. — Na verdade, eu só quis dizer que quero ir um pouco mais devagar. Quero conversar.

— Isso é bom — falei. — Também quero conversar.

Mas enquanto durmo com você! Isso eu não falei. *Muita conversa, depois e enquanto fazemos amor, tomamos banho juntos, dormimos na mesma cama! Conversando o tempo todo!*

Bem, mas era exatamente para todas essas coisas que ela tinha puxado o freio de mão. Ou, mais provável, colocado um ponto final com muita educação.

Se eu queria que tudo isso acontecesse, teria que descobrir mais sobre ela. Descobrir o que a agradava. Seria difícil, se eu deixasse de vê-la. Então, enquanto virava o barco de modo desajeitado para a Vinte e Três, em rumo de casa, perdido em minhas preocupações, desatento aos padrões de ondas óbvios e até a outras embarcações, sentindo-me esmagado, até ressentido, zangado, eu ainda tentava descobrir como continuar com ela, como seguir em frente, como tê-la de volta. Maldição. Maldito imbecil.

•

Nova York é menos um lugar do que uma ideia ou uma neurose.
disse Peter Conrad

A escala de Nova York menospreza os caprichos do sentimento pessoal.
disse Stephen Brook

•

b) Charlotte

Chegou o dia em que o conselho da Met tinha que decidir o que fazer sobre a oferta de compra do edifício. Charlotte não quis discutir o assunto na reunião geral, com todos os membros da cooperativa, o que sabia ser errado de sua parte, mas não quis. Se chegasse a uma votação geral, e os membros votassem pela venda, a cabeça dela explodiria. Podia sentir a pressão e não gostava. Gritaria coisas horríveis para eles e depois se sentiria pior do que nunca.

— As pessoas me pedem que eu confie nos outros, mas não confio — disse ela para uma colega de trabalho, Ramona, que assentiu compreensiva.

— Por que *confiar* nas pessoas? — perguntou Ramona. — O que você *ganha* com isso?

— Ah, cale a boca — respondeu Charlotte. Ramona gostava de provocá-la, e em geral Charlotte também gostava, mas desta vez era assustador demais. — Eu me pergunto se poderia me autodeclarar ditadora do prédio. Não é como faziam nas antigas cidades-estados gregas? Uma crise externa chegava, as coisas vinham abaixo, então alguém se declarava ditador e todo mundo concordava em deixar essa pessoa guiar a pólis durante da crise.

— Boa ideia!

— Pare com isso.

Então chegou o primeiro compromisso do dia, uma família de Baton Rouge, e ela teve que trabalhar no caso deles. Supostamente, os norte-americanos tinham direitos cidadãos que os protegiam do tipo de discriminação que os estrangeiros enfrentavam quando se mudavam para a cidade, mas na prática não era bem assim. Havia muita gente que simplesmente não tinha documento impresso ou qualquer documentação na nuvem; era difícil acreditar até conhecê-los às centenas e, depois de um tempo, aos milhares, dia após dia, durante anos. O Dia Horrendo da nuvem, logo após o Segundo Pulso, apagara os registros de milhares de pessoas, e nenhum país tinha se recuperado completamente disso, exceto a Islândia, que não acreditava na nuvem e mantinha registros de tudo no papel.

Hoje também era o dia de um afluxo de novos refugiados de Nova Amsterdã, o aeropovoado holandês. Essa cidade flutuante era uma das mais antigas do tipo, e, como o restante delas, vagava lentamente ao redor do mundo, um pedaço destacado da Holanda, que tinha sido tão inundada pelo Segundo Pulso que Nova Amsterdã equivalia a algo como cinquenta por cento do território que o país ainda conservava. Como todos os aeropovoados, era essencialmente uma ilha flutuante, autossuficiente em grande parte, e enviada pelo governo da Holanda para percorrer a Terra ajudando pessoas nas áreas entremarés do jeito que fosse possível, incluindo realocando-as em terrenos mais altos. Charlotte gostava de visitá-los quando passavam como uma medusa por Nova York, movendo-se em círculos para além da Verrazano Narrows no grande fluxo de ar que girava em sentido anti-horário, oriundo da Corrente do Golfo. Os aeropovoados não podiam chegar muito perto do Narrows porque havia o perigo de serem pegos por uma maré alta e esmagados em uma ou outra área costeira, ou acabarem presos como um saca-rolhas, mas levava menos de uma hora para voar até eles em um avião pequeno. Então ela pegou um dos voos que saíam do porta-aviões de Turtle Bay e desfrutou da repentina vista do alto: a cidade, o Narrows e sua ponte, o mar aberto. À esquerda, na direção do mar, viam-se as áreas de águas rasas de Coney Island, demarcadas na borda marítima pelas barcaças que drenavam areia da antiga praia e levavam-na para norte, para a nova linha costeira. Em seguida estavam sobre a platitude azul do oceano, e logo desceram na surpreendente ilha verde que flutuava diante deles – uma ilha enorme, grande o bastante para que as pistas de aterrissagem do aeroporto comportassem jatos (não que ainda existissem muitos jatos por aí). O avião da cidade desceu e freou até alcançar a velocidade de taxiamento quando já tinham percorrido um terço do comprimento da pista.

Uma vez fora do avião e no aeroporto, era o mesmo que estar em Long Island. Não dava para perceber que estavam flutuando, nenhum movimento. Isso sempre assombrava Charlotte. Ao seu redor, as pequenas e primorosas construções faziam o lugar parecer uma cidade holandesa.

Apesar da aparência elegante dos edifícios e ruas, não era difícil ver a inquietude nos olhos das pessoas abrigadas nos dormitórios de refugiados do aeropovoado. Era um olhar que Charlotte conhecia bem, o olhar de seus clientes, aqui mais uma vez encarando-a. Olhares carentes, sempre tentando a atrair para suas histórias, olhares dos quais ela já se acostumara a desviar. Ela não poderia sentir o desespero deles de maneira tão direta, ou ficaria louca – tinha que manter distância profissional. E era o que fazia, mas exigia esforço; era a coisa que a deixava cansada no final do dia, ou mesmo em uma hora. Com os ossos cansados, e, em um nível mais profundo, zangada. Não com seus clientes, mas com o sistema que os deixava tão carentes e tão numerosos.

Agora Nova Amsterdã trazia um contingente de Kingston, Jamaica. Nenhum dos refugiados tinha documentos, e pareciam hispânicos, não jamaicanos, e falavam espanhol entre si, mas fora em Kingston que Nova Amsterdã os pegara. O Caribe era assim. Charlotte se sentou em uma mesa com eles e ouviu suas histórias uma a uma, criando uma documentação primária como refugiados. Isso permitia que entrassem nos arquivos, e com o tempo serviria como registro, embora nenhum deles tivesse os papéis originais. Era como se ela em pessoa estivesse tirando um a um do mar.

— Não se esqueçam de se juntar ao Sindicato dos Proprietários — ela continuava dizendo para eles. — Isso pode ser de grande ajuda.

Eles ficavam gratos por qualquer coisa, e isso também se refletia em seus rostos, e também tinha que ser ignorado, já que era apenas outra faceta do desespero. As pessoas não gostavam de se sentir gratas, porque não gostavam de precisar se sentir gratas. Então não era uma boa sensação, não importava em qual ponta você estivesse. Alguém fazia o bem para os demais não por eles, nem por si mesmo, o que seria um pouco hipócrita, na melhor das hipóteses. Isso parecia sugerir que não havia motivo algum para fazer o bem, e mesmo assim parecia ser um imperativo. Charlotte o fazia por algum tipo de noção abstrata, talvez, uma ideia de que isso era a forma de converter a época em que viviam nos primeiros dias de um mundo melhor. Algo assim. Uma noção maluca. Era maluca, sabia disso; era provável que estivesse compensando algum tipo de falta ou perda; buscando uma forma de manter o cérebro ocupado. Parecia o jeito certo de se comportar. Era um modo mais interessante de passar o tempo do que a maioria dos modos que experimentara. Algo assim. Mas, no fim do dia, mesmo em um dia no mar, na fria brisa salgada e com os gritos das gaivotas, ela estava pronta para arquivar tudo aquilo em sua mente.

Mas não podia, não no fim deste dia; precisava voltar para seu escritório e ir para casa. Sem tempo para caminhar, precisaria pegar o barco a vapor ou até mesmo um táxi aquático. No voo de volta, sobre as águas rasas do Brooklyn até o porta-aviões em Turtle Bay, ancorado junto ao edifício da ONU, Charlotte contemplou a cidade pela janela da aeronave e se maravilhou com a paisagem sob a luz do entardecer. Sob os raios de sol que se refletiam nos canais, a floresta de edifícios enfileirados parecendo o alinhamento de pedras eretas de uma Avalon meio submersa. Pilares negros afundados até os joelhos; era uma visão surreal, não havia como assimilá-la. Nunca deixava de parecer uma vista bizarra, mesmo tendo vivido toda a sua vida ali. Que destino. Um destino de certo modo glorioso, e, apesar de tudo, ela encarava a cidade com uma pequena sensação de assombro, e até de orgulho.

Desceram no porta-aviões. Pela rampa até o cais e depois à massa de gente, passo após passo, até um barco a vapor lotado que levava aos canais da cidade. De cais em cais, lendo relatórios enquanto a multidão embarcava e desembarcava, embarcava e desembarcava. Ela saltou no cais perto do escritório e, enquanto entrava, pensava se não devia ter ido direto para casa.

Quando estava saindo, encontrou Ramona e um grupo do Partido Democrata do bairro, e eles perguntaram se podiam acompanhá-la. Charlotte deu de ombros, quase dizendo que sua jornada terminara, mas engoliu as palavras; não sabia por que estavam ali. Lá fora, no cais, perguntaram se ela se candidataria a uma vaga no Congresso, para o assento do Décimo Segundo Distrito, que cobria as partes inundadas de Manhattan e do Brooklyn, e por causa disso era um cargo controverso, por muitos anos representando mais moluscos do que pessoas, e estas últimas eram um bando de indigentes, comunistas etc.

— Claro que não! — respondeu Charlotte, chocada. — E quanto à candidata da prefeita?

Galina Estaban tinha indicado sua assistente, Tanganyika John, para suceder o aparentemente imortal congressista do Décimo Segundo Distrito, que por fim estava se aposentando. Ninguém estava satisfeito com essa escolha, mas o partido tinha uma hierarquia; você começava de baixo e subia um degrau por vez – junta escolar, conselho da cidade, assembleia do Estado –, e se demonstrasse lealdade absoluta à equipe, os poderes do topo lhe dariam o endosso e a ajuda do partido, e você estava pronto para seguir em frente. Fora assim por séculos. *Outsiders* surgiam para expressar várias insatisfações, e, de vez em quando, alguns deles subvertiam a ordem das coisas e eram eleitos, mas então eram condenados ao ostracismo eterno pelo partido e não conseguiam fazer nada. Só desperdiçavam tempo e o pouco de dinheiro que conseguissem dragar para apoiar tais inclinações quixotescas.

Apesar disso, aquelas pessoas que pediam que ela concorresse eram do escritório do partido, na verdade eram do comitê central, o que fazia uma pequena diferença. Talvez muita diferença. A própria Galina surgira como uma *outsider*, o que provavelmente explicava aquilo. Chegar como uma estrela e romper a hierarquia, depois se tornar uma autoridade e ungir a própria assistente para um posto que não tinha nada a ver e que sequer tinha o direito de reclamar como seu: não estava certo. E Tanganyika John era um títere e uma tola. Mesmo assim, concorrer contra ela seria uma causa perdida e uma terrível perda de tempo.

Charlotte explicou isso o mais rápido e educadamente possível, então entrou no barco a vapor que felizmente atracara no cais, dirigindo-se para a Park, bem quando seus interlocutores se tornavam eloquentes, com súplicas desesperadas.

— Pense nisso! — imploraram Ramona e os demais em voz alta quando o barco a vapor seguiu para a próxima parada, dando as mãos como mendigos famintos.

— Pensarei! — mentiu Chalotte com tom de voz animado. Era irritante, mas aquilo a agradava também, só de pensar que era uma coisa idiota que não teria que fazer, algo que podia ser evitado com um simples "nem fodendo".

O barco a vapor entrou à direita na Vinte e Três e a deixou no cais em frente ao Flatiron. De lá ela pegou o elevador até o nível do passeio e caminhou para oeste até Chopstick One, xingando enquanto cruzava de passarela em passarela, quase como se fosse um ritual, e depois correu pela Vinte e Três até chegar em casa. Entrou em seu aposento bem a tempo de trocar os sapatos, comer uma maçã, lavar o rosto e descer novamente. Chegou quando a reunião do conselho começava.

Sentou-se sentindo-se um pouco inquieta, como se ainda estivesse no mar, ou no ar. Os outros membros do conselho a olhavam com curiosidade, então era algo que dava para ser notado, mas ela não falou nada, não explicou nada, só começou a reunião com um rápido:

— Ok, vamos começar.

O terceiro item da reunião chegou bem rápido.

— Ok, a oferta pelo edifício. O que vamos fazer?

Ela encarou os demais, e Dana, também advogada, disse:

— Somos obrigados a dar uma resposta, legalmente, e apenas como uma questão de se fazer a devida diligência.

— Eu sei — Charlotte odiava a expressão "devida diligência", mas não era hora de mencionar isso. *Não estou nem aí para sua estúpida devida diligência.* Não.

— Então — prosseguiu Dana —, o contrato exige que submetamos qualquer questão relativa à propriedade ao voto dos membros.

Charlotte respondeu:

— Eu sei. Mas estou me perguntando se esta é uma questão relativa à propriedade.

— O que quer dizer? Eles fizeram uma oferta de compra.

— O que estou dizendo é: essa oferta é real? Ou é algum tipo de pretexto para descobrir nossa valorização, ou algo do tipo.

— E qual a importância disso?

— Bem, se é só um teste para uma avaliação comparativa, nós, como conselho, poderíamos simplesmente rejeitar sem colocar em votação.

— Sério?

— O que quer dizer com *sério*?

— Quero dizer que você acha que podemos determinar que é uma oferta falsa com certeza suficiente para deixar de lado nossa obrigação de colocar a questão para votação dos membros?

Charlotte pensou por um momento.

Enquanto isso, Dana falou:

— Como conselho, não poderíamos recusar a oferta para ver se eles voltam a fazê-la, porque, se isso acontecesse, estaríamos retroativamente fora de conformidade.

— Fora de conformidade com o contrato da cooperativa ou com as leis da cidade?

— Não tenho certeza, mas talvez com ambos.

— Eu gostaria de saber antes que tomemos uma decisão — disse Charlotte.

— Podemos voltar a postergar, perguntar um pouco por aí, estudar um pouco, antes de agir de uma ou de outra forma.

A essa altura, ela estava franzindo o cenho, e podia sentir o rosto se contorcer. Queria tanto recusar aquela oferta que quase sentia dor física; seu estômago estava embrulhado, e suas têmporas começavam a latejar. Mas Dana era uma boa advogada e uma boa pessoa, e provavelmente era verdade que tinham que seguir os regulamentos, fazer tudo dentro da legalidade para não dar argumentos ao inimigo, fosse quem fosse, por acidente. Então Dana tinha que ser ouvida com atenção.

— Escutem, podemos deixar esse assunto de lado esta noite, pesquisar um pouco mais e voltar a ele na próxima reunião? Por favor?

— Acho que sim — respondeu Dana. — Talvez realmente seja bom ter mais informações antes de decidirmos. Podemos conversar com as pessoas que fizeram a oferta, descobrir o que têm em mente?

— Não sei. A Morningside não vai nos dizer quem são. É desta parte que não gosto. Quero pedir mais uma vez para que a Morningside nos deixe falar com as pessoas que estão fazendo a oferta.

— Vamos fazer isso, e deixar em suspenso por enquanto. Proponho fazer assim.
— Concordo — falou Charlotte.
Aprovaram a moção e passaram para o próximo tema.

Na manhã seguinte, Charlotte rangeu os dentes e ligou para seu ex, Larry Jackman.
— Oi, Charlotte — respondeu ele. — Que aconteceu?
— Você pretende vir para Nova York em breve?
— Estou aqui hoje. O que aconteceu?
— Quero convidá-lo para um café e fazer algumas perguntas.
Isso era algo que tinham começado a fazer alguns anos atrás, encontrar-se de vez em quando para um café, as conversas em geral sobre os assuntos da cidade, ou antigos conhecidos encrencados que precisavam de ajuda, nenhum dos assuntos favoritos de Larry, mas ele sempre fora agradável e depois de um tempo tinham estabelecido a tradição de se encontrar. Após uma pausa curta, ele falou:
— Sempre, parece ótimo. Que tal às quatro e vinte, no pavilhão do Central Park?
Era um dos lugares em que se encontravam no passado, então Charlotte concordou com certo nervosismo.
Depois deixou aquilo guardado no fundo de sua mente o dia todo, como um buraco na meia, e se envolveu de tal forma no trabalho que já eram quatro horas quando ela se deu conta, e teve que se apressar. Não dava para caminhar doze quarteirões com a maré alta, já que os três primeiros já deviam estar sob águas rasas, então entrou em um aerobote que sobrevoou a Quinta, a água que subia, os diques, as ruas cobertas de algas, até virar e deixar os passageiros em um cais flutuante que agora estava no meio da rua, esperando que a maré chegasse. Essa corrida rápida e cara deixou-a a quinze minutos a pé do Central Park. Enquanto se punha a caminho, desejava que o quadril não doesse e que tivesse perdido mais peso do que já conseguira. Caminhar era difícil.
Mesmo assim, precisava de uma caminhada para ordenar os pensamentos. Nunca se sentia muito cômoda quando se encontrava com Larry; havia muita história entre eles, e grande parte era ruim. Por outro lado, uma parte, uma parte razoável, era boa, até mesmo muito boa, se pudesse vasculhar as camadas do passado escondidas sob os anos ruins. Quando eram jovens estudantes de direito apaixonados, quase tudo aquilo fora bom; então vieram os anos em que estavam casados, o bom e o ruim tão intrinsecamente misturados que não dava para diferenciá-los, eles eram só a mistura daqueles anos, gloriosos e dolorosos e, em retrospecto, mesmo na época, basicamente frustrantes; porque não tinham sido capazes de superá-los. Não compartilhavam as mesmas opiniões. Ninguém faz isso, mas eles não podiam parecer concordar com o que discordavam. Não tinham

conseguido decifrar sua relação, nem de perto. E então o bom e o ruim se desentranharam, se separaram, e de repente eles puderam ver que havia muito mais coisas ruins do que boas. Ou então era o que parecia para Charlotte. Larry dissera que não via problemas com uma pequena discordância, que ela estava sendo exigente demais, mas, fosse verdade ou não, no fim a coisa toda se desfez. Nenhum deles sentia mais o mesmo de antes, e quando se separaram, ainda que tenham passado por alguns momentos de muita amargura e raiva, ambos pareceram sentir, principalmente, exaustão e alívio. Todo aquele lamento estava superado; novas encarnações para ambos; mostrar-se civilizados quando entravam em contato um com o outro, o que não precisava acontecer, já que não tinham filhos. Depois de alguns anos, tudo acabou destilado em uma espécie de nostalgia melancólica, e, passado mais algum tempo ainda, encontrar-se para um café satisfazia a pequena pontada de curiosidade que Charlotte sentia, uma necessidade de saber como a história de Larry continuara. Em especial depois que ele entrara no mercado financeiro e subira naquele mundo, tornando-se – ela presumia – tanto rico, enquanto trabalhava na Adirondack, quanto poderoso, sendo chamado para ser presidente do Federal Reserve. Naquele ponto, a curiosidade dela era maior do que o incômodo que seus encontros lhe provocavam.

Mesmo assim, toda vez, como agora, que chegava o momento de se encontrar com ele, de vê-lo em carne e osso do outro lado da mesa, diante dela, Charlotte sentia uma sensação de vertigem, uma pequena pontada de medo. Como ela pareceria para ele, trabalhando nas profundezas de uma burocracia tão marginal que fora rebaixada do status de pública para ONG privada, fazendo o equivalente legal do trabalho social? Ela não gostava de ser julgada.

— Você está ótima — falou Larry quando se sentou diante dela.

— Obrigada — respondeu Charlotte. — Seu trabalho deve tê-lo deixado bom em mentir.

— Rá, rá — brincou ele. — Bom em dizer a verdade. Dizer a verdade sem que as pessoas se assustem.

— Foi o que eu quis dizer. Quais pessoas? Quem ficaria assustado com a verdade?

— O mercado.

— O mercado é uma pessoa?

— Claro. E o Congresso também. O Congresso é uma pessoa, e se assusta.

— Mas os congressistas vivem assim, não é? Então, se você está sempre assustado, não sei qual é o problema.

— Eles dão um jeito. São superassustados. De vez em quando, mudam e ficam completamente calmos. É o que sempre espero. E de vez em quando acontece. Há boas pessoas em ambas as câmaras, e em ambos os lados. Só exige tempo saber quem é quem.

— E quanto à presidente?

— Ela é boa. Está calma o tempo todo. Esperta. Reuniu uma boa equipe.
— Por definição, certo?
— Rá, rá. É sempre bom encontrar você para que eu me coloque em meu lugar.
— Era exatamente no que eu estava pensando.
— Você ainda toma café com leite desnatado?
— Sim, eu nunca mudo.
— Não pretendia dizer isso.
— Não?
— Ok, reconheço que acho que você tem hábitos imutáveis em relação ao café. Pode ser que eu esteja errado.
— Ultimamente gosto de tomar meio a meio: café americano com uma dose de *espresso*.
— Uau!
— Novas teorias, novos revestimentos estomacais.
— Cirurgia?
— Ah, sim, eu coloquei aquela banda gástrica. Não, na verdade não. Me sinto melhor agora, não sei o que aconteceu. Talvez a meditação esteja funcionando.
— Medicação?
— Meditação. Eu contei para você da última vez, ou na vez anterior.
— Esqueci, desculpe. O que você faz?
— É um tipo de meditação de consciência plena. Vou até a fazenda da torre, olho para o Brooklyn e penso em quantas coisas existem sobre as quais não posso fazer nada. Depois de um tempo, me dou conta de que é todo o universo, e então me sinto mais calma.
— Acho que eu cairia no sono.
— Em geral isso acontece comigo, mas também é bom.
— Ainda sofre de insônia?
— Agora penso nisso como uma extensão do sono. Dormir, meditar, estar acordada... Tudo começa a ser a mesma coisa para mim.
— Sério?
— Não.
Ele deu uma risada educada. Ambos tomaram um gole do café enquanto contemplavam o parque. Era final de outono em Nova York, as folhas haviam mudado de cor e muitas tinham caído, mas alguns carvalhos, plátanos e olmos plantados décadas atrás exibiam sua gratidão com os últimos ramos vermelhos e amarelos. Era, como todo mundo dizia, uma das épocas mais bonitas do ano na cidade, época de tardes mais curtas e um frio súbito, de uma claridade na luz baixa que transformava Manhattan em uma cidade de sonhos, cheia de significados e dramas. O único lugar para se estar. Estiveram assim sentados muitas vezes, um diante do outro, em várias partes do Central Park e no restante da

cidade, por quase trinta anos já. Como gigantes através de décadas, sim, e embora ela fosse uma burocrata e ele fosse o presidente do Fed, Charlotte soube de repente que Larry os considerava iguais.

— Então a presidente é realmente calma? Você acha?

— Acho. Acho que ela é muito firme, sabe. E progressista, até onde um presidente dos Estados Unidos pode ser.

— O que não é muito.

— Não, mas é importante quando são. Acho que ela é da linha de Roosevelt, Johnson e Eisenhower.

— São todos presidentes do século vinte. Você poderia muito bem ter acrescentado Lincoln.

— Bem, poderia, talvez, se necessário. Se as circunstâncias exigissem. Ela quer uma oportunidade assim, acho.

— Uma guerra civil pela escravidão?

— Bem, o que quer que seja o equivalente atual. Quero dizer que temos alguns problemas gigantes, como você sabe. E a desigualdade é um deles, como você também sabe. Então, sim, acho que ela amaria fazer algo grande.

— Interessante — Charlotte pensou naquilo. — Acho que se alguém está fazendo algo tão estúpido quanto ser presidente, devia querer fazer algo grande.

— Também acho. A tentação está lá. Quero dizer, você não faria isso pensando: *Ei, agora que sou presidente vou pela via segura, esperando que nada aconteça.* Não é?

— Não sei — confessou Charlotte. — Isso não está entre as coisas nas quais penso normalmente.

— Quando medita, você nunca pensa no que faria se fosse presidente?

— Não. Definitivamente não. Mas você está trabalhando para ela. Você tem que pensar nessas coisas. Muitos de nós acha que presidir o Fed é um dos trabalhos mais cruciais.

Ele pareceu surpreso.

— Fico feliz em pensar que você pode ser uma dessas pessoas.

— Como eu não seria? Você me conhece.

— Bem, sim. Mais ou menos.

— Acho que sim. Nós nos preocupávamos com justiça quando éramos jovens. Acho que era de verdade, não?

Ele assentiu, observando-a com um pequeno sorriso. Sua ex idealista, firme em suas convicções. Tomou um gole de café.

— Mas então eu entrei para o mercado financeiro.

— Mas fez isso para se aproximar do poder, certo? Da economia, o que significa da economia política, o que significa do poder, que ainda é, no fim, trabalhar pela justiça. Ou pode ser.

— Era o que eu pensava na época, acho.

— E eu sempre vi isso. Sempre dei crédito a você por isso.

Ele sorriu novamente.

— Obrigado.

— As pessoas entram no mercado financeiro por motivos distintos. Algumas vão só para fazer dinheiro, tenho certeza, mas você nunca foi assim.

— Não, talvez não.

— Quero dizer, agora você é um funcionário do governo federal. Está ganhando um dinheiro de pinga se comparado ao que poderia ganhar.

— É verdade. Mas tampouco tenho que me preocupar com dinheiro. Então não tenho certeza se mereço algum crédito por isso. Dá para dizer que, a partir de certo ponto, poder é mais interessante do que dinheiro. Depois que você tem dinheiro suficiente. Você vê isso o tempo todo.

— Eu sei. Mas, seja como for, aqui está você. Presidente do Federal Reserve. Um cargo importante.

— É interessante, devo admitir. Talvez importante demais. Eu sinto como se devesse ser capaz de fazer mais do que descobri que posso, na verdade. É como se o Fed meio que se administrasse sozinho, ou o mercado o administrasse, ou o mundo, e eu fico sentado ali pensando: *Faça alguma coisa, Larry, mude alguma coisa*. Mas o quê? Ou como? Não é óbvio, disso tenho certeza. Além do mais, o resto do conselho e os conselhos regionais têm bastante influência. Não é um sistema com muita capacidade executiva.

— Não?

— Não tanto quanto eu gostaria. Me sinto mais como um conselheiro do que qualquer outra coisa.

Charlotte pensou naquilo.

— Mas é um conselheiro da presidente e do Congresso.

— Verdade.

— E se a coisa fica séria, você sabe, como em uma crise financeira, pode ser que seus conselhos determinem o que todos vão fazer.

Ele deu uma gargalhada.

— Então acho que preciso esperar que haja uma crise!

Charlotte riu também. De repente, estavam se divertindo um pouco.

— Crises parecem vir a cada década, mais ou menos, então você tem de estar preparado.

— Acho que sim.

Conversaram sobre outras coisas, como velhos amigos e conhecidos que tinham na época em que eram um casal; cada um deles tinha mantido contato com um ou dois, e compartilhavam as novidades.

Aquilo levou naturalmente a Henry Vinson.

Na verdade, não. Jamais teria sido natural para Charlotte perguntar a Larry sobre algum de seus conhecidos do mercado financeiro, já que nunca tivera nenhum interesse sobre eles – não que Larry estivesse inclinado a contar detalhes de suas interações com os colegas. Essa parte de sua vida ocorrera depois da separação. Então, ela tinha que pensar na melhor forma de trazer o assunto à tona, mas agora tinha visto como fazer isso: centrar a conversa em Larry e em seus possíveis conflitos de interesses, porque então ele presumiria que ela estava apenas interessada nos problemas derivados de seu sucesso. Algo que se adaptaria ao padrão normal de suas conversas.

— Alguma vez você teve que regular a atividade de algum antigo sócio? — perguntou ela.

Larry franziu o cenho ligeiramente ao ouvir essa pergunta tão distante do âmbito normal dos interesses dela; mas então estremeceu um pouco, como se tivesse percebido que ela o criticava novamente, como ela esperava que ele concluísse.

— Não dirijo a Comissão de Títulos e Câmbio — ele desviou da pergunta, como modo de defesa.

— Eu sei, mas o Fed fixa as taxas, e isso determina em boa medida todo o resto, certo? Então alguns de seus antigos sócios serão beneficiados e outros prejudicados por qualquer decisão que você tome.

— Claro — concordou ele. — É a natureza do trabalho. Basicamente, todo mundo com quem trabalhei em algum momento é impactado.

— Então, Henry Vinson também? Vocês tiveram uma separação meio tumultuada, não?

— Na verdade, não.

Agora ele olhava para ela um pouco desconfiado. Larry deixara a Adirondack depois que Vinson fora escolhido diretor-executivo pelo conselho de administração. Na ocasião, ele admitira para ela que fora como um concurso ou competição, no qual o conselho poderia ter escolhido qualquer um deles como próximo diretor-executivo, mas tinham preferido Vinson. Larry ainda ficara como diretor financeiro, mas não havia espaço de verdade para que o perdedor de tal processo de escolha permanecesse na companhia, em especial porque Larry não gostava de muitas coisas que Vinson fazia. Por isso, ele deixou a empresa e fundou seu próprio *hedge fund*, com bastante sucesso, e depois foi indicado para o Fed por sua antiga colega de classe na faculdade de direito, agora presidente. Vinson também se saiu bem na Adirondack e depois com seu próprio fundo, a Alban Albany, quando resolveu trabalhar por conta própria. Então aquilo podia ser considerado um caso de empate, ou de dois vencedores. Só uma dessas coisas. O que Larry explicava novamente agora.

— Mesmo assim, deve ser divertido dizer a ele o que fazer, não?

Larry riu.

– Na verdade, ele me diz o que fazer.

— Sério?

— Mas é claro. Todo dia, repetidamente. Quer as taxas dessa maneira, ele quer desse jeito.

— Isso não é ilegal?

— Ele pode conversar comigo. Todo mundo pode. Ele é livre para falar comigo, e sou livre para ignorá-lo.

— Então nada mudou.

Ele riu de novo.

— É verdade.

— Então como funciona, com você agora no governo, regulando todos eles?

— Estou só em um trabalho diferente. Não mantenho contato, mas todo mundo me procura.

— Então não é a raposa cuidando do galinheiro?

— Não. Espero que não. — Ele franziu o cenho ao pensar naquilo. — Acho que todo mundo gosta que o Fed e o Tesouro sejam geridos por pessoas que conheçam o ofício e fale a linguagem deles. Ajuda na comunicação.

— Mas não é só uma linguagem, é uma visão de mundo.

— Suponho que sim.

— Então você não apoia automaticamente os bancos, em detrimento das pessoas, se a coisa ficar feia?

— Espero que não. Eu apoio o Federal Reserve.

Charlotte assentiu, tentando parecer que acreditava naquilo. Ou que ele não acabara de responder à pergunta dela dizendo que apoiaria os bancos.

A luz do final da tarde bronzeava a atmosfera do parque, dando às folhas de outono e ao próprio ar um brilho amarelado. O solo estava recoberto de sombras. Estava fresco, mas não fazia frio.

— Quer dar uma volta? — ele perguntou.

— Claro — respondeu Charlotte, e se levantou. Ela poderia mostrar que agora caminhava mais. Se é que ele alguma vez notara que ela tinha dificuldade antes, o que era provável que não. Ela se perguntou como incluir Vinson na conversa novamente. Assim que se levantaram e saíram, seguindo para norte por West Side, ela falou: — É curioso. Um primo de Henry Vinson estava alojado temporariamente no meu prédio, e desapareceu. A polícia está investigando. Foram os policiais que averiguaram a relação com Vinson.

— Primo?

— Grau de parentesco? Filho do irmão ou da irmã de um dos pais?

Ele tentou pressioná-la, mas ela desviou da pergunta.

— É só uma das coisas que descobriram — acrescentou Charlotte.

— Isso é estranho. Não sei o que dizer.

— Eu só comentei porque estávamos falando dos velhos tempos, e isso me fez pensar em Vinson, e em como eu ouvi falar dele por causa dessa outra conexão.

— Entendo.

Como costumava acontecer, Larry conseguiu soar como se soubesse mais do que Charlotte gostaria. Eles tinham brigado muito no passado; ela se lembrava disso agora. De tudo o que acontecera; fora por isso que tinham se divorciado. Era difícil recordar os bons tempos antes disso, mas não impossível. Enquanto caminhavam pelo parque, ela se deu conta de que o passado em comum estava muito presente em sua mente, todo ele. Com frequência, ela imaginava o passado como uma escavação arqueológica, na qual os acontecimentos posteriores cobriam os mais antigos, mas na verdade não era assim. Na verdade, cada momento de seu passado estava presente ao mesmo tempo, como nos dioramas do Museu de História Natural. Então os bons tempos ficavam parados ao lado dos tempos ruins, alternando painel após painel, cena após cena, formando uma mistura enjoada e distorcida de sentimentos. O passado.

A metade superior dos arranha-céus que se erguiam na extremidade norte do parque recebia os últimos raios de sol. Algumas janelas de frente para o sudeste tinham um brilho dourado, incrustradas em imensas curvas vítreas em tons ameixa, cobalto, bronze e verde-azulado. Os defensores do parque tiveram que lutar com ferocidade para deixá-lo livre de edifícios, já que a terra seca agora valia dez vezes mais do que antes. Mas seria necessário mais do que uma baixa Manhattan inundada para fazer os nova-iorquinos desistirem do Central Park. Tinham feito uma única concessão aterrando o lago Onassis, sentindo que já havia água suficiente na cidade sem ele; fora isso, ali estava o parque: arborizado, outonal, o mesmo de sempre, espalhando-se como se estivesse no fundo de uma galeria retangular de paredes verticais a céu aberto. Fazia que as pessoas parecessem formigas.

Charlotte comentou algo sobre isso, e Larry balançou a cabeça, rindo:

— Aí vai você, sempre pensando no quão pequenos somos.

— Não é verdade! Não sei o que quer dizer.

— Ah, bem. — Ele fez um gesto com a mão; não valia a pena tentar explicar, o gesto dizia. Só faria que ela protestasse mais, protestasse contra algo óbvio sobre si mesma. Ele não queria entrar naquilo.

Irritada, Charlotte não disse nada. De repente, a sensação persistente de ser objeto de uma leve condescendência tomou conta dela. Ele estava sendo indulgente com ela; era um homem ocupado e importante, dedicando um pouco de seu tempo para um chama antiga. Uma forma de nostalgia para ele: era isso que estava sob a superfície da tolerância fácil de seu ex-marido.

— Devíamos fazer isso com mais frequência — mentiu Charlotte.

— Claro — Larry respondeu com outra mentira.

•

Para algumas índoles, essa estimulação da vida em uma cidade grande se torna uma coisa tão obrigatória e necessária quanto ópio para o viciado.

> Torna-se seu alento de vida; essas pessoas não podem existir fora disso; antes de se absterem de tal situação, ficam contentes em passar fome, necessidades, dor e miséria; não trocariam nem mesmo uma condição de vida esfarrapada e desgraçada entre a grande multidão por qualquer grau de comodidade longe dela.
>
> Tom Johnson

> As cinzas de Damon Runyon foram jogadas por Eddie Rickenbacker de um avião sobre a Times Square.

•

c) Vlade

Agora Vlade fazia uma espécie de ronda policial no edifício todas as noites depois do jantar, verificando todos os sistemas de segurança e visitando todos os aposentos abaixo da linha da maré alta. Também via os andares superiores, sob os mastros de atracação, e, enquanto estava ali, qualquer outro lugar que lhe parecesse uma boa ideia. Sim, estava nervoso, tinha que admitir pelo menos para si mesmo, já que não admitiria para os outros. Alguma coisa estava acontecendo e, com aquela oferta pelo prédio parecendo uma aquisição hostil, os ataques poderiam ser uma forma de pressão para que concordassem com a venda. Não seria a primeira vez a acontecer em Nova York, nem a milésima. Então estava nervoso, e fazia suas rondas com uma pistola em um coldre de ombro embaixo da jaqueta. Aquilo parecia um pouco extremo, mas fazia mesmo assim.

Umas duas noites depois de resgatar Roberto no sul do Bronx, e no final de sua ronda pelo edifício, Vlade pegou o elevador para a fazenda e foi até o canto sudeste para ver como o velho estava. Não ficou surpreso ao olhar dentro do hotello e encontrar Stefan e Roberto com o homem, sentados no chão e rodeados por pilhas de mapas antigos.

— Entre — disse Hexter, e gesticulou em direção à cadeira.

Vlade se sentou.

— Parece que os garotos conseguiram recuperar alguns dos seus mapas.

— Sim, todos os importantes — confirmou o velho. — Estou tão aliviado. Olhe, eis aqui um mapa de Risse, de 1900. Ganhou um prêmio na Exposição Universal na França. Risse era um imigrante francês. Ele levou seu mapa para Paris e foi a sensação da feira, as pessoas faziam fila para vê-lo. Tinha três metros de altura. O original se perdeu, mas fizeram versões menores para vender. É um tipo de homenagem à reunião dos cinco distritos. Isso aconteceu em 1898, e contrataram Risse para fazer o mapa. Adoro este mapa.

— É lindo — comentou Vlade. Tinha sido muito dobrado, mas conseguia capturar algo da densidade perversa, da complexidade, da sensação da profundidade humana que recobria a baía como uma incrustação. As horas de trabalho que tinham sido necessárias para fazer aquilo.

— E aqui está o mapa de Bollmann. Não é uma beleza? Todos os edifícios!

— Uau! — exclamou Vlade. Era uma visão panorâmica da cidade baixa, com cada edifício desenhado individualmente. — Ah, não, está cortado bem em Madison Square! Vê? Tem a borda do Flatiron, mas nosso edifício está cortado.

— Não na parte superior, vê? Bem ao lado da letra G, no quadriculado. Acho que é esse. Dá para ver a forma.

Vlade deu uma risada.

— O mapa não chegava mais longe?

— Acho que era só o mapa da cidade baixa. De toda forma, é tudo o que tenho.

— O que é esse colorido?

— Colorido, de fato. É o mapa do Comitê Lusk, o então chamado mapa do "Terror Vermelho". Grupos étnicos, vê? Onde viviam. De onde, supõem-se, saíram todos os horríveis grupos revolucionários.

— De que ano é isso?

— 1919.

Vlade procurou seu bairro.

— Pelo que vejo, tínhamos... O que é essa cor? Sírios, turcos, armênios e gregos. Eu não sabia disso.

— Alguns bairros ainda estão iguais, mas a maioria mudou.

— Com certeza. Eu me pergunto se seria possível fazer algo assim hoje em dia.

— Acho que sim, usando o censo, talvez. Mas acho que seria uma grande miscelânea.

— Não tenho tanta certeza — comentou Vlade. — Eu gostaria de ver. Mas, olhe, esses são incríveis.

— Obrigado. Estou feliz de tê-los de volta.

Vlade assentiu.

— Ótimo. Então, olhe, isso me leva ao pequeno incidente com os garotos no Bronx. Por que não me conta algo a respeito? Você tem algum mapa que mostre onde o HMS *Hussar* afundou?

Hexter deu olha olhada de relance para os garotos.

— Nós tivemos que contar para ele — explicou Roberto. — Ele tinha me resgatado.

O velho suspirou.

— Não há um mapa — contou para Vlade. — Vários mapas da época que me ajudaram. O mapa do quartel-general britânico é impressionante. Os britânicos ocuparam Manhattan durante a Guerra da Independência, e, naquela época, seu pessoal contava com os melhores cartógrafos do planeta. Eles fizeram o mapa para propósitos militares, mas também para passar o tempo, aparentemente. Detalha cada rochedo. O original está em Londres, mas eu o copiei de uma foto quando era menino.

— Mostre para ele, sr. H!

— Ok. Peguem para mim.

Os meninos pegaram uma pasta grande, como aquelas usadas pelos artistas, e tiraram um grande envoltório quadrado de papel, tratando-o com o mesmo cuidado que teriam tido com nitroglicerina. No chão, desdobraram duas folhas de papel que, juntas, ocupavam quase três por dois metros. E ali estava a ilha de Manhattan, em um certo estado de nudez pretérita: o pequeno traçado da aldeia no Battery, o restante de uma campina de colinas e prados, florestas, pântanos e leitos de riachos, tudo desenhado como se visto de cima.

— Santo Deus — comentou Vlade. Ele se sentou ao lado do mapa e percorreu seu traçado com o dedo. A área ocupada agora por Madison Square estava marcada como um pântano com um riacho que corria para leste, desembocando em uma enseada no East River. — É tão lindo.

— É sim — concordou Hexter, com um sorrisinho. — Fiz essa cópia quando tinha doze anos.

— Quero fazer um mapa assim, mas do jeito que a cidade está agora — declarou Roberto.

— Uma grande tarefa — observou Hexter. — Mas uma boa ideia.

— Ok — disse Vlade. — Adorei essa coisa. Mas vamos voltar ao *Hussar*, por favor.

Hexter assentiu.

— Então, esse mapa foi terminado bem no ano em que o *Hussar* afundou. Ele não inclui o Bronx, mas tem parte de Hell Gate. E, felizmente, há outro grande mapa que tem o porto inteiro, o do Plano dos Comissários de 1821. Tenho uma reprodução também, vê? Olhe isso. — Ele desdobrou outro mapa. — Lindo, não?

— Muito bonito — concordou Vlade. — Não tanto quanto o mapa do quartel-general, mas bastante detalhado.

— Gosto do jeito como desenharam as ondas na água — disse Stefan.

— Eu também — falou o velho. — E, olhe, mostra onde era a costa quando o *Hussar* afundou. Era diferente na época. Essas ilhas ao norte de Hell Gate foram preenchidas para formar Ward Island, e agora estão inteiramente embaixo d'água. Mas naquela época havia um pequeno Hell Gate e um riacho chamado Bronks. E esta pequena ilha, de nome Sunken Meadow, era uma ilha de maré. Marcaram todos os charcos muito bem neste mapa, acho que porque não podiam construir sobre eles, nem os preencher, não com facilidade, pelo menos. O *Hussar* se chocou contra a Pot Rock, aqui, ao lado do Brooklyn, e o capitão tentou chegar a Stony Point, perto da extremidade sul do Bronx, onde havia um píer. Mas todos os relatos da época dizem que o navio não conseguiu chegar, e afundou com os mastros ainda fora da água. Alguns relatos contam que as pessoas vadearam até a praia. Isso não poderia acontecer ali, porque as correntes são muito fortes entre Stony Point e Brothers Islands, e o canal é profundo. Além disso, não havia tempo para irem tão longe. Os relatos dizem que o barco afundou em menos de uma hora. A correnteza aqui flui a cerca de onze quilômetros por hora, de modo que, mesmo se tivessem ido a toda velocidade, não teriam chegado nem a North Brother Island, que é onde Simon Lake mergulhava na década de 1930. Assim, eu acho que o barco afundou entre esses pequenos rochedos aqui, entre a ilha de Sunken Meadow e Stony Point, área que foi completamente aterrada depois. Então, desde que o barco afundou, as pessoas estiveram procurando no lugar errado, exceto no início de tudo, quando os mastros ainda saíam para fora d'água. Os britânicos enfiaram uns cabos por baixo do barco na década de 1820, o que leva todo mundo a supor que havia ouro a bordo, ou eles não teriam se incomodado tanto. O fato de que tiveram permissão para fazer isso quando havia passado tão pouco tempo desde a guerra de 1812 é algo que não entendo. De toda forma, achei o relato da tentativa nos arquivos navais em Londres, ainda quando era jovem, e eles confirmam meus cálculos. Afundou bem aqui.

Hexter colocou o dedo no mapa de 1821, em um X que fizera a lápis.

— Então, como os britânicos não recuperaram o ouro? — perguntou Vlade.

— O barco quebrou ao meio quando estavam tentando tirá-lo do fundo, e eles não tinham habilidades de mergulho para encontrar algo tão pequeno quanto dois baús de madeira. O rio é escuro, e as correntezas são rápidas.

Vlade assentiu.

— Passei dez anos dentro dele — comentou e meneou as sobrancelhas para os meninos, que olhavam assombrados para ele. — Dez anos como mergulhador municipal, garotos. É por isso que eu sabia no que estavam se metendo. — Olhou para Hexter. — Então você contou essa história para os meninos.

— Contei. Mas eu não achava que fossem mergulhar! Na verdade, falei para não fazerem isso!

De repente, os meninos ficaram muito interessados no mapa de 1821.

— Meninos? — perguntou Vlade.

— Bem — disse Roberto —, é só um caso em que uma coisa leva à outra, na verdade. Tínhamos um detector de metais grande, que ganhamos de um cara que morreu. Então achamos que podíamos dar um pulo lá e procurar um pouco, sabe.

Stefan completou:

— Descemos até o fundo onde o sr. Hexter disse que o *Hussar* estava e captamos algo.

— Foi incrível! — falou Roberto.

— Onde conseguiram o sino de mergulho? — perguntou Vlade.

— Nós o fizemos — explicou Roberto.

— É a parte superior do depósito de grãos de uma barcaça — contou Stefan. — Vimos os sinos de mergulho na loja especializada na Marina Skyline, e pareciam as coberturas de plástico dos depósitos de grãos. Colamos uns aros metálicos na parte de baixo para dar mais peso, embora já fosse bem pesada, e colamos um olho em cima, e pronto.

Vlade e Hexter trocaram olhares.

— Você precisa ficar de olho nesses dois — disse Vlade.

— Eu sei.

— Então o sino de mergulho funcionou bem, e lá estávamos nós, captando algo com o detector de metais. E esse detector consegue dizer que tipo de metal é! Não tem só um caldeirão ou algo do tipo lá embaixo. É ouro!

— Ou algum outro metal mais pesado do que ferro.

— O detector de metais disse que é ouro. E estava no lugar certo.

— Então pensamos que podíamos fazer vários mergulhos, e cavar no asfalto, que está bem frágil. Talvez conseguíssemos chegar lá embaixo. Íamos contar ao sr. Hexter o que tínhamos achado, e imaginamos que ele ficaria feliz, e depois continuaríamos a partir daí.

Aquilo começava a parecer um pouco altruísta demais para Vlade. Ele deu um olhar severo para os meninos.

— Não ia dar certo, meninos. Só pelo que ouvi aqui, o navio estava no fundo do rio. Então, digamos, a uns sete metros de profundidade, que é o que seria necessário para que um navio afundasse completamente. Depois aterraram aquela parte do rio, cobrindo os destroços. Aquela costa estava então a uns três metros acima da maré alta. Vamos dizer, agora temos algo entre dez e doze metros de terra em cima do navio. É impossível cavar dez metros com uma pá embaixo de um sino de mergulho.

— Foi o que eu disse — comentou Stefan.

— Acho que podemos conseguir — insistiu Roberto. — É só ir tirando a terra para fora em muitas viagens. O chão embaixo do asfalto deve ser macio! Eu estava fazendo um progresso imenso!

Os outros o encararam.

— Sério? — perguntou Vlade.

— Sério! Juro por Deus!

Vlade olhou para Hexter, e então deu de ombros.

— Eles me mostraram a leitura do detector de metais — comentou Hexter. — Se for preciso, é um grande sinal, e está configurado para ouro. Então, entendo por que quiseram tentar.

Vlade ficou olhando o mapa de 1821: o Bronx em amarelo, Queens em azul, Manhattan em vermelho, Brooklyn em um laranja amarelado. Em 1821 ainda não havia Madison Square, mas a Broadway já cruzava a avenida Park, e tanto o riacho quanto o pântano tinham sido drenados e não existiam mais. Havia algum tipo de praça de armas marcada no cruzamento, e um forte. A Met ainda estava a noventa anos no futuro. A grande cidade, metamorfoseando-se com o tempo. Era realmente assombroso que tivessem desenhado aquela versão em 1821, quando a cidade que existia estava quase totalmente abaixo de Wall Street. Cartografia visionária. Era mais um plano do que um mapa. As pessoas viam o que queriam ver. Como aqueles meninos.

— Vou falar o que vou fazer — disse Vlade. — Se concordarem, posso conversar com minha velha amiga Idelba sobre isso. — Ele parou por um ou dois segundos, assustado com o que estava propondo. Ele não a via há dezesseis anos. — Ela administra uma barcaça de drenagem em Coney Island. Estão tirando areia do fundo e movendo-a para a costa. Ela tem um maquinário poderoso. Posso pedir para ela nos ajudar. Acho que teremos que contar toda a história, para que ela concorde, mas confio em sua discrição. Já passamos por muita coisa juntos para que eu possa confiar nela. — Era um jeito de contar a história. — Então podemos ver se vocês conseguem tirar algo de lá sem se afogar. O que dizem?

Os meninos e o velho olharam uns para os outros por um instante, e então Roberto falou:

— Ok, claro. Vamos tentar.

Vlade decidiu levar os garotos até Coney Island em seu próprio barco, mesmo que o barco do edifício fosse mais rápido, porque não queria que o trajeto ficasse registrado nos livros. Seu barco, uma lancha de seis metros com casco de alumínio e motor elétrico, estava quase esquecido, porque ele estava sempre ou na Met ou tratando de assuntos relacionados à torre no barco do edifício. Mesmo assim, ainda o mantinha guardado entre as vigas da casa de barcos, e logo que o tirou de lá foi um prazer voltar a olhá-lo e senti-lo sob seu controle enquanto seguiam pela Vinte e Três até o East River e depois para sul, atravessando a baía na parte alta de Nova York. Assim que se livraram dos canais mais transitados, ele acelerou com tudo. As duas asas de espuma que a embarcação levantava eram modestas, mas salpicadas por pontos resplandecentes com todas as cores do arco-íris, e o leve balançar que as ondas produziam aumentava a sensação de velocidade. Lancha na água! Era uma sensação muito particular, e a julgar pela expressão no rosto dos meninos, eles não sentiam isso com muita frequência.

E, como sempre, passar pelo Narrows era emocionante. Mesmo com o mar quinze metros mais alto, a ponte Verrazano ainda cruzava o ar tão no alto que era como um vestígio de Atlântida. Não dava para passar por lá e não pensar no resto do mundo. Vlade sabia que o mundo estava lá fora, mas nunca fora para o interior do país; ele nunca estivera mais distante do que dez quilômetros do oceano em toda a sua vida. Para ele, aquela baía era tudo, e os vestígios gigantes do mundo pré-diluviano pareciam mágicos, como se fossem da idade do ouro.

E depois disso, o mar. O Atlântico azul! As ondas quebravam no barco, e Vlade teve que reduzir a velocidade quando viraram à esquerda para continuar próximos da costa, agora marcada pela linha branca da rebentação. Seguiram para sudeste por meia hora, paralelamente à praia, até que passaram por Bath Beach, onde Vlade dirigiu o barco direto para o sul de Sea Gate, a ponta ocidental de Coney Island.

Logo deixaram Coney Island para trás, apenas uma península em forma de cabeça de martelo no extremo meridional do Brooklyn. Um recife agora, repleto de ruínas. Seguiram em paralelo à antiga costa, rumando lentamente para leste, balançando sobre as pequenas ondas. Vlade se perguntou se os garotos seriam suscetíveis a enjoos, mas eles estavam parados na cabine admirando a paisagem, alheios ao balanço, que o próprio Vlade achava bem enjoativo.

As ruínas da linha da maré de Coney Island, vários tocos e restos de edifícios destruídos, pareciam surgir da branca desordem das ondas que se quebravam; eram como paletes gigantes que tinham sido enterrados ali. Dava para ver uma onda se quebrar na primeira fileira de apartamentos e terraços e depois seguir para norte até os terraços destruídos que estavam atrás, quebrando e perdendo força, até que uma corrente de refluxo se encontrava com ela e a convertia em uma miscelânea de águas brancas com algumas centenas de metros de largura que se estendia até onde a vista alcançava, na direção leste. Dali, a costa parecia infinita, embora Vlade soubesse que na verdade Coney Island só tinha sete quilômetros de comprimento. Porém mais longe, a sudeste, dava para ver a água branca em Breezy Point marcando o horizonte, parecendo estar a muitos quilômetros de distância. Era uma ilusão, e ainda assim parecia imenso, como se fosse necessário um dia todo para chegar ali, como se estivessem viajando por uma terra vasta em um planeta maior. Em última instância, Vlade pensou, você tinha que aceitar que a ilusão era basicamente real: o mundo era imenso. Então, talvez estivessem vendo-o bem ali, afinal.

Os garotos tinham os olhos arregalados e pareciam assombrados. Vlade riu ao vê-los.

— É bom estar aqui, certo?

Ambos assentiram.

— Já estiveram aqui fora alguma vez?

Eles negaram com a cabeça.

— E eu achava que era um habitante local — comentou Vlade. — Bom, tudo bem. Ali, veem a barcaça e o rebocador, bem no meio de Coney Island? É para onde estamos indo. Minha amiga Idelba está trabalhando ali em seu projeto.

— Ela já está perto de terminar? — perguntou Roberto.

— Boa questão. Você terá que perguntar para ela.

Vlade se aproximou da barcaça. Era alta e comprida, acompanhada por um rebocador que parecia pequeno na comparação, embora fosse muitíssimo maior do que a lancha de Vlade, como perceberam ao chegar mais perto. Havia um deque amarrado à barcaça do qual Vlade pôde se aproximar para que uma equipe agarrasse seus cabos e os prendessem rapidamente aos cunhos.

Vlade ligara com antecedência, sentindo-se mais nervoso do que se sentira em muitos anos, e, de fato, ali estava Idelba, parada atrás do grupo. Era uma mulher alta e negra, nascida no Marrocos, ainda esbelta, ainda linda de um jeito áspero e assustador. Ex-esposa de Vlade, a única pessoa do seu passado na qual ainda pensava e a única que ainda estava viva, de todo modo. A mais selvagem, a mais inteligente – e a única que amara e perdera. Sua parceira no desastre e na morte, sua companheira em um pesadelo para dois. Nostalgia, a dor do lar perdido. E a dor pelo que ocorrera.

Idelba os conduziu por uma escada de metal até uma abertura no balaústre da popa da barcaça. Do alto da escada, podiam ver o casco e comprovar que um terço da embarcação estava carregada de areia molhada, um pouco recoberta de algas e lama cinzenta. Grande parte era pura areia molhada. Um tubo gigante, como uma mangueira de bombeiro, mas dez vezes mais largo e reforçado por aros internos, estava suspenso por uma grua na extremidade da barcaça sobre o casco aberto e jogava a areia que dragava, com aspecto de cimento molhado, para dentro da embarcação. Um gemido abafado, misturado com um choramingo agudo, vinha do interior do barco.

— Ainda estão drenando areia pura — apontou Idelba. — A barcaça está quase cheia. Logo vamos levar este carregamento para Ocean Parkway e deixar a areia ali, na praia nova.

— Parece que ainda dá para carregar bem mais — comentou Roberto.

— É verdade — concordou Idelba. — Se fôssemos para o mar, poderíamos carregar mais, porém nas atuais circunstâncias subimos os canais até a marca da maré alta e descarregamos ali o mais alto que conseguimos, pois depois os tratores virão e espalharão tudo na maré baixa. Por isso não podemos navegar muito fundo.

— Onde estão descarregando? — perguntou Vlade.

— Desta vez, entre as avenidas J e Foster. Já tiraram as ruínas e aplanaram o solo. Metade da nossa areia vai acabar logo abaixo da linha da maré baixa, metade bem acima. É o plano, de todo modo. Espalhar a areia e esperar conseguir algumas dunas na marca da maré alta, e alguns bancos de areia logo abaixo da marca da maré baixa. São importantes para segurar algas e dar ao ecossistema uma chance de crescer. É um projeto grande, esse de construção de praias. Mover a areia é só uma parte dele. De certo modo, é a parte fácil, embora não seja tão fácil.

— E se o nível do mar subir de novo? — questionou Stefan.

Idelba deu de ombros.

— Acho que vão querer mover a praia de novo. Ou não. Enquanto isso, temos que agir como se soubéssemos o que estamos fazendo, certo?

Vlade apertou os olhos em direção ao sol. Quase se esquecera de como Idelba dizia as coisas.

— Podemos ir com você ver a praia nova? — perguntou Roberto.

— Podem, mas talvez hoje seja muito tarde. Vamos levar algumas horas até chegar a Ocean Parkway, e depois mais um tanto para descarregar a areia. Talvez fosse melhor vocês nos seguirem em seu barco, para irem embora quando quiserem.

— Acho que teremos que fazer isso outra hora — disse Vlade. — Ou não chegaremos a Manhattan para o jantar. Então, vamos contar a você por que viemos até aqui, para que você possa continuar com seu dia enquanto voltamos para casa.

Idelba assentiu. Ainda não olhara Vlade nos olhos, até onde ele percebera. Isso o deixava triste.

Roberto disse:

— Você precisa prometer que vai manter segredo.

— Ok — prometeu Idelba. Desta vez olhou Vlade de relance. — Prometo. E Vlade sabe quão bem mantenho minhas promessas.

Vlade deu uma risada dolorida ao ouvir isso, mas quando os garotos pareceram alarmados, ele falou:

— Não, só estou rindo porque Idelba me surpreendeu. Ela é boa para isso. Vai manter nosso segredo. Foi por isso que trouxe vocês para falar com ela.

— Ok, então — concordou Roberto. — Stefan e eu estávamos fazendo um pouco de arqueologia submarina no Bronx, e achamos que descobrimos um... um achado... que queremos desenterrar, mas estávamos trabalhando apenas com um sino de mergulho, e não conseguimos escavar embaixo dele. Tentamos, mas não deu certo.

— Eles quase se afogaram — acrescentou Vlade a contragosto.

Os garotos assentiram solenes.

— Um sino de mergulho? — perguntou Idelba. — Estão brincando comigo?

— Não, é realmente bacana.

— Realmente maluco, vocês querem dizer. Estou impressionada que ainda estejam vivos. Alguma vez desmaiaram?

— Não.

— Dores de cabeça?

— Bem, sim. Um pouco.

— Não me estranha. Eu costumava fazer essa merda também quando tinha a idade de vocês, mas aprendi a ficar mais esperta quando desmaiei. E eu tinha dores de cabeça o tempo todo. Provavelmente, perdi várias células do cérebro. Talvez seja por isso que acabei ficando com Vlade aqui.

Os meninos não souberam o que responder.

Idelba os observou por um tempo.

— Então, isso é no Bronx, vocês disseram?

Eles assentiram.

— Não é o *Hussar*, é?

— O quê! — protestou Roberto antes de olhar para Vlade. — Você contou para ela!

Vlade negou com a cabeça, e Idelba deu uma risada rouca.

— Vamos lá, meninos. Ninguém cava nada no Bronx *além* do *Hussar*. Deviam saber disso. Como escolheram onde cavar?

— Temos um amigo, um velho que estuda essas coisas. Ele tem um monte de mapas e pesquisou em arquivos.

— Ele foi até Londres.

— Isso mesmo. Como você sabe?

— Porque todos vão para Londres. Eu cresci no Queens, sabe?

— Bem, ele foi até lá e leu os registros em Londres, e viu o grande mapa lá e tudo mais. E ele descobriu, e nós fomos até lá no nosso bote, mergulhamos com um detector de metais, um Golfier Maximus.

— Esse é um dos bons — admitiu Idelba.

— Eu não sabia que você estava metida nessas coisas — observou Vlade.

— Foi antes de nos conhecermos.

— Quando você tinha dez anos?

— Basicamente. Eu brincava na zona entremarés do Queens, fazíamos todas as coisas dos ratos d'água lá. Éramos os Ratos Almiscarados. Eu quase me afoguei três vezes. Vocês já quase se afogaram, meninos?

Eles assentiram solenemente mais uma vez, e Vlade percebeu que estavam começando a gostar de Idelba. Ele entendia aquilo, e sentia-se mais triste do que nunca.

— Na semana passada! — explicou Roberto. — Eu estava preso embaixo do sino, mas Stefan chamou Vlade para me salvar.

— Me alegro por Vlade. — Uma sombra cruzou o rosto dela e, por um instante, ela não estava mais com eles, e Vlade sabia onde ela estava. Idelba respirou fundo e falou: — Então, vocês acham que encontraram o *Hussar*.

— Sim, conseguimos um sinal imenso.

— Um sinal para ouro?

— Exatamente.

— Interessante. — Ela olhou para eles, e depois novamente de relance para Vlade. Ele não conseguia decifrar a expressão dela a respeito dos garotos; já fazia muito tempo. — Bem, acho que estão perseguindo um sonho, meninos. Mas que diabos. Todos fazemos isso. Melhor do que ficar sentado sem fazer nada.

Agora, a verdade é que não tenho o equipamento certo para ajudá-los dando sopa por aí. A maior parte do trabalho de vocês é pequeno demais para o que tenho aqui. Sugaríamos tudo ou faríamos tudo em pedaços. O que vocês precisam são pinças comparado com isto, entendem o que quero dizer?

— Uau! — exclamou Stefan.

— Nós entendemos — disse Roberto. — Mas você deve ter algo para, não sei, um trabalho mais delicado? Você não faz trabalhos mais delicados?

— Não.

— Mas você sabe o que quero dizer?

— Sim. E sim, posso reunir o que vocês precisam. Marcaram o lugar com boia?

— Sim.

— Boia subaquática?

— Sim.

— Ótimo. Ok, vou conseguir um kit, e faremos uma visita a esse lugar de vocês em breve, e sugarei onde indicarem por umas duas horas no máximo. Vamos sugar e ver o que conseguem. Vai ser divertido. Mas precisam estar preparados para ficar desapontados, entendem? Há trezentos e tantos anos de desapontamento nessa história, e não é provável que acabem com isso. Mas vamos sugar o fundo e ver o que conseguem.

— Uau! — repetiu Stefan.

Ele e Roberto estavam completamente fascinados. Vlade podia ver que não iam se lembrar de não ficar desapontados. Ficariam arrasados quando tudo aquilo terminasse em nada. Mas não havia nada a ser feito. Idelba lhe deu um olhar um pouco reprovador, mas ele podia perceber que ela pensava a mesma coisa: *Você está levando esses meninos para o buraco*, a expressão dela dizia. Mas o que fazer? São coisas que acontecem.

Sim, a juventude; e eles eram velhos. E quando eram jovens tinham sofrido um golpe, um golpe muito mais arrasador do que não encontrar o pote de ouro no final do arco-íris; tanto que era pior do que qualquer coisa que aqueles meninos podiam imaginar. Algo insuportável até mesmo para eles. Então... os meninos ficariam bem. Todo mundo ficaria bem se comparados a Vlade e Idelba. Os garotos eram até mesmo um tipo de conforto, talvez, um tipo de conforto dolorido. Algo assim. Era difícil para Vlade saber o que Idelba estava pensando; ela era durona, e ele estava aturdido apenas por vê-la de novo; ele não tinha ideia do que estava sentindo. Era como levar uma bofetada na cara. Era como aquela sensação de sair em disparada pelo Narrows até o Atlântico em uma embarcação pequena, só que mais intensa, mais estranha.

•

Uma elefanta de Coney Island chamada Topsy matou um domador sádico que a alimentara com um cigarro aceso, e ficou decidido que ela seria sacrificada.

Em janeiro de 1903, Topsy foi eletrocutada. Mil e quinhentas pessoas se reuniram para testemunhar o acontecimento em Luna Park, e Thomas Edison filmou, lançando um filme ainda naquele ano chamado *Eletrocutando um elefante*. Eletrodos foram presos em botas metálicas colocadas nas patas dianteira direita e traseira esquerda, e seis mil e seiscentos volts de corrente alternada atravessaram o animal. Funcionou.

•

d) Amelia

Depois de reassumir o controle do *Migração Assistida*, Amelia passou os dois dias seguintes comendo e se acalmando, com apenas uma câmera ligada e poucos comentários, a maioria deles mais adequada a um programa de culinária do que a um de animais. Seus espectadores ficariam felizes em ver que ela estava bem, e entenderiam que ela estivesse com alguns indícios de estresse pós-traumático. Abaixo dela, o Atlântico sul pulsava até o horizonte com um azul que a fazia se lembrar do Adriático; era um tipo de azul-cobalto misturado com turquesa, mais azul do que a maioria dos azuis oceânicos, e cintilava com os reflexos da luz do sol que agora ficara atrás dela, ao norte. Tinham entrado bastante no Hemisfério Sul, e no sul o azul era mais escuro, marcado apenas pela espuma branca. Ela já atravessara os Quarenta Rugidores e entrara nos Cinquenta Uivantes, e se quisesse chegar ao mar de Weddell – claro que queria –, teria que virar para oeste e colocar os turbopropulsores ao máximo para avançar naquela direção nos Sessenta Berradores. Ali, além da ponta da África do Sul, onde apenas a Patagônia desviava o incessante fluxo de água e vento que seguia para leste ao redor do globo, havia uma tendência natural de se levar a aeronave para leste, até a Austrália. Combater isso provocava uma trepidação constante. Era como estar em um barco em meio às ondas. Porque também existiam ondas no ar, e agora Amelia estava lutando contra elas, como qualquer nave deste planeta costumava fazer com frequência.

Ainda esperava que a equipe de apoio lhe desse o destino final dos ursos. Havia certa disputa entre geógrafos e biólogos marinhos em relação ao lugar que ofereceria maiores chances para os animais. A curva oriental da Península Antártica, uma das candidatas, tinha aquecido mais rápido e perdera uma considerável porcentagem de gelo, maior do que em qualquer outra parte do continente, e, no inverno, seu gelo marinho se expandia muito no mar de Weddell a cada longa noite de quatro meses; além disso, as focas eram abundantes ali.

Tudo isso soava plausível e promissor para Amelia, então ela continuava dizendo para Frans voar naquela direção. Mas havia argumentos contrários de outros pesquisadores no grupo ecológico, que queriam que ela seguisse para a Costa da Princesa Astrid, no corpo principal do continente. Ali encontrariam um litoral mais escarpado, e a maior colônia do mundo de focas de Weddell, além de correntes ascendentes das profundezas que sustentavam uma rica fauna marinha, incluindo muitos pinguins. Sem falar no nome fantástico.

Um terceiro grupo de ecologistas aparentemente achava que os ursos deviam ser depositados na Georgia do Sul, então Amelia traçou uma rota que permitia avistar essa ilha enquanto se movia para o sul, por via das dúvidas. Era uma região muito mais quente, nem sequer polar, e com muito menos gelo marinho, então ela achava que os cientistas que defendiam esse destino iam perder a discussão. Se fossem desafiar tanto assim a ordem natural a ponto de colocar ursos polares no Hemisfério Sul, parecia sensato pelo menos levá-los a uma região realmente polar.

Enquanto a aeronave passava pelo leste da Georgia do Sul, o que levou a maior parte do dia, Amelia ficou feliz por não terem pedido que deixasse os ursos polares ali; a ilha era imensa, íngreme e verde onde não estava coberta de neve e gelo, ou envolta em uma grossa camada de nuvens que fazia a apresentadora se lembrar das correntes de ar que percorriam loucamente o Himalaia. A ilha tinha um aspecto feroz, muito similar à costa ocidental da baía do Hudson. Certamente, a Península Antártica seria uma casa nova bem melhor para seus ursos.

Os animais pareciam ter se acalmado no alojamento. A fuga e o jejum subsequente, sem falar na extrema inclinação do dirigível e no que soara como uma queda bem abrupta, tinham talvez subjugado os ursos e os deixado mais felizes em aceitar sua sorte. Vários deles foram reincidentes em Churchill, e passaram várias temporadas na jaula de ursos ali, então, certamente, o que os perturbara não fora tanto o confinamento atual, mas provavelmente a sensação palpável de movimento da aeronave, algo que, como era de se esperar, poderia perturbar qualquer animal que jamais voara antes. Mas, independentemente da causa da inquietude anterior, agora eles estavam bem calmos em seus aposentos, e quase todos tinham passado pela máquina de raios X – reunindo assim imagens suficientes de seus esqueletos para garantir aos veterinários que não havia ossos quebrados entre eles. Tudo estava bem.

Dois dias depois de passar pela Georgia do Sul, estavam se aproximando do extremo oriental da Península Antártica. O mar estava coberto de placas soltas de gelo marinho e pedaços muito mais altos de gelo glacial que se erguiam na direção do céu em estranhas formas derretidas, com frequência de uma tonalidade cremosa de azul ou verde. Tanto no gelo marinho quanto nas áreas niveladas dos icebergs, era possível ver centenas de focas de Weddell. Amelia desceu um pouco o dirigível para olhar mais de perto e conseguir uma imagem melhor para seu programa. Daquela altura, dava para ver faixas de sangue no gelo, sangue placentário em grande parte; muitas das focas de Weddell fêmeas, parecendo lesmas deitadas em uma folha de papel branco, tinham dado à luz recentemente, e proles menores (mas não tão menores) estavam unidas a elas, sendo cuidadas. Era uma cena pacífica e até mesmo bucólica.

— Uau, vejam isso! — disse Amelia para sua audiência. — Suponho que causaremos certo tumulto para essas focas, introduzindo um predador que jamais encontraram antes, mas, vocês sabem... Os ursos vão adorar isso. E essas focas são comidas o tempo todo pelas orcas, e acho que por tubarões-tigre e algo do gênero. Ah, desculpe, focas-leopardo. Hummm, eu me pergunto se os ursos vão conseguir comer focas-leopardo também. Essa seria uma luta e tanto. Acho que descobriremos. Vamos deixar aqui o conjunto de câmeras habitual, e será realmente interessante ver o que acontece. Uma coisa nova na história! Ursos polares e pinguins no mesmo ambiente! Um tanto quanto incrível, se pensarem no assunto!

Quando o dirigível se aproximou da costa, Amelia se perguntou em voz alta se poderia distinguir o lugar em que terminava o gelo e começava a neve sobre terra firme. Tudo diante deles parecia branco, exceto alguns penhascos negros mais no interior. Mas, conforme seguiam para sul e para oeste, ela viu que seria fácil; havia penhascos marinhos negros ao longo de parte da costa, e sobre eles a neve tinha um tom distinto de branco, mais cremoso, e se elevava de maneira brusca até os cumes negros no interior. Longe da costa o gelo era bem mais fragmentado e deixava muitos caminhos de águas escuras que os marinheiros que navegavam por ali chamavam de condutores. Ao passar voando sobre eles, Amelia olhou para baixo e deu um gritinho: bem embaixo dela havia um bando de orcas, só um pouco mais escuras do que a água em si, com manchas brancas nas laterais, só visíveis quando arqueavam o corpo levemente para cima e para fora da água. Uma flotilha; possivelmente umas trinta delas. Ah, um bando.

— Santa mãe! — exclamou Amelia. — Espero que não despenquemos na água, rá, rá! Não que eu quisesse, de toda maneira. Alguém notou como essa água é escura? Quero dizer, olhe para aquilo! O céu é azul, e eu achava que a cor do oceano fosse basicamente um reflexo do céu! Mas essa água parece negra. Quero dizer, negra de verdade. Espero que apareça nas imagens, vocês verão o que quero dizer. Eu me pergunto: o que explica isso?

O pessoal do estúdio lhe explicou rapidamente que a teoria era que o oceano Antártico parecia negro porque o fundo era muito profundo, até mesmo perto da costa; tampouco havia minerais ou matéria orgânica nele, então dava para ver uma boa distância na água, até onde nenhuma luz do sol penetrava. Portanto, o que se via era a escuridão das profundezas do oceano!

— Ah, meu Deus, isso é tão doido! — exclamou Amelia. Essa era uma de suas famosas exclamações, fonte de controvérsias no estúdio, entendida ou como um clichê fora de moda ou como um simpático "amelismo". Mas, em qualquer caso, Amelia não conseguia evitar, era só o que sentia. Um oceano negro sob céus azuis! Tããão doido! Não estavam mais no Kansas. Que era outra frase útil. Já que eles raramente estavam no Kansas.

E, de fato, era só o começo. Quanto mais se aproximavam da península, maior e mais selvagem o lugar parecia. Os penhascos e os picos expostos eram muito mais negros do que o oceano, enquanto a neve era dolorosamente branca, e cobria tudo como um merengue. A base do penhasco era recoberta por uma filigrana branca que parecia ondas que tinham rebentado ali e depois congelado instantaneamente; ao que parece, era resultado de muitas ondas lançadas no ar, cada uma delas adicionando uma fina camada de água que depois congelava sobre o que já existia. Aqueles arabescos eram de um branco mais acinzentado do que o suave merengue que cobria a terra acima do penhasco. No interior, a alguma distância difícil de determinar, talvez dez quilômetros, picos negros saíam da superfície branca e azul, a neve ali com um tom branco cremoso, os campos de gelo azuis e despedaçados em padrões de fendas curvas. Essas manchas azuis eram partes expostas das geleiras, cada vez mais raras neste mundo e, mesmo assim, ainda vastas em extensão.

Amelia foi informada de que aquele lugar era o destino deles. Ela voou para o interior, para conseguir uma visão melhor dos picos negros, a garganta profunda no gelo. Pareciam uma fileira de pirâmides degradadas. Havia estrias horizontais de rocha vermelha naqueles triângulos negros, e a rocha vermelha tinha alguns buracos.

— A rocha negra é basalto, a rocha vermelha é diabásio — Amelia repetiu o que lhe ditavam do estúdio. Ela os escutou por mais um tempo e depois reproduziu o que tinham falado, mas com suas palavras, o que era seu método usual. — Esses picos são parte da cordilheira de Wegener, que recebeu esse nome em homenagem a Alfred Wegener, geólogo que se deu conta de que a América do Sul se encaixa na África ocidental, o que sugeria que algum tipo de movimento dos continentes havia ocorrido. Eu sempre pensava nisso quando era criança. As pessoas riram dele, mas quando a teoria das placas tectônicas surgiu, ele foi reabilitado. Foi tipo: "Cara! Acredite em seus olhos!". Então eu acho que algumas vezes vale a pena apontar coisas óbvias. Espero que sim, já que faço isso o tempo todo, certo? Embora eu não saiba se vou conseguir ser homenageada com meu nome em uma cordilheira.

A terra se erguia diante dela como uma fotografia em preto e branco tirada de algum planeta mais frio e escarpado.

— Essas montanhas têm cerca de dois mil metros de altura, e só estão a poucos quilômetros da costa. A esperança é de que nossos ursos polares possam usar as cavernas nessas camadas de diabásio. Estarão quase na mesma latitude que estavam no Canadá, então o ciclo sazonal de luz deve ser o mesmo. E há argentinos e chilenos nesta península reintroduzindo os antigos bosques de faias na terra recém-exposta. Musgos, líquens e insetos. E, é claro, o mar está completamente lotado de focas, peixes, caranguejos e tudo mais. É um bioma muito rico, mesmo que não pareça. O que quero dizer, Deus, é que parece completamente deserto! Não acho que eu me daria muito bem aqui! Mas vocês sabem. Os ursos polares estão adaptados ao ambiente polar. É bem incrível mesmo, quando pensamos que são mamíferos como nós. Não parece possível que mamíferos possam viver aqui, não é?

Os técnicos a lembraram de que as focas de Weddell também eram mamíferos, o que ela teve que admitir que era verdade.

— Bem, os mamíferos fazem as coisas mais incríveis. Acho que foi o que eu quis dizer — ela acrescentou. — São simplesmente incríveis. Vamos sempre nos recordar disso.

Depois de observar os possíveis abrigos de inverno, fazendo-o da distância mais próxima a que o dirigível conseguiu chegar, Amelia voltou para a costa. Um pouco de vento catabático a empurrou, e enquanto ela descia, a nave balançava e trepidava.

— Fiquem tranquilos! — exclamou Amelia. — Vamos descer em alguns minutos! E vocês vão ter uma bela surpresa!

Rapidamente ela alcançou o litoral e, com alguma trepidação, conseguiu superar o vento e começar a descer. A área parecia promissora; havia um canal de água escura no meio do gelo marinho, salpicado de icebergs e, mais além, mais gelo e, por fim, mar aberto, negro como obsidiana. O gelo marinho estava repleto de focas de Weddell e seus filhotes, e de sangue, urina e excremento. Do outro lado, a terra se erguia do gelo, não em penhascos, mas em colinas onduladas, dando aos ursos lugares para se esconder, cavar tocas, emboscar as focas e dormir. Tudo parecia bem promissor, pelo menos da perspectiva de um urso polar. Para um humano, era como o círculo mais frio do inferno.

Ela desceu sobre o gelo e disparou as âncoras como se fossem dardos na neve. Depois baixou a gôndola até apoiá-la na neve. Havia chegado o momento. Verificou o sistema de câmeras para tranquilizar os técnicos, e, sem conseguir se conter, colocou o equipamento e saltou na neve. Depois de dois segundos pensando que não era tão mal, o frio entrou em seus ossos e ela gritou com o choque de temperatura. Tinha lágrimas nos olhos, que caíam e congelavam nas bochechas.

— Amelia, você não pode estar aí fora quando os ursos forem soltos.

— Eu sei. Só queria fazer uma tomada externa.

— Temos drones para isso.

— Eu só queria saber como era estar aqui fora.

— Ok, mas volte para dentro para que possamos soltar os animais e tirar você daí. Não é bom para a nave ficar presa ao chão com um vento como esse.

Não ventava tanto assim, era a sensação de Amelia, embora o vento atravessasse com facilidade suas roupas e sacudisse seus ossos.

— Sim, está frio! — exclamou. Então, pensando em sua audiência, acrescentou: — Ok, ok, vou entrar. Mas é revigorante estar aqui fora! Os ursos vão adorar!

Então voltou para a pequena antecâmara da gôndola, similar a uma eclusa de ar, e com alguns tropeços regressou para dentro do dirigível. Estava incrivelmente quente se comparado ao lado de fora. Amelia felicitou a si mesma, e quando voltou para a ponte de comando, informou sua equipe e se aproximou das janelas do lado em que a porta do recinto dos ursos seria aberta.

— Ok, estou pronta. Vamos soltá-los!

— Você é a única controladora da porta, Amelia.

— Ok, sim. Ok, aqui vamos nós!

E ela apertou os dois botões que permitiam que a porta externa do alojamento dos ursos se abrisse. Com o vento entrando e os ursos saindo, a aeronave deu uma boa balançada, e Amelia gritou.

— Aí vão eles! Que emoção! Bem-vindos à Antártida!

Os grandes ursos brancos começaram a se afastar, aparentemente intactos, o pelo um pouco amarelado contra a neve, agitando-se ao vento. Farejavam o ar com curiosidade conforme se aproximavam do mar. Não muito distante da costa, logo depois de um estreito canal negro, o gelo marinho estava coberto com uma multidão de focas de Weddell, com muitas mães deitadas amamentando os filhotes. Pareciam lesmas gigantes com cara de gato. Realmente alarmante. Mesmo assim, elas não pareciam alarmadas com os ursos. Por que deveriam? Para começar, os ursos eram quase invisíveis, tanto que Amelia só vislumbrava traços deles, como um caranguejo de garras negras ou os olhos escuros de um boneco de neve que se voltavam na direção dela e depois desapareciam de novo. Além disso, as focas jamais tinham visto ursos polares antes, e não tinham motivo para suspeitar de sua existência.

— Nossa, não consigo mais vê-los. Ah, meu Deus, aquelas focas estão encrencadas! É possível que tenhamos um certo abalo na dinâmica populacional por aqui! Mas vocês sabem como funciona, flutuações entre predadores e presas seguem um padrão bem claro. O número de predadores oscila para cima e para baixo um quarto de curva conforme suas presas, na onda senoidal do gráfico. E, para dizer a verdade, acho que há milhões de focas por aqui. A vida na zona costeira da Antártida parece estar indo bem. Esperemos que os ursos polares se beneficiem disso e se juntem a outros predadores do topo da cadeia em harmonia feliz, um ciclo da vida. Por enquanto, vamos ganhar um pouco de altitude para ver o que conseguimos enxergar.

Ela apertou o botão que soltava as amarras, e os explosivos localizados nas pontas das âncoras libertaram a aeronave. O *Migração Assistida* começou a subir, sacudido pelos ventos, subindo e descendo e seguindo rapidamente para o mar. Ela virou a embarcação na direção do vento e deu uma olhada para baixo. A costa branca, os canais brancos e negros, o gelo branco, o mar aberto negro, tudo coberto por um brilho cor de bronze do sol baixo do meio-dia. O horizonte nebuloso, o céu branco acima, um azul leitoso sobre sua cabeça. Os seis ursos estavam completamente invisíveis.

Claro que cada um deles estava equipado com um transmissor de rádio e algumas minicâmeras, então os espectadores de Amelia poderiam vê-los vivendo a vida no programa dela. Eles se juntariam a vários outros animais que ela movera para zonas de vida mais aptas para sustentá-los. "Os animais de Amelia" era um *spin-off* muito popular na nuvem. Ela mesma estava curiosa para ver como eles se sairiam.

Amelia voltava para casa, e já estava quase na altura do Equador quando Nicole apareceu na tela, parecendo chateada.

— O que foi? — perguntou Amelia.

— Você viu as imagens dos ursos?

— Não, por quê? — Ela ligou o canal de transmissão, e não viu nada. — O que aconteceu?

— Não temos certeza, mas todas as câmeras se apagaram ao mesmo tempo. E, em algumas delas, dá para ver o que parecia ser uma explosão.

Depois de apertar alguns botões, Amelia estava olhando para a Península Antártica e o mar de gelo: então viu um clarão, e nada mais.

— Espere, o que foi aquilo? O que foi aquilo?

— Não temos certeza. Mas há indícios de que poderia ser algum tipo de... algum tipo de explosão. Na verdade, há imagens vindo de alguém... Da ONU? Do Escritório de Cientistas Atômicos?... Talvez a inteligência israelense? De todo modo, também há uma declaração lançada na nuvem reivindicando a responsabilidade, vinda de uma coisa chamada Liga de Defesa Antártica. Ah, é isso. Algum tipo de pequeno incidente nuclear. Algo como uma pequena bomba de nêutron, estão dizendo.

— O quê? — exclamou Amelia. Sem querer, deixou-se cair sentada no chão duro da ponte de comando. — Que diabos? Explodiram meus ursos polares?

— Talvez. Escute, estamos pensando que você devia ir para a cidade mais próxima. Isso parece ser algum novo tipo de protesto. Se for um dos grupos de pureza ecológica, eles podem querer ir atrás de você também.

— Que se fodam eles! — gritou Amelia, e começou a bater na perna da mesa ao seu lado e depois a chorar. — Não posso acreditar nisso!

Não houve resposta de Nicole, e de repente Amelia percebeu que ainda estavam transmitindo sua resposta para os espectadores. Ela xingou de novo e cortou a transmissão, apesar dos protestos de Nicole. Depois, sentada onde estava, chorou sem parar.

No dia seguinte, Amelia se pôs diante de uma de suas câmeras e a ligou. Não tinha dormido aquela noite, e, em algum momento depois que o sol nasceu, parecendo uma bomba atômica no horizonte oriental, ela decidira que queria conversar com seu público. Pensara nisso enquanto tomava o café da manhã e por fim sentiu que estava pronta. Nenhum contato com o estúdio; não queria falar com eles.

— Olhem — disse para a câmera. — Estamos na sexta extinção em massa da história da Terra. Nós causamos isso. Cinquenta mil espécies já desapareceram, e corremos o risco de perder a maioria dos anfíbios e dos mamíferos, e todos os tipos de aves, peixes e répteis. Insetos e plantas estão se saindo melhor, porque são mais difíceis de matar. Em geral, é um desastre, um maldito desastre. Então temos que cuidar do mundo para que ele se recupere. Não somos bons nisso, mas temos que fazer. Vai demorar mais do que nosso tempo de vida, mas é a única forma de seguir em frente. Então é o que eu faço. Sei que meu programa é só uma pequena parte do processo. Sei que é só um programa bobo na nuvem. Sei disso. Sei até que meus produtores continuam provocando essas miniemergências que enfrento porque acham que isso aumenta a audiência, e eu me presto a esse papel porque acredito que pode ajudar, mesmo que algumas vezes eu morra de medo e também seja constrangedor. Mas se isso serve para que as pessoas pensem nesses projetos, é por uma boa causa. É parte de algo maior que temos que fazer. É como eu penso nisso, e eu faria qualquer coisa para que dê certo. Eu me penduraria nua de cabeça para baixo sobre uma baía cheia de tubarões se isso ajudasse a causa, e vocês sabem que falo a verdade porque esse foi um dos episódios mais populares que fiz. Talvez seja estúpido que tenha que ser assim, talvez eu seja estúpida por fazer isso, mas o que importa é que as pessoas prestem atenção, e depois façam algo.

E prosseguiu:

— Então, olhem... Está tudo uma bagunça agora. Há comida geneticamente modificada sendo cultivada de forma orgânica. Há animais europeus salvando a situação do Japão. Há todo tipo de misturas acontecendo. É um mundo híbrido. Estamos misturando as coisas há milhares de anos, envenenando algumas criaturas e alimentando outras, e mudando tudo de lugar. Desde que os humanos deixaram a África, estamos fazendo isso. Então, quando as pessoas começam a ficar chateadas com isso, quando começam a insistir na pureza de algum lugar ou de alguma época, isso me deixa louca. Não aguento. É um mundo híbrido, e qualquer que seja o momento que elas queiram preservar, é só um momento. É *uma doideira* agarrar-se a uma circunstância e dizer que foi esse o momento puro e sagrado, e que só pode ser assim, e que quem tentar mudar qualquer coisa *tem que morrer*. E sabem o quê? Já encontrei algumas dessas pessoas, porque elas aparecem nos meus encontros com o público e jogam coisas em mim. Ovos, tomates... pedras. Gritam palavras feias, cheias de ódio. Escrevem coisas ainda piores, escondidas em seus buracos. Eu já as vi e já as escutei. E todas têm mais dinheiro e tempo do que realmente precisam, e então ficam loucas. E pensam que todos os demais estão errados porque não são tão puros quanto elas. Elas são loucas. E eu as odeio. Odeio como se acham donas da verdade sobre a tão falada pureza. Já vi pessoalmente como são moralistas. São *tão* moralistas. Odeio isso. Odeio pureza. Não existe essa coisa de pureza. É uma ideia na cabeça de fanáticos religiosos, o tipo de gente que mata porque é boa e correta. Odeio essas pessoas, de verdade. Se alguma delas está me ouvindo agora, fodam-se vocês. Odeio vocês.

E Amelia concluiu dizendo:

— Então agora há um grupo que afirma defender a pureza da Antártida. O último lugar puro, eles dizem. O parque nacional do mundo, chamam. Bem, não. Não é nada disso. É a terra que está no Polo Sul, um continente um pouco redondo em uma posição estranha. É bonito, mas não é mais puro ou sagrado do que qualquer outro lugar. São só ideias. É parte do mundo. Antigamente havia bosques de faias lá, havia dinossauros e samambaias, havia malditas florestas ali. Algum dia tudo isso existirá de novo. Enquanto isso, se essa ilha pode servir como lar para impedir que o urso polar seja extinto, então é o que ela vai ser. Portanto, sim. Odeio esses malditos assassinos. Espero que sejam pegos e jogados na cadeia, e obrigados a trabalhar com restauração ambiental pelo resto da vida. E se as pessoas decidirem que é a melhor opção, vou levar mais ursos polares para o sul. E dessa vez, vamos defendê-los. Ninguém vai levar os ursos polares à extinção só porque tem alguma ideia maluca de pureza. Isso não está certo. Que enfiem a pureza naquele lugar. Os ursos vêm antes de uma ideia sinistra, estúpida e ridícula como essa.

•

Languidezza per il caldo (Com languidez, por causa do calor)
instrução de Vivaldi para o concerto Verão, em "As quatro estações"

•

e) um cidadão

O inverno desce do Ártico e despenca em Nova York, e de repente a cidade parece Varsóvia, Moscou ou Novosibirsk – os arranha-céus um retrato do realismo socialista, austeros e heroicos, erguendo-se escuros contra a tempestade, como pilares entre o solo e as nuvens que pairam em baixa altura. Essa cobertura cinzenta e coalhada segue para sul, cuspindo neve; gotas glaciais e penetrantes como agulhas rodopiam e se fundem em seus óculos, não importa quanto você puxe o chapéu. Se você tiver um chapéu; muitos nova-iorquinos não se incomodam com a neve, e continuam vestidos de terno, como executivos, camareiros ou simples cidadãos, mas sempre de terno, quase sempre negro, como deve ser, com um sobretudo de lã ou uma jaqueta de couro sem forro como única concessão à tempestade; muitos outros, rapazes e garotas, seguem de jeans, aquela pretensão inútil de roupa, ruim para tudo exceto para aquela pose de fumante que tantos parecem valorizar. Sim, os habitantes de Nova York, mais do que ninguém, concebem as roupas como semiótica apenas, sinalizando dureza, desdém, elegância, seriedade ou desapego, e todos alcançando seu típico visual nova-iorquino em desafio ao clima, que está longe de ser um detalhe na corrida rápida entre o metrô e os edifícios, assim que não é raro que morram na porta de suas casas enquanto procuram as chaves nos bolsos. Sim, muitos cadáveres de nova-iorquinos emergem quando a neve derrete na primavera, parecendo surpresos e indignados, como se dissessem: *Mas como isso é possível?*

Os que sobrevivem às tempestades apesar dos trajes idiotas se movimentam pela cidade com as mãos nos bolsos, porque só os que trabalham ao ar livre se incomodam de usar luvas; os demais correm com a cabeça descoberta e baixa, de edifício em edifício, em busca de um rápido café irlandês a fim de reanimar os dedos e se aquecer o suficiente para parar de tremer e se recuperar para uma caminhada ligeira até onde moram. Pegariam um táxi, se alguma vez fizessem isso; mas não fazem, claro. Táxis são para turistas, para os malditos executivos ou para quando você comete um erro grotesco na agenda.

Em dias de tempestade, o Hudson é cinzento e coalhado de pontos brancos que deixam rastros compridos de espuma. Fica assim até congelar, as nuvens baixas sobre um céu tão sombrio que os flocos de neve brancos se sobressaem de modo acentuado no alto, e são visíveis ao cair de lado diante de cada janela e também embaixo, quando chegam às ruas e derretem imediatamente. Olhando pela janela do seu apartamento, por sobre um radiador sibilante, entre as grades da escada de incêndio, você vê que as tampas das lixeiras são a primeira coisa a ficar branca, então por um tempo os becos abaixo ficam estranhamente pontilhados por quadrados e círculos brancos; e a neve esfria a superfície da rua o suficiente para grudar sem derreter, e tudo o que é plano rapidamente embranquece. A cidade se transforma em uma filigrana de linhas horizontais brancas e verticais negras, todas recortadas e misturadas, uma abstração bauhaus de si mesma; bela, ainda que seus cidadãos jamais ergam os olhos para ver, dado que se vestem de um jeito tão estúpido que até uma visita rápida à loja da esquina é como uma expedição ao polo, com um resultado potencialmente fatal para os mais idiotas ou azarados.

Então, depois das tempestades, no brilho prateado do final do inverno, o frio consegue congelar tudo, e os canais e rios se tornam ótimos pisos brancos e a cidade é transformada em uma escultura de gelo de si mesma. Esse tempo mágico e frio se desfaz e, de repente, é primavera, todas as árvores escuras ganhando copas verdes, o ar ficando limpo e delicioso como água. Você bebe o ar, olha atônito para a vegetação; isso pode durar mais do que uma semana, e então você é esmagado por um verão assombroso, com o ar miasmático e as águas do canal mornas e cheirando a sopa de carcaças de estrada. Isto é o acontece quando se vive no meio do caminho entre o equador e o polo, no lado oriental de um grande continente: você tem a variação mais ampla possível de temperatura, uma merda louca dia após dia, e assim como o frio é polar, o calor é tropical. O cólera se banqueteia em todos os charcos, a gangrena em cada arranhão, os mosquitos zumbem como drones minúsculos de algum gênio do mal determinado a exterminar a raça humana. Você implora para que o inverno retorne, mas ele não retorna.

Dias depois, quando nuvens sólidas como mármore se erguem até que os arranha-céus pareçam pequenos, e os ventres negros dessas maravilhas de vinte e cinco mil metros despeje gotas de chuva tão grandes quanto pratos, a superfície dos canais se fragmenta e aumenta de tamanho; o ar fica fresco por uma hora, então tudo volta a transpirar de novo e a umidade asmática fétida usual retorna, a umidade absurda e criminosa, o ar tão quente que o asfalto derrete e as correntes térmicas cobrem a cidade em camadas convectivas, como o ar sobre uma churrasqueira.

Então chega setembro e o sol se inclina para o sul. Sim, outono em Nova York: a grande canção da cidade e a melhor estação. Não só pelo alívio dos extremos brutais do inverno ou do verão, mas por aquela gloriosa inclinação da luz, a sensação que o invade, em certos momentos, ante a visão dos edifícios e dos rios sob um céu colorido. E ainda que você pense morar em um apartamento, compreende surpreso que vive ao lado de um planeta, que a grande cidade é também uma grande baía em um grande mundo. Nesses momentos dourados, até o cidadão mais amargurado, a criatura urbana mais alheia – que talvez tenha parado apenas para esperar o sinal de pedestre ficar verde –, será fisgado por aquela luz, respirará fundo e verá o mundo como se fosse a primeira vez, e sentirá, de maneira breve, mas profunda, o que significa viver em um lugar tão estranho e belo.

•

> Eu tive que me acostumar, mas agora que isso ocorrera, não há lugar em que eu me sinta mais livre do que no meio das multidões em Nova York. Dá para sentir a angústia da solidão ali, mas sem ser esmagado.
>
> Jean-Paul Sartre

•

f) Inspetora Gen

Às vezes, Gen se perguntava se os padrões que acreditava ver a faziam mandar sua equipe para a rua para provar que eles eram verdade. Talvez fosse novamente um caso de dedução *versus* indução. Era tão difícil dizer o que estava fazendo que, com frequência, a definição das duas palavras se confundia. Da ideia para a evidência, da evidência para a ideia – tanto faz. De vez em quando, Claire chegava de suas aulas noturnas falando sobre dialética, e o que dizia soava um pouco como os pensamentos de Gen. Mas Claire também reclamava que uma das características dialéticas da dialética era que ela nunca poderia ser definida por uma definição, mas ficava mudando sem parar de uma para a outra. Era como as luzes do semáforo: quando você estava parado, elas diziam para você ir; quando estava indo, elas diziam para desacelerar e parar, mas só por um tempo, depois do qual diziam para seguir de novo. Mesmo assim, você supostamente não devia ter seu destino guiado pelas luzes do semáforo, mas por um olhar amplo, tentando pegar as coisas de viés, enquanto também tentava averiguar para onde estava indo.

Então Gen estava perplexa, refletindo sobre essas questões enquanto caminhava pelas passarelas da cidade alagada de estação em estação, de problema em problema. Hoje tentava um novo caminho para resolver o problema do atalho de seu escritório até o arranha-céu de audiências e residência da prefeita, em Columbus Circle. Caminhava entre os tubos transparentes de grafeno, passando de "movimentos do cavalo" para "movimentos do bispo" em função do tabuleiro em três dimensões. Um progresso dialético sobre os canais da baixa Manhattan, que nesta manhã parecia cinzenta e congelada sob um céu de nuvens baixas. Era início de dezembro, finalmente começava a esfriar. Na Oitava, ela desceu até o nível da rua e continuou pelas calçadas lotadas da avenida bem ao norte da zona entremarés. Aparentemente, a prefeita Galina Estaban tinha organizado algum tipo de cerimônia para prefeitos visitantes de cidades do interior, e a inspetora Gen decidira participar e agitar a bandeira da polícia de Nova York.

Aquela não era a turma de Gen. Ela preferia mil vezes submergir com Ellie e sua gente, trocar opiniões de modo franco e aberto com os costumeiros grupos de ratos d'água ignorando as várias indiscrições aqui e ali. Os políticos e burocratas que viviam no topo da hierarquia da cidade alta, por outro lado, a deixavam na defensiva. E a esgotavam. E ela sabia também que muitos deles eram criminosos bem mais perigosos do que seus conhecidos submarinos; em alguns casos, guardava as provas da corrupção deles para momentos mais apropriados. Essa era uma versão do mesmo julgamento que fazia submersa, que as pessoas em um cargo eram melhores do que qualquer outra que pudesse substituí-las. Ou ela estava apenas esperando por um momento de efeito máximo. Essa espera sempre a deixava ansiosa, já que percebeu que estava fazendo julgamentos que não lhe competia fazer. Na prática, ela mesma estava se tornando parte do sistema podre, do nepotismo e da corrupção, por guardar coisas fora dos registros. Mas a inspetora fazia isso o tempo todo. Se ela sentia que a pessoa em questão causaria pouco dano por estar ali, e que acabar com ela poderia degradar a situação na baixa Manhattan, então Gen guardava a informação para si e esperava um momento mais adequado. Parecia o melhor jeito. E, algumas vezes, percebia sinais nos arquivos que a levavam a pensar que as coisas já eram assim na polícia de Nova York desde muito antes de ela nascer. A polícia de Nova York, a grande mediadora. Porque a lei era um negócio muito humano, de qualquer modo que você a encarasse.

Então ali estava ela, uma das mais ilustres inspetoras da cidade, famosa na parte baixa e naquelas partes da nuvem interessadas no trabalho da polícia. Em meio à multidão e sendo exibida pela prefeita. Nunca chegara a um acordo com essa parte de seu trabalho. Seu método de enfrentamento era basicamente fazer um filme *noir*. Encarar as pessoas de frente, manter uma expressão firme. Isso, juntamente com sua estatura – quase um metro e noventa com sapatos de sola mais grossa –, proporcionava a ela o que era preciso para aguentar o tranco. E, às vezes, constatava com satisfação, para algo mais: intimidar. Se necessário, ela desempenhava o papel com muito afinco. A alta, severa e corpulenta policial: Octaviasdottir, sim. Por outro lado, ali era Nova York, onde todo mundo desempenhava seu papel com afinco, e muitos achavam também que estavam em um filme *noir*, ou era o que parecia. Nova York *noir*, um estilo clássico. Tome cuidado, baby.

A prefeita ocupara quase toda uma nova torre no extremo norte de Columbus Circle, usando seu próprio dinheiro, mas tornando-a palácio oficial de audiências da prefeitura e sua residência particular. Gen subiu a ampla escada até o mezanino, movendo-se devagar, como um policial em ronda com cães cansados. Erguera o queixo para os conhecidos, disse "oi" para os funcionários que cuidavam da entrada e da mesa de refrescos. Depois ficou encostada na parede perto da porta, tomando um café ruim e olhando a meia distância, como se estivesse prestes a dormir de pé. Manteve essa pose por tanto tempo que quase dormiu de verdade. Quando a prefeita e sua comitiva entraram, Gen se endireitou e observou a multidão se reunir em torno dela e depois se dissipar, permitindo que a prefeita circulasse. Teve a impressão de ver Arne ali perto, diretor da Morningside Realty, uma força no partido. Conversando com um grupo do complexo Cloister. O pessoal de Denver parecia deslocado.

Galina Estaban estava carismática, como sempre. Aos quarenta e cinco anos, já era uma estrela da nuvem aposentada e ex-governadora do estado de Nova York. Ela fazia Gen se lembrar de Amelia Black de muitas formas – como na presunção fácil da fama. Era como a irmã mais velha e latina de Amelia, aquela que tirava boas notas e até gostava de estudar. Tinha um metro e sessenta e cinco, mas compensados com saltos altos; uma cabeleira castanha sobre uma boa aparência radiante, uma beleza de rosto largo com traços nativo-americanos ou mestiços. Olhos como lâmpadas. Um pequeno sorriso que era impossível atribuir a algo.

Quando viu Gen, a prefeita foi imediatamente até ela, como se um raio trator a levasse até sua pessoa favorita na sala, ou a mais importante. Gen quase sorriu quando percebeu que, de fato, Galina Estaban dominava como ninguém a arte de fazer as pessoas se sentirem bem. Se você não se afastava, acabava sorrindo e assentindo em resposta à sua abertura teatral, tornava-se cúmplice de sua popularidade. Mas, neste caso, Gen sabia que era tudo atuação. Gen pegara um dos assistentes favoritos de Galina aceitando propina de um incorporador da parte alta da cidade, e era óbvio pela proximidade envolvida que Galina devia saber o que acontecia. A prefeita não gostou de ter que aceitar o afastamento do ajudante. Em retaliação, desgastou o apoio que Gen tinha na sede da polícia, e fez intervenções desestabilizadoras na infraestrutura de nuvem da corporação, um modo muito feio de se vingar; a polícia de Nova York acabou sofrendo danos materiais. Então agora elas se odiavam mutuamente. Mas Nova York tinha que ser um lugar impressionante para os executivos de Denver, e era necessário manter as aparências, ou então a nuvem ficaria cheia de um caldo especulativo tão grosso que nenhuma das duas poderia fazer seus respectivos trabalhos. Então elas se comportaram bem.

— Não sabia que você estaria aqui — disse Galina.
— Seu pessoal me convidou.
— Desde quando isso faz diferença?
— O que quer dizer? Sempre venho quando sou convidada.

Galina deu uma gargalhada ao ouvir isso. Os demais deviam pensar que as duas estavam se divertindo.

— Não acho que meu pessoal convidou você. Vamos lá, por quê?
— Bem, agora que mencionou, fiquei sabendo que algumas coisas estranhas estão acontecendo na zona entremarés. Ofertas repentinas para comprar edifícios, combinadas com ameaças e alguma sabotagem. E alguns problemas com o pessoal de lá. Então pensei em verificar se você ou seu pessoal sabem algo sobre isso. Em geral, você sabe de tudo que acontece na cidade, e as pessoas estão ficando ansiosas.

A prefeita se virou para Tanganyika John, uma de suas asseclas, que acabara de correr até elas para interferir.

— Sabemos algo sobre isso? Ouviu algo?

Tanganyika deu de ombros.

— Não.

Se soubessem de algo, não diriam. Gen estava acostumada com obstruções, delas e de todo mundo; em outras situações, poderia ter minado o muro de pedra das duas mulheres um pouco, mas não era hora disso. Galina projetava ao seu redor uma bolha de simpatia que seria pouco político estourar, em especial com todo aquele pessoal de Denver na sala. Gen respondeu a Tanganyika dando de ombros também, tentando indicar com sua expressão que não esperava nenhum tipo de ajuda da subordinada.

— Talvez seja visível apenas embaixo d'água — comentou a inspetora. — Ou nas estatísticas da cidade. Pedirei ao meu pessoal que comprove as transferências de propriedades e veremos se encontram alguma coisa.

— Boa ideia. Fora isso, tudo bem?

— Na verdade, não. Você sabe. Quando há problemas imobiliários, as pessoas ficam estressadas.

— O que significa que estamos estressados o tempo todo, certo?

— Suponho que sim.

— Mas, segundo você, desta vez é diferente.

— Parece que tem alguma coisa nova acontecendo.

Gen encarou a prefeita. Era parte do conflito entre elas, cada qual afirmando estar mais perto da real pulsação da cidade. Lutando sobre qual dos pontos de vista mostrava mais. Não havia como vencer essa disputa, mesmo que se sentassem e comparassem anotações, o que jamais fariam. Um debate formal, com Deus julgando com imparcialidade: não ia acontecer. Então, tudo se reduzia a uma questão de atitude, como tantas outras coisas entre nova-iorquinos: *Eu sei mais do que você, eu conheço o nível acima e abaixo de você, tenho o conhecimento secreto, a chave para a vida da cidade.* Ninguém jamais ganharia um jogo assim, mas ninguém perderia, tampouco, a menos que quisesse jogar duro.

Era o que Gen fazia agora, enquanto esperava que alguns informantes que Claire tinha no gabinete da prefeita estivessem ali, vigiando os presentes. Gostaria de seguir algumas daquelas pessoas depois da recepção, ver se sua presença desencadeava alguma reação. Alguém poderia se sentir impelido a sair e fazer uma ligação, tentar algum contato, avisar alguém em algum lugar… Gen tinha que esperar por um movimento desses, ou então seria apenas um caso de demonstrar seu interesse sem nenhum outro resultado além de fazer que as partes envolvidas ficassem mais cautelosas. Bem, isso também poderia ser rastreado, ninguém sabia. Ela tinha que fazer uma aposta para começar o jogo.

Entretanto, ainda havia mais uma coisa para tentar. Olmstead descobrira recentemente uma ligação entre a prefeita e Arne Bleich, proprietário da Morningside Realty, que estava do outro lado da sala.

— Você está trabalhando com Arne Bleich em projetos na cidade baixa?

Galina pestanejou, processando tanto a pergunta quanto o fato de Gen tê-la feito em uma recepção como aquela. Estava claro que não tinha gostado.

— Quer dizer, pessoalmente?

— Óbvio.

— Não. — E agora o sorriso dela era definitivamente um "foda-se". — Desculpe-me. Tenho que cumprimentar aquelas pessoas ali, preciso circular um pouco.

— Claro. Farei o mesmo.

Depois daquilo, era só uma questão de permanecer visível por um tempo, parecendo potencialmente ameaçadora, e sair sem chamar a atenção. A equipe de Claire assumiria dali. Não era muito diferente que visitar Ellie. Mostrar-se e causar uma surpresa, ver se algum culpado fugia para que pudesse persegui--lo. Vigiou os subordinados da prefeita ela mesma, tentando avaliar o clima da sala; estavam todos em total sintonia com o humor da prefeita, e agora se mostravam um pouco tensos, e não olhavam na direção de Gen. Com um repentino acesso de lucidez, a inspetora viu a estrutura de poder da cidade com visão de raio X, com os campos de força como linhas magnéticas emanando da bela prefeita. Gen quebrara o vidro de algum tipo de alarme psíquico, e agora ele estava soando.

Ela saiu depois de um tempo e, como era tarde, pediu que um barco policial a levasse até o cais flutuante da Oitava, entre a Trinta e Cinco e a Trinta e Sete. Ao chegar a seu apartamento na Met, trocou de roupa, foi até o aposento de Vlade no porão e tocou a campainha. Não teve resposta, então subiu um lance de escadas até o escritório da casa de barcos, e ali estava ele. Gen tinha a impressão de que ele passava muito mais tempo ali do que em seu aposento, que era basicamente um lugar para dormir. Exatamente como ela. Este escritório era a sala de estar do homem.

— Como vão as coisas? — perguntou Vlade.

— Muito bem. Ainda estou investigando o que aconteceu aqui. Alguma novidade?

— Não tenho certeza. O gerador não ligou, e havia um entupimento no sistema de esgoto. Se outras coisas não estivessem acontecendo, eu não pensaria duas vezes no assunto, mas, como estão... Não sei.

Ele levantou os olhos para as embarcações penduradas na casa de barcos, franzido o cenho de modo sombrio. Seus ombros estavam caídos, as bochechas também. Apreensivo. O que fazia sentido. Mesmo que tivesse sido subornado ou convencido de algum modo pelas pessoas que queriam comprar o prédio ou pelas pessoas que estavam sabotando o prédio – se é que não eram as mesmas –, ele não tinha nenhuma garantia de que manteriam a palavra depois que tomassem a propriedade. O mais normal era que os novos proprietários contratassem uma nova administração, e, nesse caso, Vlade estaria desempregado. Gen podia ver que isso representaria um desastre para ele. O edifício era seu trabalho e seu lar, sua expertise e sua mente. Faria mais sentido se ele estivesse fazendo coisas para que o edifício parecesse pior aos olhos das pessoas interessadas em comprá--lo. Mas esses probleminhas não fariam isso.

— Então, a maioria desses problemas, você já viu antes?
— Sim, claro. Tudo exceto esses dois caras desaparecerem e as câmeras não funcionarem bem quando isso aconteceu. Isso é realmente estranho. E... — franziu o cenho. — Nunca vi um vazamento como o que encontrei. Não foi um acidente. Então, você sabe. Parece que pode ser um padrão.
— Acontece comigo o tempo todo. Escute, você pode me mostrar os registros de todos os seus empregados, incluindo as referências que recebeu quando os contratou?
— Sim. Eu mesmo estou curioso.
Gen colocou seu tablet na mesa dele, e Vlade transferiu alguns arquivos.
Quando estava terminando, um jovem apareceu na porta. Franklin Garr, um residente.
— Ei, você pode descer meu zumbidor o quanto antes, por favor?
Um metro e oitenta, ruivo desbotado, de boa aparência e maneiras agradáveis, como um modelo em um catálogo de roupas masculinas baratas. Ergueu as sobrancelhas ao fazer o pedido a Vlade. Esperto, agitado, inquieto. Descarado, mas talvez um pouco nervoso também.
— É para já — respondeu Vlade com seriedade, acionando o painel da casa de barcos.
Uma pequena embarcação com hidrofólios desceu das vigas da casa de barcos, e o jovem jogou um "Obrigado" por sobre o ombro enquanto corria para ela.
— Um de seus residentes favoritos — deduziu Gen.
Vlade sorriu.
— Às vezes é um idiota. Um jovem impaciente, disso tenho certeza.

Depois daquilo, ela poderia ir jantar nas áreas comuns, ir para seu apartamento ou continuar trabalhando. Então continuou trabalhando. Foi até a doca do barco a vapor, ao lado do Flatiron, e pegou o barco da Quinta, em direção ao sul, até o *bacino* de Washington Square, onde sabia que a Sociedade de Ajuda Mútua da Baixa Manhattan fazia sua reunião mensal. Vários síndicos de prédios estariam ali, assim como vários grupos e entidades dos edifícios e organizações que, em conjunto, faziam da Samba um lugar tão animado.

Eles se reuniam em um amplo espaço no telhado emprestado pela Universidade de Nova York para essas ocasiões, um tipo de coquetel uma hora antes das reuniões noturnas. Gen era uma figura bem conhecida, e vários amigos e conhecidos vieram cumprimentá-la. Já fazia um bom tempo que não participava de um daqueles encontros mensais. Ela foi amigável e tudo, mas ficou de olho em seus amigos, os supervisores e especialistas em segurança que chamava de Irregulares do *Bacino*. Clifford Sampson, um velho amigo de seu pai, do edifício Woolworth; Bao Li, do pessoal de segurança de Chinatown; Alejandra, da associação do *bacino* James Walker: conhecia bem a todas essas pessoas, e a cada uma delas bastou dar um certo olhar para que a seguissem de lado, prontas para responder às suas questões. Ela rapidamente repassou com eles: algum edifício está sendo sabotado? Alguma oferta unilateral para comprar edifícios comunitários? Algo estranho ou impróprio entre seus funcionários, desaparecimentos inesperados, problemas com os sistemas de segurança?

Sim, todos disseram. Sim, sim, sim. Bem no meu porão. Um problema de integridade estrutural. Câmeras que não veem coisas. Você devia falar com Johann, devia conversar com Luisa. Em todos eles, uma raiva tensa pelo cinismo sujo de quem ou o que estivesse fazendo aquelas coisas. Gentrificação, o escambau. Malditos lixos que querem o que temos. Conseguimos organizar a Super-Veneza, e agora eles a querem. Vamos ter que nos manter juntos para conservar o que é nosso. É hora da sua maldita polícia nos mostrar de que lado está.

Eu sei, Gen dizia. Eu sei. A polícia está do lado de Nova York, vocês sabem disso. Ninguém na corporação gosta desses caras da cidade alta. A cidade alta é a cidade alta, a cidade baixa é a cidade baixa. Temos que nos assegurar de manter o equilíbrio. O império da lei. Preciso que os Irregulares do *Bacino* entrem em ação, pessoal.

Isso ela falou para um grupo de antigos amigos, pessoas que a conheciam do Mezzrow's e de Hoboken, a velha guarda, filhos dos tempos difíceis, depois que o Segundo Pulso destruíra tudo. Pessoas que eram pagas com comida e *blocknecklaces*, pessoas unidas a seus edifícios por dinheiro e amor. Tinham se agrupado em um canto, felizes com a pequena reunião que ela organizara. Tomar cerveja e contar histórias. A reunião mais tarde seria tão beligerante como sempre. Pessoas reclamando, discutindo, gritando, pedindo votos para isso ou para aquilo. A bagunça louca da vida na zona entremarés. Por enquanto, eles eram um grupo funcional naquela loucura. Provavelmente, haveria cerca de vinte reuniões similares por todo o *bacino* de Washington Square, em preparação a outras reuniões mais públicas ou pelo menos para desabafar entre gente conhecida.

— Todos nós vamos precisar dos Irregulares do *Bacino* — disse Gen para eles. — Tenho uma força-tarefa trabalhando nisso agora, e meu próprio edifício, o edifício da minha gente, também está na mira. Então comecem a farejar e me contem o que descobrirem.

Qual é o enfoque?, eles perguntaram. O gargalo, o lugar para olhar?

— Vejam se aparece algo da Morningside Realty — sugeriu a inspetora. — São os intermediários da oferta pela torre Met. Se estão intermediando mais ofertas, quero saber. Talvez isso nos permita juntar todas as pistas. E também Pinscher Pinkerton. Fiquem de olho neles, são encrenca.

Ela permaneceu para a reunião, mas não demorou a ficar cansada. Havia um motivo para que chamassem aquilo de Samba. Além de a palavra ser quase igual à sigla da associação, também era o nome da moeda local, emitida em *blocknecklaces*; e normalmente era um samba de fato, uma algazarra. Todo mundo tinha que falar o que pensava, o que sem dúvida era certo, mas que maldição... Como essa gente falava. Ela podia ver por que Vlade e Charlotte não apareciam em muitas reuniões. No final de um longo dia, ir até lá e ajudar a organizar toda a zona úmida em uma reunião municipal, com suas normas de procedimento e tudo mais: era de doer.

Mas a alternativa era pior. Então os mais rigorosos e os conscienciosos, os jovens ou argumentativos, ou teimosos, continuavam se reunindo e fazendo o esforço. Juntos ou separados: a grande realização norte-americana. Uma brincadeira de Ben Franklin, o jovem Franklin Garr a informara recentemente com uma expressão de orgulho alegre.

Quando a reunião terminou, Gen finalmente se levantou, e várias pessoas vieram falar com ela, muitas das quais desconhecidas. Gostavam da presença dela ali. Acontecia o mesmo com os submarinos: era bom ter alguma representante da corporação por perto, prestando atenção. Mesmo se tivesse dormido na cadeira.

Agora precisavam dela no baile.

— Ah, Deus — protestou Gen.

Mas eles a arrastaram assim mesmo, e um grupo punk com um bando de vocalistas entoava "Heroin", de Lou Reed, como se fosse um hino nacional – coisa que talvez fosse certa naquele lugar. Gen quis objetar que a exaltação das drogas na letra tinha mais probabilidade de gerar um estado de fluxo do que aquele estilo sobrecarregado de unhas raspando a lousa ao qual se entregavam, mas o que ela sabia na verdade? Eles a fizeram dançar aquilo, e ela dançou, ainda que não fosse mais do que um *jitterbug*, requebrando com vontade, lançando homens grandes nas paredes com seu traseiro, ignorando o cansaço do dia. Dava para inflamar uma pista de dança se você se deixasse invadir pelo espírito. E, Deus, eles precisavam daquilo. Depois alguém lhe deu uma carona para casa em uma gôndola. Ela dormiria no instante em que colocasse a cabeça no travesseiro. Bem como gostava de fazer.

•

Lorca estava em Wall Street na Terça-feira Negra, em 1929, e viu muitos financistas mergulharem do alto de arranha-céus e se matarem. Um deles quase o acertou. Mais tarde, ele disse que era fácil imaginar a destruição da Baixa Manhattan por "furacões de ouro".

Bert Savoy foi atingido por um raio depois de levantar a voz para uma tempestade no calçadão de Coney Island. "Já é o bastante, sr. Deus!", disse ele bem antes de ser atingido.

> Henry Ford temia que a quantidade de terra que estava sendo removida para fazer a fundação do Empire State era tão imensa que teria um efeito desastroso na rotação da Terra. Não era um gênio.

g) Franklin

Bem, foda-se. Foda-se, foda-se, foda-se. Isso não é justo. Não está certo.

Ela mentiu para mim. Ou assim eu quis acreditar. Ela me disse que era operadora de um *hedge fund*, então tínhamos o mesmo trabalho, os mesmos interesses, partilhávamos preocupações e objetivos. Então eu me apaixonei por ela, ou algo parecido. E não só porque ela tinha tão boa aparência, embora tivesse. Era por seu modo de ser, seu jeito de falar, e, de fato, por todos os interesses que dividíamos. Éramos almas gêmeas e companheiros de cama ou, eu devo dizer, companheiros de cabine, e os primeiros faziam que os segundos fossem extraordinários. Eu estava apaixonado, sim. Então, que eu me foda. Fui um imbecil.

Mesmo assim, eu ainda a queria.

A coisa é que quando se trabalha em um *hedge fund*, tudo gira em torno de ganhar dinheiro, não importa como se mova o mercado, não importa o que aconteça. Mesmo que Deus proclame o Dia do Juízo Final, você está resguardado. Ok, você tem que acreditar que Deus vai pagar, já que é a última fonte de valor. Mas em qualquer cenário menos apocalíptico, você está coberto e vai ter lucro, ou no mínimo vai perder menos do que o restante dos competidores, o que é o mesmo que ter lucro, porque está tudo relacionado à vantagem diferencial. Se todo mundo está perdendo e você perde menos do que os outros, você está ganhando. Essa é a base do que fazem os *hedge funds*. Jojo trabalhava em um dos maiores *hedge funds* de Nova York, e eu trabalhava para um grande *hedge fund*, assim que éramos uma combinação feita no céu de Black-Scholes.

Mas, não. Porque em muitos *hedge funds* o esforço para maximizar os benefícios haviam derivado em atividades adicionais às operações em si, incluindo capital de risco. Mas o capital de risco converte os ativos líquidos em não líquidos, um pecado capital na maioria das finanças. A liquidez é crucial, um valor fundamental, é o alfa e o ômega dos mercados. O capital de risco é, portanto, pequeno na maioria dos *hedge funds*, e quem trabalha com isso em geral acaba falando sobre "investimentos de valor agregado", sugerindo que busca trazer a expertise que ajudará quem quer que esteja investindo a ter sucesso no que quer que esteja fazendo. Isso é besteira, na maioria das vezes, uma desculpa torpe para a vergonhosa falta de liquidez de seus investimentos, mas não há como negar que muitos deles gostam da ilusão.

E essa, eu temia, era a toca do coelho na qual Jojo entrara. Que ela quisesse fazer mais do que ganhar dinheiro, que parecesse querer algum tipo de investimento de valor agregado na então chamada economia real, era preocupante. A Eldorado era quase certamente alavancado uma centena de vezes além de seus ativos disponíveis, então a liquidez os tornava vulneráveis. O capital de risco era de superlongo prazo e, portanto, perigoso, porque não havia essa coisa de supercurto prazo para equilibrar. Isso sugeria que Jojo tinha investido emocional e excessivamente em uma pequena parte do negócio de sua empresa, o que era perigoso em si, e indicava que seu olhar estava desviado, que de algum modo ela queria mais do que o mercado financeiro podia dar e, mesmo assim, continuava na área de finanças. Então era um engano, uma pretensão, uma falta de foco que eu teria preferido não ver.

Mas claro que, maldição, eu também tinha ido no superlongo prazo com Jojo, cometendo, na essência, o mesmo erro: perda de liquidez, desejo de equilíbrio, desprezo pela volatilidade, apego a uma situação estável em particular, algo contra o que até Buda nos adverte. E nessa situação tão perigosa, minha parceira em potencial no projeto mútuo de ser um casal, que era também um tipo de investimento de capital, não tinha alcançado o preço de mercado. Ela tinha deixado passar sua opção. Na verdade, essas metáforas financeiras estavam me deixando enjoado, ainda que continuassem aparecendo em minha mente de um jeito que eu era incapaz de impedir. Não, basta. Eu gostava dela, eu a desejava. Ela não me queria. Era assim que a coisa era.

Então, para tê-la de volta, eu precisava fazer coisas que a fariam gostar de mim. Claro assim. Simplesmente começar do zero, só isso.

Foda-se, foda-se, foda-se.

Bem, era claro que eu precisava continuar sendo amigável. Devia fingir para Jojo que eu tinha concordado em voltar ao nível de amizade entre duas pessoas que viviam na mesma vizinhança e trabalhavam na mesma área, e viam uma à outra em um grupo de conhecidos comuns depois do trabalho. Ia ser difícil, mas eu podia fazer isso.

Então, além disso, eu precisava achar um jeito de reverter o funcionamento normal do mundo. Em vez de "financeirizar" o valor, eu precisava adicionar valor às finanças. No início, eu não conseguia nem conceituar isso. Como dava para adicionar mais valor às finanças, quando as finanças existiam para "financeirizar" o valor? Em outras palavras, como podia existir algo além de dinheiro, quando o dinheiro era a fonte definitiva de valor?

Um mistério. Uma aporia quase insuperável. Algo em que eu pensava quase sem parar à medida que as horas e os dias passavam.

E comecei a ver de um jeito novo, algo assim: tinha que significar algo. As finanças ou mesmo a vida: tinha que significar algo. E o significado não tinha preço. Não podia ser precificado. Era um tipo de forma alternativa de valor.

Um dos meios de conseguir que as negociações com o IPPE funcionassem tão bem para mim era seguir de perto a realidade da zona entremarés. Claro que eu só podia fazer isso mais benfeito em Nova York, porque exigia visitas; mas o que ocorria em Nova York, fosse o que fosse, era bem parecido com o que acontecia nas outras grandes cidades costeiras do mundo, em particular Hong Kong, Xangai, Sidney, Londres, Miami e Jacarta. As mesmas forças estavam em jogo em todos esses lugares, em especial o estresse aquático, as melhorias tecnológicas e os aspectos legais. Se os edifícios permaneceriam em pé ou desabariam era uma das questões cruciais, talvez a questão crucial. Cada edifício tinha uma história diferente, embora conjuntos de *big data* pudessem ser reunidos e algoritmos criados para julgar o risco muito bem em várias categorias. Os casos individuais é que faziam multiplicar as especulações. Como sempre, era mais seguro generalizar e jogar com porcentagens.

Mas para pesquisar essa questão pessoalmente eu podia entrar na minha aranha d'água e percorrer o porto de Nova York, observando os edifícios concretos, ver como estavam, compará-los com os algoritmos que previam seu comportamento, e procurar discrepâncias que me permitissem jogar com os *spreads* melhor do que os outros operadores. Dados do mundo real para os modelos a fim de tirar vantagem da competição, em especial dos numerosos operadores em Denver que trabalhavam em futuros costeiros. Os dados do mundo real eram uma vantagem; eu tinha certeza porque já fazia isso havia quatro anos e funcionava.

O que eu estava vendo, até o ponto de confirmar tal coisa para minha própria satisfação, era que os modelos de comportamento das propriedades costeiras, incluindo o meu, simplesmente erravam com certas categorias de edifícios, algo em que eu hesitava até mesmo pensar no início, no caso de, por qualquer razão, perder a criptografia em meus próprios pensamentos – por exemplo, deixando escapar algo depois de várias horas em um bar.

Assim, ponderando todas essas coisas enquanto voava pelas vias navegáveis da cidade lunática, comecei a pensar que podia ter encontrado um jeito de fazer investimentos de valor agregado, aplicando um pouco de capital de risco onde o dinheiro contribuísse para um bem social, encorajando Jojo a me reconsiderar em algum sentido humano fundamental. Talvez eu pudesse identificar edifícios que tinham mais probabilidade de desmoronar do que os modelos previam, e descobrir formas de renová-los, postergando o desmoronamento tempo o bastante para que pudessem servir de residência para refugiados ou espaços de criação. Moradias de todos os tipos eram escassas, porque gente demais continuava chegando a Nova York para tentar viver aqui, movidos por algum tipo de vício, alguma compulsão em viver como ratos d'água quando podiam se dar melhor em outro lugar. Ou seja, o mesmo de sempre! O que significava que havia espaço para uma reforma urbana tipo Jane Jacobs. Isso era muito ambicioso para mim, mas algumas melhorias na zona entremarés, isso eu poderia tentar. A zona entremarés era minha especialidade, e era por onde eu poderia começar. Tentar fazer alguma coisa.

Então abandonei minhas telas uma manhã, desci até meu querido zumbidor e arranquei do edifício para a Vinte e Dois, seguindo para oeste até o Hudson. Era hora de sair e encarar a realidade.

A zona entremarés na parte baixa do centro deslizava de um lado para o outro sobre uma área que em grande parte era de aterros antigos, e esse duplo nível de sedimentos provocara o desmoronamento de um monte de edifícios. Da Treze até o Canal havia uma vastidão de construções desmoronadas, inclinadas, rachadas e quebradas. Uma casa construída sobre areia não podia ficar em pé.

Ainda assim, eu via os sinais habituais de ocupações ilegais nas ruínas inundadas. A vida ali possivelmente lembrava a realidade ordinária e miserável de séculos anteriores, mais embolorada do que nunca, os ocupantes arriscando a vida a toda hora. O mesmo de sempre, no entanto mais molhado. Porém, mesmo no pior dos bairros ainda existiam algumas ilhas de sucesso, impermeabilizadas, com a água bombeada para fora e tornadas habitáveis de novo – em muitos casos, melhores do que antes, ou então era o que as pessoas diziam. As sociedades de ajuda mútua estavam fazendo algo interessante, a então chamada Super-Veneza, moderna e artística, sexy, uma nova lenda urbana. Algumas pessoas estavam felizes em viver sobre a água se isso fosse conceituado como veneziano, suportando o mofo e as dificuldades para morar em uma obra de arte. Eu mesmo gostava disso.

Como sempre, cada bairro era um mundo em miniatura, com seu caráter particular. Alguns deles pareciam ter bom aspecto, outros estavam em ruínas, outros, ainda, abandonados. Não estava sempre claro por que determinado bairro tinha determinado aspecto. Coisas aconteciam, um edifício aguentava ou despencava, e o entorno seguia. Muito incerto, muito volátil, muito alto risco.

Então, naquele dia eu percorri lentamente com meu veículo o antigo bairro do sr. Hexter, ao sul da torre desmoronada. Estava ao sul das praias ferroviárias do Hudson e percebi uma zona pequena que perdera todas as vias férreas, ficando à mercê de um desgaste de maré tão intenso, segundo diziam, como o do meio do rio. Não dava para saber se o tamanho da percolação daquele buraco na lateral da ilha tinha causado a queda da torre, mas ali estava ela, a metade de cima, destruída, recebendo as ondas bem nas janelas quebradas. Parecia um cruzeiro aleijado em sua última viagem a caminho do fundo.

Muitos outros edifícios seguiam o mesmo destino. Eu me lembrei daquelas fotos de florestas bêbadas no Ártico, onde o derretimento do permafrost fizera que as árvores se inclinassem para um lado ou para o outro. Chelsea Houses, Penn South Houses, London Terrace Houses, todas inclinadas, como se estivessem embriagadas. Nem um pouco inspirador, em termos de oportunidades de investimento. As técnicas de recuperação melhoravam o tempo todo, mas não faz sentido impermeabilizar uma casa construída na areia. Os compósitos grafenados e os revestimentos de diamante são fortes, mas não podem impedir a decomposição do concreto, são mais como uma cobertura de plástico bem forte; precisam de suporte para funcionar, são principalmente impermeabilizantes.

Enquanto eu avançava ronronando pelos canais estreitos entre a Décima e a Décima Primeira, avistei a chamada Grande Pirâmide Quadrangular, perto da margem do Hudson. Ali, durante o primeiro frenesi de construção de passarelas, um grupo de investidores tinha suspendido um centro comercial uns quarenta andares acima do nível do chão, no meio de quatro arranha-céus que ancoravam as passarelas que o mantinham no ar. Aquilo animara as pessoas até que o peso do centro comercial puxou abruptamente as quatro torres para dentro. Cinco andares do centro comercial foram derrubados de uma vez, quebrando tudo o que havia dentro antes que, de algum modo, as torres conseguissem segurar a estrutura. A partir daí, as pessoas começaram a ser muito mais cuidadosas; agora, a Grande Pirâmide Quadrangular erguia-se ali como se fosse um Stonehenge do mal, para recordar o mundo de nunca suspender peso demais além da linha de nível de um arranha-céu. Como muitos engenheiros assinalaram, essas construções foram feitas para manter seu próprio peso.

Todos aqueles edifícios bêbados: quanto tempo durariam? Na eterna batalha do homem contra o mar, que antagonista estava vencendo? O mar era sempre o mesmo, enquanto nas trincheiras da humanidade ocorriam melhorias; mas o mar era incansável. E podia erguer-se mais uma vez. Um Terceiro Pulso não estava fora de questão, embora estudiosos da Antártida não tivessem identificado grandes massas de gelo com perigo de se desprender atualmente; esse era um fato considerado no IPPE. De todo modo, o que quer que acontecesse com o nível do mar nos anos seguintes, a zona entremarés sempre estaria em dificuldades. Todos que tentavam, em bases profissionais regulares, lutar contra o mar em qualquer posto admitiam que o inimigo sempre acabava ganhando, que sua vitória era só questão de tempo. Alguns deles chegavam a ficar bem filosóficos ao falar sobre isso, de uma forma depressiva ou niilista. Nada do que fazemos importa, trabalhamos como cães e depois morremos etc.

Então, chegaria um momento em que todos os edifícios mais fracos da zona entremarés precisariam de grandes reparos – se é que isso seria possível. Se não fosse, teriam que ser substituídos – se é que isso seria feito!

Enquanto isso, as pessoas continuavam vivendo ali. Sinais de moradias irregulares estavam por todo lado: janelas quebradas substituídas, roupas secando em varais, fazendas nos telhados. Era mais evidente durante o dia. À noite, quando as luzes eram apagadas, os edifícios pareciam realmente abandonados, com exceção ocasional de alguma vela acesa por aqueles fantasmas. Mas durante o dia era fácil ver. Manhattan nunca tivera lugares suficientes para se viver. E não adiantava aumentar os aluguéis para manter as pessoas longe, porque elas davam um jeito de evitar os aluguéis e morar irregularmente onde pudessem. A cidade alagada tinha buracos e nichos infinitos, incluídas, é claro, as bolhas de diamante que mantinham a maré afastada de porões arejados. As pessoas viviam como ratos.

Provavelmente, era isso o que Jojo esperava melhorar com seu investimento de valor agregado. Uma causa perdida, na verdade. Ainda que conseguisse, isso faria de você uma espécie de Sísifo topograficamente inverso, condenado a escavar um buraco eternamente preenchido, a bombear água de um porão após outro só para vê-los inundados de novo, frequentemente com resultados fatais; e depois fazer tudo outra vez. Arejamento! Propriedades submarinas! Um novo mercado para financiar e depois alavancar, para que o ciclo pudesse se repetir em larga escala, como a primeira lei exigia. *Crescer sempre.* Isso significava que, uma vez totalmente preenchida a superfície da ilha, você mirava primeiro para o céu; em seguida, quando os esforços alcançavam o limite de resistência dos materiais da época, você tinha que escavar. Depois que os porões, metrôs e túneis fossem arejados, sem dúvida as pessoas começariam a escavar cavernas mais e mais profundas, estendendo uma cidade invisível de Calvino até a litosfera, escavando arranha-terras para imitar os arranha-céus que já existiam, construções até o centro da terra. Calefação geotérmica sem custo adicional! Apartamentos no inferno! Isso era Manhattan.

Só que não. Era fácil pensar de maneira pessimista ao navegar pelas ruínas abandonadas de Chelsea, tentando não olhar para os rostos furtivos nas janelas dos andares altos, e, mesmo assim, vendo igualmente a miséria. Mas também era fácil se livrar daquelas imagens tristes; era só virar o aerobarco e zumbir para o grande rio e acelerar até o hidroplano ganhar velocidade, erguer-se e voar, voar corrente acima, para longe, muito longe da cidade ferida. Voar!

Eu fiz isso. O largo Hudson se estendia como um lençol sob mim, seus movimentos internos enrolando e fraturando a superfície escura. E ali estava, parada ao meu redor, nos dois lados do rio: a alta Manhattan e Hoboken, ambos lotados de arranha-céus mais altos do que em qualquer outro lugar, os dois lados do rio competindo pela proeminência, em uma década na qual uma revolução dos materiais de construção permitiu que arranha-céus três vezes mais altos do que quaisquer outros antes fossem erguidos. E ainda agradava aos ricos enfiar um ou três bilhões em um apartamento bem alto em algum lugar de Nova York para visitá-la alguns dias por ano, desfrutar da maior cidade do mundo. Sem chance de Denver igualar a vista que eu tinha neste instante!

Deixei o aerobarco descer na água de barriga e segui até a longa doca que flutuava sob o Cloister. O grande complexo de supertorres, cada uma com bem mais de trezentos andares, erguia-se mais adiante como a parte visível de um elevador espacial; realmente pareciam furar o domo azul do céu, já que sumiam no alto sem chegar a terminar. Esse efeito fazia que o próprio céu de algum modo parecesse mais baixo do que o normal, como uma cúpula azul-turquesa de algum circo imenso, sustentado por um mastro central de quatro pontas.

Havia uma fila na entrada da marina de quase uma dúzia de barcos, então parei perto da parte da ilha que terminava em um penhasco íngreme, para esperar que a fila acabasse. O velho Henry Hudson Parkway fora submerso pelo rio havia muito tempo, e a estrutura que tinham feito na colina para sustentar aquela intervenção de Robert Moses agora ficava sob a água até na maré baixa, e abrigava um estreito e comprido pântano salgado, uma superfície fluida verde amarelada que cobria o pé da colina, repleta de arbustos, samambaias e pequenas árvores, e pontilhada pelos afloramentos ditatoriais da ilha que se sobressaíam na vegetação.

Eu me aproximei lentamente da borda verdejante do pântano salgado e virei rio acima. Senti o hidrofólio do estibordo da embarcação tocar o fundo. Era quase maré alta. Um tranquilo estuário em um canto da cidade, um pequeno teatro de Thoreau, fresco sob a sombra de uma nuvem que passava.

A vegetação do pântano estava quase submersa neste ponto da maré. Algum tipo de zostera fluida, seguindo horizontalmente de um lado e do outro, empurrada primeiro rio abaixo, pela correnteza, depois rio acima, com a batida repetida das ondas provocadas pelos barcos. Os vários talos fluíam em paralelo, como cabelo submerso em uma banheira. Cada talo verde tinha pontos amarelos, e conforme a massa verdejante se agitava para a frente e para trás com as ondas, havia um brilho adorável, hipnotizante de ouro. Para a frente e para trás, as folhas fluidas se flexionavam, brilhantes e líquidas. Para a frente e para trás, verde e dourado, para a frente e para trás, fluindo, fluindo, fluindo. Realmente muito bonito.

Naquele instante, observando o movimento, apenas passando o tempo em uma pequena contemplação da beira do rio, esperando que os barcos saíssem da entrada da marina, tive uma visão. Um satori, uma epifania; e se você me dissesse que chamas estavam saindo do alto da minha cabeça nesse momento, eu não ficaria surpreso em ouvir. As bizarrices bíblicas só tinham sido precisas ao descrever a sensação que você tem ao ser pego por uma ideia. Felizmente, não havia mais ninguém ali para me ouvir falando em línguas, ou para interromper meu pensamento e me fazer esquecer a coisa toda. Não, aí estava: pensei bem pensado, senti. Eu não ia esquecer. Observei o fluxo da vegetação para a frente e para trás no riacho, fixei o pensamento com a imagem hipnotizante da lateral do aerobarco. Realmente, muito lindo.

— Ei, obrigado! — falei para o mestre da doca quando ele acenou para que eu entrasse na marina. — Acabo de ter uma ideia!

— Parabéns!

Subi pela enorme escada até a praça que cercava Cloistermunster, a maior torre do complexo de quatro grandes supertorres que se erguiam no alto da colina. A Munster fora construída no formato de uma coluna de Bareiss, o que significava que a parte de baixo e o alto do edifício eram ambos semicirculares, mas com os semicírculos orientados a cento e oitenta graus um do outro. Essa configuração fazia que todas as superfícies externas do edifício se curvassem graciosamente. As outras torres do conjunto também eram colunas de Bareiss, mas com duas em cada torre, empilhadas verticalmente de modo que seus pontos médios formavam semicírculos correspondentes. Essa solução era repetida nas elegantes e longas curvas que se erguiam para o céu. Cruzei a praça com a cabeça inclinada para trás, como um turista, desfrutando da arquitetura sublime que, neste momento do meu Dia da Ideia, parecia excessivamente rebuscada, mas de um jeito bom. Tudo parecia vasto.

Dentro da Munster, peguei a sequência de elevadores rápidos até o andar trezentos e um, o mais alto, onde Hector Ramirez tinha seu escritório, se essa era a palavra adequada para um aposento que ocupava o andar inteiro de um edifício tão grande. Um loft? Era um único espaço semicircular quase do tamanho de Block Island, com paredes de vidro em todos os lados.

— Franklin Garr.

— Maestro. Obrigado por me receber.

— É um prazer, meu jovem.

Ele não estragara o impacto de sua gaiola translúcida com muitos móveis. Ao redor do poço do elevador havia alguns cubículos de meia altura, e algumas mesas do lado de fora, e além disso um espaço aberto que se estendia até as paredes de vidro curvas para o sul, retas ao norte; os vidros em todas as direções tão limpos que era difícil ter certeza de que estavam ali. Era possível ver o mundo.

Para o sul, o restante da cidade alta era uma floresta de arranha-céus, só um pouco mais baixos do que o complexo Cloister, cada qual mostrando sua glória de Gehry. À esquerda das torres estavam Bronx, Queens e Brooklyn, os três distritos eram agora baías salpicadas de edifícios, sendo Brooklyn Heights a primeira terra de verdade vista daquele lado, coberta por sua própria fileira de arranha-céus. Somente dessa distância era possível ver quão altas as torres realmente eram, e que eram realmente muito altas. Enquanto isso, a água reluzia por toda parte, cheia de edifícios alagados, pontes, navios e rastos de navios.

O mesmo à direita, mas o Hudson era uma vastidão de água mais ampla e mais clara do que o East River e seu entorno: um grande e azulado caminho aquático, repleto de embarcações, mas livre de edifícios em ruínas, só com a pontes George Washington e Verrazano cruzando a grande baía. Hoboken formava outro horizonte que lembrava as costas de um dragão, interrompendo a vista da imensa baía que inundava as Meadowlands, pontuado em seu extremo sul pelas gordas torres sobre Staten Island. Ao norte ficava o norte, uma névoa cortada pelo grande rio. O norte era o lugar para onde se fugir, mas ninguém queria ir para lá. Se você realmente quisesse deixar a cidade, tinha que ir para cima. De fato, sobre seu escritório eu sabia que estava ancorada a aeronave de Hector, uma pequena aerovila do tipo Vinte e Um Balões. Ele podia partir para o céu toda vez que quisesse, e ocasionalmente fazia isso.

Ele parecia feliz em me ver. E eu definitivamente estava feliz em vê-lo. Chefe, professor, mentor, conselheiro: tive vários de cada um desses ao longo dos anos, mas Hector fora o primeiro a combinar todos esses papéis, e então se tornara o mais importante entre eles. Eu fui estagiário dele quando era jovem demais para saber a sorte que tinha, recém-saído da patética escola de negócios de Harvard, e ele me ensinara muitas coisas, mas a mais útil de todas foi a arte dos *swaps* em relação aos títulos de dívidas de políticas sociais. Desde então eu vinha trabalhando nas evoluções dessas lições, e agora elas seriam cruciais para sobreviver ao colapso da zona entremarés.

— A crise está chegando — falei, apontando para a imensa aquatrópolis. O centro bloqueava a vista da cidade baixa, mas ele sabia do que eu estava falando, e a imensa curva do Hudson era a metáfora perfeita para o destino que se aproximava da baixa Manhattan. Ia tudo ficar daquele jeito.

— Eu pensei que a tecnologia de recuperação estava ficando mais forte — disse Hector, para mostrar que sabia do que eu estava falando.

— Está — garanti. — Mas não com a rapidez necessária. A Mãe Oceano não pode ser derrotada. E está ficando cada vez mais difícil lutar contra ela na zona entremarés. Maré após maré, onda após onda... Nada pode aguentar isso, não no longo prazo.

— Então faz sentido encurtá-lo — observou ele.

— Sim. Como sabemos. Mas andei pensando no que vem depois.

— Retirar-se para regiões mais altas? — Ele gesticulou ao redor de si.

— Claro. Tomar o caminho mais fácil. Fugir para Denver. Mas alguns lugares serão diferentes, e este vai ser um deles. É o mito do lugar. As pessoas simplesmente não param de vir. Não importa que seja um litoral fatal. Elas querem estar aqui.

Ele assentia. Tinha vindo da Venezuela, havia me contado, sentindo a atração ele mesmo. Rato d'água, sem um centavo no bolso, e agora aqui.

— E então?

— Então, há uma combinação de novas tecnologias que poderiam ser chamadas de "moradas de zostera". Algumas delas vêm da aquicultura. Basicamente, você para de tentar resistir. Segue com as correntes, sobe e desce com as marés. Você pega a força do grafeno, a capacidade de aderência das novas colas e a flexibilidade da fáscia artificial. Coloca os pilares no leito rochoso, qualquer que seja a profundeza em que ele estiver, ancora em pedaços de cordas de fáscia que vão se esticar com as marés e sempre serão longas o bastante para alcançar a superfície, e então prende plataformas flutuantes. Faz uma plataforma do tamanho de um quarteirão normal de Manhattan.

— Então seria como viver em uma doca, ou em uma casa de barcos.

— Sim. E alguns podem viver embaixo d'água, como em um casco de navio. Então você liga todas as plataformas, para que elas se movam juntas nas marés, como zostera. Amortecedores laterais serão necessários, como aqueles que os barcos usam quando encostam em uma doca. Com o tempo, você teria uma cobertura flutuante dessas plataformas, um bairro inteiro com elas.

— Não daria para construir muito alto.

— Não tenho tanta certeza. Os compósitos de grafeno são realmente leves. É o que nos deixa tão altos aqui. De todo modo, poderia ir tão alto quanto era antes naquela parte da cidade.

Ele assentiu.

— Pode ser feito?

— Toda a tecnologia já está disponível. E logo tudo o que está lá embaixo vai se desfazer na água.

Ele ainda assentia.

— Vá em frente, filho. Vá em frente.

— Eu vou. Vou mesmo.

— Então, o que quer de mim?

— Alavancagem. Quero um anjo.

Ele deu uma gargalhada.

— Tudo bem. Eu estava me perguntando o que viria a seguir nesta cidade. Parece muito animador. Conte comigo.

Então aquilo era bom. Realmente bom. E eu ainda pensava muito sobre isso quando coloquei a aranha d'água no rio novamente e segui para o centro. O problema que permanecia, no aqui e agora, era que eu trabalhava com derivativos em um *hedge fund*, e não em uma empresa de arquitetura que projetava a próxima versão do design entremarés. Eu não podia fazer esse trabalho da minha posição.

Mas poderia financiá-lo.

O que significava encontrar gente para financiá-lo. Claro que isso lembrava o que eu já fazia todo dia, porque encontrar alguém para financiar era muito parecido com encontrar uma boa aposta. Mesmo que a WaterPrice não tivesse muita coisa de capital de risco em sua carteira, era possível argumentar que deveria ter. E descobrir o longo prazo que se seguiria ao curto prazo era algo inteligente para qualquer um. Era quase como o que eu tentava fazer com Jojo.

Isso me fez pensar se eu devia contar para ela o que estava prestes a fazer, ou mesmo pedir sua ajuda – o que quer que a impressionasse mais. Se era para isso que tudo aquilo servia. O que era. Pelo menos no princípio. Mas então esse podia ser um caso de quanto antes melhor, e pedir ajuda podia parecer um sinal de vulnerabilidade madura. Eu tinha a sensação de que ela iria gostar, e estava impaciente para lhe contar tudo aquilo.

Então, quando o aerobarco chegou ao centro, fui ao Píer Cinquenta e Sete, até o bar em que nos conhecemos. Era sexta-feira novamente, um pouco antes do pôr do sol; e novamente ela estava ali, regular como um relógio. E que tal? Ali estava o mesmo grupo também, John e Evgenia, Ray e Amanda, e todos me cumprimentaram de um jeito bem amigável, Jojo também, como se nada tivesse ocorrido entre nós. Por outro lado, Amanda e eu estávamos assim um com o outro, então não dava para dizer que fosse incomum da parte de Jojo agir da mesma maneira, tranquila e amigável, sem envolvimentos. Merda.

Bem, peguei uma bebida com Inky, que me perguntava sobre isso com os olhos, mas eu apenas revirei os meus, para indicar que não era para tanto e que, bem, mais tarde eu lhe contaria tudo, e voltei para o grupo. Na balaustrada, ao entardecer de dezembro, o ar estava frio, o rio deslizava com um tom de cobre sobre si mesmo em sua correnteza até o Narrows. A banda da casa estava lá dentro tocando blues, tentando fazer uma trilha sonora para a vista. A conversa do grupo era a mesma, e mais uma vez eu fiquei estupefato: essas pessoas, meus amigos, tinham uma tendência a ser completos idiotas, e mesmo assim Jojo estava bem feliz com eles no dia em que nos conhecemos, e agora também. Nós dois combinávamos bem; então, o que aquilo queria dizer? Eu tinha uma hipótese desanimadora: talvez ela tivesse afirmado que eu não tinha o altruísmo de que ela gostava em um homem só para ter uma desculpa para algo mais fundamental do que... bem, mais fundamental do que as filosofias fundamentais da vida. Isso não encaixava direito, mas, novamente, eu não sabia. Provavelmente teria sido mais fácil aceitar que ela não gostava dos meus valores do que do meu cheiro, ou do meu estilo de fazer amor. O que de fato ela parecera gostar. Bem, era só muito confuso.

Tentei ignorar aquele rodamoinho em meu cérebro e nas minhas entranhas, e depois de um tempo parei ao lado dela, e lá estávamos.

— Como foi seu dia? — perguntou Jojo.

— Foi bom — respondi. — Interessante. Eu fui conversar com meu antigo professor de Munstrosity, sobre tentar fazer alguma coisa com tudo o que já foi inventado para impedir que os imóveis afundem. Você sabe, algum tipo de capital de risco, tipo a coisa da qual você estava falando antes.

Ela me olhou com alguma curiosidade, e tentei tirar esperanças daquilo, e não me perturbar com o brilho cristalino e castanho de seus olhos, os lindos olhos da pessoa pela qual me apaixonara tão perdidamente. O que era quase impossível, e eu não pude deixar de engolir em seco sob seu olhar.

— O que você tem em mente? — perguntou ela.

— Bem, visto que a zona entremarés não tem um leito rochoso embaixo dela, ocorreu-me que nunca vai dar para construir nada com garantias de que aguente.

— Então você deixa tudo ir embora.

— Não. De fato eu estava falando com Hector sobre ancorar o que você poderia chamar de bairros flutuantes. Conectar pequenos blocos como aeropovoados no leito rochoso, não importa a que profundidade esteja, e então você não precisa mais lutar tanto contra as marés.

— Ah — exclamou Jojo, parecendo surpresa. — Boa ideia!

— Acho que talvez seja.

— Boa ideia — repetiu ela, e então franziu o cenho um pouco. — Então agora você está interessado em capital de risco?

— Bem, eu só estava pensando. Deve haver algo para se fazer no longo prazo, depois do curto. Você estava certa nisso.

— É verdade. Bem, isso é interessante. Bom para você.

Então. Um pouco de esperança aqui, presa a uma emoção no leito rochoso, bem fundo sob as ondas: a emoção do tanto que eu a queria. Prender um cabo a esse leito rochoso, deixar flutuar uma pequena boia de esperança. Voltar mais tarde e ver o que mais pode estar preso lá. Ela não parece hostil. Não zombou do meu interesse repentino no mercado imobiliário. Nada claramente negativo. Talvez até amistosa; talvez até anuente. Pensando no assunto. Um pequeno sorriso em seus olhos. Certa vez, um fotógrafo me disse: "Sorria apenas com os olhos". Eu não tinha entendido o que ele quis dizer. Talvez agora eu esteja vendo. Talvez. O jeito como ela me olhava... Bem, não dava para dizer. Para ser honesto, eu não saberia dizer no que ela pensava.

•

> Quando a Radio City foi inaugurada, eles encheram o ar de ozônio com a ideia de que as pessoas ficariam mais felizes. O empresário Samuel Rothafel queria que fosse gás do riso, mas não conseguiu aprovação do município.

> Robin Hood Asset Management começou analisando os vinte *hedge funds* de maior êxito e criou um algoritmo que combinou todas essas estratégias mais frutíferas. Então ofereceu seus serviços para microinvestidores em

situação precária de trabalho, e a partir daí construiu o sucesso pelo qual é conhecido.

O antigo Waldorf Astoria, demolido para dar lugar ao Empire State Building, foi jogado no Atlântico, a oito quilômetros de Sandy Hook.

Ficamos em Nova York até que a cidade se mostrasse tão familiar que parecia errado partir. E depois, quanto mais a estudava, mais grotescamente má ela crescia.

Rudyard Kipling, 1892

•

h) Mutt e Jeff

— Jeff, está acordado?
— Não sei. Estou?
— Parece que sim. Isso é bom.
— Onde estamos?
— Ainda naquele quarto. Você andou doente.
— Que quarto?
— Um contêiner largado em algum lugar. É onde estão nos mantendo. Talvez embaixo d'água, de vez em quando parece que estamos embaixo d'água.
— Se você está embaixo d'água, nunca mais vai poder sair. O mercado nunca mais voltará ao que era antes, então você afundou para sempre. Melhor declarar falência e ir embora.
— Eu faria isso se pudesse, mas estamos presos aqui dentro.
— Agora eu me lembro. Como você está?
— Como?
— Perguntei como você está.
— Eu? Estou bem, bem. Na verdade, não tenho me sentido muito bem, mas nem de perto tão mal quanto você. Você ficou bem doente.
— Eu me sinto uma merda.
— Sim, sinto ouvir isso, mas pelo menos você está conversando. Por um tempo, você não conseguiu nem falar. Foi assustador.
— O que aconteceu?
— O que aconteceu? Ah... com você. Escrevi alguns bilhetes nos nossos pratos e mandei para eles quando vinham pegar a bandeja pela abertura da porta.

Então sua comida começou a vir com alguns comprimidos que fiz você tomar. Mas uma vez eu dormi bem pesado, acho que foi porque nos sedaram, e entraram aqui. Tiraram você. Não sei, mas quando acordei de novo, você estava dormindo mais tranquilo. E agora, aqui estamos.

— Eu me sinto uma merda.

— Mas está conversando.

— Mas não quero conversar.

Mutt não sabe o que dizer a esse respeito. Ele se senta ao lado da cama de Jeff e segura a mão do amigo.

— É melhor quando você conversa. É bom para você.

— Na verdade, não — Jeff encara o amigo. — Você fala. Estou cansado de falar. Não posso mais falar.

— Não posso acreditar nisso.

— Acredite. Conte-me uma história.

— Quem, eu? Não sei nenhuma história. Você conta histórias, não eu.

— Agora não mais. Conte-me alguma coisa sobre você.

— Não há nada para contar.

— Não é verdade. Conte-me como nos conhecemos. Eu me esqueci, já faz muito tempo. A primeira coisa da qual me lembro é que parece que nos conhecemos a vida toda. Não me lembro de antes.

— Bem, você era mais jovem do que eu. Eu me lembro, sim. Eu estava na Adirondack havia um ano ou dois naquela época, e estava pensando em pedir demissão. O trabalho era um tédio. Então eu estava na lanchonete para almoçar um dia, e ali estava você, na ponta de uma mesa, sozinho, lendo seu tablet enquanto comia. Fui até lá e me sentei de frente para você, não sei por quê, e me apresentei. Você pareceu interessado. Você disse que trabalhava na área de sistemas, mas quando conversamos, eu pude ver que era programador também. Lembro que perguntei onde estava o restante de sua equipe, e você disse que tinham cansado de suas ideias, então ali estava você. Eu disse que gostava de ideias, o que era verdade na época. Foi como começou. Então nos pediram para tentar criptografar os operadores de *dark pools* da empresa. Você lembra?

— Não.

— É uma pena. Foi uma boa época.

— Acho que depois me lembrarei.

— Espero que sim. Foi uma boa época no trabalho, e então eu não sei como aconteceu, de alguma forma descobri que você não tinha um lugar fixo para morar. Você estava dormindo no carro.

— Casa móvel.

— Sim, era como você chamava. Uma casa móvel bem pequena. Eu estava procurando um lugar para mim, então nos mudamos para aquele lugar em Hoboken, lembra?

— Claro, como poderia esquecer?

— Bem, você esqueceu nosso primeiro trabalho; então, quem sabe. De qualquer forma, lá estávamos...

— É como sabemos que este lugar está embaixo d'água! Porque aquele lugar estava.

— Talvez sim. Quero dizer, estava. O mercado de moradias subsuperfície estava começando nas Meadowlands, então havia alguns aluguéis que podíamos pagar. Foi quando começamos a trabalhar em um *front-running* que funcionaria tanto para nós quanto para Vinson. Ele então trabalhava por conta. Aquilo era ilegal...

— Ele sempre foi um babaca.

— Sim, isso também. Então sentimos que estávamos trabalhando para ele fazer coisas questionáveis. Presumivelmente, se a Comissão de Títulos e Câmbio tivesse percebido algo, seríamos nós quem nos daríamos mal. O pessoal da Alban teria negado conhecer nossa existência.

— E a de uma missão mais do que possível.

— Sim, era fácil. Mas então descobrimos que todo mundo já estava fazendo isso, e éramos os retardatários em uma corrida que ninguém venceria. Não havia diferença entre *front-running* e operações ordinárias. Então pedimos demissão da Alban antes que nos pegassem. Começamos a fazer bicos por aí. A coisa ficou um pouco complicada. Precisávamos de algo diferente se quiséssemos uma vantagem.

— Nós queríamos uma vantagem?

— Não sei. Nossos clientes queriam.

— Não é a mesma coisa.

— Eu sei.

— Não quero mais trabalhar para eles.

— Eu sei. Mas isso causa problemas para nós, como você sabe.

— Como assim?

— Bem, comida. Comida e abrigo. Precisamos disso, e isso exige dinheiro, e temos que trabalhar para conseguir dinheiro.

— Não estou dizendo que não quero trabalhar. Estou dizendo que não quero trabalhar para eles.

— Concordo, já tentamos isso.

— Temos que trabalhar para nós mesmos.

— Bem, é o que eles fazem também. Quero dizer, provavelmente acabaríamos como eles.

— Por todo mundo, então. Trabalhar por todo mundo.

Mutt assente, parecendo satisfeito. Fez que o amigo conversasse de novo. É possível que os comprimidos tenham ajudado. É possível que a maré tenha virado, e que já passaram da pior parte com a saúde dele.

— Mas, como? — pergunta Mutt, instigando a maré.

Mas não dá para acelerar a correnteza do rio.

— Como vou saber? É o que tentei fazer, e olha onde nos deixou. Tentei fazer a coisa direta. Mas sou o homem das ideias e você é o facilitador. Não é assim que a coisa funciona conosco? Eu tenho as ideias malucas e você descobre como implementá-las.

— Não sei nada disso.

— Claro que sabe. Então, olhe, tinha algumas correções. Tentei entrar no sistema e fazer as correções diretamente. Talvez tenha sido estúpido. Ok, foi estúpido. Nos trouxe até aqui, acho, e eles sempre podem desfazer as correções que fiz. Então, nunca ia dar certo. Acho que eu estava um pouco maluco na época.

Mutt suspira.

— Eu sei! — diz Jeff. — Mas me diga como! Diga como podemos fazer! Porque não somos os únicos que precisam dessas correções. Todo mundo precisa delas.

Mutt não sabe o que dizer, mas, por outro lado, tem que falar alguma coisa, para manter Jeff conversando. Então ele responde:

— Jeff, você está falando de leis. Não são apenas correções, são como novas leis. Então, leis são feitas pelos legisladores. Nós os elegemos. Mas, você sabe, as empresas pagam pelas campanhas deles, então eles dizem que vão trabalhar por nós, mas assim que são eleitos, eles trabalham para as empresas. É assim há muito tempo. Um governo das empresas, por testas de ferro, para as empresas.

— Mas, e quanto ao povo?

— Você pode acreditar que, ao eleger um legislador, ele vai trabalhar para você, então você continua votando, ou pode admitir que não funciona, e para de votar. O que tampouco funciona.

— Então, ok, é por isso que tentei fazer as correções invadindo o sistema!

— Eu sei.

— Me diga como podemos fazer isso melhorar!

— Estou pensando. Acho que temos que tentar uma tomada dos órgãos legislativos, e fazer passar um punhado de leis que coloquem o povo no comando de novo.

— Uma tomada? Isso não é, tipo, uma revolução? Está dizendo que precisamos de uma revolução?

— Bem, não.

— Não? Para mim, parece que sim.

— Mas não. Quero dizer... sim e não.

— Obrigado por isso! Quanta clareza!

— O que quero dizer é, se você usar o atual sistema legal para votar em um grupo de congressistas que realmente vai fazer leis para que as pessoas voltem a controlar a criação das leis, e eles fizerem isso, e se o presidente assinar essas leis, e a Suprema Corte admitir que são legais, e um exército obrigar que sejam cumpridas, então... Quero dizer, isso é uma revolução?

Jeff fica em silêncio por um bom tempo. Por fim, diz:

— Sim, é uma revolução.

— Mas é legal!

— Melhor ainda, certo?

— Claro, certamente.

— Mas, então, como você consegue que esse Congresso e esse presidente sejam eleitos?

— Política, eu acho. Você conta a melhor história, e lança candidatos que farão o que você diz.

— Eles terão que ser Democratas, porque os independentes sempre perdem. E, de quebra, ferram o partido mais próximo a eles. É o jeito norte-americano.

— Ok, é até melhor. Um partido que já existe. É só vencer.

— Então, é só política, você me diz.

— Acho que sim.

— Jesus, não é de admirar que eu tenha tentado hackear o sistema. Porque sua solução é uma porcaria!

— Bem, pelo menos é legal. Se funcionasse, devia funcionar.

— Obrigado por tanta sabedoria. E eu me pergunto agora se todas as grandes sabedorias são tão tautológicas assim. Temo que talvez sejam. Mas, não. Não, Muttnik. Você precisa pensar de novo. Essa sua solução não é solução alguma. Quero dizer, as pessoas tentam isso há trezentos anos, que seja, e fica cada vez pior.

— Já tivemos altos e baixos. Tem havido progresso.

— E aqui estamos.

— Ok, concordo. Aqui estamos.

— Então, encontre algo novo.

— Estou tentando!

Mais uma vez, Jeff fica em silêncio. Teve que se esforçar para falar tanto, é mais do que tem para dar, e agora parece exausto. Cansado até os ossos. Doente até a morte em ver o que está vendo em sua visão de mundo.

Depois de um tempo, Mutt diz:

— Jeff? Está acordado?

Depois de um tempo, Jeff responde:

— Não sei. Estou realmente cansado.

— Com fome?

— Não sei.

— Tenho alguns biscoitos aqui.

— Não. — Uma longa pausa. É possível que Jeff esteja chorando. Chorando ou dormindo, ou ambos. Por fim, ele se anima, faz um esforço. — Conte-me uma história. Pedi para você me contar uma história.

— Achei que tivesse contado.
— Conte-me uma história na qual eu acredite.
— Isso é mais difícil. Mas, tudo bem... Era uma vez um país do outro lado do oceano, onde todo mundo fazia o melhor de si para criar uma comunidade que funcionasse para todo mundo.
— Utopia?
— Nova York. Todo mundo era igual. Homens, mulheres, crianças, pessoas que não dava para dizer o que eram. Todos os vários tons de pele, e de onde você veio antes, não importava. Nesse novo lugar, você fazia tudo novo, e as pessoas eram apenas pessoas, o que significava que eram iguais, e tratavam umas às outras com respeito o tempo todo. Era um bom lugar. Todo mundo gostava de viver ali. E diziam que era um belo lugar para começar, incrível mesmo, o porto, e de leste a oeste era apenas um lugar lindo depois do outro, com animais, peixes, aves em tal profusão que às vezes, quando bandos de pássaros voavam no céu, o dia escurecia. Não dava para ver o sol ou o céu, de tão cheio de pássaros. Quando os peixes subiam os rios para desovar, dava para atravessar os riachos caminhando sobre eles. Esse tipo de coisas. Os animais corriam aos milhões. Havia uma floresta que cobria tudo. Lagos e rios até cansar. Montanhas nas quais você não ia acreditar. Era uma bênção ter uma terra como essa.
— Por que ninguém vivia ali antes? — pergunta Jeff em seu sono.
— Bem, essa é outra história. Na verdade, já havia gente ali, tenho que dizer, mas eles não tinham imunidade para as doenças que essas novas pessoas trouxeram consigo, então a maioria morreu. Mas os sobreviventes se juntaram a essa comunidade e ensinaram os recém-chegados a cuidar da terra de modo a mantê-la saudável para sempre. Esta é a história que estou contando agora. Para isso, era necessário conhecer cada pedra, planta, animal, peixe e ave, e foi o que eles fizeram. Você tinha que amar a terra do jeito que amava sua mãe, do jeito que amava seu filho, ou a você mesmo. Porque a terra era você. Era necessário conhecer profundamente todas as partes do seu ser, de modo que nada fosse mal entendido ou explorado, e tudo fosse tratado com respeito. Cada elemento dessa terra, até o próprio leito rochoso, era um cidadão da comunidade formada por todos eles, e todos tinham sua condição legal, e todos tinham tudo o que era necessário para o total bem-estar de tudo. Era assim que era. Ei, Jeff? Jeff? Bem, fim, eu acho.

Porque Jeff agora ressonava tranquilamente. A história o fizera dormir. Tinha funcionado como um tipo de canção de ninar. Um conto infantil.

E então, porque Jeff está dormindo e não pode ver, Mutt coloca o rosto entre as mãos e chora.

PARTE CINCO

A escalada do compromisso

•

Como Estado livre, é provável que Nova York atingisse as alturas da grandeza genuína.

disse Mencken

O leito rochoso na área é formado principalmente por gnaisse e xisto. Depois, uma camada extensa de sedimentos glaciais. Entre os minerais encontrados estão granada, berilo, turmalina, jaspe, muscovita, zircão, crisoberilo, ágata, malaquita, opala, quartzo; também prata; e ouro.

•

a) Stefan e Roberto

Stefan e Roberto estavam abatidos e até mesmo apreensivos no dia em que se juntaram a Vlade e sua amiga Idelba no rebocador dela. Haviam concordado em levar o sr. Hexter, e isso acabou sendo uma sorte, porque com ele ali pelo menos tinham algo com o que se ocupar. Sem ele, não haveria nada para fazer, e todo o motivo de ser de suas expedições era fazer coisas. Mas estavam fora do controle desta vez. E havia muita coisa em jogo. Era difícil não se preocupar.

Idelba os pegou na doca de aquicultura da Vinte e Seis, perto da Marina Skyline. Enquanto o rebocador se aproximava deles gemendo, os garotos se encararam, com olhos arregalados: o barco dela era imenso. No oceano aberto não dava para perceber. Não era tão grande quanto um transportador de contêineres, mas imenso para a cidade, tão comprido quanto a doca inteira, o que queria dizer uns vinte metros de extensão e uns três andares de altura com a ponte, com balaústres largos e uma popa quadrada.

— Uau! — exclamou o sr. Hexter, espiando a embarcação. — Um rebocador tipo carrossel! E se chama *Sísifo*! Isso é muito legal!

Idelba e um tripulante do navio abriram a passagem lateral no casco e baixaram uma escada com uma dobradiça. Os garotos ajudaram o sr. Hexter a subir e entrar no rebocador, depois caminhar pelas escadas estreitas até a ponte de comando. Idelba parecia estar com apenas um membro da tripulação a bordo, um homem que assentiu para eles do timão que ficava em um console amplo no centro de uma grande janela curva. A casa do leme. A vista do East River era incrível daquela altura.

Vlade surgiu com Idelba assim que soltaram as amarras, e o timoneiro, um homem negro e magro chamado Thabo, empurrou o acelerador para a frente e o barco se pôs em marcha rio acima. O sentido da correnteza não significava nada para aquele monstro que contava com potência mais do que suficiente para navegar a toda velocidade contra a maré. Considerando o quanto era pesado e quadradão, a velocidade que alcançava era incrível.

— Sem chance de esconder essa gracinha — comentou Vlade quando viu a expressão no rosto dos garotos. — Só temos que ficar parados lá sem chamar atenção.

— As pessoas escavam no Bronx o tempo todo — disse Idelba. — Ninguém vai reparar em nós.

— Temos autorização? — perguntou o sr. Hexter.

— Para fazer o quê?

— Para dragar o Bronx. Isso não costumava ser ilegal sem uma autorização do município?

— Sim, claro. Ainda é assim. Mas minha autorização serve para a cidade toda, então, se alguém perguntar, estaremos bem. E a verdade é que ninguém vai perguntar. A polícia do rio tem muito o que fazer.

— Eles e nós também — acrescentou Vlade.

Idelba e Thabo riram ao ouvir isso. A inclinação dos garotos em manter segredo de tudo relaxou um pouco, e eles começaram a se sentir mais cômodos. Idelba os convidou a descer até o deque principal, e dar uma volta. O sr. Hexter disse que podiam deixá-lo na ponte, e então os meninos desceram correndo as escadas e saíram em disparada pelo deque para ver a água de todas as perspectivas, em especial o V branco que se formava em seu rastro, aberto pelo profundo sulco que seguia a ampla popa. O motor vibrava com toda sua potência sob seus pés, e era emocionante sentir o vento, sobretudo depois de correr até a popa e se inclinar sobre a borda para contemplar a embarcação abrindo caminho pelo marrom azulado do East River.

— Esta deve ser a máquina mais poderosa na qual estivemos — comentou Roberto. — Sinta este motor! Veja como a popa se move! Estamos cortando o rio!

— Tenho certeza de que hoje vamos encontrar alguma coisa — falou Stefan.

— Vamos, sim. O sinal era forte, e estávamos bem em cima dele. Não há dúvidas sobre isso.

— Bem — disse Stefan em um tom dúbio —, um pouco de dúvida sempre há.

Roberto se recusou a aceitar aquilo, negando com a cabeça como um cão.

— Nós achamos! Estávamos bem em cima!

— Espero que sim.

Ao se aproximarem da boia, os garotos avistaram a protuberância que se formava na superfície, e avisaram os adultos na ponte. O rebocador diminuiu a velocidade e a proa desceu de maneira perceptível. Depois disso, avançaram como uma embarcação normal.

— Não dá para nossa boia ancorar um monstro como este — apontou Stefan.

— Verdade — concordou Roberto.

Quando o rebocador chegou suficientemente perto e puderam ver a boia na água lá embaixo, Thabo desceu e apertou um botão grande na proa que, aparentemente, soltava uma âncora. Devia ser gigantesca, porque, ao tocar o fundo, a proa voltou a se levantar quase como quando estavam avançando a toda velocidade. O barulho abafado da corrente da âncora parou, e Thabo acenou para que Idelba fosse até a ponte.

— E se a âncora ficar presa ali? — Roberto perguntou para Thabo.

Thabo balançou a cabeça.

— Ela olha o fundo com o radar. Busca um lugar bom. Em geral não temos problemas.

O *Sísifo* boiou com a maré até inclinar-se em um ponto, indicando que a âncora os mantinha contra a correnteza. Idelba desligou o motor e ficaram ali, ancorados no lugar.

— Cara, eu gostaria de poder descer de novo! — comentou Roberto.

— Sem chance — respondeu Stefan. — Não seria nada bom.

— Bem, vamos ver o que temos aqui embaixo — prometeu Thabo.

Idelba, Vlade e o sr. Hexter desceram para o deque, e Vlade ajudou Idelba e Thabo a passar um tubo de dragagem sobre a lateral do barco. Pediu ajuda aos meninos para mover os segmentos do tubo para a parte traseira e a enganchá-los na longa serpente que estava se formando. Tinha quase um metro e meio de diâmetro, e o bocal era uma gigantesca peça de aço redonda, com garras como pontas de picadores de gelo curvadas para dentro no perímetro circular, similares às marcas de uma rosa dos ventos. Uma vez acoplados uns dez metros de tubo, Thabo prendeu a ponta a um cabo e depois a levantou até o extremo do braço de uma grua, utilizando para isso uma série de botões que havia no equipamento. Os garotos ajudaram a mover o braço com uma manivela, até que ficou sobre a água, junto com a boca. Então Idelba soltou o cabo com outros botões, e o tubo e o cabo desapareceram nas águas turvas, precedidos pela boca.

— Aqui, venham ver isso — disse Vlade para os meninos.

Idelba e o sr. Hexter observavam um console com três telas. O tubo e o cabo apareciam nas três, como uma espécie de serpente que descia até o fundo, claramente visível nas imagens de sonar e radar, e quase invisível à luz das lâmpadas submarinas que Idelba submergira com outros cabos, a partir de umas bobinas suspensas na lateral da embarcação.

— Esse é o sino de mergulho de vocês? — perguntou Idelba, apontando para uma forma cônica no fundo.

— Acho que sim — respondeu Roberto, lutando para compreender a imagem. — Acho que deixamos para trás quando Vlade me tirou de lá.

Idelba balançou a cabeça com uma expressão sombria.

— Crianças loucas — disse. — Estou surpresa de que ainda esteja vivo.

Roberto e Stefan sorriram com insegurança. Idelba não parecia contente, e o sr. Hexter olhava para eles com expressão assustada. Ali, sob o vento e o sol, ele parecia ter muitos anos a menos.

— Vamos mover um pouco essa armadilha mortal para tirá-la do caminho e começar a sugar — anunciou Idelba.

Thabo e ela, por controle remoto, manipularam o equipamento na escuridão, como se estivessem lá embaixo vendo tudo, se não perfeitamente, o suficiente para se orientar e saber o que queriam. Vlade os ajudava com o sonar e o radar, equipamentos com os quais, dava para perceber, estava familiarizado. Roberto e Stefan trocaram olhares e perceberam que se sentiam bem inúteis ali, mas ainda em seu elemento. Assim a coisa era feita; era isso que queriam aprender. O sr. Hexter estava com eles, inclinado também, e com as mãos em seus ombros, observando tudo e fazendo perguntas sobre o que estavam vendo lá embaixo, e notando coisas que via e que não tinham certeza se estavam realmente ali. Mas tudo bem. Era óbvio que ele estava empolgado.

Idelba usou um dos ganchos da boca do tubo para tirar o sino de mergulho do lugar em que Roberto tinha quase cavado a própria tumba, nas palavras do velho. Quando o sino foi colocado bem de lado, ela voltou a boca até a tinta vermelha com a qual Roberto marcara o asfalto, que nas telas monocromáticas turvas parecia cinzenta e fantasmagórica, mas tudo bem, porque agora os ganchos da boca se estendiam para o asfalto ao redor do buraco, e Thabo apertou um interruptor, e o barulho de trituração dos dentes perfuradores da boca ao entrar no solo começou a brotar pela extremidade do tubo com uma força que podiam sentir em suas entranhas. Stefan e Roberto se entreolharam com os olhos arregalados.

— Era o que precisávamos — comentou Stefan.

— Fala sério — concordou Roberto. — E pensar que queríamos fazer isso com uma picareta.

— Uma picareta que não dava nem para levantar sobre a cabeça sem furar o sino.

— Eu sei. Era loucura.

— Era o que eu falava o tempo todo.

Roberto fez uma careta e esfregou o dedo na tela, como se assim pudesse limpar a imagem do fundo, agora obscurecida pelo fluxo de detritos que deixava a água ainda mais turva.

Idelba falou:

— Cavalheiros, a dragagem vai começar a sugar tudo o que está lá embaixo. Estou apontando na direção do metal que vocês captaram, e que aparece nos meus detectores de metais também. Então bom trabalho. Quando eu ligar a bomba de sucção, vamos ter um barulho e tanto, e o que sair por essa ponta vamos passar por peneiras. Não vamos conseguir ouvir uns aos outros, então, se virem alguma coisa sobre o deque, acenem para que eu possa ver vocês.

Ela estava gritando a essa altura, porque o gemido de algum motor ou máquina mais alto do que o anterior agora saía pela casa de máquinas embaixo da ponte. Era tão alto que parecia possível que a maquinaria que produzia tanto barulho, ali sob o deque, preenchesse o rebocador inteiro. O aspirador do inferno! Agora todos tinham que gritar se quisessem se ouvir, mas como a maioria cobria as orelhas com as mãos, isso tampouco ia funcionar. Thabo abriu um armário e pegou protetores de ouvido de plástico para todos, que, uma vez colocados, reduziu bastante o estrondo. Mesmo assim, só podiam se comunicar por gestos.

Os garotos estavam com Vlade e com o sr. Hexter na extremidade superior do tubo de dragagem, e quando este começou a cuspir lodo e gosma na grande caixa do deque, eles se inclinaram para inspecionar a torrente marrom e negra. O fedor familiar de anóxia enchia o ar, um dos cheiros mais característicos da cidade, mas ali era mais pungente. Todos enrugaram o nariz, e continuaram a olhar. A lama caía no meio da caixa e, a partir daí, saía por um buraco coberto de malha até um canal sobre o deque no qual mangueiras adicionavam água à mistura, e tudo descia pelo canal em direção à popa e, depois de passar por outra abertura coberta de malha, voltava para o rio. Vlade colocou luvas de borracha que iam até os cotovelos, depois uma máscara antipó sobre o nariz e começou a remexer na lama na caixa. Era óbvio que já fizera aquilo antes.

Uma coluna de lodo negro brotava da extremidade do rebocador enquanto o aspirador continuava trabalhando. O fedor anóxico era penetrante e desagradável. Depois de uns dez minutos, Idelba moveu uma alavanca e o ruído parou. Thabo e Vlade desacoplaram a última seção da tubulação e começaram a tirar o que estava no interior. Tiravam pedaços de Deus sabe o quê, colocavam embaixo das mangueiras que davam para o canal do deque, verificavam o que era revelado quando a camada de lama saía e jogavam ao mar o que tinham na mão. Em geral eram pedaços de concreto ou asfalto, algumas vezes madeira encharcada, que inspecionavam mais de perto; outras vezes eram rochas quebradas ou pedaços que pareciam ser de cerâmica. Um chifre de cabra, o corpo completo e peludo de um guaxinim, crustáceos gigantescos, uma garrafa quadrada não quebrada, uma gaiola de pesca, uma boneca afogada, muitas pedras quebradas.

Depois de esvaziarem o tubo, começaram a aspirar de novo. Idelba guiou a boca até o fundo, enquanto o velho observava por sobre seu ombro com atenção. Era difícil acreditar que fosse capaz de interpretar as manchas na tela, mas ele parecia tão interessado quanto alguém que sabia o que estava olhando. O barulho voltou a ser absurdo. A lama fluindo pela caixa não tinha nada de interessante.

O tubo voltou a entupir, e voltaram a esvaziá-lo manualmente. A maior parte do que tiravam eram pedras arredondadas, em geral quebradas, frequentemente com o formato de ovos gigantes. Quando parou a sucção, o sr. Hexter falou:

— São sedimentos glaciais! A maior parte de Long Island está cheia disso. Foram deixados aqui no final da era do gelo. Significa que chegamos ao antigo leito do rio.

Idelba assentiu enquanto cutucava a lama.

— Antes de chegar ao leito rochoso, você sempre tem que encarar os sedimentos. Não há outra coisa em toda a baía, exceto uma fina camada de terra no solo e lodo sob a água. Ou tipos diferentes de escombros. Mas, sobretudo, sedimentos.

Depois de limpar mais uma vez o tubo, mas antes que o motor reiniciasse a barulheira, o sr. Hexter falou para Idelba:

— Você vai saber quando chegarmos à profundidade em que o metal foi detectado?

Ela assentiu, e voltaram ao trabalho.

Mais dois entupimentos e, de repente, começaram a encontrar velhos fragmentos de madeira, retocados e torneados, parecendo algo como vergalhões ou trancas. Todos se entreolharam sem dizer uma palavra, sobrancelhas erguidas, olhos arregalados. Pedaços de um velho navio – sim, pareciam ser pedaços de um velho navio. Voltaram a aspirar com interesse renovado. Os garotos davam voltas ao redor de cada coisa que caía no canal sobre o deque, em geral pedra após pedra, pedregulho após pedregulho.

Então, em meio ao denso estrondo de sucção e o imenso gemido da bomba de vácuo, um forte impacto parou tudo. Alguma coisa tinha atingido com força o último filtro do tubo. Idelba desligou a bomba de sucção. Todos tiraram os protetores de ouvido. Thabo e Vlade desengancharam o tubo da caixa e começaram a escavar a lama presa no filtro.

De encontro à grande malha encontraram um baú de madeira com a tampa recurva, sessenta centímetros de lado, atado com tiras negras quebradiças que tingiam a madeira ao redor. Vlade tentou pegar o baú, mas não conseguiu. Thabo se juntou a ele, depois Idelba, e os três conseguiram colocá-lo no deque, deixando-o cair com um baque. Stefan e Roberto dançavam ao redor dos adultos, ou engatinhavam entre eles, enquanto sentiam o fedor de madeira úmida e enlameada. Parecia o cheiro de um tesouro.

Thabo pegou um pé de cabra curto e olhou para Idelba. Ela olhou para o sr. Hexter. O velho assentiu, com um sorriso largo.

— Seja gentil — pediu o homem. — Deve ser fácil.

E foi. Thabo introduziu a ponta mais curta do L no vão entre a tampa da arca e a lateral, perto de uma placa de metal que um dia devia conter a alça do baú, mas que agora era apenas uma coisa nodosa. Algumas sacudidas, um movimento delicado para cima, um arranhão. Thabo torceu o pé de cabra e voltou a forçá-lo. A tampa da caixa se abriu com um gemido úmido. Ali, no interior da arca, havia um monte de moedas. Um pouco manchadas de preto, um pouco de verde, mas essencialmente douradas. Moedas de ouro.

Todos gritaram. Dançaram sobre o deque, lançando gritos ao céu. Era incrível ver que os adultos se comportavam exatamente como Stefan e Roberto nesse momento, que ainda tinham essa capacidade, apesar dos anos.

— Deve haver dois baús — exclamou o sr. Hexter, em resposta ao olhar de Idelba. — Era o que o manifesto listava.

— Ok — disse Idelba. — Vamos escavar um pouco mais, então. Eles provavelmente estavam perto um do outro no início.

— Sim.

Então, enquanto os meninos saltavam ao redor, abraçando-se e batendo as mãos, os adultos voltaram a conectar o tubo de sucção. Todos colocaram os protetores de ouvido e voltaram a trabalhar. Era uma loucura. Stefan e Roberto se olhavam com uma expressão que dizia: *Você acredita nisso?* Mas, loucura ou não, depois de mais algumas sessões de aspiração houve outro impacto, agora característico e óbvio. Pararam a sucção, tiraram o tubo da caixa e, maravilha, acharam o outro baú de madeira.

Depois disso, Idelba continuou a escavar mais um pouco, surpreendendo ainda mais os garotos e até mesmo o sr. Hexter. Vlade simplesmente sorriu para eles, balançando a cabeça. Idelba era mais do que meticulosa, a expressão dele dizia. Aproveitando uma nova pausa para limpar os filtros, ele explicou:

— Ela vai sugar todo o sul do Bronx, é sério. Só por precaução. Pode ser que passemos a noite toda aqui.

Então começaram a ouvir impactos menores, e apareceram umas formas côncavas, negras, como taças, facas enferrujadas e mais um par de peças de cerâmica que rodaram no lodo do fundo da caixa ou pelo canal no deque. O fedor era atroz, mas ninguém se importava. Todos estavam com luvas de borracha, as mãos enfiadas na lama e na água, lavando coisas sob as mangueiras como mineradores.

Depois de mais ou menos uma hora, pararam de encontrar qualquer coisa que parecesse parte de um navio. Eram novamente pedras, pedregulhos e areia – aquele mesmo sedimento glacial que formava o leito primordial da costa do porto.

Por fim, Idelba desligou o aspirador mais uma vez e olhou para o velho.

— O que você acha? — gritou. A esta altura, já estavam meio surdos.

— Acho que achamos tudo o que há para achar! — exclamou Hexter.

— Ok — respondeu ela. — Vamos embora!

No caminho de volta à doca da Vinte e Seis, todos iam na casa do leme, conversando animadamente sobre a descoberta. O sr. Hexter inspecionou algumas das moedas e declarou que eram do tipo que estaria no *Hussar*, como não podia deixar de ser. A maior parte delas estava meio coberta com manchas negras esverdeadas, mas onde eram tocadas mostravam uma cor dourado-pálida. Depois de limpar algumas com uma escova de cerdas metálicas, Hexter disse que eram guinéus, em sua maioria, além de alguns outros tipos de moedas. Elas brilhavam sobre a ponte como algo introduzido de outro universo, um em que a gravidade era mais pesada. Quando eles seguravam uma moeda entre os dedos e a esfregavam, ela parecia duas vezes maior, se não quatro; seu peso era muito palpável.

— E de quem são? — Roberto perguntou, olhando para Vlade.

Vlade compreendeu a natureza do olhar do menino e riu.

— São do sr. Hexter, certo?

— Acho que sim.

Roberto não sabia disfarçar, e sua expressão de desalento fez todo mundo rir.

— Está certo — apontou Stefan. — Foi ele quem descobriu onde elas estavam.

— Mas foram vocês que acharam — disse o velho rapidamente. — E essas ótimas pessoas desenterraram. Acho que isso nos torna um consórcio.

— Há uma rotina legal para esse tipo de coisa — disse Idelba, franzindo o cenho. — De vez em quando usamos isso na praia. Temos que comunicar certos tipos de descoberta para manter nossa licença.

Nenhum deles pareceu contente com isso, nem mesmo Idelba. Stefan e Roberto estavam horrorizados.

— Eles vão simplesmente tirar de nós! — objetou Roberto.

Os adultos pensaram a respeito. Obviamente não era improvável.

— Eu poderia perguntar para Charlotte — sugeriu Vlade. — Confio que ela ficaria do nosso lado.

Os garotos e o sr. Hexter concordaram com a ideia. Conforme diminuíam a velocidade para se aproximar da doca, todos pareciam pensativos.

Antes de chegar à Vinte e Seis, Thabo falou alguma coisa para Idelba, que chamou Vlade para ver as telas do scanner.

— Dê uma olhada, Thabo viu isso enquanto escavávamos. — Ela apertou uns botões para abrir a tela que queria. — Este é nosso infravermelho. Acompanha um dos cabos que mandamos para o fundo com o tubo de dragagem, então ele vê pontos quentes lá embaixo. E olhe aqui: no caminho de volta do lugar em que escavamos, havia um ponto quente retangular no fundo.

— Uma entrada de metrô? — perguntou Vlade. — Ainda estão quentes.

— Sim, poderia ser a entrada da Cypress Avenue, certo? A posição é essa. Mas está mais quente do que a maioria dos túneis do metrô, e é retangular. Pela forma e tamanho, parece um contêiner desses antigos, os que iam em barcos. E, olhe, o radar mostra que há todo um estacionamento cheio desses contêineres a poucos quarteirões de distância, atrás das velhas docas de carga. Me pergunto se o ponto encontrado não será um desses. Mas em um túnel de metrô? E tão quente assim?

— Conteúdo radioativo, talvez?

— Cristo, espero que não.

— Você não tem um detector de radiação a bordo?

— Merda, não.

— Deveria. Há muita coisa doida nesse porto, você sabe.

— Sim, bem, talvez eu devesse.

— Esse não é um caso do tipo "o que você não conhece não pode te fazer mal".

— Sei disso. Embora eu meio que esperava que fosse.

— Não. Mas, sim, é estranho. Pedirei para meus amigos do serviço de mergulhadores do município darem uma olhada.

— Bom. Estou interessada em saber o que descobrirem.

— Eu também.

Roberto ainda estava concentrado no ouro, mas então os interrompeu:

— O que vamos fazer com este tesouro agora?

Idelba e Vlade trocaram olhares.

— Vamos levá-lo para a Met — sugeriu Vlade. — Deixem-me na Vinte e Seis; eu vou correndo pegar meu barco e guardamos isso no cofre. Ali ficará seguro até descobrirmos o que fazer. Isso pode ser um problema, agora que você mencionou.

— Já era um problema antes que ele mencionasse — comentou Idelba. Ela olhou para Thabo, que assentiu. — Ok. Sei que podemos confiar em vocês.

Vlade assentiu.

— É claro.

— Somos um consórcio — disse o velho. — Os Seis do *Hussar*.

Todos concordaram apertando as mãos uns dos outros. Thabo virou o rebocador para seguir a correnteza do East River e os levou até a doca da Vinte e Seis. O rio e a cidade pareciam saídos de um sonho.

•

> Há um homem sentado em um banco no Central Park, em meio a uma quente noite de verão, em 1947. Outro homem se senta em outro banco, do outro lado do caminho. Ei, como vai? Bem, e você? Quente esta noite, não? Quente demais. Meu apartamento está um forno. O meu também. Então, o que você faz? Sou pintor. Ah, sim? Eu também. Qual é seu nome? Willem de Kooning. Qual é o seu? Mark Rothko. Ei, já ouvi falar de você. Já ouvir falar de você também.
>
> O início de uma longa amizade.

•

b) Vlade

No dia seguinte, Vlade fez uma visita a sua amiga Rosario O'Hara, uma das veteranas do metrô da cidade. Nos anos em que Vlade trabalhara para ela, tinham feito todos os serviços usuais, o que naquele tempo incluía ampliar o alcance operacional a partes alagadas do metrô, um trabalho lento que em grande parte consistia em usar os túneis dos trens como gigantescos condutores cheios d'agua, e estender neles coisas como conduítes para cabos de energia, tubulação de esgoto, trilhos para cápsulas de suprimento robótico submersíveis e cabos de comunicação, entre outras coisas, além de manter as passagens abertas para os mergulhadores municipais. Havia muito que a antiga Autoridade de Trânsito Metropolitano e a Autoridade Portuária de Nova York e Nova Jersey tinham dividido as jurisdições e competências, mas não de um modo sensato, e uma luta de poder aberta entre os sucessores das duas agências acontecia nos sessenta por cento do sistema de metrôs que estavam embaixo d'água, o que também gerava uma zona de disputas e incertezas nas quais alianças informais entre as equipes de trabalho podiam ser criadas. Assim que Vlade passara dez anos de sua juventude trabalhando nisso, tempo no qual estendera um milhão e meio de metros de cabos submersos, entre outras tarefas mais interessantes. Esse trabalho sempre era feito em grupo, e havia perigo suficiente envolvido, o suficiente para as equipes se tornarem famílias, pelo tempo que trabalhavam juntos; e esse sentimento persistia muito tempo depois que o trabalho acabava.

Então ele se sentiu seguro para ligar para Rosario e convidá-la para se encontrar com ele em uma embarcação que vendia tacos perto do edifício da Autoridade Portuária do Hudson, onde podiam conversar enquanto comiam, sentados na borda do barco.

— Você ouviu falar se estão usando a estação de Cypress ultimamente? Alguém a invadiu ou algo assim?

— Não que eu saiba. Por quê?

— Bem, eu estava com uns amigos por ali outro dia e o infravermelho deles captou um ponto quente no fundo, e parecia vir da saída da Cypress, e pensei que o calor podia estar vindo pela escadaria.

Era um sinal comum: a maioria das estações de metrô alagadas soltava colunas de calor do submundo. A Nova York submarina era um lugar agitado.

— Não acho que haja alguma atividade ali — disse Rosario. — Era uma zona industrial, se me recordo. Estacionamentos para carros, contêineres, ônibus, paletes. E também aquela fileira de tanques, na costa antiga.

— Era o que eu pensava. Mas aquilo era um ponto quente. Tenho a sensação de que alguma coisa está acontecendo por ali.

— Por quê?

— Não sei. Tem gente desaparecida no meu prédio, e tivemos alguns casos de sabotagem. Tudo isso me deixa inquieto. De toda forma, eu gostaria de dar uma olhada. E acho que é perigoso o suficiente para fazer sem um companheiro de mergulho.

Rosario assentiu.

— Ok. Podem ser Trina Dobson e Jim Fritsche?

— Claro. Bem quem eu gostaria.

— Verei quando estão disponíveis. E quanto a você?

— Posso no dia em que eles estiverem livres.

O grupo se reuniu naquela mesma semana na estação da Oitenta e Seis, na linha seis para Pelham. Vlade estava preocupado em como inspecionar o lugar, e Rosario sugerira que fossem pela lateral, como teriam feito se fosse uma das antigas operações nos túneis. Vlade gostou do plano, e Trina e Jim também; era claro que estavam felizes em ter uma desculpa para fazer aquela estupidez de novo. Ninguém mergulhava nos túneis por diversão, mas era divertido.

A estação da Oitenta e Seis era uma das poucas da linha seis que não estava inundada, e assim podiam vestir os equipamentos e testá-los mutuamente. Vlade e Jim tinham trabalhado juntos nos velhos tempos, e Vlade sabia que Jim era um excelente mergulhador; era bom vê-lo novamente. Trina era a antiga parceira de Rosario. Quando se aprontaram, desceram até o nível dos túneis, subiram nas laterais de um trenó e saíram na direção norte.

Os trenós ferroviários se moviam pela água negra dos túneis mais devagar do que os antigos trens, mas ainda assim eram bem mais rápidos do que qualquer mergulhador. Rosario tinha todos os códigos e permissões para usá-los. Deviam se assegurar de passar pouco tempo nas profundidades, para evitar os problemas de descompressão ao emergirem. Então, pegar uma carona dessas era muito bom.

Era uma jornada estranha, um tipo de versão onírica e submarina de uma antiga viagem de metrô, presos nas laterais do trenó e expostos ao forte repuxo da água negra. Quando olhavam ao redor, em distintas direções, as luzes dos refletores de cabeça incidiam nos azulejos das paredes das estações pelas quais passavam, e tudo parecia resplandecer. A água nos túneis era mais clara do que nos rios, e as luzes dos mergulhadores atingiam as paredes entre as estações e clareavam a forma cilíndrica pela qual avançavam. Uma imagem estranha, não importava quantas vezes você a via.

Em meia hora o trenó os levou por debaixo do rio Harlem e de Bronx Kill. Rosario parou na estação de Cypress Avenue, e subiram nadando cautelosamente pelas profundezas negras da escadaria, entre águas cada vez mais turvas.

Ali, na grande sala que estava logo abaixo da superfície, eles viram: um contêiner de carga, coberto por uma camada escura de limo, marcado pelas cicatrizes dos cabos e faixas de transporte recentemente usados nas laterais. O contêiner tinha sido baixado por um dos túneis que antigamente levavam até a rua.

Vlade nadou na direção do contêiner e o examinou com um scanner infravermelho que levara exatamente com esse propósito. Sim, estava quente. Quando se aproximou, deixou de bater as pernas e usou as mãos para estabilizar o corpo. Em um lado do contêiner, havia um equipamento que todos reconheceram, uma escada de tubo e uma eclusa de ar infláveis, que cobriam um extremo da estrutura retangular e se destacavam pela limpeza em meio ao entorno turvo. Aquela armação era formada por tubos unidos a uma comporta de eclusa de ar adesiva. Quando as paredes do tubo e sua escada interna eram infladas, erguiam-se até a superfície em um ângulo de uns quarenta e cinco graus. Então era possível abrir a parte superior, usar uma bomba para retirar a água e descer até a comporta da eclusa de ar, que poderia ser acoplada a qualquer abertura. Um barco ou uma doca na superfície poderia pegar o extremo do tubo, içá-lo e, usando a escada do interior, conseguir uma entrada seca até a outra extremidade. Uma peça de equipamento padrão em qualquer porto, com a qual estavam bem familiarizados.

Rosario se aproximou de Vlade, nadando, e falou pelo sistema de walkie--talkie dos trajes.

— Veja, há um tanque de ar na parte superior, perto da eclusa de ar. Unidades de água potável, ar e águas residuais. Um pacote completo.

— Sim.

— O que você quer fazer?

— Vou bater na parede e ver se alguém responde. Se isso acontecer, eu quero chamar a polícia e ficar aqui de guarda até que cheguem.

— Devíamos ter trazido pistolas de água.

— Nós trouxemos — disseram Jim e Trina, apontando para suas bolsas.

— Peguem-nas, por favor — pediu Rosario. — Ok, vamos nessa. Se isso for uma caixa de refém, deve ter sensores, então vamos rápido.

Vlade nadou depressa até a lateral do contêiner. Com pequenos golpes, enviou a mensagem de boas-vindas mais antiga do mundo: *tan-tara-ran-tan tan--tan*. Na sequência, encostou o ouvido na parede.

Alguns instantes depois, ouviu a resposta: *tip tip tip, tap, tap, tap, tip tip tip*. Um SOS claro. Talvez o último trecho do código Morse que ainda era usado no mundo.

— Chamem a polícia — disse aos demais.

Rosario subiu para a superfície pelas escadarias do antigo metrô. Tinha um comunicador por rádio na bolsa e fez a chamada; os outros puderam ouvi-la pelos walkie-talkies.

Um cruzador da polícia chegou em menos de quinze minutos, embora para eles tenha parecido mais tempo. Quando a embarcação desligou os motores, todos os quatro subiram à superfície e explicaram o que tinham descoberto.

Os oficiais de polícia a bordo já tinham enfrentado situações como essa antes. Pediram para os mergulhadores descerem e puxarem o tubo com a escada inflável até eles, o que Vlade e Jim fizeram. Então acoplaram uma bomba de ar na válvula do tubo e o inflaram. Agora ele ocupava a maior parte do antigo túnel do metrô. Na sequência, usaram uma bomba de vácuo para tirar a água do interior. Não era nada comparada à de Idelba, mas era forte o suficiente para esvaziar rapidamente o interior do tubo da escadaria, que já estava quase seco desde o início. Quando terminaram, dois dos policiais desceram, um deles com uma pistola de solda e fones de ouvido.

Vlade e os outros esperaram perto da embarcação, boiando na água. Incapazes de evitar, olhavam para todas as direções para ver se outros barcos se aproximavam, ainda que, com os olhos na altura da superfície, seu campo de visão não fosse muito bom. Eles também mergulhavam de tempos em tempos para se certificar de que nenhum submergível se avizinhava. Isso era algo que eles podiam fazer e que o cruzador da polícia não podia (não diretamente, pelo menos); então, depois de um tempo, Vlade e Jim resolveram ficar perto do contêiner, observando ao redor com inquietude. Ninguém se aproximou. Voltaram para a superfície quando Rosario os chamou, no mesmo instante em que os dois policiais saíram pela extremidade flutuante da escada inflável e ajudaram dois caras barbudos a sair também. Sob o vento, os dois homens pararam e contemplaram o rio ao seu redor, as mãos protegendo os olhos, pestanejando como toupeiras.

•

Há um mercado para os mercados.

disse Donald MacKenzie

•

c) aquele cidadão

Dark pools. Lagos escuros de dinheiro, de atividades financeiras. Não regulados e não notificados. Segundo estimativas, três vezes maiores do que a economia oficialmente notificada. Negociações não comunicadas nem explicadas a estranhos. Negociações obscuras até para seus operadores.

Mergulhe em um e veja o que se oferece ali por menos do que nas negociações regulares. Compre muito com a esperança de que seja o que se supõe; pegue e venda pelo preço de mercado. Um nanossegundo é a milionésima parte de um segundo. As operações ocorrem nessa velocidade. A oferta em sua tela não é o presente atual, mas representa algum momento no passado. Ou, se quiser dizer que é o presente, há algoritmos de alta frequência trabalhando em seu futuro imediato, e podem agir antes de você. Encontram-se do outro lado de uma linha internacional de data tecnológica, operando no próximo presente, e quando você se oferece para comprar alguma coisa, eles podem comprá-la primeiro e vender mais caro para você. Algoritmos de operações de alta frequência podem reagir a uma cotação antes mesmo que o público veja a oferta. Em qualquer operação realizada nos *dark pools*, um intruso de alta frequência leva uma parte. É uma taxa secreta imposta às negociações pelas operações de alta frequência, pela própria nuvem. Um aluguel.

A liquidez se vaporiza. A liquidez desaparece pela mudança de estado que a transforma em gás. Liquidez convertida em vapor, em telepatia. Liquidez convertida em metafísica.

Por causa dessa situação, boa parte do movimento de capitais do mundo acontece de maneira invisível, sem regulação, em um mundo próprio. Dois terços de todas as finanças, ainda que isso seja mera estimativa; poderia ser mais. Trilhões de dólares por dia. Possivelmente um quatrilhão de dólares por dia, o que representa mil trilhões de dólares. E algumas pessoas, quando querem, podem tirar parte desse dinheiro vaporizado dos *dark pools* e voltar a liquefazê-lo, e depois solidificá-lo, comprando coisas na economia real. No mundo real.

Se este é o caso, se você acha que sabe como o mundo funciona, pense novamente. Você foi enganado. Não sabe; não pode vê-lo, nunca lhe contaram a história inteira. Desculpe. É assim que as coisas são.

Mas se acredita que os banqueiros e os financistas do mundo sabem mais do que você... Errou de novo. Ninguém conhece esse sistema. Ele cresceu na escuridão, é uma acumulação, um hiperobjeto, uma megaestrutura acidental. Nenhum indivíduo pode conhecer por si só essas megaestruturas, e muito menos a megaestrutura que é o sistema global em seu conjunto, o sistema de todos os sistemas. Quando os banqueiros são jovens, são operadores. Eles agarram o tigre pelo rabo e cavalgam nele para onde quer que ele vá, proclamando que estão pilotando um aerobarco. Excesso de confiança do especialista. Ao envelhecer, uma boa porcentagem deles já fez fortuna e sente em suas entranhas (literalmente) o quão extenuados estão, e mudam de profissão. As finanças não são uma vocação para a vida. Uma pequena porcentagem deles se converte em monstros eruditos e sábios contábeis. Mas nem assim eles entendem. As pessoas que avançam pela floresta não estão em boa posição para ver o terreno circundante. Tampouco são grande coisa como pensadoras, de qualquer modo. HFM, o anônimo gestor de *hedge funds* que escreveu *Diário de um ano horrível*, era uma raridade, um intelectual que trabalhava no setor. Ao compreender, foi embora. Porque há bem poucas ideias na cidade alta. E nem sequer os grandes pensadores conseguem assimilar tudo; também eles são ignorantes e se limitam a viver dos detalhes de uma situação emergente, incognoscível em qualquer caso, e depois disso escrevem ou falam a posteriori, com ânimo impressionista. Estão sob a influência de Nietzsche, um grande filósofo, mas escritor errático, que oscilava entre o brilhantismo e o absurdo sentença após sentença, e serviu de espelho para beletristas igualmente pirotécnicos desde então. Seus melhores imitadores acabaram se parecendo com Rimbaud, que abandonou a escrita aos dezenove anos. Ademais, sejam quais sejam as pseudoprofundidades do estilo de cada um, é um sistema impossível de se conhecer. É grande demais, escuro demais, complexo demais. Você se perde em uma prisão do seu próprio legado, no labirinto, submerso profundamente nos lagos escuros – falando de beletristas pirotécnicos.

Mas há outros lagos escuros na baía de Nova York. Eles ficam sob a zostera, na foz dos riachos da cidade, mais fundo do que qualquer algoritmo pode alcançar. Porque a vida é mais do que algoritmos, é um emaranhado de fusões verdes, uma eflorescência de vitalismos. Nada que possamos criar pode ser comparado à complexidade do ecossistema da baía. Nos leitos dos canais, os antigos túneis de esgoto vomitam vida das profundezas. A vida flutua acima e abaixo, dentro e fora com as marés. Proliferam salamandras, rãs e tartarugas entre os peixes e as enguias, escondidos no lodo. Sobre eles, bandos de aves se reúnem nos penhascos de concreto da cidade, beneficiários das leis punitivas para os arranha-céus que estiveram em vigor entre 1916 e 1985. As baleias-francas entram na baía para dar à luz seus filhotes. Baleias-de-minke, baleias-fin, jubartes... Lobos e raposas se escondem nas florestas dos bairros mais distantes. Coiotes cruzam as praças da cidade alta às três da manhã, como senhores do cosmos. Alimentam-se dos cervos, sempre numerosos, e evitam os gambás e os porcos-espinhos, que caminham por aí sem ser incomodados por ninguém, salvo em raras ocasiões. Jaguares e pumas se escondem como felinos selvagens que são, enquanto os gatos domésticos que voltaram à vida silvestre são infinitos em número. O lince do Canadá? Eu o chamo de lince de Manhattan. Alimenta-se dos coelhos da Nova Inglaterra, das lebres-da-neve, dos ratos-almiscarados e dos ratos d'água. No centro da rede estuarina nada o prefeito do município, o castor, diligente construtor das terras alagadas. Os castores são os promotores do mercado imobiliário natural. Lontras, martas, martas-pescadoras, doninhas e guaxinins: todos são cidadãos do mundo erguido pelos castores em sua versão de madeira. Ao redor deles nadam as focas e os botos. Um cachalote navega pelo Narrows como um veleiro oceânico. Esquilos e morcegos. O urso negro americano.

Todos voltaram como a maré, como a poesia – de fato, por favor, lembre-se do fantasma do glorioso Walt:

Porque a vida é forte,
Porque a vida é maior do que as equações, mais forte do que o dinheiro, mais forte
do que as armas, os venenos e as péssimas políticas ambientais, mais forte do que
o capitalismo,

Porque a Mãe Natureza bate por último, e a Mãe Oceano é forte, e vivemos dentro das nossas mães para sempre, e a Vida é tenaz e você não pode matá-la, nunca pode comprá-la,
Então a Vida vai submergir em seus lagos escuros, vai explodir os cercados e trazer de volta os espaços comunitários,
Ah, lagos escuros de dinheiro e lei e estupidez quantitativa, algoritmos simplistas de cobiça, néscios desesperados esperando uma história que possam compreender;
Esperando segurança, esperando o fim da incerteza, esperando a posse da volatilidade, ah, pobres e assustados cretinos,
A vida! A vida! A vida! A vida vai dar um chute no seu traseiro.

•

Will Irwin: Para os europeus, esses colossos parecem banais e sem sentido, a prova sinistra de uma civilização materialista ou uma surpreendente nova conquista na arte. E com frequência me pergunto se isso não depende da primeira impressão; se no momento em que alguém corre para o parapeito, eles se assemelham a uma confusão, como caixas empilhadas sobre caixas, ou se cada qual se ajusta às suas supercomposições.

Pedestre morto por uma cornija que caiu de um edifício.

•

d) Inspetora Gen

Naquela tarde, lá pelas quatro, a inspetora Gen recebeu uma ligação de Vlade.
— Ei, encontramos aqueles caras que sumiram da Met.
— É mesmo? Onde eles estavam?
— No Bronx. Eu estava ali, fazendo um trabalho de resgate, quando encontramos um ponto quente perto da estação Cypress do metrô. Então voltei com alguns dos meus velhos amigos, que são mergulhadores municipais, e recebemos um SOS de pessoas dentro de um contêiner ali no fundo, e um barco da polícia veio e os tirou de lá.
— Sério? — exclamou Gen. — Onde eles estão agora?
— Na delegacia da Cento e Vinte e Três. Você pode ir vê-los lá?
— Claro. Será um prazer. Estava preocupada com eles.
— Eu também.
— Bom trabalho.

— Boa sorte, você quer dizer. Mas vamos resolver, certo?

— Pode apostar. Depois que forem liberados, verei se consigo levá-los para casa comigo. Você acha que eles podem voltar a ocupar o hotello, com o velho?

— Posso montar outro para Hexter, do lado do deles.

— Parece bom. Vejo você à noite.

Gen providenciou uma viatura aquática e pediu que o sargento Olmstead a acompanhasse. Ela pilotou a lancha até a delegacia de polícia na Cento e Vinte e Três com a Frederick Douglass, indo pela Madison na maior parte do caminho para norte, usando seus privilégios de policial para atravessar os cruzamentos.

Na delegacia, eles encontraram os dois sequestrados se recuperando na enfermaria. Dois homens de meia-idade. Já tinham tomado banho e usavam roupas comuns. Um deles, Ralph Muttchopf – cabelo castanho ralo em cima, cerca de um metro e oitenta, cara de sabujo, magro, exceto pela barriga saliente –, estava sentado em uma cadeira, tomando café, enquanto observava o entorno com expressão de cansaço. O outro, Jeffrey Rosen – pequeno, feroz, cabeça triangular com um cabelo encaracolado negro –, estava deitado na cama da enfermaria com uma intravenosa no braço. Passava a mão pelo cabelo enquanto falava sem parar com as outras pessoas presentes.

Gen se sentou e começou a inserir perguntas no meio daquele tagarelar nervoso. Não demorou para que ficasse claro que eles não seriam capazes de fazer muita coisa para resolver o mistério de seu desaparecimento. Tinham sido nocauteados por quem quer que os sequestrara, provavelmente algum tipo de soro da amnésia envolvido, já que não tinham lembranças do ocorrido. Depois disso, tinham vivido no contêiner, alimentados duas vezes ao dia, achavam, por meio de uma abertura na porta. Rosen ficara doente em determinado momento, e Muttchopf enviara mensagens nas bandejas de comida para seus sequestradores sobre isso, e as refeições começaram a vir com comprimidos que Jeff tomara. Mais lembranças confusas desse momento sugeria novo uso do soro da amnésia. Não haviam visto nem ouvido os sequestradores nenhuma vez.

— Quanto tempo estivemos ali? — perguntou Jeff.

Gen consultou seu tablet.

— Oitenta e nove dias.

Os dois homens se olharam, assombrados. Por fim, Muttchopf sacudiu a cabeça.

— Parecia mais — falou. — Parecia... Não sei. Alguns anos.

— Tenho certeza que sim — disse Gen. — Escutem, quando forem liberados pelo médico, posso oferecer uma carona para casa? Todo mundo na Met está preocupado com vocês.

— Isso seria bom — respondeu Jeff.

Gen deixou Olmstead de guarda, não sem antes advertir tanto o sargento quanto os policiais de serviço de que deviam ter cuidado. Não era impossível que os sequestradores tivessem colocado rastreadores neles e tentassem recuperá-los ou coisa pior. Ela ordenou que realizassem escaneamentos exaustivos em busca de dispositivos desse tipo, e depois pegou a lancha de volta para a doca ao norte do Central Park, de onde foi caminhando até o edifício federal que havia atrás das grandes docas policiais da Quinta e da Cento e Dez.

Já havia entardecido, e os raios de sol atravessavam as grandes torres a oeste, marcando-as como as costas de um dragão contra um céu de bronze. Gen caminhou até o edifício federal, passou pela segurança e se dirigiu aos escritórios onde o Departamento Federal de Imigração, o FBI, a polícia de Nova York e o Sindicato dos Proprietários tinham somado esforços para instalar uma força-tarefa contra o tráfico de pessoas. Ali ela se encontrou com um velho conhecido de seus primeiros tempos na corporação, Goran Rajan, que a cumprimentou com animação e lhe serviu uma xícara de chá.

Gen descreveu a situação dos dois resgatados.

— Só dois? — perguntou Goran.

— Exato.

— E ficaram lá por oitenta e nove dias?

— Isso mesmo.

Goran balançou a cabeça.

— Então isso não é tráfico, é algum tipo de sequestro. Um resgate foi exigido em algum momento?

— Nada. Nenhum dos envolvidos parece saber por que isso aconteceu.

— Nem as vítimas?

— Bem, ainda não consegui interrogá-los a fundo. Viviam no meu prédio, e foi de lá que foram levados, por isso fiquei com um interesse especial no caso. Esta noite vou levá-los para casa e aproveitarei para fazer mais perguntas.

— É bom que você assuma isso. Porque costumamos encontrar centenas de pessoas nesses contêineres. Esses caras não são da nossa alçada.

— Eu entendo, mas esperava que você pudesse revisar os dados de vigilância do porto, para ver se aparece alguém visitando esse contêiner para alimentar os caras. Provavelmente, eram duas visitas por dia.

Goran tomou um gole de chá.

— Posso tentar. Se iam pela superfície, provavelmente nós os veremos. Se faziam isso com robôs submarinos, é menos provável.

— De quantas câmeras você dispõe agora?

— Alguns milhões. O problema hoje em dia é a capacidade de análise. Tentarei fazer algumas perguntas e ver o que encontro.

— Obrigada — agradeceu Gen.

— Lembre-se: os sequestradores vão saber que os reféns se foram. Provavelmente vão deixar a área.

— Isso pode não ser uma coisa ruim — disse Gen.

— Não. Posso perguntar se espera que eu encontre alguém em particular?

— Vi algumas coisas que me fazem pensar na Pinscher Pinkerton.

— Ok. Eles não são pouca coisa. Com certeza eles têm todos os drones e submarinos necessários para fazer essas visitas automaticamente. É possível que todo esse procedimento tenha sido feito a distância.

— Mesmo assim, pode ser que você veja pelo menos os drones. — Gen terminou seu chá e se levantou para ir embora. — Obrigada, Goran. Para quando posso esperar um relatório?

— Para breve. Os computadores respondem assim que você termina a pergunta. Então, é só questão de ter uma pergunta para fazer.

Gen agradeceu mais uma vez, voltou para a lancha e seguiu para a delegacia na Frederick Douglass. Encontrou Muttchopf e Rosen prontos para irem embora, e Olmstead e ela os escoltaram até a viatura e partiram pelo East River, na direção de casa.

Os dois homens se sentaram em cadeiras na ponte de comando, ao lado de Gen, que pilotava em pé. Contemplavam a cidade como turistas. As torres mais altas atrás deles ainda refletiam um pouco do brilho do crepúsculo, embora já fosse noite e as nuvens estivessem tingidas de um tom rosa noctilúcio. As luzes da cidade brincavam e se quebravam nas ondas na água.

— Vocês devem estar meio que desnorteados — supôs Gen. — Três meses é tempo demais para ficar trancado.

Os dois homens assentiram.

— Era um tanque de privação sensorial — comentou Rosen.

Muttchopf assentiu.

— É linda — disse ele. — A cidade.

— Faz frio — acrescentou Jeff, tremendo. —Mas o cheiro é bom.

— Tem cheiro de jantar — declarou Muttchopf. — Frutos do mar preparados em Nova York.

— Maré baixa — apontou Gen. — Mas vamos conseguir algo para vocês comerem quando chegarmos em casa.

— Parece bom — disse Rosen. — Por fim. Por fim começo a sentir meu apetite voltar.

Ao chegar à Met, desembarcaram na doca, e Gen pediu para Olmstead devolver a lancha na delegacia. Vlade saiu para recebê-los e, juntamente com Gen, escoltaram os dois homens até o refeitório. Estavam fracos. No refeitório, foi oferecida a eles a oportunidade de se sentar e deixar que lhes levassem a comida, mas ambos quiseram ir para a fila, para escolher o que comer. Encheram as bandejas o máximo possível, e serviram-se de taças de vinho tinto do Flatiron. Enquanto comiam e bebiam, Gen sentou-se diante deles para fazer perguntas sobre a noite do sequestro. Eles assentiram, balançaram a cabeça, deram de ombro. Então, olhando ao redor, Muttchopf lhe disse:

— Que tal ir conosco até nossa casa quando terminarmos aqui?

Ela concordou e esperou que eles terminassem.

Depois de um tempo, disseram que estavam satisfeitos, e Jeff parecia sonolento. Pegaram o elevador até o andar da fazenda e foram para o canto sudeste. Ali encontraram dois hotellos, um menor perto de um maior. O sr. Hexter saiu para cumprimentar os novos vizinhos. Os dois apertaram a mão do velho educadamente, mas era óbvio que estavam abatidos.

Entraram no hotello e olharam ao redor com cara de estupor.

— Lar doce lar — disse Rosen, antes de ir para seu catre e deitar de barriga para cima.

Muttchopf sentou-se na cadeira ao lado de sua cama.

— Vejo que nossos tablets desapareceram — notou, gesticulando na direção da única mesa de plástico.

— Ah — disse Gen. — Algo mais desapareceu?

— Ainda não sei. Não tínhamos muita coisa.

— Então — continuou Gen —, você me deu a sensação de que queria contar algo, não?

Muttchopf assentiu:

— Olhe, na noite em que nos sequestraram, Jeff aqui ativou um canal secreto que ele havia introduzido previamente em um dos cabos de operações de alta frequência de uma empresa na qual trabalhamos algumas vezes. Enviou umas instruções. Pretendia consertar as regras de negociação e o... o estado do mundo, acho que dá para dizer, usando uma correção direta. Desviar alguma informação e dinheiro para a Comissão de Títulos e Câmbio, fazer algumas denúncias. Não sei o que mais. Ele tinha um programa completo, mas a picada foi o que provavelmente chamou a atenção de alguém. Pode ser que achassem se tratar de um roubo comum, ou talvez uma denúncia. Bom, o caso é que logo depois que ele apertou o botão, tão rápido quanto posso me lembrar, fomos nocauteados. Foi quase rápido demais para ser uma resposta, mas, claro, minha memória está confusa. Talvez tenha demorado umas duas horas, quem pode saber? Certamente foi na mesma noite.

— E para quem trabalhavam quando isso aconteceu?

— Para ninguém. Perdemos nossos empregos, estávamos fazendo um *freelance*.

Gen assimilou a informação.

— Não estavam trabalhando para Henry Vinson?

Rosen pareceu surpreso ao ouvir aquilo.

— Ele é meu primo. Trabalhamos para ele antes.

— Eu sei. Quero dizer, vi nos registros de vocês.

Muttchopf falou quando ficou claro que Rosen não diria nada.

— Trabalhamos para ele, sim. E foi onde Jeff colocou a armadilha, no operador de *dark pool* da empresa do primo. E também foi ali que fizemos o que falei antes, a denúncia. Mas não estávamos trabalhando para ele naquela noite. Fomos despedidos antes.

— Ele sempre foi um babaca — disse Rosen com amargura.

Gen os observou com atenção.

— Quando foi isso? E o que aconteceu?

Muttchopf teve que contar a história. Três anos antes, na Adirondack, onde Vinson era diretor-executivo. Um trabalho questionável, relacionado aos *dark pools*. Mais tarde, um *freelance* para a Alban Albany, a empresa de Vinson. Era só um contrato por serviço, mas eles tiveram que assinar acordos de confidencialidade, como sempre. Enquanto faziam o trabalho, Jeff encontrou evidências de malversação e levou-as até o primo. Eles discutiram. E logo depois Jeff e Mutt foram despedidos. Isso, combinado à perda do apartamento nas áreas alagadas, tinha feito com que começassem a vagar pela baixa Manhattan, até chegarem à Met.

— Ele estava trapaceando de novo — acrescentou Jeff, quando Mutt terminou. — É um maldito cafajeste, isso sim.

— O que quer dizer? — perguntou Gen.

Jeff se limitou a balançar a cabeça, enojado demais para falar.

Muttchopf apertava os lábios enquanto observava Gen, certamente avaliando o alcance dos conhecimentos dela sobre finanças.

— Era uma versão *dark pool* de *front-running* — disse ele. — Digamos que você receba uma ordem para comprar algo a cem. Imediatamente, você vai até lá e compra a cem para você, na esperança de que isso faça subir o preço enquanto não conclui a transação original. Se o preço sobe até cento e três, você vende o que comprou e diz ao cliente que não foi possível encontrar um comprador. Por outro lado, se baixa para noventa e oito, você compra a cem. De qualquer forma, você se sai bem. Não há como perder.

— Que bacana — comentou Gen.

— Mas ilegal — falou Jeff, ainda enojado. — Eu disse para ele, e ele me falou simplesmente que isso não estava acontecendo. Ele me mandou à merda.

— E se você o denunciasse? — perguntou Gen.

— Eu já tinha tentado isso antes — contou Jeff. — Quando trabalhava para o Senado. Ninguém acreditou em mim, e eu não consegui provar.

— É difícil provar — disse Muttchopf. — É como provar uma intenção. Tudo acontece em questão de nanossegundos. Você teria que ter um registro completo de tudo, e mais de uma vez.

— Eu poderia provar agora — murmurou Jeff de modo sombrio.

— Poderia? — questionou Gen.

— Totalmente. Mais do que totalmente. Ele ainda estava fazendo isso quando nos encarceraram. Faz isso há anos. Tirei instantâneas.

Gen ficou olhando para ambos.

— Parece um bom motivo para mantê-los encarcerados em algum lugar. Você acha que ele fez isso?

— Não sabemos — falou Muttchopf. — Conversamos muito sobre isso, mas não temos como saber. Algum tempo havia passado, e não tenho certeza se realmente poderíamos provar. E Jeff acabara de dar uma picada na Comissão de Títulos e Câmbio e de enviar um pacote de dinheiro para eles. Então é complicado.

Gen pensou naquilo por um instante.

— Ok, descansem um pouco. Aumentei a segurança do edifício e deste andar, então pode ser que notem alguma coisa, mas seremos nós. Ninguém voltará a incomodá-los.

— Ótimo.

No dia seguinte, Gen recebeu em mãos um pacote enviado pelo escritório de Goran. A lista impressa de letras e números era incompreensível para ela. Parecia que parte deles eram posições de GPS, mas, fora isso, nada.

Então, uma hora mais tarde, Goran apareceu.

— A sala é segura? — perguntou ele.

— Sim. É uma gaiola de Faraday.

— Ok. O que você está vendo é um punhado de submarinos operados remotamente que visitavam o contêiner a cada doze horas, partindo de uma doca muito movimentada no Queens. Então, não há muito que possamos fazer ali, sem capturar um desses submarinos para nos ajudar. Há milhares de pessoas usando aquela doca.

— Então estamos sem sorte.

— Parece que sim. Mas você mencionou a Pinscher Pinkerton, então dei uma olhada nos dados para ver se havia alguma conexão com seu caso, e descobri algumas coisas que podem interessá-la. Eles se encarregam da segurança da Alban Albany, e da segurança pessoal de Henry Vinson. E estão relacionados com uma série de desaparecimentos. E com alguns assassinatos, na opinião do FBI. Estão na lista das dez piores empresas de segurança. Uma lista na qual não entra qualquer um, o que é um mau sinal.

Gen pensou naquilo.

— Ok. Obrigada, Goran.

— Vai ser difícil provar qualquer coisa sobre o que já aconteceu — comentou Goran. — Se fosse possível, o FBI já teria prendido esses caras. Sua única chance é tentar pegá-los no ato na próxima vez que fizerem algo assim.

•

Na década de 1920, foi proposto um plano para drenar o East River, de Hell Gate até a ponte Williamsburg, e depois encher o leito vazio e, desta forma, conectar Manhattan com o Brooklyn e o Queens, além de criar uma área para o desenvolvimento de novas propriedades de aproximadamente dois mil acres.

•

e) Charlotte

Havia chegado o momento em que os membros da cooperativa votariam se aceitavam a oferta pelo edifício feita pela Morningside Realty, em nome de sabe-se lá quem. As investigações de meia-tigela de Charlotte não tinham conseguido abrir nenhuma fresta nessa fachada e, em todo caso, não importava quem estava por trás daquilo. Os estatutos da cooperativa exigiam que uma votação fosse realizada para decidir assuntos dessa natureza em um prazo máximo de noventa dias, e este era o octogésimo nono dia – Charlotte não queria que infrações técnicas trouxessem problemas posteriores. Ela fizera o melhor que pôde para sondar e tentar descobrir o que as pessoas pensavam, mas, na verdade, em um edifício de quarenta andares e com mais de dois mil moradores era impossível captar a vibração geral só dando uma xeretada. Precisava acreditar que as pessoas valorizavam aquele lugar tanto quanto ela, e pagar para ver quando necessário. Na essência, o voto seria uma enquete, e se o resultado fosse a favor da venda, ela os processaria ou se mataria, dependendo de seu humor. E não estava de bom humor.

A maioria dos residentes do edifício se reuniu no refeitório e nos espaços comuns para votar, enchendo ambientes que raramente ficavam cheios, mesmo na hora das refeições. Charlotte olhava para os concidadãos de sua pequena cidade-estado com tamanha apreensão e desconfiança política que parecia um novo tipo de medo. A curiosidade também a estava matando, mas não havia como dizer, só de olhar para aqueles rostos, de que modo cada um ia votar. A maioria dos rostos era familiar, semifamiliar ou pseudofamiliar. Seus vizinhos. Embora fossem apenas os que tinham se apresentado pessoalmente. Os membros da cooperativa podiam votar de qualquer parte do mundo, e provavelmente aquela multidão não representasse mais do que a metade dos membros votantes. Mesmo assim, o momento era agora, e se as pessoas quisessem voltar *in absentia*, já teriam que ter emitido seus votos. Então, o resultado seria conhecido em menos de uma hora.

Cada um disse o que tinha que dizer. O edifício é ótimo; o edifício não é lá essas coisas. Bela oferta; oferta nem tão boa assim. Quatro bilhões significavam algo em torno de dois milhões para cada cooperado; isso era muito, ou não era.

Charlotte não conseguia se concentrar o suficiente para captar algo além dos prós e contras expressados a cada momento, deixando a essência dos argumentos das pessoas para mais tarde, quando pudesse pensar a respeito. Ela sabia o que sabia. Vamos lá, pelo amor de Deus.

Por fim, Mariolino pediu a votação, e as pessoas apertaram os botões em seus dispositivos, todos registrados e pessoais. Mariolino esperou até que todo mundo indicasse ter cumprido seu dever, então teclou em seu tablet para somar os votos emitidos pelos presentes e os dos ausentes. Qualquer um que não tivesse votado neste ponto simplesmente não participaria da decisão, desde que tivesse quórum. E eles tinham conseguido quórum.

Por fim, Mariolino olhou para Charlotte e depois para as outras pessoas presentes.

— A decisão é contra aceitar a oferta pelo edifício: 1.207 contra, 1.093 a favor.

Houve um tipo de suspiro duplo entre os presentes, primeiro pela decisão, depois pela margem estreita. Charlotte estava ao mesmo tempo aliviada e preocupada. Tinha sido muito apertado. Se a oferta se repetisse com um aumento substancial, como acontecia com frequência no mercado imobiliário na cidade alta, bastaria que uma pequena parte mudasse de ideia para alterar a decisão. Então era como um adiamento da execução. Melhor do que a alternativa, mas não exatamente tranquilizador. De fato, quanto mais ela pensava nisso, mais zangada ficava com a metade de seus concidadãos que tinha votado pela venda. No que estavam pensando? Eles realmente imaginavam que aquela quantidade de dinheiro substituiria o que tinham ali? Era como se ninguém tivesse aprendido nada nos longos anos de luta para tornar a baixa Manhattan um lugar habitável, uma cidade-estado com um plano diferente. Cada ideal e valor parecia ter se derretido sob o peso do dinheiro, o solvente universal. Dinheiro, dinheiro, dinheiro. A falsa fungibilidade do dinheiro, a pretensão de que era possível comprar tudo, comprar a vida.

Ela ficou parada ali, e Mariolino assentiu para ela. Como presidente, ela devia falar alguma coisa, resumir o ocorrido.

— Foda-se o dinheiro — disse ela, para sua própria surpresa. — Nem sempre acontece o que tem que acontecer. Porque nem tudo é fungível. Há coisas que não podem ser compradas. Dinheiro não é tempo, não é segurança, não é saúde. Não dá para comprar essas coisas. Não dá para comprar o sentido de comunidade, nem de lar. Então, o que eu posso dizer? Estou feliz que tenham votado contra essa oferta pelas nossas vidas. Eu gostaria que o resultado tivesse sido mais folgado, e tentarei convencer todo mundo de que o que temos aqui é mais valioso do que essa avaliação monetária. O que nos ofereceram equivale a uma aquisição hostil de uma situação que representa algo bom por si mesma. É como uma oferta para comprar a realidade. É um roubo, independentemente do preço. Então, pensem nisso, e conversem com as pessoas ao redor de vocês, e o conselho vai se reunir, segundo as datas previamente agendadas, na próxima quinta-feira. Confio que este pequeno incidente não voltará para a ordem do dia. Vejo vocês lá.

Depois que Charlotte conversou com várias pessoas que vieram se solidarizar ou discutir, Vlade se aproximou. Estava claro que ele queria conversar com ela em particular, então ela se despediu do último grupo de moradores, que teria ficado feliz em discutir a noite toda, e seguiu Vlade até os elevadores.

— O que foi? — perguntou ela quando ficaram sozinhos.

— Aconteceram algumas coisas que você devia saber — disse o síndico. — Então, agora que está livre, por que não vamos até a fazenda? A maioria das pessoas envolvidas está lá, e Amelia está prestes a chegar e prender seu dirigível ali, e seria bom contar com ela nisso também.

— No quê?

— Vamos lá em cima e você verá. Vai levar um tempo para explicar. — Ele pegou uma garrafa de vinho branco da geladeira e a levantou para inspeção dela. — Também podemos comemorar que ficamos com o prédio.

— Por enquanto.

— É sempre por enquanto, certo?

Ela não estava com humor para o estoicismo balcânico pragmático dele, então simplesmente bufou e o seguiu rumo ao elevador.

Subiram em silêncio até a fazenda. Vlade a conduziu aos hotellos e avisou.

— Toc, toc, vocês têm visita.

— Pode entrar — disse uma voz.

— Está muito lotado aí dentro — respondeu Vlade. — Por que vocês não vêm para fora e fazemos um brinde?

— Um brinde para quê? — alguém perguntou, enquanto outra voz dizia:

— Boa ideia.

Da tenda, saíram os dois meninos que Vlade deixava ficar na doca, e o velho que se tornara amigo deles e que tinham resgatado do desabamento; e depois os dois homens que desapareceram da fazenda havia semanas.

— Ei! — Charlotte falou para os dois homens. — Vocês voltaram!

Mutt e Jeff assentiram.

— Estou tão feliz em ver vocês! — Ela deu um rápido abraço em cada um deles. — Estávamos preocupados com os dois! O que aconteceu?

Mutt e Jeff deram de ombros.

Vlade respondeu:

— Estávamos no Bronx fazendo uma caçada ao tesouro com os meninos aqui, e encontramos esses caras em um contêiner dentro do túnel da estação Cypress.

Charlotte estava surpresa.

— Mas você não... Você sabe...

— Sim — disse Vlade. — Chamamos a polícia para resgatá-los. Já passaram pela delegacia. Gen cuidou de tudo. Já faz alguns dias. Mas eles voltaram, e acho que devemos comemorar.

— Nós persistimos em viver — disse Jeff com um tom de voz sardônico.

— Boa ideia — concordou Charlotte, deixando-se cair em uma cadeira perto da balaustrada. — Além disso, votamos para manter o prédio em nossas mãos, e vencemos por poucos votos. Então, muita coisa para comemorar, sim.

— Vamos lá! — incentivou Vlade. — Aí está! Além disso, os garotos e o sr. Hexter têm novidades também, certo, meninos?

Os dois garotos assentiram com entusiasmo.

— Grandes notícias — declarou Roberto.

Sentaram-se ao redor da mesa em que cortavam e limpavam as verduras. Vlade abriu a garrafa e serviu o vinho em canecas de café de cerâmica branca. Os dois meninos olharam esperançosos enquanto ele fazia isso, e Vlade encarou-os por um instante. Então, balançando a cabeça, serviu um dedo de bebida para cada.

— Não comecem a beber por enquanto, meninos. Haverá tempo suficiente para isso mais tarde.

Roberto respondeu com uma bufada, antes de engolir sua bebida como se fosse um *espresso* italiano.

— Eu já tomava todas quando tinha sete anos — comentou. — Já superei. Mas não direi não a mais um pouco. — E ergueu a caneca para Vlade.

— Esqueça — respondeu o síndico.

Então, enquanto os dois homens contavam sua história para Charlotte, Vlade foi até o elevador e voltou com Amelia Black. Era claro que a moça estivera chorando em seu ombro, porque Vlade franzia o cenho com ar satisfeito.

— Amelia voltou — disse ele sem necessidade, e fez todas as apresentações.

Charlotte era a única que já tinha falado com a estrela antes, e ficou feliz de ser apresentada novamente, pois Amelia não parecia se lembrar de seu encontro prévio, a conversa por telefone quando a moça ficara presa no armário do dirigível.

— Estamos comemorando — disse Charlotte de má vontade.

— Bem, eu não estou — respondeu Amelia, chorando de novo. — Mataram meus ursos.

— Ficamos sabendo — falou Vlade.

— Seus ursos? — perguntou Charlotte.

Amelia lhe deu um olhar vazio, e disse:

— Eu me refiro ao fato de que fui eu quem os levou para a Antártida. Eram meus amigos.

— Ficamos sabendo — repetiu Vlade.

— Maldita Liga de Defesa Antártica — disse Amelia. — Quero dizer, não há nada literalmente ali, além de gelo.

— Talvez seja disso que eles gostem — supôs Charlotte com amargura. — É puro. E eles são puristas. Purificar o mundo é a ideia por trás do que estão fazendo.

Amelia fez uma careta.

— É verdade. Mas eu os odeio. Porque era uma boa ideia levar os ursos para lá. E podia ser temporário, sabe? Alguns séculos. Então eu quero matá-los, quem quer que sejam. E eu quero os ursos lá de novo.

— Você podia levá-los em segredo — sugeriu Charlotte. — Não precisa contar para o mundo inteiro.

— Eu não contei! — protestou Amelia. — Não transmitimos ao vivo!

— Mas você transmitiria depois.

— Claro, mas não com a localização. Além disso, você realmente acha que alguma coisa acontece em segredo hoje em dia? — perguntou a moça, como se Charlotte fosse ingênua.

— Muitas coisas acontecem em segredo — disse Charlotte. — É só perguntar para Mutt e Jeff aqui.

— Estávamos sendo mantidos reféns em uma localização secreta — explicou Mutt para uma estupefata Amelia. — Três meses.

— Eu quase morri — acrescentou Jeff.

— Sinto muito — disse Amelia. Ela esvaziou seu copo com um único gole, como Roberto. — Mas agora vocês estão de volta.

— E você também — recordou-a Vlade. — E os garotos ajudaram o sr. Hexter aqui a sair de casa, quando ela estava afundando, em Chelsea. Então dá para dizer que algumas migrações assistidas funcionam. E aqui estamos. Estamos todos aqui.

— Não meus ursos polares — objetou Amelia.

— Bem, verdade. Isso foi um desastre, com certeza. Um crime.

— Eram quase cinco por cento de todos os ursos polares que ainda vivem em estado selvagem. E a Antártida era sua grande chance de sobrevivência.

— Pois faça de novo — sugeriu Charlotte outra vez. — Faça em segredo.

Proteger espécies em perigo em segredo era uma quebra de paradigma que deixava Amelia obviamente em conflito, ou mesmo confusa. Mas pelo menos ela não estava mais à beira das lágrimas. Na verdade, estava enchendo sua caneca mais uma vez.

— É uma boa ideia — disse Vlade, aproveitando a transição. — Mas, por enquanto, os meninos, o sr. Hexter e eu temos notícias também.

Charlotte assentiu, aliviada por mudar de assunto. Ela sabia que Vlade tinha muito carinho pela moradora que era estrela na nuvem, mas, para Charlotte, ela parecia tão avoada e superficial quanto no programa. Não que Charlotte tivesse assistido a mais do que dez minutos. Celebridades nuas rolando no chão com filhotes de lobos? Não.

— Então, o que foi? — perguntou ela. — Precisamos de alguma coisa melhor para comemorar do que sequestros, ursos assassinados e quase vender nossa casa para alguns malditos gentrificadores.

— Isso aconteceu? — exclamou Amelia.

— Sim — respondeu Charlotte mal-humorada.

— Mas, por outro lado — disse Vlade com um tom de voz grave —, nós não aceitamos a oferta. E os garotos aqui usaram a incrível pesquisa histórica do sr. Hexter para localizar os destroços do HMS *Hussar*.

— E o que isso significa? — quis saber Charlotte.

Os meninos ficaram deliciados com a ignorância dela, e rapidamente lhe contaram a história. Navio britânico carregado com tesouros, afundado em Hell Gate, procurado desde então, mas só o sr. Hexter achara o lugar exato em que o acidente aconteceu, embaixo de um estacionamento alagado no Bronx. E os meninos tinham mergulhado lá usando seu próprio sino de mergulho ("Espere, o quê?", disse Charlotte), e ali estava, bem onde previsto, mas embaixo de sete metros de lama e sedimentos, uma gosma difícil de tirar, impossível para os meninos escavarem sozinhos, então Vlade conseguira ajuda de sua amiga Idelba e de Thabo, que tinham um rebocador imenso, imenso, gigantesco para dragar o solo em Coney Island, estavam movendo a praia de Coney Island para uma nova área costeira, cerca de vinte quarteirões ao norte, e para eles escavar em busca do baú de tesouros do *Hussar* (na verdade, baús de tesouros, pequenos, mas insanamente pesados) não era nada, era mais fácil do que tirar doce de uma criança, e agora Idelba e Thabo eram parte do consórcio deles, juntamente com as pessoas ali, ao redor daquela mesa.

— Ouro? — perguntaram Charlotte e Amelia em uníssono.

O sr. Hexter e os meninos explicaram a história dos britânicos, e de sua adesão ao padrão ouro, base de um conceito antigo de dinheiro. Quatro milhões de dólares em ouro. Em dólares de 1780. O que significava que agora, usando a média de uns vinte cálculos de inflação que o sr. Hexter encontrara, estavam sentados sobre cerca de quatro bilhões de dólares.

— Não existem leis sobre o resgate de tesouros afundados? — perguntou Charlotte.

Existiam. Mas a inundação criara tantas brechas legais ao redor da zona entremarés que as leis não eram mais tão claras quanto antes.

— Vocês ignoraram as leis — disse Charlotte.

— Não contamos para ninguém — esclareceu Vlade. — Até agora. E Idelba tem licença para resgate. Mas aquele ouro estava perdido. Nunca seria encontrado. Então, você sabe. Se derretermos as moedas, serão apenas barras de ouro.

— Mas, espere. Essas moedas de ouro não são mais valiosas historicamente do que um ouro qualquer seria? E o navio também. Não são artefatos arqueológicos, parte da história da cidade, e tudo mais?

— O navio se desfez — disse Roberto. — Estava todo despedaçado no lamaçal, todo podre e tudo mais.

— Mas e os baús, e as moedas?

— Acharam um canhão do *Hussar* há muito tempo — disse Vlade. — Ainda estava carregado, tiveram que cortar a bala enferrujada e tirar a pólvora para que não estourasse. Está em alguma parte do Central Park.

— Então, já que temos isso, não precisamos das moedas de ouro. É o que está dizendo?

— Sim.

Charlotte balançou a cabeça.

— Não acredito no que estou ouvindo.

— Bem — disse Vlade —, olhe por este ponto de vista. De quanto foi a oferta pelo edifício? Quatro bilhões, certo? Quatro vírgula um bilhões de dólares, não foi o que você disse?

— Hummm — murmurou Charlotte.

— Podíamos cobrir a oferta deles.

— Mas este ainda é o nosso prédio.

— Você sabe o que quero dizer. Podíamos nos dar ao luxo de mandá-los embora.

— É verdade. — Charlotte pensou naquilo. — Não sei. Ainda me parece um problema. Eu estaria bem interessada em ouvir o que a inspetora Gen tem a dizer sobre isso. Sobre o que devíamos fazer para normalizar isso, por assim dizer. Para monetizar.

Os outros não falaram nada. Obviamente, consultar uma inspetora de polícia sobre o assunto não atraía nenhum deles. Por outro lado, a inspetora Gen era uma moradora e uma presença conhecida. Sólida; educada; tranquilizadora; franca. Um pouco assustadora, de fato, e agora em mais de um aspecto.

— Vamos lá — disse Charlotte. — Ela não vai contar para ninguém.

— Não? — perguntou Vlade.

— Acho que não.

Vlade deu de ombros, olhando para os demais. Os garotos estavam com os olhos arregalados de consternação; o sr. Hexter, estrábico; Mutt e Jeff ainda não tinham retornado a este planeta; Amelia estava ocupada, deixando-se levar pelo vinho. Charlotte ligou para Gen, e descobriu que ela estava em seu quarto.

— Gen, será que você podia dar um pulo na fazenda e nos dar sua opinião sobre um assunto relacionado com a cidade?

Alguns minutos depois, a inspetora Gen Octaviasdottir estava parada diante deles, alta e imensa na escuridão, difícil de se ver bem. Eles a convidaram a se sentar, e então, hesitantes, como se fosse algum caso hipotético, Vlade e o sr. Hexter explicaram sobre a recuperação do ouro do *Hussar*. Gen observava-os educadamente enquanto falavam.

— Então — disse Charlotte no fim da explanação deles. — O que acha que devemos fazer a respeito?

Gen continuou a olhar para eles, pestanejando enquanto analisava um por um.

— Vocês estão me perguntando?

— Sim. Obviamente. Como acabo de dizer.

Gen deu de ombros.

— Eu ficaria com ele. Derreteria as moedas, venderia o ouro quando necessário.

Charlotte a encarou.

— Você faria isso?

— Sim. Obviamente. Como acabo de dizer — respondeu um pouco devagar, destacando a última frase enquanto olhava de relance para Charlotte.

— Desculpe — disse Charlotte. — Está sendo um longo dia. Mas, eu quero dizer... Derreter as moedas?

— Sim.

— E quanto a...

— E quanto a o quê?

— E quanto à lei? — disse Roberto. — Você é policial!

Gen deu de ombros.

— Espero que saiba que o Departamento de Polícia de Nova York tem mais o que fazer além de deixar os advogados ricos. — Ela gesticulou para que Amelia lhe servisse um pouco de vinho. — Olhe, se vier a público, será uma grande notícia por uma semana, e depois vai ficar na justiça por mais dez anos, e no fim desse tempo, qualquer que seja o valor desse ouro, vai parar tudo na mão dos advogados. Charlotte, você é advogada, sabe do que estou falando.

— É verdade.

— Então, para quê? Fiquem com ele. Vocês podem usá-lo para montar uma fundação, ou qualquer coisa assim. Para comprar este edifício, ou o que quiserem.

— Nós já somos *donos* do edifício — insistiu Charlotte, ainda ofendida pelo resultado da votação.

— Que seja. Façam algo de bom com isso. Se realmente são quatro bilhões, vocês podem conseguir fazer alguma coisa.

— Quatro bilhões é só o começo — murmurou Jeff de modo sombrio.

— O que quer dizer? — perguntou Charlotte.

— Alavancagem. Monetizar o ouro, usá-lo como garantia, alavancá-lo como um *hedge fund* faria. Esses malditos alavancam em cem vezes o que tinham no início.

— Parece perigoso — comentou Vlade.

— E é. Eles não dão a mínima.

— Odeio esse tipo de coisa — falou Charlotte.

— Claro que odeia. Você é uma pessoa sensível. Mas quando se luta contra o diabo, de vez em quando você precisa usar as armas dele.

— Tem gente da área financeira no prédio — comentou Vlade. — O cara que fica salvando vocês, ele é meio idiota, mas é da área.

Charlotte franziu o cenho.

— Franklin Garr? Gosto dele.

Vlade revirou os olhos do mesmo jeito que Larry costumava fazer nos velhos tempos.

— Se é o que diz. De toda forma, ele mora aqui. E já tirou esses meninos da água algumas vezes. Talvez pudéssemos conversar com ele, como se fosse uma situação hipotética, ver o que ele acha disso.

— Isso seria interessante — concordou Charlotte. — Embora eu ainda não tenha certeza se vocês deviam estar escondendo esse ouro que acharam.

Todos olharam para ela. Gen balançava a cabeça e ajudava Amelia a abrir uma segunda garrafa. Charlotte suspirou e deixou o assunto de lado. Para ela, o império da lei era a última salvaguarda que impedia uma queda fatal no abismo da anarquia e da loucura. Mas ali estava a inspetora Gen, uma policial famosa e uma das pessoas mais importantes da cidade, um pilar da Super-Veneza, ignorando alegremente esse destino sinistro e conversando com Amelia a respeito de safras de vinho verde ou alguma outra bobagem do tipo.

— O que vocês acham? — perguntou Charlotte para Mutt e Jeff.

Mutt acenou com a mão.

— Qualquer um pode monetizar esse ouro para vocês. A parte difícil é descobrir o que fazer com ele.

— E ficar longe das garras deles — murmurou Jeff.

— Deles quem?

Jeff e Mutt olharam um para o outro. Pareciam dois gêmeos selvagens, pensou Charlotte. Recém-resgatados da floresta, com sua própria linguagem primitiva, meio telepáticos e, provavelmente, um tanto loucos.

— Do sistema — sugeriu Mutt.

— Do capital — explicou Jeff. — Ele sempre vence. Ele vai comer seu cérebro.

— Não o meu — declarou Charlotte.

— Você diz isso agora, mas não é bilionária. Não ainda.

— Odeio essa merda toda — disse Charlotte. — Eu gostaria de acabar com ela.

— Eu também — exclamou Amelia. — Quero fazer isso pelos animais.

— Eu quero fazer isso por este edifício — disse Charlotte com um tom lúgubre.

Mutt a olhou.

— Então, para salvar sua cooperativa de uma aquisição, você destruiria o sistema econômico global?

— Sim.

— Que belo trabalho se você conseguisse! — apontou Jeff de mau humor. Charlotte o olhou, e ele ergueu uma mão para impedir que ela falasse algo. — Ei, eu gosto do conceito! Só que não é fácil. Quero dizer, era o que eu estava tentando fazer, e olhe o que aconteceu.

— Mas você tentou de verdade? — inquiriu Charlotte.

— Eu achava que sim.

— Bem, talvez devêssemos tentar de novo. Tentar de um novo ângulo.

— Por favor — disse Mutt.

Jeff fez cara de desprezo.

— Eu estaria interessado em ver esse novo ângulo.

— Eu também. — Charlotte olhou para eles e ergueu a caneca por alguns segundos. Amelia deu o sorriso que a tornara uma estrela na nuvem e encheu a caneca da advogada. Quando todos estavam servidos, eles brindaram pelo retorno em segurança de Jeff e Mutt.

•

Popeye fala a língua indígena da Décima Avenida. Betty Boop, um nova-iorquês exagerado.

explicava o Projeto Federal dos Escritores, 1938

Expressões e palavras que, segundo seu biógrafo, aparecem pela primeira vez impressas na obra de Dorothy Parker: arte moderna, bola de fogo, ansiosamente, dor de barriga, cérebro de minhoca, garoto-conhece-garota, barra de chocolate, conexão de corrente, *lifting*, alta sociedade, bagunçar tudo, nostálgico, transa de uma noite, mala sem alça, azarar, nem com a graça divina, bizarro, assustadinho, tiro, o céu é o limite, torcer o braço de alguém, que diabos e piada.

Difícil de acreditar.

O nova-iorquês é a fala cotidiana do Cork do início do século dezenove, transplantado durante a migração em massa do sul da Irlanda há duzentos anos.

Também difícil de acreditar.

•

f) Franklin

O síndico do prédio, Vlade, o descarrilador, se aproximou de mim uma manhã, quando estava soltando meu aerobarco das vigas da casa de barcos cada vez mais cheia, com uma expressão sinistra do que parecia ser sua tentativa de um sorriso amistoso. Desde que me arrastara para salvar os ratos da doca de se afogarem, ele me olhava como se fôssemos amigos, o que não éramos, embora fosse bom se ele mantivesse meu barco mais perto da porta como resultado desse pseudovínculo.

— O que foi? — perguntei.
— Charlotte quer falar com você — disse ele.
— E daí? — falei.
— Daí que você quer falar com Charlotte.
— Não necessariamente.
— Neste caso, sim. — E ele me deu um olhar que desfez todo o nosso vínculo recente. — Você vai achar muito interessante — acrescentou. — Possivelmente até lucrativo.
— Lucrativo? Para mim?
— É possível. Certamente para pessoas deste edifício que você conhece.
— Como quem?
— Como os meninos que você me ajudou a resgatar na outra semana. Acontece que eles estão precisando de alguns conselhos relacionados a investimentos, e Charlotte e eu resolvemos ajudá-los.
— Conselhos sobre investimentos? Eles estão vendendo drogas agora?
— Por favor. Vamos dizer que receberam um tipo de herança.
— De quem?
— Charlotte vai explicar a situação. Você pode se encontrar com ela para uma bebida depois do jantar?
— Não sei.
— Você quer fazer isso — disse Vlade, com um olhar transilvano que sugeria que meu barco poderia ser guardado lá no alto, bem ali com o dirigível da estrela da nuvem, no topo do edifício.
— Tudo bem.
— Ótimo. Uma garrafa de vinho, lá na fazenda, hoje, às dez.
— Estarei lá.

Então passei o dia com as múltiplas temporalidades habituais da tela, cronologias fusionadas em tal quantidade que era como se o tempo desaparecesse. Durante esse não tempo, firmei minha impressão de que a bolha entremarés estava ficando maior e mais fina, perto de estourar. Mas com a chegada do inverno, as propriedades da área alagada congelariam fisicamente, e os preços fariam o mesmo. Supressão da volatilidade pelas temperaturas extremamente baixas: um fenômeno conhecido, empiricamente confirmado com dados e denominado *congelamento de preços*. Certos tipos de operadores devotados à volatilidade não gostavam disso. Eram feitas piadas sobre operadores que se jogavam do alto de arranha-céus porque os preços estavam estáveis demais.

Dediquei a maior parte do dia à pesquisa sobre demolições submarinas e fundações para docas flutuantes. No final da tarde, voltei para casa pelo East River, entre uma sucessão alternante de sombras alagadas e trechos de luz solar prateada. Estava frio, e o rio era como uma travessa de alumínio escovado deixada sob um céu de chumbo, um sinal que anunciava o inverno e tirava minha mente de Jojo; ou pelo menos me fez pensar: *Ah, agora não estou pensando em Jojo*. Maldição. Virei na Vinte e Três e segui para a Met, que ainda ostentava o dirigível de Amelia Black como uma imensa biruta de vento acima da cúpula dourada. Ouro contra chumbo: muito bonito. Ao chegar ao *bacino*, aconchegante em suas sombras, dei-me conta de que estava de melhor humor do que quando deixei o escritório. Era algo que a cidade fazia por você.

Depois de um jantar trivial no refeitório, fui até o andar da fazenda. Charlotte já estava ali, com Vlade, o velho que os meninos trouxeram, Amelia Black, a boneca da nuvem, e dois caras que pareciam mendigos. Me explicaram que eram os moradores da fazenda que tinham desaparecido, e que agora estavam de volta.

— O que foi? — perguntei, aceitando uma caneca com vinho oferecida por Vlade.

Charlotte encostou sua caneca na minha, a modo de brinde.

— Sente-se — disse ela, com certo ar presidencial. — Temos perguntas a lhe fazer.

Sentei-me de frente para Charlotte, e os outros se sentaram ao nosso redor. Amelia Black deixou a garrafa de vinho no chão, ao lado de sua cadeira.

Charlotte disse:

— Nossos garotos, Roberto e Stefan, herdaram algum dinheiro.

— Nossos garotos? — perguntei.

— Bem, você sabe. Eles se tornaram uma espécie de protegidos do edifício.

— Isso é possível?

— Qualquer coisa é possível — falou Charlotte, e então franziu o cenho, como se percebesse a inexatidão de sua declaração. — Suponho que eu poderia adotá-los. De todo modo, eles herdaram um tipo de fundo fiduciário.

— O quê? Eles são irmãos?

— São como irmãos — explicou Charlotte. — De toda forma, ambos são parte disso, e querem que sejamos parte também. O que significa Vlade, eu e o sr. Hexter. E mais dois amigos de Vlade.

— E de quanto estamos falando? — perguntei.
— De muito.
— Muito quanto?
— Talvez alguns bilhões de dólares.

Eu podia sentir meu queixo cair até o peito. Os outros me encaravam como se eu fosse uma espécie de comédia televisiva. Fechei a boca, tomei um gole da caneca. Vinho horrível.

— Quem é que vai adotá-los mesmo?

Eles riram um momento diante da minha sagacidade.

— O ponto é — disse Charlotte, ainda sorrindo — que eles querem ajudar a cooperativa, e conhecem e confiam em você.

— Por quê?

— Foi o que eu disse.

Os outros riram novamente. A presidente e eu éramos como uma dupla cômica, ainda que tudo o que eu podia pensar em dizer nesse momento era *touché*. Que, como resposta, não teria valido muita coisa, embora fosse um termo elegante, mas é que eu ainda estava chocado com a ideia dos dois pirralhos se tornarem bilionários.

— É brincadeira — assegurou-me Charlotte. — Eu também confio em você. E eles dizem que você aparece toda vez que eles se metem em encrencas. E precisam de conselhos financeiros. Então eu estava me perguntando se você poderia ajudá-los a investir essa bolada de um jeito que seja seguro, mas cresça rápido.

Balancei a cabeça.

— São coisas opostas. Segurança e rapidez são opostos financeiros.

Os dois mendigos quantitativos assentiram ao ouvir isso.

— Primeira regra da economia — o menor deles observou. E era mesmo.

— Ok — disse Charlotte. — Mas encontrar o equilíbrio certo entre eles é o que você faz, não é?

— Isso mesmo — respondi com um tom paciente, para expressar que aquilo não passava de uma grande simplificação. — O âmago da questão, você poderia dizer. Gerenciamento de risco.

— Então, estávamos nos perguntando se você estaria disposto a nos aconselhar, em uma base *pro bono*.

Franzi o cenho.

— As condições normais nos *hedge funds* são dois por cento da quantidade investida antecipado, depois vinte por cento do que eu consiga por cima da média do mercado para o período em questão. Vinte por cento do alfa, como se costuma dizer.

— Certo — disse Charlotte. — E é por isso que estou pedindo que você faça *pro bono*.

— Mas parece que eles podem bancar a taxa.

— Eles estão incluindo a cooperativa no acordo.

Deixei que ela se desse conta de quão vaga era aquela declaração. Tipo, sem sentido. Mas ela, por sua vez, ficou esperando minha resposta, parecendo impenitente. Os outros ainda me olhavam como se eu fosse um programa de TV.

— Vamos falar hipoteticamente por enquanto — sugeri. — Primeiro, por que quer colocar esse dinheiro em um *hedge fund*? Há outras maneiras mais seguras de investi-lo.

— Eu pensava que a chave dos *hedge funds* era exatamente a segurança. A cobertura. Você investe de um jeito que, independentemente do que ocorra, você ainda ganha dinheiro.

O mais baixo dos quantitativos deu uma risadinha com a caneca na boca enquanto dava uma cotovelada no amigo, que reprimia um sorriso.

— Pode ser que tenha sido assim em algum momento — admiti. — Em algum ponto no início do período moderno. Mas há muito tempo os *hedge funds* só servem para ajudar os investidores que têm muito dinheiro – tipo dinheiro suficiente para que possam se dar ao luxo de perder um pouco – a ganhar mais do que em outras formas de investimento, presumindo que as coisas saiam bem. É risco alto para recompensa alta, com algumas coberturas para reduzir o primeiro.

Charlotte assentia como se já soubesse daquilo.

— E cada gestor de *hedge fund* faz escolhas diferentes a esse respeito, que são como se fossem seus segredos comerciais.

— Isso mesmo.

— E você trabalha para a WaterPrice, e é bom no que faz.

— Sim.

— Parece ser mesmo — interveio Amelia Black.

— Você também — disse, percebendo tarde demais que isso talvez fosse entendido como um jeito de dizer: *Você parece ser muito boa em ficar pendurada em seu dirigível, sem suas roupas.* Não era bem aquilo, mas ela devia ter ouvido versões desse elogio antes, já que era meio que verdade, e, no caso, ela só me deu seu sorriso adorável.

Charlotte olhou para Amelia como se dissesse: *Não o encoraje.*

— Então — disse ela —, se você estivesse a cargo do dinheiro dos meninos, o que faria com ele?

— Repito: o que eles querem? E por que vocês querem fazer desse jeito?

— O que queremos, em última instância, é proteger o edifício de qualquer tentativa de aquisição hostil. E pensamos que quatro bilhões de dólares não seriam bastante para isso.

— Para comprar este edifício?

— Nós já somos donos dele. — Ela também podia ser paciente. — Para impedir que alguém compre o prédio de nós, fazendo uma oferta tão grande que a maioria da cooperativa aceite.

— Ah — falei. — Não, quatro bilhões não é o bastante para fazer isso.
— Porque há muito mais por aí?
— Isso mesmo. Vários trilhões de dólares mudam de mãos todos os dias. Ou a cada segundo.

Todos se surpreenderam, exceto os dois quantitativos. O menor deles disse:
— É dinheiro fictício, mesmo assim.
— Dinheiro fictício? — perguntou Charlotte.
— Papéis — explicou ele. — Empréstimos muito acima dos ativos reais. Futuros, derivativos e instrumentos de todos os tipos. Muitos papéis que supostamente seriam convertidos em dinheiro, mas não se todo mundo tentasse fazer isso ao mesmo tempo.
— Isso mesmo — concordei. — Então vocês são os dois quantitativos que desapareceram?
— Somos programadores — disse o menor.
— Somos quantitativos — disse o maior.
— Parem com isso — disse Charlotte.
— Bem-vindos de volta — acrescentei.

Ela prosseguiu:
— Então, Frankolino, você estava dizendo que não importa quanto aumentemos esses quatro bilhões, sempre vão existir pessoas com muito mais dinheiro, que poderiam superar nossa quantia?
— Sim.

Ela me deu um olhar como se aquilo fosse minha culpa, mas eu decidi pensar que era uma indignação fingida. Ela disse:
— Então, o que você nos aconselha a fazer?
— Vocês poderiam comprar a cooperativa. Comprem-na, privatizem a Met, façam o que quiserem. Se alguém quiser comprar o edifício de vocês, podem mandar que se fodam.
— Bem, ok. É bom pensar que há algum tipo de opção. Algum tipo de opção cretina privatizadora e anticomunitária. Alguma outra?
— Bem — eu disse, alarmado com minha tarefa. — Vocês poderiam começar seu próprio *hedge fund*, alavancar o dinheiro dos meninos, e depois brincar com centenas de bilhões. Que poderiam usar em investimentos dirigidos.

Charlotte me encarou como se tentasse compreender algum tipo de mistério.
— E é o que você faria.
— Sim.
— Gosto disso — disse Amelia Black.

Charlotte balançou a cabeça com força: *Pare de encorajá-lo!*
— Algum outro método que possa sugerir?
— Claro — falei. — Todo dia surgem novos instrumentos. O investimento imobiliário é sempre popular, porque é tangível. Embora nem sempre seja assim

na zona entremarés. Essa é minha principal dúvida agora. Segundo o índice Case-Shiller, as inundações reduziram a zero o valor da décima parte dos bens imobiliários do mundo, mas meus dados indicam que isso praticamente já se recuperou. Assim que é um mercado bem encorajador, talvez até mesmo uma bolha.

Charlotte franziu o cenho.

— E o que podemos fazer nessa situação?

— Você fica no curto prazo.

— E o que isso significa?

— Você aposta que a bolha vai estourar. Compra instrumentos para ter lucro quando isso acontecer. Você ganha tanto que a única preocupação é que a própria civilização se desintegre e não sobre ninguém para lhe pagar.

— Civilização?

— Civilização financeira.

— Não é o mesmo! — exclamou ela. — Eu adoraria destruir a civilização financeira!

— Você precisa entrar na fila — comentei.

Eu gostava do jeito que ela ria. Os quantitativos estavam rindo também. Amelia ria de ver os outros rirem. Ela realmente tinha um belo sorriso. Como Charlotte, agora que eu finalmente via.

— Diga-me como — pediu Charlotte, os olhos cintilando com a ideia de destruir a civilização.

O que, eu tinha que admitir, era divertido.

— Pense nas pessoas normais e em suas vidas. Elas precisam de estabilidade. Querem o que você poderia chamar de ativos não líquidos, o que significa casa, trabalho, saúde. Não são líquidos, e você não quer que sejam líquidos. Então você mantém uma corrente constante de pagamentos para que essas coisas continuem assim: hipotecas, seguro de saúde, fundos de pensão, faturas de serviço, todo tipo de coisa. Todo mundo paga todo mês, e o mercado financeiro conta com essas entradas estáveis de dinheiro. Eles emprestam baseados nessa certeza, usam essa certeza como garantia, e usam o dinheiro emprestado para apostar nos mercados. Eles alavancam em cem vezes os ativos que têm em mãos, que consistem principalmente nos fluxos de pagamentos que as pessoas lhes fazem. As dívidas dessas pessoas são os ativos deles, puro e simples. Pessoas não têm liquidez, e o mundo das finanças tem liquidez, e o mercado lucra com o *spread* entre esses dois estados. E todo *spread* é uma chance de ganhar mais dinheiro.

Charlotte o encarava com olhos de raio laser.

— Está ciente de que está falando com a diretora-executiva do Sindicato dos Proprietários?

— É isso que você faz? — perguntei, de repente me sentindo ignorante. O Sindicato dos Proprietários era uma espécie de Fannie Mae para arrendatários e outras pessoas pobres; o nome era uma aspiração, pelo que eu podia dizer. Alguns dados importantes dele iam para o IPPE, como parte do índice de confiança dos consumidores.

Charlotte disse:

— É o que eu faço. Mas siga em frente. O que estava dizendo?

— Bem, o exemplo clássico de quebra de confiança é 2008. Aquela bolha tinha relação com hipotecas concedidas a pessoas que não podiam pagá-las. Quando elas faliram, os investidores fugiram todos de uma vez. Todo mundo tentava vender ao mesmo tempo, mas ninguém queria comprar. As pessoas que estavam no curto prazo ganharam um belo prêmio, mas todos os demais se deram mal. Empresas financeiras até pararam de realizar os pagamentos contratados, porque não tinham dinheiro em mãos para pagar todos os seus credores, e havia uma boa chance de que as entidades para as quais deviam não existissem na semana seguinte, então, por que desperdiçar dinheiro só porque o pagamento era devido? Então, naquele momento, ninguém sabia se algum papel estava valendo alguma coisa, e assim todo mundo pirou e todos entraram em queda livre.

— O que aconteceu depois?

— O governo colocou dinheiro suficiente para permitir que alguns deles comprassem os outros, e continuou colocando dinheiro até que os bancos se sentiram mais seguros e puderam voltar aos negócios de sempre. Os contribuintes tiveram que pagar as apostas perdidas dos bancos em sua totalidade, um trato que foi feito porque os altos funcionários do Fed e do Tesouro tinham saído do Goldman Sachs, e o instinto deles era proteger o mercado financeiro. A General Motors, uma montadora de carros, foi nacionalizada e mantida em funcionamento até que se recuperou e pôde pagar suas dívidas com as pessoas. Mas os bancos e as grandes empresas de investimento ficaram impunes. Então tudo continuou como estava, até a grande crise de 2061, no Primeiro Pulso.

— O que aconteceu então?

— Eles fizeram tudo de novo.

Ela ergueu as mãos para cima.

— Mas por quê? Por quê? Por quê?

— Não sei. Porque deu certo? Porque se saíram livres daquela? De todo modo, desde então, é como se tivessem um modelo de como fazer. Um roteiro para seguir. Então fizeram mais uma vez no Segundo Pulso. E agora a quarta rodada pode estar a caminho. Ou qualquer que seja o número, porque as bolhas acontecem desde a época das tulipas holandesas, ou desde a Babilônia.

Charlotte olhou para os dois pródigos quantitativos.

— É isso mesmo?

Eles assentiram.

— É o que aconteceu — disse o mais alto com expressão lúgubre.

Charlotte deu um tapa na própria testa.

— Mas o que isso quer dizer? Quero dizer, o que podemos fazer de diferente?

Levantei o dedo, feliz com meu momento de quem tem um olho em terra de cegos.

— Vocês poderiam estourar a bolha de propósito, depois de organizarem uma resposta diferente ao abalo que se seguiria. — Apontei o dedo por sobre meu ombro, na direção da cidade alta. — Se a liquidez depende da manutenção do fluxo constante de pagamentos das pessoas comuns, que é o que acontece, vocês poderiam destruir o sistema quando quisessem, só fazendo que as pessoas parassem de pagar. Hipotecas, aluguéis, sinistros, dívidas estudantis, seguro de saúde. Suspendam os pagamentos, todo mundo de uma só vez. Chamem isso de Dia do Não Pagamento da Odiosa Dívida, ou uma greve geral financeira, ou consigam que o papa declare um jubileu, ele pode fazer isso quando quiser.

— Mas as pessoas não ficariam encrencadas? — inquiriu Amelia.

— Seria muita gente. Não dá para colocar todo mundo na cadeia. Então, em um sentido básico, o povo ainda tem poder. Eles têm a alavanca por causa de toda a alavancagem. Quero dizer, você é a chefa do Sindicato dos Proprietários, certo?

— Sim.

— Bem, pense nisso. O que os sindicatos fazem?

Agora Charlotte sorria mais uma vez para mim, os olhos brilhantes, um sorriso realmente inteligente e caloroso.

— Organizam greves.

— Exatamente.

— Gosto disso! — exclamou Amelia. — Gosto desse plano.

— Poderia funcionar — disse o quantitativo mais alto. Ele olhou para o amigo. — O que você acha? Isso conta com sua aprovação?

— Foda, claro que sim! — falou o menor. — Quero matar todos eles.

— Eu também! — disse Amelia.

Charlotte riu para eles. Ela pegou a caneca e ergueu na minha direção, e eu ergui a minha e nós brindamos juntos. As duas canecas estavam vazias.

— Mais vinho? — sugeriu ela.

— É horrível.

— Posso considerar isso como um sim?

— Sim.

•

No início de 1904, três dos elefantes de Coney Island escaparam de suas jaulas e fugiram. Caralho, eu me pergunto por quê! Um foi encontrado no dia seguinte em Staten Island, portanto deve ter cruzado Lower Bay a nado, uma distância de quase cinco quilômetros. Sabíamos que elefantes sabiam nadar? O elefante sabia que elefantes sabiam nadar?

Os outros dois nunca mais foram vistos. É bom pensar neles passeando pelos bosques sem graça de Long Island, vivendo como *yetis* na versão paquiderme. Mas os elefantes tendem a se juntar em grupos, então é mais provável que os outros dois tivessem saído a nado com o que foi encontrado em Staten Island. Aí já não é tão bom imaginar os três juntos, nadando diligentemente para oeste noite adentro, até que o mais fraco deles se deixa ir com um soluço subsônico de despedida, seguido pelo segundo mais fraco. Há formas piores de partir, como eles bem sabiam. No final, o sobrevivente deve ter subido pela praia noturna e ficado parado ali, sozinho, tremendo, esperando o sol.

•

g) Amelia

Amelia ficou uns dias em Nova York, furiosa e distraída demais para fazer qualquer coisa. No início ela gostou de Franklin, do edifício, um homem de boa aparência, mas ele parecia pensar que ela era uma simplória, então deixou de gostar dele. Viu alguns amigos e conversou sobre projetos com seus produtores, mas nada chamava sua atenção, e todo mundo concordava que provavelmente ela não faria um bom negócio apresentando um programa de entretenimento sobre migração assistida quando a coisa principal sobre a qual falava agora era capturar e prender todo mundo da Liga de Defesa Antártica, ou então matá-los.

— Amelia, você tem que parar com isso — disse Nicole. — Se não pode parar de sentir, pelo menos tem que parar de falar.

— Mas meu público sabe que digo o que sinto, é por isso que eles assistem ao meu programa. E bem agora estou em uma fase pós-traumática.

— Eu sei. Mas você tem que parar de sentir isso.

— Mas eu sinto o que sinto.

— Ok, eu entendo. Então tente sentir mais alguma outra coisa.

Então elas foram patinar no gelo. Um vórtice polar atingira a área na semana anterior, e ainda estava frio. Muito frio. De fato, parecia muito mais frio em Manhattan do que na costa da Antártida, aquela costa em que seus irmãos e irmãs ursinos tinham sido assassinados de maneira vil. Estava tão frio que todo o porto de Nova York congelara. Agora as pessoas dirigiam caminhões sobre canais e pelo Hudson até Hoboken, e mesmo por todo o caminho para além da Verrazano Narrows, já que a superfície do mar estava congelada em cerca de três quilômetros de diâmetro. De vez em quando, o gelo do Hudson rachava e aflorava em grandes placas inclinadas para o céu, como na assustadora Antártida. Amelia não conseguia deixar aquelas lembranças de lado.

Os canais da baixa Manhattan estavam tão gelados que tinham se solidificado, mal havia uma rachadura no gelo, então era como se as ruas tivessem voltado, desta vez brancas, escorregadias e consideravelmente mais altas do que antes. Em todo caso, dava para caminhar nelas, simples assim. Bem, nada jamais fora simples na cidade; havia pontos quentes nos quais maquinários ou outras fontes de calor permaneciam subterrâneos nos túneis do metrô, nas galerias de esgoto ou nas instalações de serviço sob a cidade, e essas colunas térmicas que brotavam ali eram suficientes para deixar a camada de gelo mais fina ou, em algumas localidades bem conhecidas, fazê-la desaparecer completamente. Desses buracos abertos no gelo surgiam focas em busca de ar, assim como castores, ratos-almiscarados e outros mamíferos do estuário, respirando enquanto esperavam não ser mortos e devorados por predadores, humanos ou qualquer outra coisa. Na verdade, o mundo era um lugar bem horrível. Com frequência era matar ou ser morto. Comer alguns dos seus vizinhos e depois ser comido por outros.

Nicole agia de um jeito estranho, como se Amelia fosse algum tipo de bomba prestes a explodir. E todos os namorados que a estrela já tivera em Nova York haviam deixado a cidade ou eram muito infelizes ou causadores de infelicidade para reatar contato. Realmente, não havia nada a fazer.

Então ali estavam, patinando. Na verdade, era meio que divertido. Na infância, Amelia aprendera a patinar em lagos e rios, então conseguia se virar bem com as irregularidades do canal, e patinava de costas, o que era divertido, e até rodopiava um pouco, embora isso não fosse tão divertido, já que a fazia se lembrar de quando a mãe a obrigava a participar de competições. Sua mãe era desse tipo, e Amelia supunha que agora devia estar agradecida a ela por ter se convertido em uma estrela, mas não era assim. Embora gostasse de patinar.

Nicole e ela patinaram pela Broadway de cima a baixo, de Union Square até a Trinta e Quatro, sentindo o ar gelado nos pulmões, o formigamento no nariz e todas as sensações gloriosas relacionadas com o fato de estar na rua no inverno, sob um céu pálido, o sol mal clareando o horizonte ao sul, lançando as longas sombras dos edifícios na direção contrária. Era como se todos tivessem sido transportados para um planeta de gelo em algum lugar, e mesmo assim eram os mesmos edifícios familiares, as mesmas cafeterias e lojas de caiaque, com a única diferença de que os canais eram feitos de um sólido branco encardido. A prefeitura até colocara alguns ônibus de verdade nas ruas novamente, ônibus antigos com motores novos. Isso fazia com que a vista dos dois lados dos canais de aço lembrasse fotos antigas, mas com patinadores substituindo os táxis. Os pedestres tinham que ficar perto dos edifícios ou arriscavam o destino dos transeuntes descuidados dos velhos tempos.

Amelia patinava bem rápido, mais rápido do que os táxis do passado seriam capazes de correr, porque conseguia desviar do tráfego como uma motociclista. Nicole não conseguia acompanhá-la. Se alguém cortasse a sua frente, ela gritava "BIII, BIII" e desviava deles por alguns centímetros.

Mas então alcançou tal velocidade que sem querer atravessou uma faixa de fita vermelha que cobria o cruzamento da Broadway com a Vinte e Oito, e entrou em uma área em que o gelo era mais fino, e lembrou do pai dizendo: *Patine mais depressa sobre o gelo fino*. Apesar de acelerar o máximo que pôde, o gelo se partiu debaixo dela. Amelia não só ficou imediatamente encharcada de água fria, mas um pedaço de gelo quebrado a acertou sob as costelas e tirou seu fôlego bem quando submergiu completamente. O choque térmico teria expulsado todo o ar de seus pulmões de qualquer jeito, mas ela já estava sem ar, então engasgou e, fazendo isso, levou um pouco de água aos pulmões, depois tossiu e engasgou de novo. E então estava se afogando.

Agitando os braços, em pânico, ela nadou para cima, mas bateu no gelo – havia um teto transparente de gelo entre Amelia e o ar! Ela tinha escorregado para baixo do gelo! Agora ia se afogar com certeza! Uma imensa descarga de adrenalina atingiu seu corpo, transformando seu sangue em fogo e tornando-a ainda mais desesperada por ar. Batia com os cotovelos no gelo sobre sua cabeça com a máxima força, mas ainda era pouco. Agora ela só via borrões pretos e cinza. Não sabia mais o que fazer, para onde nadar. Bateu a cabeça no gelo. Aquilo doeu, mas nada aconteceu. Estava condenada.

Então ouviu um barulho forte ao seu redor, de algo se quebrando, e Amelia foi agarrada e retirada da água por alguém. Ali estava ela, pendurada no ar, arrastada de lado, mantida por várias pessoas que se moviam em torno dela e gritavam – ela estava tentando respirar, congelando, tossindo, engasgando, afogando mesmo ao ar livre, e sendo arrastada para longe do buraco irregular no gelo, que aparentemente os transeuntes tinham conseguido abrir para salvá-la. Eles a viram sob o gelo, chamaram-na aos gritos e esmagaram a crosta congelada com sapatos, bastões de esqui, cotoveladas e *testas*, e a tiraram de lá. As pessoas eram tão gentis! Mas ela estava congelando, realmente congelando, estava frio demais até mesmo para tremer ou respirar, então ela arfava enquanto tentava inspirar, ansiando por ar sem conseguir capturá-lo, apenas expelindo a água do canal.

— F-f-frio! — finalmente conseguiu dizer junto com a água que cuspia.

— Venham, tragam-na para cá — gritou alguém.

Todo mundo falava ao mesmo tempo. Amelia foi transportada para dentro de um edifício, até ela conseguia perceber que estava mais quente ali, talvez, e então a levaram para o banheiro feminino, não, um vestiário de algum tipo, talvez fosse um ginásio, um spa, e estavam tirando suas roupas. Alguém comentou feliz que era exatamente como um dos programas dela, que não era todo dia que você tinha que tirar a roupa de uma estrela para salvar sua vida. Todos, exceto Amelia, riram disso, embora ela também tivesse rido se pudesse, porque é claro que era uma das principais características de seus programas naqueles primeiros anos na nuvem. Então era como nos velhos tempos, tirar a roupa e entrar em um banho quente, e algumas pessoas até entraram lá com ela, não nuas, apenas molhando as roupas enquanto a incentivavam e a encorajavam, rindo e conversando animadamente, e talvez desfrutando da nudez dela, como ela teria feito se conseguisse sentir ou pensar em alguma coisa. A água do chuveiro foi mantida morna, a fim de que seus capilares não se expandissem e drenassem o sangue do coração, disseram; boa ideia, mas não estava tão morna quanto ela gostaria, e ela tremia mais do que nunca. Nicole estava ao lado da porta do chuveiro, sem se molhar, mas presenciando tudo o que acontecia e, supôs Amelia, gravando. Os desconhecidos eram mais objetivos.

— Vamos lá, garota, levante-se e deixe a água morna escorrer pela nuca.

— Alguém consiga roupas quentes para esta mulher.

— De onde a tiramos?

— Aqui está a toalha, ela pode se secar e se enrolar nela até que alguém encontre algo para vestir.

— Ela já está um pouco mais quente, está voltando a si. Não muito rápido, no entanto, não vamos matá-la como aconteceu com aqueles marinheiros chilenos.

Amelia estava voltando a si. Ainda estava dolorosamente fria, sua pele branca e manchada de roxo, como um cavalo malhado ou um appaloosa; provavelmente, não era sua melhor aparência, embora talvez sua reação pudesse ser tomada por um orgasmo ou algo assim; a água estava mais quente agora, e ela se sentia cada vez melhor. Só ficara submersa no canal por alguns minutos, disseram, então a água em sua pele começava a parecer dolorosamente quente, na verdade. Como se queimasse.

— Ei! — exclamou ela. — Uau! Quente! Quente!

Então esfriaram um pouco a água, e lentamente conseguiram que a temperatura interna de Amelia se normalizasse. Depois a secaram, vestiram-na com algumas roupas emprestadas, pegas em algum lugar ou compradas em um brechó, qualquer coisa assim. Uma multidão amistosa.

— Vocês são tão gentis! — disse Amelia. — Obrigada por salvarem minha vida.

E irrompeu em lágrimas.

— Vamos levá-la para casa — falou Nicole.

Quando se recuperou da aventura no canal, Amelia pegou o *Migração Assistida* e voou de Nova York para a costa noroeste da Groenlândia. Na ilha triangular coberta por colinas entre Nioghalvfjerdsfjorden Fjord (que tinha sido uma geleira antes do Primeiro Pulso) e Zachariae Isstrom Fjord (idem), erguia-se uma cidade espetacular chamada Nova Copenhague. Dado o estado da antiga Copenhague, muita gente dizia que esse lugar devia se chamar apenas Copenhague, reconhecendo que a cidade, de fato, fora realocada. Na Dinamarca, o povo respondia com desdém a essas demonstrações de presunção e insistiam que sua cidade ia muito bem, obrigado, que sempre fora um lugar úmido. Por outro lado, a ideia de que havia outra Copenhague no canto noroeste de sua antiga colônia não chegava a ser algo muito reprovável, e a verdade era que, já que os dois lugares tinham muito pouco em comum, os nomes não importavam. Havia uma Copenhague em Ontário também.

Em qualquer caso, Amelia já visitara Nova Copenhague antes e se alegrou quando Frans guiou o *Migração Assistida* pela larga fileira de mastros que havia no extremo meridional da cidade, onde um curto fiorde que atravessava a ilha até o centro, ao norte, dava ao lugar a forma de ferradura. As docas se sobressaíam do fiorde gelado, e atrás delas estendia-se o centro da cidade. Os edifícios eram, na maioria, em estilo groenlandês, com telhados inclinados sobre formas cúbicas pintadas com cores primárias, iluminadas por centenas de postes brilhantes que transformavam a escuridão do meio de inverno nortenho em um espaço muito mais resplandecente do que o interior de qualquer aposento. A sala de concertos que ficava no ápice do U era um cubo enorme apoiado sobre um ponto, homenagem a outra sala de concertos idêntica em Reykjavik, e um famoso espaço para o movimento Novo Ártico, voltado à ópera e à música instrumental de longa duração. Algumas das peças tocadas naquela sala duravam o inverno todo.

Depois de amarrar seu dirigível, Amelia pegou um ônibus até a cabeceira do fiorde, onde ficava o maior bairro de pedestres. As ruas cobertas de paralelepípedos, brilhantemente iluminadas e limpas de neve, estavam quase desertas, mas fazia muito frio e as poucas pessoas que eram vistas corriam de edifício em edifício. Apesar do aquecimento do Ártico, o inverno ainda era muito rigoroso ali, e úmido, como em qualquer outra cidade costeira. Fazia Amelia se lembrar de Boston.

O interior de um pub chamado Baltika estava cálido, cheio de gente aproveitando a noite de sexta-feira. Os amigos locais de Amelia, da Associação de Migradores da Fauna Selvagem, tinham se reunido ali para lamentar com ela a desastrosa viagem ao sul, afogar as lembranças e discutir novos planos. Alguns deles tinham ajudado Amelia em Churchill, e estavam tão zangados quanto ela com a recepção cruel que os ursos tiveram na Antártida.

Um deles, Thorvald, não era tão compreensivo como os outros.

— A Liga de Defesa Antártica inclui quase todo mundo de lá, e são muito piores do que os Defensores da Vida Selvagem. As pessoas só estão ali porque querem estar. É como aqui, porém mais. Eles realmente acreditam naquilo.

— Sei disso — respondeu Amelia de mau humor. — E daí? A Antártida é imensa, e se alguns ursos polares estão vivendo em uma ou duas baías por lá, qual é o problema? Eles podiam ter embarcado os animais de volta para o norte em poucas gerações, ou em algumas centenas de anos. Reuni-los quando as coisas aqui estivessem frias o bastante, e depois mandá-los para casa. Era um refúgio!

— Mas nós não os consultamos — disse Thorvald. — E são prisioneiros de sua própria ideia de Antártida. Chamam de "o último espaço selvagem". O último lugar puro.

— Odeio essa merda — reclamou Amelia. — Este é um planeta híbrido. Não existe essa coisa de pureza. A única coisa que importa é evitar extinções.

— Concordo com você. Mas eles, não. Então, você precisa de mais do que pessoas como eu.

Thorvald a encarou com intensidade e, apesar das reprovações dele, Amelia começou a vislumbrar a ideia que o colega planteava. Nada de novo ali, mas em seu estado de ânimo, aquilo ficava entre o consolo e a irritação. Ela podia prestar atenção no que ele dizia. Ainda se sentia gelada até os ossos, dias depois do acidente. Mas não era só isso. Algo tinha que mudar. Mesmo que o estilo dele ao se expressar, como se estivesse sendo rude para levá-la para a cama, não lhe agradasse.

— Então, o que temos que fazer? — quis saber Amelia. — Meus amigos em Nova York estão dizendo que posso mover alguns ursos para lá, desde que seja em segredo.

Todos balançaram a cabeça ao ouvir aquilo. Thorvald disse:

— Dá para ver cada urso polar da Terra pelos satélites. O pessoal da Antártida veria também. E não queremos que mais animais sejam mortos.

— Talvez pudéssemos fazer um acordo com eles — sugeriu Amelia.

Mas eles também balançaram a cabeça ao ouvir aquilo.

— Eles não vão se comprometer — garantiu Thorvald. — Se fosse o tipo de gente que se compromete, não estariam ali.

Amelia suspirou com desalento.

Thorvald falou:

— Talvez o melhor a fazer seja encontrar um novo lugar na Groenlândia. Deve haver baías recentes nas quais os ursos polares e suas presas possam se dar bem.

— Está quente demais aqui agora — lembrou Amelia. — Esse é o ponto.

Thorvald deu de ombros.

— Se está dizendo que a temperatura global tem que cair para que os ursos polares possam sobreviver, vai precisar dar um jeito de tirar umas mil gigatoneladas de carbono da atmosfera.

— E então? Não podemos fazer isso?

— Se esse fosse nosso projeto principal, sim. Você só teria que mudar tudo.

— Ah, vamos lá. Tudo?

— Sim.

— Não gosto disso. É demais. Então temos que fazer o que podemos. Quero dizer, a migração assistida não é exatamente isso?

— Claro, tudo bem. Você precisa de refúgio nos tempos difíceis. Mas são só tapa-buracos. Você é a rainha dos tapa-buracos.

— Tapa-buracos?

— É o que são. Porque, no longo prazo, só uma mudança no sistema funcionaria. Até lá, vamos experimentar nossos tapa-buracos. Fazemos o possível com as doações dos ricos. Tentamos salvar o mundo com os restos das mesas deles.

Amelia achou aquilo deprimente. Bebeu mais aquavit, apesar de saber que aquilo só a deixaria mais deprimida, mas, e daí; era o quão deprimida estava agora. Ela não se importava se estava sendo estúpida. Queria ser estúpida agora. Porque perdera qualquer vontade de ir para a cama com esse cara, Thorvald. E, de fato, aquilo podia nem ter passado pela cabeça dele. Também parecia de mau humor, ou então ele era assim o tempo todo. Uma overdose de realidade, e algum tipo de raiva, talvez como a própria raiva dela, mas não eram complementares. Amelia precisava de um pouco de fantasia para continuar em frente, e achava que todo mundo precisava também. Talvez. Ela não sabia de verdade, mas podia ver que os caras fantasiavam quando estavam com ela, ficava claro pelo brilho dos olhos vidrados deles. Eles interagiam com alguma Amelia de fantasia em suas mentes, uma mistura de sua personagem no programa e sua presença real, e ela brincava com isso, tornando tudo mais fácil de certa forma. Mas não era ela de verdade. Ela de verdade estava ficando brava, muito brava.

— Enquanto isso, não temos que ser rudes — disse ela, com afetação.

Ele só revirou os olhos e, educadamente, terminou sua bebida.

Amelia estava brava demais para ir para a nuvem conversar com seu público e para ir para casa. As coisas não estavam certas, e estava além de seus poderes consertá-las. Desde que resgatara aqueles filhotes de passarinho que caíram do ninho e começara a trabalhar no santuário de aves para fugir de sua mãe – um santuário cheio de pássaros que podiam ser salvos e levados para outro lugar –, era impulsionada pela presunção jamais analisada de que continuaria a fazer aquele trabalho a vida toda, em níveis cada vez maiores, até que tudo se acertasse. E, por muito tempo, pareceu que estava dando certo. Agora, não. Agora ela era a rainha dos tapa-buracos.

Ela pediu a Frans que levasse o dirigível para casa pelo caminho mais comprido.

— Você disse o caminho mais comprido?

— Isso mesmo.

— Nova York está a cerca de cinco mil quilômetros a sudeste de nós. O caminho mais comprido nos levará pelo Polo Norte, descendo o Pacífico, cruzando a Antártida e voltando pelas Américas. Distância estimada: trinta e oito mil quilômetros. Tempo estimado de voo: vinte e dois dias.

— Tudo bem.

— A comida estimada a bordo só vai durar oito dias.

— Tudo bem. Preciso perder peso.

— Seu peso é atualmente dois quilos abaixo da média dos últimos cinco anos.

— Cale a boca — disse ela.

— Calculo que a escassez de comida será muito pior do que uma dieta.

Amelia suspirou. Foi até o canto da ponte de comando e olhou para o globo flutuando entre dois polos, e viu o que Frans queria dizer. De qualquer forma, não queria voltar para a Antártida.

— Ok, faça uma grande rota em espiral em vez de uma grande rota circular. Siga para Kamchatka, depois cruze o Canadá e vá para casa.

— Tempo estimado de viagem: dez dias.

— Tudo bem. É o que eu quero.

— Você vai ficar com fome.

— Cale a boca e dirija!

— Ascendendo até a parte baixa da corrente em curso para acelerar nossa viagem para casa.

— Tudo bem.

Conforme os primeiros dias escuros de viagem em meio ao inverno passavam, ela olhava para o Atlântico Norte. Há muito passara pelo resplendor da cidade de Svalbard, a Singapura do Ártico, iluminada à noite como uma enorme árvore de Natal. Então os Alpes Noruegueses, uma fileira de picos ferozes, pretos e brancos, com longas e lisas geleiras brancas flutuando entre eles. Depois a Sibéria, que se estendia dia após dia. Ainda que os russos tivessem construído algumas cidades imensas ao longo da costa do Ártico, a maior parte da tundra sobre a qual ela passou permanecia vazia. Tundra, taiga e floresta boreal, bordeada pelas então chamadas florestas bêbadas. Colinas de gelo branco chamadas "pingos" desfiguravam a tundra como furúnculos. Essas massas de puro gelo subiam pelo solo graças ao ciclo de congelamento e degelo e, na prática, flutuavam na superfície. Quando os pingos derretiam, deixavam lagoas redondas no alto das colinas baixas, uma visão estranha. A quantidade de metano solto na atmosfera nesse processo era prodigiosa.

Frequentemente visíveis na tundra, reunidas como pontos negros, estavam as manadas de mamutes "desextintos". Mesmo aceitando que eram pseudomamutes, ainda assim eram bem impressionantes. Pareciam formigas negras avançando pela terra; havia milhares deles, talvez milhões. Bom em certos aspectos, ruim em outros. Dinâmica populacional, mais uma vez. Se tal dinâmica fosse o único fator envolvido, com o tempo chegariam a um equilíbrio. O que significava que esses mamutes poderiam passar por uma crise, mas era difícil saber. Enquanto isso, pelo menos tiravam a pressão absurda por marfim que pesava sobre os elefantes.

Na verdade, Amelia pensou enquanto olhava para baixo, apesar de tudo, o mundo parecia bem. Talvez voar no escuro ajudasse. Talvez a costa do oceano Atlântico estivesse se beneficiando com o clima mais quente. Se conseguissem, de algum modo, reverter o aquecimento, talvez as perspectivas não fossem boas para aquela região. Difícil dizer.

Então Amelia passou aqueles dias contemplando o planeta e, enquanto fazia isso, tentava pensar nas coisas a fundo. O que significava que estava cada vez mais confusa. Era o que sempre acontecia quando ela tentava pensar, e era por isso que não gostava muito de ter que fazê-lo. Confiava que havia outras pessoas melhores do que ela naquilo, embora algumas vezes se perguntasse sobre isso e, em qualquer caso, existindo tais pessoas ou não, a existência dessa gente não a ajudava. Tudo o que elas podiam fazer no mundo a essa altura acarretava um rebote de efeitos secundários e terciários. Tudo acontecia às custas de outra coisa. Não como uma onda, mas como uma calandra. Por que seus professores tinham ensinado que a ecologia era uma onda, quando na verdade era um choque de trens?

Ela procurou em seu tablet de pulso a gravação de seu professor de graduação na Universidade de Wisconsin, um teórico da evolução e da ecologia chamado Lucky Jeff, cuja voz mesmo agora tinha o poder de sossegá-la. De fato, aquele poder era tão grande ao vivo que ela dormira na maioria das aulas. Mesmo assim, ele era o que ela precisava agora, sua calma. Ela gostava dele, e ele gostava dela. E, em geral, ele gostava de manter as coisas simples.

— Gostamos de manter as coisas simples — disse ele para começar a palestra que ela escolhera primeiro, o que a fez sorrir. — Na verdade, as coisas são complexas, mas não conseguimos lidar sempre com isso. Em geral, queremos que exista uma regra suprema. Pöper chamava isso de "monocausotaxofilia", o amor pela causa única que explica tudo. Seria bom ter essa única regra, de vez em quando. Então as pessoas as inventam, dão autoridade a elas, como costumavam dar autoridade a reis ou deuses. Talvez agora seja a ideia de quanto mais, melhor. É a regra subjacente à teoria econômica, e na prática significa lucro. É a única regra. Supostamente permite que todo mundo maximize seu próprio valor. Mas, na prática, leva-nos a um evento de extinção em massa. Se persistimos com ela, poderia destruir tudo. Então, qual seria a melhor regra suprema, se temos que ter uma? Há algumas candidatas. O bem maior do maior número é uma possibilidade. Se você lembra que o maior número é cem por cento, e inclui tudo, isso funciona bastante bem. Sugere criar algo como uma floresta climática. E tem uma longa história na filosofia e na política econômica. Há algumas interpretações equivocadas dela, mas isso acontece com qualquer regra. Pode nos servir, como primeira aproximação. Uma que eu gosto mais vem daqui de Wisconsin. É um dos ditos de Aldo Leopold, por isso às vezes é chamada de ética da terra leopoldiana: *O que é bom é o que é bom para a terra*. Isso faz que paremos para pensar. Você tem que analisar a fundo as consequências dela, mas isso é verdade para qualquer regra suprema. O que significaria cuidar bem da terra? Isso englobaria a agricultura, a pecuária e o planejamento urbano. Realmente, todas as nossas práticas de uso da terra. Então seria um jeito de organizar nossos esforços por todos os lados. Em vez de trabalhar pelo lucro, faríamos o que é bom para a terra. Desse jeito, poderíamos esperar deixar um bom lugar para as gerações futuras.

Enquanto ouvia e se perguntava se alguma coisa daquilo era verdade, ou se poderia ajudá-la se fosse, Amelia contemplava Kamchatka. A terra escura embaixo dela era marcada por vulcões de encostas brancas, mas alguns eram negros, porque suas encostas eram tão quentes que derretiam a neve que caía sobre eles. Era bizarro ver a terra tão quente que a neve derretia. As planícies ao redor dos vulcões eram densamente arborizadas e brancas de neve. Havia algumas cidades, espalhadas como gigantescas boias luminosas de navegação, mas era fácil imaginar que os corredores de habitats que eles estavam se esforçando tanto para criar na América do Norte eram ali a ordem natural das coisas. Kamchatka era pouco povoada? Os russos tinham feito as coisas de um jeito melhor? Ela achava que os russos eram saqueadores implacáveis em seu próprio território. Mas pode ser que fossem os chineses. Definitivamente, os chineses tinham destruído sua terra. Talvez a regra deles fosse o oposto da regra de Leopold: *O que é bom é o que é bom para o povo*. Talvez fosse isso que as pessoas queriam dizer quando falavam sobre o bem maior para o maior número – número de pessoas, na visão delas. O que Leopold estava dizendo era que tomar conta da terra fazia que, no longo prazo, as pessoas fossem mais bem cuidadas. Kamchatka, magnífica, bizarra – alienígena – como outro mundo: estava fazendo as coisas direito? Amelia não tinha ideia.

Depois ela passou pelas ilhas Aleutas, e sobre o Canadá, onde viu mais e mais aeronaves nos céus ao seu redor. Havia alguns cargueiros-robôs gigantes sobre a Sibéria, mas o inverno mantinha várias naves menores longe dos céus, ou mais ao sul. Agora ela via todo tipo de aeronave iluminando o céu como lanternas, incluindo algumas aerovilas flutuando a sete mil pés da superfície, uma altitude que, em geral, era reservada para elas. Amelia adorava as aerovilas. Eram conjuntos redondos ou poligonais de balões, com frequência um círculo inteiro, que sustentavam umas plataformas sobre as quais eram erguidas aldeias e, em alguns casos, até cidades com vários milhares de pessoas. Trinta ou cinquenta balões, ou unidades de um único balão, mantinham cada aerovila no ar, com versões menores usando vinte e um balões, como no livro infantil *Os vinte e um balões*. As pessoas falavam muito bem da vida naqueles lugares, e Amelia sempre gostou de visitá--los. Possuíam suas próprias fazendas, e algumas tinham uma área tão grande e tão poucas pessoas que eram quase inteiramente autossuficientes, como as cidades-navios no oceano, então quase nunca iam para terra firme.

Amelia estava voando a uns dez mil pés de altitude, então as aerovilas que via mais abaixo pareciam arranjos florais, ou joias de *cloisonné*. Os canadenses em especial gostavam de voar ou viver desse modo. Alguém dissera a Amelia que seu programa na nuvem era muito popular em várias dessas aerovilas, embora uma pequena pesquisa revelasse que o conteúdo era considerado exagerado, e atraía principalmente jovens que gostavam de rir. Ah, bem. Uma audiência ainda é uma audiência.

Aparentemente, as pessoas começavam a se perguntar por que Amelia não estava transmitindo. Nicole lhe dizia aquilo diariamente. Todos sabiam que ela estava voando, mas não transmitindo. Os rumores eram de que ela estava traumatizada pela morte dos ursos polares. Bem, e daí? Era verdade. Algo perto da verdade. Ela não conseguia definir como se sentia. Era uma sensação nova, desagradável. Talvez fosse trauma, claro. Ela não sabia. Talvez sentir-se entorpecida fosse parte de estar traumatizada. Mas ela sempre se sentia um pouco entorpecida, percebeu. Uma criança distante, um pouco afastada das demais. Odiava tanto alguns aspectos de sua infância que saiu de casa assim que pôde para viver sozinha e, como isso parecia ajudar, em seu interior estava sempre um pouco ausente. Alguns segundos atrás de qualquer coisa que acontecesse com ela ou diante dela. Será que sempre estivera traumatizada? Neste caso, pelo quê?

Ela não sabia. Sua mãe era uma candidata óbvia, mas, na verdade, ela não fora tão má assim. Apenas uma mãe comum, que queria a fama para a filha, então por que Amelia reagia tão mal a isso? O que havia de errado em querer tanto se afastar dos demais? Seria porque o mundo estava ferrado, porque as pessoas viam isso e não mudavam, porque não davam a mínima? Ou era algo nela, algo errado com ela?

De novo, Amelia estava um pouco ausente do que estava realmente vendo, porque uma das aerovilas lá embaixo tinha se inclinado de lado e descia girando lentamente em direção à terra.

— Frans, o que aconteceu com aquela aerovila ali?

— Não sei.

— Os balões! Parece que estouraram!

— Onde você está vendo isso, por favor?

Amelia pegou os controles e virou o dirigível na direção da aeronave em perigo.

— Vá o mais rápido que puder! — exclamou.

— É para já.

Amelia pilotou enquanto Frans cuidava da propulsão e do lastro, e também estabelecia contato com a aerovila, que lançava um SOS. Metade dos balões tinha estourado de uma vez, e a inclinação abrupta havia lançado tudo no caos. Estavam caindo rápido, não escandalosamente rápido, mas com considerável flutuabilidade negativa. As pessoas saltavam das paredes inclinadas dos edifícios e tentavam recuperar o controle da situação, mas era evidente que não estavam conseguindo. De fato, pareciam desesperadas.

Depois da recente aventura colocando o *Migração Assistida* na vertical para lidar com os ursos, Amelia podia imaginar o caos.

— Vá lá para baixo — disse ela para Frans. — Solte mais hélio. Vamos, vamos!

— Na nossa velocidade atual, vamos interceptá-los quando estiverem a mil pés acima do nível do solo.

— Ótimo. Como podemos segurá-los no lado que perdeu os balões?

— Nossos ganchos devem ser suficientes para isso.

— Ótimo. Faça isso. Rápido.

— Devem conseguir restabelecer a flutuabilidade quando nos conectarmos a eles.

— Temos hélio reserva nos tanques?
— Sim...
— Vá mais rápido, então! Vamos lá!

Ela ligou para eles e explicou o plano. Estavam felizes em ouvir que ela tinha uma solução.

O *Migração Assistida* descia até a aerovila muito mais devagar do que Amelia teria desejado, quase em câmera lenta, mas, na verdade, estavam indo bem rápido, disse Frans. O mais rápido possível.

— Nunca esqueça de filmar suas aventuras — acrescentou Frans em determinado momento.

— Foda-se isso! — exclamou ela. — Odeio isso! Não ouse dizer coisas que minha equipe de produção o programou para dizer!

— Então não tenho certeza do que posso dizer.

— Apenas fique quieto! Sério, Frans. Você acaba de me lembrar de que você é apenas um programa. Isso é muito frustrante. Digo foda-se essa merda, odeio essa merda. Você é como todos os demais.

Frans ficou em silêncio.

Quando alcançaram a altitude logo acima da aerovila em queda, depois de abaixar o cabo de Amelia com o gancho na ponta, alguns dos moradores locais, com arneses e cordas de alpinista, aventuraram-se até a ponta da plataforma inclinada para pegar o gancho e prendê-lo no solo, na região dos balões estourados. Era tão incrível ver as pessoas ali, com seus arneses, movendo-se como alpinistas, que Amelia começou a filmar.

— Ei, pessoal — disse ela para a nuvem. — Aqui é Amelia, estou de volta. Vejam o que essas pessoas estão fazendo para salvar sua aerovila. É incrível! Espero que estejam bem amarrados, porque vejam como estão pendurados. Ali, olhem... Conseguiram. Ok, vamos prender nosso cabo no chão deles e puxá-los o mais que pudermos. Frans, temos que voltar ao nível máximo de flutuabilidade que conseguirmos.

— Soltando a reserva de hélio agora.

— E deixe de ser mal-humorado. Pessoal, Frans está irritado comigo, mas não é minha culpa. Nossos produtores são manipuladores terríveis. Isso inclui você, Nicole. Mas, por enquanto, vamos nos concentrar no heroísmo do pessoal encrencado lá embaixo. Parece que conseguimos erguer a parte do povoado que perdeu os balões. Um dos moradores me disse que achava que um meteorito tinha atravessado essa parte do círculo de balões. Bom, o caso é que já estão quase nivelados. Vamos descê-los... Onde, Frans? Onde há um bom aeroporto no qual poderemos deixá-los?

— Calgary.

— Estamos descendo em Calgary, pessoal. Olhem o que estão fazendo para ficar nivelados com os balões que restam. Nossa! Aposto que suas casas estão todas bagunçadas por dentro. Sei como é quando ficamos na vertical. Nenhum de nós gosta quando isso acontece. O que me faz lembrar... Todos vocês deviam se filiar ao Sindicato dos Proprietários agora mesmo. Procurem, pesquisem e juntem-se a eles. Porque precisamos nos organizar, pessoal. Somos como aquela pobre aerovila ali. Estamos à beira do desastre. Estamos inclinados e despencando. Prontos para a destruição. Temos que estabilizar uns aos outros de maneira sincronizada para sobreviver à emergência. Cuidar de nós mesmos. Coloque esta mensagem em repetição, Nicole, e pode ser que eu a perdoe. Ok, agora todo mundo atento enquanto cravamos essa aterrissagem. Frans, crave a aterrissagem e perdoo você também.

— Cravarei a aterrissagem — prometeu Frans.

— *E faça um jardim mais selvagem do que a natureza selvagem* — cantou Amelia, o último verso da canção-tema de seu programa, do grande poema de Frederick Turner.

Ok, digamos que o trabalho estava terminado. Obviamente, era verdade. Digamos que tinham que mudar a regra principal, se queriam ter alguma possibilidade de fazer aquilo dar certo. Também era verdade. Tudo bem. Ela mudaria a grande regra. Mudaria tudo. Se tivesse que lutar, ia lutar. Ainda estava decidida a resgatar aquele filhote de pássaro e devolvê-lo ao céu.

•

Samuel Beckett foi levado ao Shea Stadium para ver sua primeira partida de beisebol, uma rodada dupla. Seu amigo Dick Seaver explicava tudo o que acontecia para ele. Na metade da segunda partida, Seaver perguntou a Beckett se queria ir embora.
Beckett: O jogo já terminou, então?
Seaver: Ainda não.
Beckett: Não queremos partir antes que termine.

•

h) Inspetora Gen

A inspetora Gen e o sargento Olmstead foram falar com a equipe de análises de dados da Sociedade de Ajuda Mútua da Baixa Manhattan, um grupo de detetives quantitativos que sempre se dedicava a minerar as informações e a nuvem de maneiras mais inteligentes do que as equipes oficiais municipais e federais. Sua sede era uma espécie de escritório bagunçado, localizado no número quatrocentos e cinquenta e quatro da Trinta e Quatro oeste, a norte da zona entremarés, em um edifício de tijolo aparente entre vários idênticos, a maioria dos quais tinha sido evacuada e depois transformada em fachadas de torres dez vezes mais altas. Tal preservação da aparência da rua também dava ao bairro um aspecto bizarro, um lugar em que garras de metal alienígenas pareciam se desentranhar da antiga carne de tijolos.

Naquela mistura de antigo e novo, o prédio de tijolos chamado "Toca do Lobo" era fácil de passar despercebido, mesmo assim era um dos grandes nós da metrópole, por albergar os mineradores de dados da Sambam. Gen seguiu Olmstead pelos controles de segurança com a mesma sensação sombria que sempre tinha quando entrava nesse bastião do *big data*. Para ela, análise de dados era o filho feio e mais amado do casamento entre a Ciência e Kafka, algo que sempre servia para provar que o céu era azul, para demonstrar a verdade sobre algo profundamente equivocado ou, para ser mais preciso, para Gen Octaviasdottir era algo radicalmente contraintuitivo. E Gen baseava-se muito na intuição. Aquela sim era uma ferramenta que servia não só para ela, mas para os casos nos quais estava trabalhando. Apesar disso, a análise de dados com frequência era útil, ou útil para Olmstead, pelo menos. E Olmstead era útil para ela.

Conversaram com alguns dos colaboradores habituais de Sean. Os dados sobre a temperatura do rio, à disposição de todos, mostrava que a área sobre a estação de metrô Cypress Avenue tinha aquecido nos dias imediatamente anteriores ao sequestro dos dois programadores na Met. Ok, até agora, tudo bem: o céu era azul.

O contêiner em si era mais difícil de rastrear, mas era aí que os lobos se mostravam; eles tinham uma quantidade imensa de dados chineses, basicamente tudo que o governo chinês ocultara de seu povo durante o século vinte e um, roubados de uma só vez em um contragolpe hilariante que formava a trama da grande ópera de Chang, *Monkey Bites Dragon*. Nesse arquivo chinês, a equipe da Sambam conseguiu localizar exatamente o contêiner em que Mutt e Jeff tinham sido aprisionados. Fora construído na China, como quase todos os contêineres do planeta, havia uns cento e vinte anos. Viajara pelo zigue-zague oceânico normal até o final da década de 2090, quando os cargueiros de contêineres modernos terminaram por substituir os movidos a diesel. Naquela época, os contêineres menores, de materiais compostos, tinham se convertido em unidades padrão de transporte por mar e terra, e os antigos, de aço, começavam a ser usados em projetos de moradia e armazenamento terrestre. Aquele contêiner específico havia desaparecido dos sistemas de rastreamento. Não foi possível saber por onde tinha andado nos cinquenta anos seguintes; o mais provável é que estivesse em um dos estacionamentos alagados do sul do Bronx, bem perto da estação de metrô Cypress.

Os sistemas de vigilância do FBI, também de alguma forma disponíveis para aqueles caras, mostravam que nas duas semanas anteriores ao sequestro, Henry Vinson encontrara-se várias vezes com duas pessoas associadas com a Pinscher Pinkerton, sempre em uma doca, dentro de uma gaiola de Faraday, então as reuniões não tinham sido gravadas. A partir daí, segundo os próprios analistas, ficavam inacessíveis. Quando Vinson e o pessoal da Pinscher se encontravam, a vigilância do FBI percebeu que mais alguém vigiava essas reuniões, e esses outros pareciam ter conseguido colocar um gravador dentro da gaiola de Faraday, na doca, e provavelmente gravaram os encontros. Mas o FBI não conseguiu determinar quem era esse outro grupo.

A Pinscher Pinkerton aparentemente não tinha sede física em lugar algum. Suas finanças ficavam nas Ilhas Cayman, e seu nome só aparecia na nuvem de tempos em tempos, em geral em mensagens nas quais a criptografia tinha falhado. Os criptógrafos da Sambam tinham conseguido decifrar parte da criptografia deles no ano anterior, mas a Pinscher detectara a tentativa e mudara tudo. O que os analistas recuperaram antes da mudança não mostrava nada relacionado ao sequestro de Rosen e Muttchopf, mas tinham encontrado evidências de contratos com outra ventosa do tentáculo do polvo, um grupo envolvido em três assassinatos corporativos. Isso fez com que o FBI os colocasse na lista dos Dez Piores. Assassinato por encomenda, simples assim. Os nomes de Rosen e Muttchopf podiam estar naqueles dados, mas se tivessem recebido nomes em código que não foram descobertos, isso poderia explicar por que não apareceram em nenhuma das listas. Tal como estava agora, a evidência que os analistas conseguiram não era suficiente para convencer a cidade a requerer da Organização Mundial do Comércio um mandado de busca para os arquivos da Pinscher na nuvem.

— Maldição — reclamou Gen. — Mas eu quero ir atrás deles.

Por outro lado, o FBI conseguiu invadir os arquivos do escritório de Vinson com bastante facilidade. Ali estava registrada a contratação de Rosen e Muttchopf, além de um contrato com a Pinscher para assessoria de segurança pessoal. Eram arquivos públicos, na verdade. Os analistas da Sambam também extraíram alguns algoritmos dos operadores de *dark pools* dos próprios *dark pools*; tinham sido marcados por Jeff Rosen como sendo seu trabalho, e estavam ligados a outros algoritmos descobertos por ele nos *dark pools*. Jeff realmente inserira um canal secreto em uma operação conectada à Bolsa Mercantil de Chicago. Em conjunto, todas essas descobertas constituíram uma causa plausível para se conseguir um mandado da Comissão de Títulos e Câmbio para investigar mais a fundo os arquivos de Vinson.

Gen avaliava suas opções analisando os diferentes cenários com Sean Olmstead, que servia como o quadro branco, na ausência de um de verdade. Se conseguissem um mandado e o usassem, poderiam encontrar evidências de que Vinson contratara a Pinscher para lidar com o primo encrenqueiro e seu parceiro. Se Jeff só tivesse visto a ponta do iceberg, em termos de manipulação ilegal de mercado, sequestrá-lo juntamente com seu parceiro poderia salvar Vinson de anos na prisão, ou pelo menos de uma inconveniente repreensão.

— Por que não mataram eles? — perguntou Olmstead.

— Você sabe, ele não queria pegar tão pesado. São da mesma família, ou algo assim.

Olmstead não parecia convencido.

— Parece que você ainda não tem essas conexões muito bem estabelecidas.

— Mas com um mandado poderíamos descobrir o que estavam fazendo.

— Você acha?

— Talvez não. Mas podemos assustá-los o suficiente para que façam algo estúpido.

— Você quer tentar fazer isso — observou Olmstead, tamborilando nervoso na mesa enquanto ponderava. Riffs de jazz com as unhas provavam sua incerteza. — Você sempre acha que pode assustá-los, para que saiam de seus esconderijos.

— Exatamente. Quase sempre eles estão aprontando alguma. Acham que são grandes mentes empresariais, driblando a Comissão de Títulos e Câmbio, mas a visita de um inspetor de polícia com um mandado pode assustá-los.

— Vão avaliar os danos da exposição e tentar reduzi-los.

— Exatamente! O culpado foge quando a mulher o persegue. E algumas vezes é possível construir um caso inteiro só com as burrices que eles cometem em momentos assim.

— Substituindo pelo que você suspeita, mas não pode provar.

— Exatamente!

— Mas, você sabe, se perceberem o blefe e aguentarem firme, então você entrega o jogo. Acontece muito. O blefe é meio que um truque antigo agora. Um velho clichê batido, se me permite dizer.

Gen suspirou.

— Por favor, meu jovem. Mesmo assim, eu quero tentar. Porque gosto de enlouquecer as pessoas. Porque a lógica foge pela janela quando você fica louco.

— Está falando deles ou de você? Ok, desculpe. Podemos muito bem tentar conseguir esse mandado. Posso ver que é o que você quer.

— Você lê pensamentos.

Eles conseguiram o mandado com o grupo de controle da nuvem da Comissão de Títulos e Câmbio. Olmstead ligou para a tenente Claire para pedir uma carona, e ela logo chegou ao Píer Setenta e Seis, ao lado do Javits Center, em uma pequena lancha, acompanhada por um grupo de agentes à paisana do departamento de fraudes da polícia de Nova York. Todos seguiram na direção norte rumo ao deque do Cloister, onde atracaram a lancha e subiram a escadaria ampla do passeio público até a gigantesca praça do complexo.

O próprio espaço era diferente lá em cima: maior, mais alto, mais espaçoso. As pessoas os olhavam ao passar – três oficiais uniformizados, acompanhados por um grupo à paisana: batida! Esquadrão antivício! Os velhos instintos se ativaram e os olhares de temor das pessoas evidenciavam que aquela vizinhança era apenas o mais recente em uma longa fila de antros de vigaristas supostamente elegantes. Gen ficava feliz caminhando assim, com passos firmes, como se dirigisse um pequeno desfile.

Ao chegar à enorme base da maior das torres, mostraram os distintivos para a segurança.

— Estamos aqui para falar com Henry Vinson, na Alban Albany — disse Gen para os seguranças do prédio.

— Têm horário marcado? — perguntaram eles.

— Temos um mandado.

Gen mastigou vigorosamente para desentupir os ouvidos a caminho do quinquagésimo andar, bem baixo na torre, onde os andares eram maiores. Ao sair do elevador, Olmstead, Claire, ela e a equipe de investigação de fraudes seguiram até a recepção da Alban Albany, onde um pequeno grupo de pessoas os aguardava.

— Quero falar com Henry Vinson — disse Gen, mostrando o mandado.

Uma das recepcionistas mostrou o telefone com um gesto, e Gen falou:

— Sim, vá em frente.

A moça ligou para Vinson e disse que uma policial estava ali para vê-lo.

— Mande-a entrar — foi a resposta.

— Entrem — disse Henry Vinson do meio de um andar enorme, aberto e com paredes de vidro em todos os lados. Um metro e sessenta e sete, anglo-saxão, cabelo loiro ralo, parecendo mais jovem do que a idade que tinha, que Gen sabia ser cinquenta e três. Uma boca pequena e franzida, pele fina, muito bem vestido. Como um ator interpretando o papel de diretor-executivo, algo que costumava acontecer entre os diretores-executivos, segundo a experiência de Gen. — Como posso ajudá-los?

— Estou aqui para fazer algumas perguntas sobre seu primo, Jeff Rosen — disse Gen. — Ele e outro homem foram capturados e mantidos contra a vontade recentemente. Os sistemas da cidade mostram que você teve várias reuniões com sua empresa de segurança contratada, a Pinscher Pinkerton, na época do sequestro deles. E Rosen e seu parceiro trabalharam duas vezes para você nos últimos dez anos. Então estávamos nos perguntando se pode nos dizer quando foi a última vez que os viu.

— Estou surpreso em ouvir isso — respondeu Vinson, parecendo afrontado. — Não sei nada sobre isso. Somos uma empresa de investimentos com reputação impecável, tanto com a Comissão de Títulos e Câmbio quanto com a cidade. Jamais incorreríamos em práticas ilegais.

— Não — concordou a inspetora Gen. — É o que torna isso tão inquietante. Poderia haver elementos mal-intencionados na Pinscher, fazendo coisas que você desconhece, com a ideia equivocada de que você aprove.

— Duvido disso.

— Quando foi a última vez que viu seu primo, Jeff Rosen?
Vinson pareceu irritado.
— Não tenho contato com ele.
— Quando foi a última vez que o viu?
— Não sei. Muitos anos atrás.
— Quando foi a última vez que esteve em contato com ele?
— Mesma coisa. Como eu disse, não temos contato. A mãe dele e meu pai estão mortos há muitos anos. Quando éramos jovens, só nos víamos nas férias. Então, sei o que quer dizer, mas, além disso, não há conexão entre nós.
— Mas ele trabalhava para sua empresa.
— Trabalhava?
— Você não estava ciente de que ele trabalhava para sua empresa? Ela é tão grande assim?
— É grande o bastante — garantiu ele. — O setor de computadores contrata seu próprio pessoal. Devem tê-lo contratado sem meu conhecimento.
— Então você não sabe por que ele foi embora.
— Não.
— Mas parece saber que ele trabalhava com computadores.
— Eu sabia disso, sim.
— Você sabia que ele trabalhava programando códigos de operações de alta frequência?
— Disso eu não sabia.
— Sua empresa faz operações de alta frequência?
— Claro. Toda empresa de investimentos faz isso.
Gen parou um instante, para deixar que a afirmação reverberasse um pouco.
— Não é verdade — destacou ela. — A sua faz, mas nem todas. É uma especialidade.
— Bem, uma especialidade — disse Vinson, mais uma vez irritado. — Todo mundo mexe com isso de um jeito ou de outro.
— Então sua empresa faz isso.
— Sim, como eu disse.
— E seu primo estava trabalhando em seus sistemas, e pode ter visto evidências de práticas ilegais.
— Isso não é possível, porque trabalhamos segundo as regras da Comissão de Títulos e Câmbio. E, como eu disse, não tenho contato com ele há mais de dez anos.
— Você consegue se lembrar da última vez que estiveram em contato?
— Não. Não teria sido nada importante. Talvez quando a mãe dele morreu.
— Isso não foi importante?
— Não em termos de trabalho. Vamos lá! Não tenho mais nada a dizer sobre isso. Já terminamos?

— Não — disse Gen. — Minha equipe está aqui para pesquisar seus registros, e qualquer coisa que seu pessoal envie para a nuvem a partir deste ponto está sujeito a interdição.

— Não. Acho que não. Acho que terminamos aqui.

— O que quer dizer?

Uma grande equipe de agentes de segurança uniformizados entrou na sala, e Vinson gesticulou para eles.

— Respondi às suas perguntas com educação, mas não permitirei que nossa confidencialidade seja atacada. Não acredito que seu mandado seja válido. Esses oficiais de segurança estão aqui para escoltá-los para fora do edifício, então, por favor, cooperem com eles e saiam agora.

— Você está brincando — disse Gen.

— Definitivamente, não. Saiam do prédio agora, por favor. Esses agentes vão acompanhá-los até a porta.

Gen pensou por um momento.

— Tudo isso está sendo gravado, claro.

— Claro. Se chegarmos a tanto, nos veremos no tribunal. Por enquanto, por favor, cooperem com as regras de segurança do nosso edifício.

Gen olhou para a tenente Claire, que deu de ombros; não havia nada a ser feito. A inspetora disse:

— Estamos saindo sob protesto, que fique registrado aqui e agora. Você vai ouvir falar desse assunto novamente.

Então ela deixou a sala, seguida por seu pessoal e depois pela equipe de segurança. O elevador ficou lotado.

Quando as portas do elevador se abriram, eles cruzaram a enorme praça atingida pelo vento e desceram a escadaria até a doca.

Quando chegaram à lancha, Gen exclamou:

— Aqueles malditos.

Claire falou:

— Plantei escutas no edifício todo. Talvez algumas funcionem e possamos ouvir alguma coisa.

Olmstead ainda estava vermelho como um buldogue indignado; o osso tinha sido arrancado de sua boca.

— Bom trabalho — disse Gen para Claire. — Esperemos pelo melhor. Manter vigilância em todo mundo que estava no prédio, e em suas conexões na nuvem, e vamos ver se encontramos algo maior do que um despejo de legalidade questionável. No mínimo, poderíamos atingi-los por isso.

— Espero que sim.

Tanto Claire quanto Olmstead pareciam furiosos. Gen se perguntou se aquele seria o único resultado positivo da visita. Eram jovens e agora estavam zangados. Estavam prontos para a caçada.

PARTE SEIS

Migração assistida

O sistema de esgoto de Nova York começa pela tubulação de quinze centímetros de diâmetro que sai dos edifícios. Ela se conecta a canos de esgoto de trinta centímetros de diâmetro que, por sua vez, desembocam nos coletores de dois metros ou mais de diâmetro. Há catorze áreas de desague na cidade, e os esgotos seguem as antigas bacias hidrográficas da área do porto até estações de tratamento nas margens.

A passagem que atravessa a Setenta e Quatro, vinda do East River, era chamada de Saw Mill Creek.

As coisas mudam quando o ar muda.

David Wojnarowicz

a) o cidadão

Fechar a porta do estábulo depois que os cavalos escaparam. Claro. É o que as pessoas fazem. Nesse caso, os cavalos em questão são os dos Quatro Cavaleiros do Apocalipse, tradicionalmente chamados Peste, Guerra, Fome e Morte. Então, o fechamento da porta do estábulo foi particularmente expressivo.

Embora, como é natural, até mesmo essa instintiva e inútil reação fosse contestada, já que muitos assinalaram que, de fato, era tarde demais. Depois de incendiar o mundo, argumentaram, por que simplesmente não seguir com a maré, pegar a onda, aproveitar a última eflorescência da civilização e parar de tentar consertar as coisas? Isso se chamava adaptação, e era uma posição filosófica popular entre certos cidadãos da nuvem, libertários e acadêmicos de várias disciplinas, todos em geral jovens e sem filhos ou convencidos por alguma outra razão de que a coisa não era com eles. Isso os tornava bacanas, legitimava-os entre intelectuais de mentalidade similar, e era um cinismo muito comum por aí, como se alguém pudesse se comportar como se as coisas ainda fossem divertidas, excitantes e normais. Quando certos cientistas apontaram que, de fato, um efeito estufa descontrolado poderia ter consequências bem sérias, como as que Vênus experimentara alguns bilhões de anos antes, e que os Quatro Cavaleiros já soltos podiam se multiplicar de maneira exponencial e devorar grande parte da biosfera – o que significava que o evento de extinção em massa já iniciado poderia incluir entre suas vítimas até mesmo um certo *Homo sapiens oblivious* –, isso foi recebido com desdém pelos sofisticados em questão, que eram descolados demais para imaginar que o excesso de confiança dos especialistas podia se referir a eles mesmos, tão conhecedores e friamente realistas como se julgavam. As pessoas adoram ser legais.

E assim o pânico alimentar de 2074 ocorreu, e suas consequências – disparada dos preços, açambarcamento, carestia, fome, desnutrição e morte – deram a todos (dessa vez a todos mesmo) a súbita consciência de que até a comida, que muitos presumiam ser um problema resolvido ou pelo menos eliminado pelas maravilhas da agricultura moderna, era algo incerto diante das circunstâncias impostas pelas mudanças climáticas, entre outros golpes antropogênicos sofridos pelo planeta. Em todo o mundo, a média de perda de peso dos adultos no final da década de 2070 era de vários quilos – menor em países prósperos, que às vezes enxergavam a situação como uma dieta que (finalmente) funcionaria; maior em países em desenvolvimento, onde não havia quilos a se perder, exceto para a morte.

Então esse incidente obrigou os governos do mundo a voltar sua atenção não só para a agricultura, o que fizeram com rapidez, mas também para o uso da terra em termos mais gerais, o que significava a base tecnológica da civilização, o que significava, como primeira ordem, o que foi chamado de rápida descarbonização. O que significava até interferência nas forças de mercado, ah, meu Deus! E então o fechamento da porta do estábulo começou de verdade, e os sofisticados que defendiam a adaptação se fingiram de mortos e encontraram outras causas descoladas com as quais demonstrar seu brilhantismo.

Só que, nesse ponto, apesar do caos e da desordem que tomavam conta da biosfera, havia várias coisas interessantes para se tentar a fim de manter a porta do estábulo fechada. Tecnologias carbono-neutras ou até carbono-negativas estavam por toda parte esperando ser declaradas rentáveis em comparação às que destruíam o mundo e queimavam carbono, e que até aquele momento eram consideradas pelo mercado como "menos caras". Energia, transporte, agricultura, construção: cada uma dessas atividades até então carbono-positivas provou ter substitutos limpos para ser implementados de imediato, e vários outros estavam sendo desenvolvidos rapidamente. Muitas das melhorias baseavam-se na ciência de materiais, ainda que existisse tamanha consiliência entre as ciências e todas as outras disciplinas humanas ou campos de atuação que realmente se poderia dizer que todas as ciências, humanidades e artes contribuíram para que as mudanças começassem naqueles anos. Todos estavam prontos para lutar contra a resistência habitual do privilégio, do poder entrincheirado e do sistema econômico que os codifica, mas agora, com o pânico alimentar recordando a todos que a morte em massa era uma possibilidade concreta, algum progresso foi possível, pelo menos por alguns anos, enquanto as lembranças da fome estavam frescas.

Então, sistemas de energia foram rapidamente instalados – solares, é claro, porque era a fonte definitiva de energia para o planeta, e porque a eficiência da transformação dos raios do sol em eletricidade aumentava mais e mais a cada ano;

eólicos, claro, pois os ventos na superfície do planeta sopravam de maneira bem previsível. Mais previsíveis ainda eram as marés e as principais correntes dos oceanos, e, com a melhoria dos materiais dando à humanidade máquinas capazes de suportar o embate constante e a corrosão do mar, turbinas geradoras de eletricidade e flutuadores de marés foram colocados no mar, e até mesmo nas vastas profundezas, para transformar o movimento da água em eletricidade. Todos esses métodos não eram tão explosivamente simples como queimar carvão fóssil, mas bastavam; e garantiram vários empregos devido à necessidade de se instalar e de manter infraestruturas grandes e variadas. A ideia de que o trabalho humano seria redundante começou a ser questionada: de quem tinha sido essa ideia, afinal? Ninguém estava disposto a dar um passo adiante para reivindicar a autoria, aparentemente. Só uma dessas ideias absurdas surgidas em um passado idiota e superado, como o flogístico e o éter. Nenhum economista respeitável teria sugerido uma coisa dessas, claro que não. Estava mais para frenologistas ou teosofistas, claro.

Com o transporte foi similar, já que o sistema dependia de energia para mover as coisas. Os grandes cargueiros de contêineres com motores a diesel foram desmontados e remodelados como embarcações menores, mais lentas e, de novo, mais dependentes da mão de obra humana. Ah, Deus, havia novamente uma necessidade real do trabalho humano, que incrível! Embora fosse verdade que algumas poucas partes da operação de um barco cargueiro pudesse ser automatizada. O mesmo valia para os dirigíveis de carga, que tinham painéis solares na parte superior e eram com frequência inteiramente robotizados. Mas os barcos que navegavam pelos oceanos do mundo, feitos de compósitos grafenados muito duros e leves, e também de dióxido de carbono capturado, eram em geral ocupados por pessoas que pareciam gostar das viagens, e era comum que as embarcações servissem de escolas flutuantes, academias, fábricas, salões de festa ou prisões. As velas normais eram aumentadas por velas balão içadas até a atmosfera para pegar ventos mais fortes. Isso levou a perigos de navegação, acidentes e aventuras, de fato toda uma nova cultura oceânica para substituir culturas de praia perdidas, perdidas pelo menos até que as praias fossem reestabelecidas nas novas linhas costeiras mais elevadas; isso também era um projeto de trabalho bem intenso.

Dos novos (mas antigos) sistemas de transporte por mar surgiu a ideia dos barcos-cidades, mais uma vez substituindo as linhas costeiras perdidas por uma extensão menor; no ar, aeronaves carbono-neutras se transformavam, em alguns casos, em aerovilas, e uma grande população soltou suas amarras e decidiu viver nas nuvens. A civilização em si começou a exibir um tipo de preponderância de movimento para leste, seguindo as correntes de jato; onde os ventos alísios sopravam havia alguma ação compensatória para oeste, mas o andar das coisas em geral era para leste. Mais de um analista cultural se perguntou o que isso poderia querer dizer, postulando alguma reversão do destino histórico dada por uma suposta tendência para oeste das migrações dos séculos passados etc. etc., e não foi dissuadido por aqueles que observaram que isso não significava nada, exceto que a Terra girava naquela direção.

Em relação ao uso da terra, os efeitos foram múltiplos. Carros que queimavam carbono tinham se tornado coisa do passado, e pequenos carros elétricos tomaram conta dos vários e extensos sistemas rodoviários do mundo, mas essas estradas também eram ocupadas por trilhos de trem e ciclovias, e outras desapareceram por completo para criar os corredores de habitats requisitados para a sobrevivência das várias espécies em perigo que coexistiam no planeta com os humanos, outras espécies agora reconhecidas como importantes para a sobrevivência da própria humanidade. Uma vez que as pessoas tendiam a se reunir nas cidades, esse processo foi encorajado, e uma porcentagem de terra quase digna de E. O. Wilson foi se esvaziando gradualmente da presença humana e voltou para os animais, aves, répteis, peixes, anfíbios e plantas selvagens. A agricultura se juntou a esse esforço com a criação da aeroagricultura, na qual as aerovilas desciam para plantar e colher sem mal tocar o solo. Gado bovino, ovelhas, cabras, búfalos e outros animais de criação se tornaram livres e voltaram a ser selvagens, e transformá-los em comida era um negócio complicado. De fato, a maior parte da carne para consumo humano era criada em tanques, e, se bem-feita, a criação de animais também provara ser carbono-negativa, então não foi totalmente abandonada.

Desacidificação dos oceanos? Isso realmente não foi possível, embora tenham existido tentativas de fraturar o novo basalto da falha no centro do Atlântico para capturar carbonatos, também de tratar efetivamente os oceanos com cal, também de construir gigantescas banheiras de eletrólise e novas comunidades de algas, e assim por diante. A despeito disso, os oceanos continuaram doentes, já que entre um terço e metade do carbono queimado nos anos da queima de carbono tinha acabado nos oceanos e acidificado a água, tornando a vida difícil para muitas criaturas baseadas em carbono no final da cadeia alimentar. E quando o oceano está doente, a humanidade está doente. Então, esse era outro aspecto daquela época, que obrigou à manutenção da agricultura terrestre, dado que a aquicultura (que antes representava um terço da comida da humidade) era agora uma atividade muito complicada e exigente, que não se limitava mais a pescar peixes no mar.

Construção civil? Costumava emitir muito carbono, tanto na fabricação do cimento quanto na operação do maquinário. Era um trabalho que exigia muita força explosiva, e então, para continuar, os combustíveis fósseis eram importantes; o carbono gerado pelo biocombustível era extraído do ar, coletado, voltava a ser queimado e novamente tirado do ar. Era um ciclo que precisava permanecer neutro. O cimento em si foi em grande parte substituído pelos vários compósitos grafenados, na então chamada "Trifecta Anderson", muito elegante: o carbono era tirado do ar e transformado em grafeno, que era modelado em formas compostas por meio de impressão 3-D e usado para construir materiais, dessa forma sequestrando o carbono e impedindo que voltasse à atmosfera. Portanto, até a infraestrutura da construção podia ser carbono-negativa (o que significava que mais carbono era retirado da atmosfera do que acrescentado, para quem estiver se perguntando). Impressionante, não? Talvez tão impressionante que poderia restabelecer a atmosfera do mundo a duzentas e oitenta partes por milhão de CO_2, talvez até começar uma pequena era do gelo; as pessoas tremiam de impaciência só de pensar nisso, sobretudo os glaciologistas.

Mas caro *demais*. Os economistas não podiam deixar de ter dúvidas. Porque os preços eram sempre elevados, porque o mercado estava sempre certo, certo? Então essas invenções modernas, tão elogiadas pelos neomalthusianos que ainda se preocupavam com as questões do limite de crescimento, debatidas no desacreditado Clube de Roma... Poderíamos realmente nos *dar ao luxo* dessas coisas? Não seria melhor se tudo fosse regulado pelo *mercado*?

Poderíamos nos dar ao luxo de sobreviver? Bem, esse não era jeito de se colocar o problema, diziam os economistas. Era mais uma questão de acreditar que a economia e o espírito humano tinham resolvido todos os problemas no começo da era moderna, ou nos anos da virada neoliberal. Não era evidente? Era só ir até Davos e olhar as equações, tudo fazia sentido! E as regras e as armas que garantiam aderência às leis estavam todas de acordo. Então, ei, vamos continuar ladeira abaixo e acreditar que os especialistas sabem como as coisas funcionam!

Então, adivinhem só? Não houve consenso. Estão surpresos? Essas interessantes novas tecnologias, somando-se ao que poderia ser uma civilização carbono-negativa, eram só um aspecto de um debate muito maior sobre como a civilização devia lidar com as crises herdadas de gerações anteriores, fruto da estupidez dos especialistas. E os Quatro Cavaleiros estavam soltos na terra, então essa não era a melhor das culturas do mundo para ocupar o planeta, não, nem exatamente a mais sã. De fato, pode-se argumentar que, conforme aumentava a importância do que estava em jogo, as pessoas ficavam mais malucas. A tirania dos custos irrecuperáveis, seguida pela escalada do comprometimento; muito comum, comum o bastante para que fossem economistas a dar nomes a essas ações, já que são nomes de comportamentos econômicos. Então, sim, o dobro ou nada, para o que der e vier! Ou tentar mudar o curso. E como ambos os esforços tentam tomar o leme do grande navio do Estado, as batalhas irrompem no tombadilho! Ah, céus, ah, Deus. Continuem lendo, leitores, se ousarem! Porque a história é a novela que dói, o kabuki com facas de verdade.

•

É meio que uma fuga verbal, se o Escritor disser que é.

sugeriu David Markson

> O mais estranho é aquilo que, sendo parecido em muitos casos particulares, é muito diferente em alguns casos essenciais.
> Thoreau descobre o vale inquietante, 1846

•

b) Stefan e Roberto

Roberto e Stefan adoravam quando o grande porto congelava. O clima esquizofrênico de Nova York só deixava que isso acontecesse uma ou duas semanas de cada vez, mas enquanto o gelo estava ali, o mundo era diferente. No ano anterior, tinham tentado fazer um trenó nessa época, e embora não tivesse dado certo, eles aprenderam algumas coisas. Agora queriam tentar de novo.

O sr. Hexter perguntou se podia ir junto.

— Eu costumava fazer a mesma coisa quando era menino, na marina de iates de North Cove.

Os meninos se entreolharam, incertos, mas Stefan falou:

— Claro, sr. H. Talvez possa nos ajudar a descobrir como prender os patins na parte de baixo.

Hexter sorriu.

— Costumávamos prendê-los em tábuas de dois por quatro, se me lembro bem, e depois pregávamos com o que tivéssemos.

Caminharam até o centro da Vinte e Três, junto com centenas de outras pessoas que queriam fazer a mesma coisa, e, ao chegar ao rio, desceram até a doca de aquicultura da Bloomfield, onde os meninos tinham acorrentado a estrutura do trenó a um poste de concreto, com uma caixa de ferramentas e outros materiais escondidos embaixo.

— Onde vocês conseguiram tudo isso? — perguntou Hexter enquanto mexia nas coisas. — Algumas delas são bem decentes.

— Nós as encontramos — disse Stefan.

O sr. Hexter assentiu, não muito convencido. Era quase plausível, na maioria dos casos. A cidade estava cheia de lixo. Uma visita a Governors Island ou Bayonne Bay poderia ser suficiente.

O mestre das docas, Edgardo, apareceu e cumprimentou os garotos, distraindo o sr. Hexter de sua linha de pensamento. E acontece que Edgardo também conhecia o sr. H um pouco. Conversaram sobre os velhos tempos por um instante, e os garotos ficaram interessados ao descobrir que o sr. Hexter antigamente tinha um barco a remo naquela doca.

Quando Edgardo se afastou, o velho inspecionou os patins.

— Parecem funcionais.

— Mas o senhor sabe como prendê-los para que possamos guiar? — Stefan perguntou.

— Só o da frente tem movimento. Este aqui tem que ter algo com um leme.

Enquanto reviravam os materiais e ferramentas, ele disse:

— Então, o que acham dessa coisa de tesouro, hein?

Os meninos deram de ombros. Roberto falou:

— Me incomoda que não fique em um museu ou coisa do tipo. Não acho que devíamos derreter as moedas. Elas devem ter mais valor como moedas antigas, não é?

— Não sei — disse o sr. Hexter. — Aposto de gostariam de uma ou duas para vocês, não? Dava para fazer um buraco no meio e transformá-la em um colar.

Os meninos assentiram, pensativos, tentando imaginar.

— Isso sim que seria um belo *blocknecklace* — comentou Roberto. — E quanto ao senhor, sr. Hexter? O que acha disso?

— Não tenho certeza — confessou Hexter. — Acho que nos saímos bem, com a vida feita, e um fundo fiduciário para vocês quando forem adultos. Então ficarei feliz. Vocês deviam ver o mundo, e tudo mais. Eu, tudo o que quero é uma mapoteca nova. Além do básico, claro. Cobrir as necessidades básicas é fundamental.

— Por isso se chamam necessidades — imaginou Stefan.

Enquanto conversavam, eles trabalhavam no trenó. Os meninos tinham conseguido um mastro de alumínio com uma vela sobre uma retranca, feita para ser guardada em uma caixa no fundo de um bote a remo. Então fizeram uma espécie de apoio para os pés e o pregaram em um ponto abaixo e um pouco atrás ao vértice da estrutura triangular, e abriram um buraco para encaixá-lo. O mastro entraria pelo buraco até o apoio de pés. Depois pregaram uma moldura de madeira na parte baixa da estrutura. As duas lâminas dos patins podiam ser parafusadas nos cantos traseiros dessa moldura, com as pontas voltadas para a frente. A que ficava no vértice do triângulo, a proa do trenó, foi parafusada em um círculo de madeira compensada; em seguida encaixaram esse círculo dentro de uma moldura quadrada pregada no fundo da base, bem depois do mastro, embaixo de outro buraco que permitia que uma barra de leme, parafusada na parte superior do círculo de madeira compensada, ficasse na base. A barra de leme tinha uma travessa pregada na parte de cima, e eles amarraram cordas nas duas extremidades da travessa e passaram-nas pelas laterais do mastro até a popa, onde as amarraram a cunhos parafusados na estrutrura. Essas cordas permitiriam mover o patim dianteiro. Uma vez instalados os suportes de madeira grossa para o mastro, estavam prontos para partir.

— Coloquem um freio — advertiu o sr. Hexter. — Um freio de mão simples. Uma tábua de dois por quatro com uma dobradiça, pendurada da popa. Algo que vocês possam cravar no gelo se quiserem. — Ele remexeu nas tranqueiras dos garotos e encontrou uma velha dobradiça de bronze.

— Isso vai servir? — perguntou Roberto. — É só madeira no gelo, quero dizer.

— Não muito bem, mas qualquer coisa é melhor do que nada, pelo menos algumas vezes.

Eles sopraram as mãos quando tiraram as luvas para trabalhar, e começaram a pular para se aquecer um pouco. O sol, suspenso sobre Staten Island como um disco opalescente, esquentava mais do que parecia, mas mesmo assim fazia frio.

— O que podemos fazer na sequência, sr. Hexter? — perguntou Roberto enquanto trabalhavam. — Precisamos de alguma coisa nova, agora que encontramos o *Hussar*.

— Bem, não há nada como o *Hussar*.

— Mas deve haver alguma coisa.

Hexter assentiu.

— Nova York é infinita — concordou ele. — Deixem-me pensar. Ah… claro. Bem, vocês sabem que Herman Melville viveu a maior parte de sua vida em Nova York.

— Quem é ele?

— Herman Melville! Autor de *Moby Dick*!

— Ok. Parece ser um livro interessante. — Os dois meninos riram. — Conte-nos mais.

— Meninos, ele escreveu o grande romance norte-americano, e quando o livro foi publicado, isso acabou com a carreira dele. As pessoas usaram como papel higiênico por um ou dois séculos, e pelo resto da vida ele teve que procurar outros trabalhos para sustentar a família. Continuou escrevendo, e encontraram as mais diversas obras-primas enfiadas em caixas depois que ele morreu, mas pelo resto da vida ele teve que se virar como pôde para seguir em frente.

— Como nós!

— Isso mesmo. Ele era um rato d'água. Mas conseguiu um emprego como inspetor de alfândega, trabalhando nas docas ao sul daqui. Herman Melville, inspetor de alfândega. Esse é o título da minha própria obra-prima perdida. Mas a dele era um manuscrito intitulado *A ilha da cruz*. Falava de uma mulher que se casara com um marinheiro que a deixou grávida e depois foi embora e se casou com outras moças em outros portos, e essa mulher permaneceu ali e teve que se virar por conta própria depois que ele partiu.

— Como Melville depois que seus leitores se foram — observou Stefan.

— Muito bem. Provavelmente é isso mesmo. De todo modo, seus editores rejeitaram o livro e, segundo dizem, Melville o levou para casa e o queimou na lareira.

— Por que ele faria isso?

— Ele estava enlouquecido. Mas talvez não tenha chegado a tanto. Isso é o que Russ diz que aconteceu, mas outras pessoas afirmam que o livro estava em outra caixa de sapatos. E a coisa é que ele viveu na Vinte e Seis, leste, em uma grande casa a um quarteirão de Madison Square.

— Nosso Madison Square?

— Isso mesmo. Vou dizer uma coisa: aquele pequeno *bacino* no qual vocês vivem tem uma história incrível. É uma espécie de ponto nevrálgico.

— Um manuscrito não ia sobreviver embaixo d'água igual a ouro — apontou Roberto.

— Não. Não, esse romance perdido provavelmente se foi para sempre. É uma pena. Mas qualquer coisa na casa de Melville seria incrível de ser descoberta. E é como o *Hussar*, porque dá para procurar no fundo do canal onde ficava a casa sem que ninguém incomode.

— Mas escavar embaixo da água é difícil — disse Stefan. — Precisamos da ajuda de Idelba e Thabo.

— Verdade. Mas provavelmente eles nos ajudariam de novo, se vocês encontrarem o lugar certo. E descobrir o antigo endereço não deve ser difícil, porque sabemos exatamente onde estava. Então, sabem, se vocês pudessem encontrar alguma coisa, algum objeto de madeira, ou algo como o copo em que Melville colocava a escova de dentes, ou um tinteiro de marfim ou algo parecido...

— Boa ideia — falou Roberto, entusiasmado.

Stefan parecia em dúvida.

— Deixamos nosso sino de mergulho no Bronx. Depois que ele quase matou você.

— Podemos voltar e pegá-lo.

— Parece que terminamos de fazer este trenó — observou o sr. Hexter.

— Vamos experimentar! — exclamou Roberto.

Havia um bom vento assobiando pelo Hudson, não forte demais nem esmagadoramente frio. Então eles desceram o trenó até o gelo, próximo à margem, subiram na base de madeira compensada e o puseram em movimento empurrando com os pés enquanto içavam vela.

O vento encheu a vela imediatamente, e Roberto atou a ponta a um dos cunhos que tinham parafusado no centro do compensado. Stefan puxou as duas cordas que corriam pela barra de leme até que o patim frontal virou um pouco para a direita, a favor do vento, e depois prendeu essas cordas em seus próprios cunhos. Nesse momento, navegavam com o vento oeste, sobre o poderoso Hudson, raspando o gelo.

Uma rajada os atingiu, e em vez de inclinar como um barco a vela o trenó simplesmente foi mais rápido pelo gelo, uma aceleração impressionante, marcada por um barulho ainda maior de raspagem e do vento que assobiava. Stefan e

Roberto se entreolharam, olhos arregalados, e poderiam até ter ficado nervosos se o sr. Hexter não estivesse sorrindo com todos os dentes que lhe restavam, um sorriso de alegria que nunca tinham visto antes. Estava claro que não era a primeira vez que ele andava de trenó, e que gostava muito. Então Roberto manteve a vela estendida, e Stefan puxou o patim dianteiro um pouco mais para a direita, apontando-o ainda mais na direção do vento, e saíram em disparada pelo rio, que desde aquele lugar privilegiado parecia um imenso lago de gelo, talvez até um dos Grandes Lagos. Ou, dadas as torres gigantes da cidade de um lado e Hoboken do outro, como uma pista de gelo para titãs. Era como andar em uma espécie de aerobarco para gelo!

Mas o vento estava muito gelado, então se aconchegaram como puderam em seus casacos e puxaram os capuzes sobre as orelhas, as mãos congeladas apesar das luvas.

— Aponte para o vento! — gritou o sr. Hexter.

Stefan soltou as cordas e puxou a direita com força, o que fez o trenó curvar para a direita, rio acima e no contravento, até que a vela começou a tremular com força, e eles riscaram o gelo para um descanso, com apenas a vela se mexendo.

O vento continuava soprando, empurrando um céu de madrepérolas sobre eles. As rajadas mais fortes faziam o trenó retroceder mais de meio metro de cada vez.

— Incrível! — falou Roberto.

— Eu tinha esquecido como é frio andar de trenó — falou o sr. Hexter, parecendo um pouco desconcertado. — O nosso trenó se parecia mais com uma lancha normal, então tínhamos uma cabine na qual podíamos nos manter protegidos. Sempre tínhamos vários cobertores também, e luvas grossas, e chocolate quente em garrafas térmicas.

Roberto, com os lábios brancos, começava a tremer.

— Podíamos pedir luvas e cobertores emprestados. Acho que Edgardo tem alguns.

— Devíamos ter pensado nisso antes — comentou Stefan.

— Vamos voltar — sugeriu o sr. Hexter. — Ainda não estamos tão distantes assim.

Para os meninos, parecia que já estavam quase em Jersey, mas o sr. Hexter balançou a cabeça e disse a eles para olhar o tamanho dos barcos nas docas de Hoboken, comparados com os da cidade. Os meninos não conseguiam ver, mas estavam dispostos a acreditar na palavra do amigo. Stefan puxou suas cordas e fez o patim dianteiro girar para a esquerda, a fim de orientar de novo a proa rumo à cidade e voltarem. Quando tinham deslizado até estar apontados na direção de Manhattan, Roberto estendeu a vela, o trenó resvalou um pouco de lado e começou a seguir para a cidade.

— Não deixe a retranca acertar você! — exclamou o velho enquanto aceleravam com repentina ferocidade. Roberto puxou a vela com toda a sua força e a prendeu antes que a perdessem, enquanto Stefan se abaixava para ficar sob a retranca, que agora girava pelo lado direito do trenó, em vez de pelo esquerdo.

Um assobio alto, uma aceleração tremenda: nunca tinham sentido nada parecido. Uma velocidade assombrosa. Nem mesmo o zumbidor de Franklin Garr superaria aquilo.

Então houve um estalo alto na popa e a estrutura caiu para a frente. O trenó parou bruscamente, enquanto os três passageiros escorregavam pelo compensado até o gelo.

— Solte a vela! — disse o sr. Hexter para Roberto. — Solte a vela, depressa.

Quando Roberto fez o que o velho pediu, a vela sacudiu livremente sobre a retranca, que ainda balançava loucamente para a frente e para trás. Eles recobraram a compostura, ficaram em pé e deram uma volta pelo gelo. Em alguns pontos, era translúcido, até transparente. Esses trechos eram assustadores, e lá embaixo a água negra ainda se movia claramente.

Acontece que o patim dianteiro e sua base circular tinham se soltado da estrutura quadrada, agora quebrada nos dois lados.

— Estresse demais — comentou o sr. Hexter. — E vindo de uma direção nova. — Ele inspecionou os danos e sacudiu a cabeça. — Uma pena. Não acho que dê para consertar.

— Ah, não! O que vamos fazer?

— Vamos voltar a pé. Aqui, amarrem as cordas na frente da proa e vamos puxar o trenó sobre os patins de trás. Não vai ser tão pesado.

Os meninos permaneceram no gelo perto do trenó e amarraram as cordas como o velho sugeriu. Quando acabaram, conseguiram erguer a proa o suficiente para puxá-lo. Depois de um tempo, pararam, soltaram o mastro e o apoiaram sobre a estrutura, junto com a vela e a retranca. Depois disso, o caminho para a cidade ficou bem mais fácil.

— Isso é legal — disse Roberto. — Em geral, quando aprontamos, ficamos presos.

O sr. Hexter deu uma gargalhada.

— Outro motivo para gostar de trenós. Quando você capota na água, não dá para simplesmente caminhar até em casa como estamos fazendo. Acho que temos que encontrar um meio de fazer uma base mais forte para colocar os patins. Talvez vocês pudessem comprar uma peça já montada e colocá-la no lugar. Deve haver vários construtores de patins nesta época, não?

Os meninos achavam que sim.

— Mas não temos dinheiro para pagar por nada.

— Sim, vocês têm! Deem um guinéu de ouro, que tal? Vejam que tipo de troca conseguem fazer.

Ainda estava frio, então tiveram que apressar o velho um pouco, mas ele parava de vez em quando para olhar ao redor. Os meninos tentavam ser indulgentes, mas então ele parou por completo, olhando em todas as direções.

— O que foi? — reclamou Roberto.

— Aqui é o lugar! Aqui é o lugar, bem aqui!

— Que lugar pode ser este aqui? — perguntou-se Stefan.

— Foi aqui que conheci Herman Melville! Sei dizer por causa da orientação da doca em relação ao Empire State Building.

— Então o senhor conheceu esse tal de Melville?

— Não. — O sr. Hexter deu uma gargalhada. — Não, mas gostaria de ter conhecido. Aposto que teria sido bem interessante. Mas ele é muito anterior à minha época.

— E como o conheceu?

— Era o fantasma dele. Eu o encontrei aqui e conversamos. Muito estranho, certamente. Um encontro insólito. Ele tinha um sotaque carregado, meio como o sotaque de Nova York, porém mais marcado. Talvez com um pouco de holandês. Ele estava parado bem aqui, bem onde vocês estão. Que bela coincidência. Talvez seja por isso que o trenó tenha quebrado aqui. Ou porque comecei a pensar nele hoje cedo. Ele podia ainda estar por aqui, brincando com minha mente.

Stefan e Roberto o encararam.

Ele olhou para os meninos e sorriu.

— Vamos, continuemos a andar. Vocês parecem com frio. Vou contar enquanto andamos.

— Boa ideia.

Então, durante a caminhada pelo gelo, que naquela área era quase todo branco e coberto com uma capa de linhas baixas de neve compactada que Hexter chamou de "sastrugi", ele contou a história.

— Eu estava aqui uma noite, com um bote de borracha motorizado, meio como o de vocês, um zodíaco, chamávamos na época.

— Ainda se chamam assim.

— Bom saber. Então, eu estava aqui...

— Por que o senhor estava aqui à noite?

— Bem, essa é uma longa história, que vou contar para vocês em outro momento, mas basicamente eu estava aqui para receber mercadorias contrabandeadas.

— Que legal! O que é isso?

— O que é contrabando ou o que eu estava recebendo?

— O que é contrabando? — esclareceu Stefan, olhando para Roberto.

— Bem, supostamente algumas coisas não podem entrar no país sem ser taxadas. Ou não podem entrar de jeito algum. Então, se você as faz entrar por debaixo do pano, isso é contrabando.

— E o que o senhor estava recebendo? — perguntou Roberto.

— Vamos falar sobre essa parte depois — disse o velho. — Por enquanto, quero chegar à parte importante, que é a que estou aqui no escuro, em uma noite sem lua, a bruma do mar subindo da água, realmente feliz por meu GPS dizer onde eu estava, porque de outro jeito não seria possível, porque era uma névoa de verdade, a que chamam de sopa de ervilha, de tão espessa. Consegui ver o Empire State de relance uma ou duas vezes, porque o prédio estava iluminado, mas nada além disso era visível. Eu estava parado ali, no meio da escuridão branca, ou de uma brancura escura. E então um homem surgiu remando em meio à névoa. Um bote com remos de madeira, bem grande, com só um tripulante. Tinha cabelos grisalhos e curtos, e uma barba com duas pontas. Era um homem de idade, de peito largo. E remava com força na névoa, então quase me atropelou, porque, quando você está remando, não dá para ver para onde está indo. Embora, nesse caso, no instante em que eu o chamei, ele girou o bote, remando para a frente com um remo, para trás com o outro. Deu a volta até dar de frente com a minha proa, para poder me ver. A verdade era que ele remava muito bem. Essa foi minha primeira impressão, a de que ele era um remador realmente muito bom. Como devia ser, claro.

— Por quê?

— Roberto, cale a boca!

— Não, é uma boa pergunta. Ele era bom porque havia remado em um barco baleeiro quando era jovem, e tinham que perseguir baleias e acertá-las com arpões, e depois puxar seus corpos mortos até o grande navio, só remando. Eu falo para vocês, quando se tem uma baleia morta presa à popa do seu bote, você consegue bem pouco impulso com cada remada. Portanto ele ficou muito bom nisso. E então, depois que sua carreira de escritor afundou, ele teve que trabalhar nas docas. Tem muita coisa que exige remar ali. Herman Melville, inspetor de alfândega. Meu livro favorito sobre ele, embora eu deva admitir que fui eu quem o escreveu.

— Eu achei que tivesse dito que não tinha escrito.

— Roberto!

— Naqueles anos, dizia-se que ele era o único inspetor de alfândega honrado em Nova York. O que, é claro, devia ser incrivelmente perigoso.

— Como assim?

— Pensem um pouco. Se todos os outros eram corruptos, ele era um perigo para os demais. Para os contrabandistas e para os outros inspetores. É incrível que ele não tenha acabado com uma bala na cabeça, arremessado no rio, mas, de fato, ele teve todo tipo de aventura naqueles anos. O livro é, principalmente, um romance de detetives, acho que poderia dizer, ou um romance de aventura no qual acontece uma coisa após a outra. Ele desbaratando tramas, pessoas tentando matá-lo. Alguns antigos confederados malucos tentando semear o caos.

E muitas dessas coisas aconteceram aqui no rio. De vez em quando, ele tinha que remar até aqui, quando os barcos esperavam ancorados até uma vaga abrir no porto para eles. Remar o trajeto todo até Staten Island e depois voltar. Ele podia capturar contrabandistas remando. Os criminosos se evadiriam em embarcações a vela e, quando o vento diminuísse, Melville conseguiria pegá-los. Era um campeão de remo!

— Então o que aconteceu quando o senhor o encontrou aqui? Quero dizer, o senhor também estava contrabandeando, certo?

— É verdade. Talvez seja por isso que ele tenha aparecido! Mas, de fato, naquela noite ele aproximou seu bote do meu, inclinou-se e me encarou. Disse: "Billy, é você?".

— Quem...

— Cale a boca!

— Não sei... eu me pergunto agora se ele estava se referindo a Billy Budd. Mas quando eu disse que não, ele pareceu realmente surpreso, meio que assustado, e perguntou: "Malcolm? Por acaso é meu Malcolm?", e eu disse: "Não, sou Gordon. Gordon Hexter".

— Quem é Malcolm?

— Esse era o nome do filho mais velho dele.

— E depois? — insistiu Stefan.

— Ele olhou para meu zodíaco e disse: "O que é isso? Um bote de borracha?". Eu disse que sim, e ele: "Boa ideia!", e então: "Mas onde estão seus remos?". Contei para ele que eu os tinha deixado cair pela lateral do barco e ele me olhou como se soubesse que era mentira, porque não havia apoios para remos no meu zodíaco. E, é claro, já existiam navios a vapor na época dele, e o *Monitor* e o *Merrimac*. Ele viu o motor na parte de trás, me perguntou o que era aquilo e eu disse que era uma bobina para rede de pesca. Eu devia ter dito apenas que era um motor. Mas ele só me olhou e disse que iria me escoltar até a costa, e eu tive que dizer que tudo bem, como se não fizesse sentido dizer não para ele naquele ponto. Então ele amarrou uma corda na minha proa e começou a me rebocar a remo, então eu perdi minha entrega. Mas eu não pensava nela naquele momento. "Como você sabe para onde estamos indo com esta neblina?", perguntei a ele, porque ele remava de costas, olhando para mim. Ele deu um sorrisinho por baixo do bigode; foi a única vez que vi qualquer expressão em seu rosto. "Ah, eu sei", disse ele. "Conheço este rio como a palma da minha mão, posso afirmar. Seja em noites de lua cheia, noites com chuva ou com neblina tão espessa quanto os pensamentos em minha cabeça. Posso *ouvir* onde estou. Posso sentir o fundo da baía, senti-lo como se fosse minha cama sob meu corpo à noite. Este porto é o meu Pacífico agora. Por fim me adaptei às circunstâncias".

E o velho continuou:

— Então, uma espécie de onda nos atingiu por trás. Senti que a onda me erguia, e depois vi quando ela o ergueu e o fez descer de novo. Olhei ao redor e acho que disse: "O que foi isso?", e não consegui ver nada na neblina. Mas a água estava agitada embaixo de nós, e mais ondas apareceram e me ergueram, depois me fazendo cair. Ele parou de remar, e meu zodíaco bateu na popa do bote dele. Ele se inclinou na minha direção e sussurrou: "É atrás disso que estou, filho! Vejo a linha ao seu redor!". Então eu me virei para olhar para trás, mas não vi nada, e depois, quando me virei de volta, para olhar para ele, não havia nada ali tampouco. Ele não estava ali, o barco a remos não estava ali. Ele se fora.

— O que aconteceu com ele? — perguntou Roberto.

— Não sei. É por isso que digo que deve ter sido um fantasma, porque desapareceu assim. Era o primeiro indicativo de que não tinha sido real. Nesse momento, eu já estava bem perto de West Street, como descobri ao explorar um pouco a área. Eu estava muito assustado, posso dizer para vocês. E continuei assustado bem depois, quando li que dois botes com rapazes mortos tinham sido encontrados no rio no dia seguinte, vagando sem rumo. Mortos a facadas. Acho que era sobre isso que ele estava me falando. Por isso tinha me tirado do meio da neblina. Eu ia ser morto quando o negócio acontecesse, mas ele me levou embora.

— Nossa — exclamou Stefan.

— Mas o que ele quis dizer sobre a linha ao seu redor? — perguntou Roberto.

— Ah, bem! — agora o sr. Hexter parou de caminhar para recuperar o fôlego e responder ao garoto. Ele estava totalmente envolvido pelo relato. — Em *Moby Dick* há um capítulo chamado "A linha", talvez o melhor capítulo de todos. É nele que Melville descreve como era quando os baleeiros estavam remando atrás das baleias para capturá-las, com os arpoadores em pé na proa, e algo como uma dúzia ou uma dúzia e meia de caras remando com a máxima força possível, como uma equipe. Havia um linha grossa enrolada em uma grande banheira no meio do barco, com a ponta amarrada no fim do arpão, e então, quando o arpoador lançava o arpão na baleia e ela ficava presa, o animal mergulhava para o fundo, e a linha saía da banheira a toda velocidade. Mas, para que não se enroscasse ou arrebentasse com o primeiro puxão súbito, eles tinham uma boa parte da linha suspensa em uns postes ao redor do bote, de modo que ela podia ser puxada bem rápido com o arpão quando a baleia fosse atingida e mergulhasse. Então, enquanto os caras remavam o mais rápido que podiam e o barco balançava para todo lado com as ondas, essa linha ficava suspensa entre eles, esperando ser puxada para baixo e para longe pela baleia. Então, se você, sem querer, enroscasse um braço ou a cabeça na linha quando ela começasse a se mover, bang! Você iria para o fundo com a baleia.

— Você está brincando — disse Stefan. — É assim que eles faziam?

— Sim. Mas então, bem quando termina de descrever essa configuração insana, Melville diz: "Mas para que dizer mais?", e afirma que a situação não é diferente de qualquer outra que enfrentamos a qualquer momento! A pessoa que lê *Moby Dick* diante da lareira da sala, diz Melville, está exatamente na mesma situação dos pobres marinheiros remando o barco atrás da baleia! Porque a linha está sempre ali!

— É meio deprimente — apontou Roberto.

— É sim! — Mas o sr. Hexter deu uma gargalhada. Inclinou a cabeça para cima e gritou, parado ali no gelo, sob o sol.

Por fim, puxou a corda que estavam usando para arrastar o trenó e disse:

— Viram? Aqui está a linha de novo. Mas, naquela noite, Melville me ajudou a escapar dela. E eu sobrevivi para contar a história.

•

Hoje o céu está tão azul que queima.

disse Joe Brainard

Fui para Coney Island com Jean Cocteau uma noite. Era como se tivéssemos chegado a Constantinopla.

maravilhou-se Cecil Beaton

•

c) Mutt e Jeff

Mutt e Jeff estão sentados com Charlotte perto da balaustrada, tomando vinho em suas canecas de café brancas.

— Então, é estranho estar de volta ao mundo? — pergunta ela.

— Era estranho antes.

Eles contemplam a cidade noturna inundada de água. A ancestral filigrana dos cabos da ponte do Brooklyn articula os novos superarranha-céus em Brooklyn Heights, todos iluminados como garrafas de licor. O porto parece vasto na luz do inverno, grandes pratos de gelo flutuando alaranjados na escuridão do crepúsculo. Os dias ainda são curtos.

— Podemos dizer que estamos mais sãos agora do que antes — diz Mutt.

Jeff balança a cabeça.

— Eu não diria muito mais sãos, mas nem assim é verdade. Perdi todos os parafusos. Quero coisas agora.

— Você já queria antes — protesta Mutt.
Charlotte diz:
— Nos sonhos começam as responsabilidades.
Jeff sorri de verdade ao ouvir isso, deixando Mutt contente.
— Delmore Schwartz! — diz Jeff.
— Na verdade é Yeats — explica Charlotte. — Schwartz estava citando Yeats.
— Fala sério!
— É verdade. Descobri da pior forma. Alguém disse que era Yeats, eu corrigi a pessoa e disse que era Delmore Schwartz. E então *eu* fui corrigida e acontece que a pessoa estava certa.
— Ai.
— Foi o que eu disse. Não era uma pessoa que eu queria que me corrigisse.
— Está falando de seu ex, o presidente do Federal Reserve?
Charlotte ergue as sobrancelhas.
— Acertou em cheio.
— Estou surpreso que ele soubesse isso.
— Eu também fiquei. Mas ele é cheio de surpresas.
Eles contemplam o lençol de águas escuras, marcado por icebergs brancos quase translúcidos, além de edifícios iluminados e escuros. A imensidão do porto de Nova York à noite é assombrosa, sublime. A negra baía estrelada.
— Todo mundo é cheio de surpresas — comenta Mutt. — Ouviu a transmissão que Amelia fez depois que os ursos polares foram massacrados?
— Claro — diz Jeff. — Todo mundo ouviu, certo?
— Tem quase cem milhões de *views* agora — confirma Charlotte.
— Todo mundo, como eu disse.
— Há nove bilhões de pessoas no planeta — aponta Mutt. — Então é menos de uma a cada noventa, mais ou menos.
— Isso é todo mundo — diz Charlotte. — Ou muitíssimos, pelo menos.
— Então, o que você acha? — pergunta Mutt para ela.
Charlotte dá de ombros.
— Ela é cabeça-oca. Mal consegue concatenar duas ideias.
— Ah, deixe disso...
— O que significa que eu a amo. É claro.
— Não é tão claro.
— Bem, eu amo. Em especial depois que ela falou aquelas coisas tão gentis sobre o Sindicato dos Proprietários enquanto impedia a aerovila de despencar. Aquela transmissão também foi muito vista. A verdade é que ficou bem estranho ela falar daquilo naquele momento. Acho que ela tem um pequeno problema, não sei... com pensamentos sequenciais.
Jeff diz:
— Somos todos como ela.

Chalotte e Mutt não entendem.

Jeff explica:

— Ela quer que as coisas se ajeitem. Está louca por não fazerem nada direito. Ela gostaria de matar as pessoas que machucaram sua família. No que somos diferentes?

— É que nós temos um plano? — sugere Charlotte.

— Mas temos mesmo? Você tem este edifício, a comunidade da zona entremarés, a Sambam e todas as outras cooperativas, mas agora que as coisas estão indo bem, vão comprar tudo de novo. Mas onde existe um espaço comum sempre há um cercado. E os cercados sempre ganham. Assim, é claro que ela quer matar. Estou totalmente de acordo. Colocá-los no paredão. A maldita execução do rentista.

— A eutanásia do rentista — corrige Charlotte. — Keynes.

— Ok, que seja.

— Você parece bem chateado.

— É que você não o viu antes — diz Mutt. — Estou dizendo, ele está bem mais calmo agora.

— Não, não estou.

— Talvez uma pequena vingança — diz Charlotte.

Jeff joga as mãos para o ar, como se dissesse: *Quê?*

— Eu quero justiça!

— Parece que você quer vingança.

A gargalhada de Jeff é mais como um *arrrrgh*. Ele puxa os cabelos com as duas mãos.

— Neste ponto, justiça e vingança são a mesma coisa! Justiça para o povo e vingança contra a oligarquia. Então, sim, quero ambos. A justiça é a pena na flecha, a vingança é a ponta.

— A classe rentista não vai se render tão facilmente — diz Charlotte.

— Claro que não. Mas, olhe, assim que você os separa, você diz para eles que cada um pode ficar com cinco milhões. Nada mais, nada menos. A maioria deles fará uma análise de custo-benefício e vai perceber que morrer por um valor maior não vale a pena. Aceitarão cinco milhões e abaixarão a cabeça.

Charlotte pensa naquilo.

— O dourado salto de paraquedas do rentista.

— Claro, por que não? Embora eu prefira chamar de decapitação fiscal.

— É bem suave, considerando ser uma vingança.

— Luvas de pelica. Minimiza o drama do trauma.

— Sempre gosto disso. — Ela toma um gole do vinho. — Seria interessante ouvir a opinião de Franklin Garr sobre isso. Sobre como ele financiaria isso.

— Por que ele? — pergunta Jeff.

— Porque gosto dele. É um belo jovem.

Jeff balança a cabeça para ela como se estivesse vendo um verdadeiro milagre da estupidez.

Mutt, pensando em desviar a crítica ácida de Jeff em relação ao jovem financista, diz:

— Você já percebeu que nosso edifício é um tipo de rede de atores capazes de fazer coisas? Temos a estrela da nuvem, a advogada, o especialista em edifícios, o próprio edifício, a detetive de polícia, o homem do dinheiro... Só nos falta um motorista de fuga para que seja um maldito filme de assalto!

— E quem somos nós? — pergunta Jeff.

— Somos os velhos sábios, Jeffrey.

— Mas esse é Gordon Hexter — aponta Jeff. — Não, nós somos os dois velhotes Muppets na sacada, fazendo piadas ruins.

— Piadas ruins — diz Mutt. — Gosto disso.

— Eu também.

— Mas não é um pouco estranho que tenhamos todos os atores certos para mudar o mundo?

Charlotte nega com a cabeça.

— Viés de confirmação. Ou é isso ou erro de representação. Esqueci do nome, merda. Quando você pensa que o que vê é tudo o que está acontecendo. Um erro cognitivo muito elementar.

— Facilidade de representação — diz Jeff. — Uma heurística de disponibilidade. Você acha que o que vê é a totalidade.

— Isso mesmo, esse é o nome.

Mutt reconhece isso, mas diz:

— Por outro lado, temos uma boa equipe aqui.

Charlotte responde:

— Todo mundo tem. Há duas mil pessoas morando neste edifício, e você só conhece vinte delas, e eu só conheço algumas centenas, então achamos que são as pessoas importantes. Mas qual a probabilidade disso? É só facilidade de representação. E cada edifício na baixa Manhattan é a mesma coisa, formam parte da sociedade de ajuda mútua, que agora está por todo lado, por todo o mundo alagado. Provavelmente, cada prédio da zona entremarés é um universo como o nosso. Porque todo mundo que conheço no meu trabalho é.

— Então é confundir o particular com o geral? — questiona Mutt.

— Algo do gênero. E existe cerca de duzentas grandes cidades costeiras, todas elas na mesma situação de Nova York. Uns dois milhões de pessoas. E todas sob a ameaça da água, todas em situação precária, todas irritadas com Denver e com os ricos imbecis que ainda desfilam por aí. Só queremos justiça e vingança.

— O que é a mesma coisa — recorda Jeff.

— Ok, que seja. Queremos justiça-vingança.

— Justigança — brinca Mutt. — Vingantiça. Não parece combinar.

— Vamos deixar como justiça — sugere Charlotte. — Todos queremos justiça.

— Exigimos justiça — diz Jeff. — E não temos. O mundo está uma bagunça por causa dos imbecis que acham que podem roubar tudo e sair livres. Então temos que derrotá-los e recuperar a justiça.

— E as condições são propícias, é o que está dizendo?

— *Muito* propícias. As pessoas estão de saco cheio. Temem por seus filhos. São nesses momentos que as coisas mudam. Se funcionar como a lei de Chenoweth diz que funciona, então você só precisa de uns quinze por cento de uma população para instalar a desobediência civil. O restante vê e apoia, e a oligarquia cai. Você tem um novo regime legal. Não precisa de todo aquele banho de sangue nem deixar as coisas nas mãos de revolucionários violentos. Pode dar certo. E as condições são propícias.

— Então, como uma coisa dessas começa? — pergunta Charlotte.

— Com qualquer coisa. Algum tipo de desastre, grande ou pequeno.

— Ok, bom. Eu sempre torço pelo desastre para atacar.

— Todo mundo torce!

Jeff ri com Charlotte. Ela serve mais vinho para eles. Mutt sente que um sorriso se abre em seu rosto de um jeito que quase tinha se esquecido. Levanta a caneca de cerâmica para Jeff.

— É bom vê-lo feliz de novo, meu amigo.

— Não estou feliz. Estou furioso. Muito furioso mesmo.

— Exatamente.

•

Em uma tempestade, o Flatiron parecia se mover para a frente como a proa de um monstruoso transatlântico a vapor – uma imagem da nova América ainda em gestação.

disse Alfred Steiglitz

•

d) Vlade

O tablet de pulso de Vlade tocou, e uma voz disse:

— E então, como vai nosso ouro?

— Oi, Idelba. Bem, estamos dando um jeito.

— O que quer dizer?

— Conversamos com Charlotte sobre isso, e ela nos convenceu a perguntar para a inspetora Gen o que devíamos fazer.

— Vocês perguntaram para um policial?

— Uma policial. Sim.

Uma longa pausa na ligação. Vlade esperou que ela falasse. Isso sempre dava certo com Idelba; ele tinha cerca de cinquenta vezes mais paciência do que ela.

— E o que ela falou?

— Que devíamos derreter e vender o ouro, colocar o dinheiro no banco, e não contar para ninguém onde tínhamos conseguido.

— Ah, que bom! Eu estava com medo que você entregasse o tesouro. Já lidei com recompensas antes, e nunca acaba bem. Quanto tempo isso vai levar? Quando Thabo e eu recebemos nossa parte?

— Não tenho certeza. — Vlade respirou fundo, e então jogou um verde: — Por que não vem até aqui e conversamos sobre o assunto com todo mundo?

— Quando?

— Vou verificar aqui. E, escute, quando vier, pode trazer aquele aspirador que usou para pegar o ouro? Quero ver se posso usá-lo para resolver um problema que estou tendo no edifício.

Ele explicou seu plano.

— Acho que sim — disse ela.

— Obrigado, Idelba. Ligo para você quando o grupo puder se reunir.

Não era fácil reunir o consórcio do tesouro, sobretudo agora que Charlotte fazia parte dele, embora fosse como assessora, porque ela passava a maior parte do tempo fora, ocupada até quando estava em casa. Mas ela conseguiu tirar uma hora no final de uma de suas longas jornadas, e Idelba concordou em vir no rebocador e ancorá-lo entre a torre e o edifício Norte.

Vlade ainda estava encontrando vazamentos abaixo da linha da maré alta, pequenos, mas preocupantes. Na verdade, enfurecedores. Claro que dava para combater drones com drones, e ele fizera isso, mas não estava funcionando. Parecia possível que, se apelasse para os velhos métodos com Idelba, pudesse conseguir o que queria. E isso lhe dava uma desculpa para vê-la novamente.

Então Idelba apareceu com seu rebocador, cujo tamanho mal permitia que entrasse na maioria dos canais da baixa Manhattan. Um nervoso Vlade a recepcionou na Met e lhe mostrou o lugar. Era a primeira vez que ela o visitava, então ele fez o tour completo, começando abaixo da linha d'água, incluindo os aposentos resgatados da água. A casa de barcos, o refeitório e as áreas comuns, alguns apartamentos representativos ocupados por pessoas que ele conhecia bem, tudo, desde os apartamentos individuais até os grandes espaços coletivos que ocupavam meio andar e acomodavam uma centena de pessoas como verdadeiros dormitórios; depois subiram à fazenda, indo até a cúpula e o mastro do dirigível. Então desceram ao andar dos animais – porcos, galinhas, cabras; o cheiro bem forte – e, por fim, para a fazenda mais uma vez, a fim de contemplar a vista da cidade através dos arcos abertos do edifício.

Idelba parecia impressionada, o que agradou Vlade. A história deles se interpunha entre ambos como uma terceira pessoa, mas ele ainda tinha seus sentimentos; e aquilo nunca mudaria. O que era para ela, ele não tinha ideia. Havia tanta coisa sobre a qual não conversavam. Só a ideia de tentar o apavorava.

— É lindo — disse ela. — Sempre vejo o edifício dos rios. Ele se destaca bastante, considerando que há tantos outros mais altos.

— É verdade. Ele está em uma abertura. E o topo dourado chama a atenção.

— Então, o que há com esses vazamentos que você está encontrando?

— Acho que alguém está tentando nos assustar. É por isso que espero conseguir alguma evidência.

— Vale a pena tentar.

— Obrigado pela ajuda.

— Apenas outro serviço da sua nova sócia.

— O que quer dizer? — Essa palavra surpreendeu Vlade.

— Que vamos falar com a sua presidente.

Vlade ligou para Charlotte, e ela ainda estava no edifício. Depois de uns instantes, ela se juntou a eles.

— Esta é Idelba — disse Vlade para Charlotte. — Ela e um membro da sua tripulação nos ajudaram a recuperar o ouro do *Hussar*.

— Além disso, já fomos casados — falou Idelba, sem saber o que Vlade contara para Charlotte sobre isso. — Só para ajudá-la a entender por que eu ajudaria uma criatura como Vlade.

— Engraçado — comentou Charlotte —, eu estava conversando com meu ex outro dia.

— A cidade é assim.

Charlotte assentiu.

— O que aconteceu?

— Queremos saber o que está acontecendo com o ouro, quando vou receber minha parte.

Charlotte respondeu:

— Ainda estamos tentando descobrir qual a melhor forma de maximizar o valor. Não é tão fácil.

— Posso imaginar, mas quero participar das discussões também. Sem Thabo e eu, não haveria nenhum ouro para vocês, e nos prometeram quinze por cento do que foi encontrado. Já se passaram dois meses. E no inverno não conseguimos trabalhar tanto, então não estamos recebendo muito. São tempos difíceis.

— Eu achava que você tinha um contrato com o município.

— Não, só trabalho para a associação. Somos pagos com dinheiro ou mercadorias pelas pessoas de lá, mas algumas vezes só recebemos sambas ou promessas.

— Entendo. Aqui é igual. Eu só pensei que fosse um projeto da cidade.

— Um projeto da cidade, na zona alagada?

— Verdade. De todo modo, estamos conversando com pessoas para descobrir o que fazer com o dinheiro.

Idelba não estava contente com aquilo.

— Talvez pudessem começar pagando o que me devem.

— Não temos esse tanto de dinheiro disponível. Que tal uma troca de bens ou serviços?

— Como o que estou fazendo com Vlade e o problema de segurança de vocês?

Charlotte franziu o cenho.

— Exato, só que ao contrário.

Idelba deu de ombros.

— Não acho que tenham algo que eu precise.

— Poderíamos alojar vocês aqui no inverno. Você viu os hotellos na fazenda, poderíamos colocar mais uns dois, certo, Vlade?

Vlade tentou imaginar como seria viver perto de Idelba mais uma vez, mas não conseguiu. Ainda assim respondeu "claro" sem demora. Só o tempo suficiente para Idelba o olhar feio.

— Acho que não — disse ela com um tom de voz sombrio. — Não sei se quero usar nossa compensação dessa maneira. Um quarto é um quarto, e temos aquecedores e cobertores no barco.

Charlotte deu de ombros, imitando Idelba, Vlade notou.

— Avise quando decidir.

— Enquanto isso, vocês vão trabalhar nessa coisa? Ou nos dar algo em troca?

— Sim, é claro. Teremos algo definido em uma semana.

Vlade levou Idelba até a casa de barcos.

— Você devia se juntar a nós durante o inverno — propôs ele. — Será bom.

— Vou pensar nisso.

De volta à casa de barcos, ele lhe ofereceu uma dose de vodca. Ela se sentou e bebeu um gole. Idelba nunca fora muito boa com bebidas. Beberam sentados, iluminados pelos diferentes instrumentos e telas, e pelas poucas luzes que deixavam acesas na casa de barcos à noite. Compartilharam a penumbra e o silêncio. Não era importante manter a conversa; já não tinham dito todas as coisas que não queriam dizer. Isso era doloroso para Vlade.

— Olha — disse ele —, vou mostrar a você o que estou fazendo com o ouro.

— Já mostrou para os meninos?

— Claro, mas é uma boa ideia. Dessas que não ficam velhas. — Ele mandou uma mensagem para os garotos enquanto tirava o equipamento de umas caixas sob sua mesa de trabalho, e em alguns minutos eles entraram correndo, iluminados pela loucura do ouro como se fossem lamparinas a gás.

— Isso é tão legal — Stefan prometeu para Idelba.

— Ainda que não devêssemos fazer isso — acrescentou Roberto.

Vlade tinha pesquisado como fazer aquilo, e no final descobrira que era bem simples. O ponto de fusão do ouro ficava ligeiramente acima dos mil graus. Ele pedira a Rosario um cadinho de grafite e um molde para lingotes, dois elementos clássicos do equipamento de resgate dos mergulhadores, e já tinha um maçarico de oxiacetileno em sua oficina. Depois disso, era só espalhar um pouco de bicarbonato de sódio sobre dez moedas escurecidas dispostas no cadinho, colocar a máscara de soldador e luvas pesadas, acender a chama e cozinhar lentamente o ouro no calor direto, até que as moedas ficassem vermelhas e virassem uma única massa vermelha irregular, assobiando e borbulhando de leve nas bordas; depois a massa derretia ainda mais e se tornava uma poça de fogo vermelha dentro do cadinho. Sempre interessante de se fazer e de se ver. Por fim, quando a matéria estava líquida, ele pegava o cadinho com pinças e despejava o ouro avermelhado no molde de lingote.

Idelba e os garotos o observavam com profundo interesse. Ela até deixara escapar um "ah-ha" quando as moedas ficaram vermelhas. Assim que os guinéus se deformaram e derreteram, deixando um resíduo de carbonato de sódio e pó em cima, os meninos exclamaram:

— Estou derreteeeeeeeeeendo... — uma piada que Charlotte lhes ensinara como sendo adequada.

Vlade apagou a chama do maçarico e tirou a máscara.

— Tudo pronto.

— Você já deixou os meninos fazerem isso? — perguntou Idelba.

— Ah, sim.

— É fantástico! Dá para *ver* como é quente. Dá para *sentir*.

Então Idelba recebeu uma chamada e olhou para seu tablet de pulso.

— Seus sistemas estão mostrando alguma coisa lá fora?

Ele olhou para as telas e negou com a cabeça.

— Os seus estão?

— Sim. Acho que seu radar pode ter se confundido com essa merda.

— Eu estava me perguntando isso.

— Vamos ver se podemos tirar alguma coisa de lá para você. — Ela falou com Thabo, que ainda estava no rebocador. Vlade saiu, desamarrou a lancha do edifício da doca da casa de barcos e eles partiram depressa para o *bacino*. Idelba indicou sentido norte, entre a Met e a Norte, sob o rebocador dela. Quando deram a volta no *bacino* e chegaram à Vinte e Quatro, Vlade viu que o rebocador ocupava quase metade do canal. Thabo e dois outros homens estavam em pé na proa, enrolando uma das mangueiras de drenagem, e subitamente a bomba de sucção acelerou até alcançar a potência máxima de um grito de *banshee*. Cercados como estavam pelas paredes pálidas dos edifícios, era um verdadeiro estrondo.

De repente, a bomba de sucção parou, e as coisas ficaram silenciosas de novo. Vlade se aproximou do rebocador, e Thabo pegou a corda que Idelba lhe jogara e a amarrou.

— O que conseguiu? — perguntou Idelba.
— Drone.
— Ah, céus — disse Vlade. — Ei, vocês têm uma caixa-forte a bordo?
— Acha que pode explodir?
— Não quero vocês expostos a isso, certo?

Idelba gritou alguma coisa para Thabo e para os outros homens em berbere, e Vlade vislumbrou o branco dos olhos deles por um instante, antes que desaparecessem sob o convés do rebocador. Um tenso minuto depois, voltaram com uma caixa, que um deles segurou com a tampa aberta enquanto o outro jogava nela um objeto que tinham tirado da malha na extremidade do tubo. Trabalharam rápido.

— Ok, trancado — gritaram lá de cima.
— É forte? — perguntou Vlade, esperançoso.
— Por isso chamam de caixa-forte — disse Idelba.
— Eu sei, mas você sabe.
— Eu não sei! Com quem você acha que está lidando? Com os militares?
— Ou alguém que tem equipamento militar.
— Merda. — Mesmo no escuro, o olhar de Idelba poderia queimar em fogo lento. Com o branco dos olhos. — Bem, nossa caixa-forte também é militar. Então, deixe de paranoia e me diga o que fazer com isso.
— Vamos colocar sua caixa-forte em uma caixa-forte maior — sugeriu Vlade. — Tenho uma no escritório.
— E depois o que você vai fazer com isso?
— Entregar para a polícia. Temos uma inspetora de polícia que vive aqui, ela ficará interessada, eu acho. Podemos fazer isso amanhã.
— Duvido que você consiga descobrir muita coisa com o drone.
— Nunca se sabe. Pelo menos posso provar que estamos sendo atacados.
— Ou algo parecido. Alguma ideia de quem está fazendo isso?
— Não. Mas teve uma oferta pelo edifício, então podem ser eles. E mesmo se não pudermos provar, o fato de estarmos sendo atacados pode deixar alguns residentes zangados e convencê-los a votar contra a oferta. Já houve uma votação contra, mas a diferença entre votos contra e a favor foi pequena, e a oferta pode ser aumentada.
— Acho melhor decidir se quero passar aqui o inverno enquanto vocês ainda são donos do lugar.

Vlade tentou pensar em alguma resposta rápida, mas não conseguiu. Ele suspirou, e Idelba ouviu, e parou de provocá-lo. Isso o surpreendeu. Uma trégua na guerra fria entre Vlade e Idelba? Ele descobriria mais tarde. Agora, estava feliz em tê-la por perto, ficando brava com ele. Basicamente feliz. Bem, feliz não era a palavra certa. Ele a queria por perto de um jeito tenso, apreensivo, infeliz, até mesmo miserável. Mas queria.

•

O maior apartamento do qual encontramos registro foi vendido para John Markell – quarenta e um quartos e dezessete banheiros no número mil e sessenta da Quinta Avenida, por trezentos e setenta e cinco mil dólares. Diz a história que logo depois que o sr. Markell se mudou, uma empregada destrancou uma porta que ninguém notara e descobriu dez quartos que eles não sabiam existir.
Helen Josephy e Mary Margaret McBride, *New York Is Everybody's Town*

Trabalho, *s*. Um dos processos pelos quais A adquire propriedade para B.
Ambrose Bierce, *Dicionário do diabo*

•

e) Inspetora Gen

Depois de um degelo súbito em fevereiro, a inspetora Gen teve que voltar a caminhar pelas passarelas, após ter desfrutado de caminhadas pelos canais congelados, e agora ela ia na direção da que levava até One Madison, com a intenção de seguir para leste a partir dali, quando Vlade a deteve na entrada da via elevada.

— Ei, Gen, tenho algo que quero dar para você.

O síndico explicou que ele e sua amiga Idelba tinham tirado um drone submarino do canal perto da Met, e que o colocara em uma caixa-forte caso explodisse, porque suspeitava que o equipamento estava ali para fazer um buraco no prédio.

— Sei que você não pode levar até a delegacia, mas será que dá para mandar seu pessoal vir buscar? Está no cofre do meu escritório, mas não me alegra a ideia de levar eu mesmo aquela coisa para lá.

— Claro — garantiu Gen. — Vou ligar agora, e logo alguém virá.

Ela seguiu sua rota de costume, olhando para baixo, mas sem realmente ver as ondulações dignas de Canaletto na água cor cobalto. Evidência física de um ataque ao prédio. Gen ligou para a tenente Claire e pediu que ela mandasse um barco buscar a evidência de Vlade.

Se aquilo fosse o que Vlade pensava ser, poderia ajudar. Os vários elementos do caso não estavam se encaixando em sua mente, e como algumas pistas tinham se esgotado (não tinham conseguido que o tribunal penalizasse Vinson por expulsá-los de seu escritório, apesar do mandado), ela estava ficando mais irritada. Quanto mais tudo aquilo demorasse a ser esclarecido, maior seria o potencial de que passasse para a categoria que ela tanto odiava: "casos não resolvidos". Talvez até para "os grandes casos não resolvidos". Se isso acontecesse, teria que deixar de lado e seguir em frente. Insistir na frustração dos "casos não resolvidos", que também podiam ser chamados de "insolúveis", era um caminho para a loucura, como descobrira há muito tempo, e mais de uma vez, ficaria louca. Isso não aconteceria novamente. Era o que desejava.

Quando chegou a seu escritório na delegacia e terminou de resolver as primeiras urgências do dia, o barco já tinha retornado, e a tenente Claire voltava do laboratório com ar satisfeito.

— O dispositivo explodiu a três quadras de Madison Square, então é provável que tivesse algum tipo de detonador de proximidade. Mas as caixas-fortes aguentaram. Ficou uma bagunça lá dentro, mas eram os restos de um pequeno drone submarino, com certeza, com uma broca de perfuração fina incluída. E descobrimos alguns marcadores. Foi feito pela Atlantic Submarine Technologies.

— Eles fazem um drone que perfura materiais impermeáveis? Como vendem isso?

— É só uma broca submarina com a ponta muito fina. Você sabe, para passar pequenos cabos ou coisas assim. Isso tem que atravessar revestimentos de diamante o tempo todo.

— Parece um pouco suspeito.

— Não, acho que é uma ferramenta comum. Quase todas as ferramentas destroem coisas com a mesma facilidade com que as constroem, não acha? Talvez com mais facilidade ainda?

— Talvez sim — disse Gen, pensando na polícia como uma ferramenta. — Então os marcadores dizem para quem o drone foi vendido?

— Dizem. Uma empresa de construção em Hoboken, fundada há cinco anos, fora do negócio há um. Possivelmente, uma empresa de fachada para reunir equipamentos e desaparecer, então Sean está dando uma olhada nisso. Também em conexões entre essa companhia e os nomes em nossa lista. Com sorte, ele pode rastrear essa coisa.

— Talvez. Embora possa ser que não. Mantenha-me informada do que descobrir.

Naquela tarde, Gen foi a um dos pequenos cubículos em que trabalhavam Claire e Olmstead. Os dois estavam sentados diante de uma tela e olhavam fixamente um mapa da parte alta salpicado de pontos coloridos, vermelhos e verdes na maioria. Olmstead tinha um tablet embaixo da tela, e digitava como se estivesse tocando piano.

— Não deixe esse mapa enganar você — Gen advertiu para Olmstead.

Mas eles estavam em uma caçada, então ela se sentou no canto e esperou. Depois de um tempo, os policiais dividiram uma das pesquisas com a inspetora e ela pôde ajudar no trabalho. Gen se sentou e começou a sobrepor mapas dos instantâneos dos dias em que Rosen e Muttchopf tinham ficado sequestrados. Pilhas dentro da grande pilha que era a cidade em quatro dimensões. Uma megaestrutura acidental, um labirinto que podiam reconstruir e depois tecer com fios. Do lado de fora do cubículo, a delegacia se esvaziava à medida que as pessoas voltavam para casa ou saíam para jantar. Eles comeram sanduíches que lhes trouxeram. Mais um tempo se passou e começou o turno da noite, com uma lufada de ar frio e café ruim. E eles continuaram trabalhando.

Gen parou em determinado momento para observar seus assistentes. Tantas horas já haviam passado juntos, trabalhando assim. Os jovens eram muito mais jovens do que ela. Vinte anos pelo menos, talvez mais. Ela gostava deles; eram como sobrinho e sobrinha, no entanto mais próximos do que isso, por causa das longas horas que passavam juntos. Seus filhos. Seus filhos postiços. Tantas horas. Mas depois desse tempo todo, fora do trabalho, ela nunca os via.

Olmstead abriu uma nova tela na nuvem e olhou para Gen.

— Veja só isso. A empresa que comprou o drone tinha paletes na doca de Riverside em dezessete de outubro. No mesmo dia, um cruzador pertencente...

— À Pinscher Pinkerton — disse Gen.

— Não. Aos Serviços de Proteção Escher. Lembra-se deles? Estavam trabalhando para a Morningside quando a corretora despejou os ocupantes de uma propriedade no Harlem, comprada por eles. Houve feridos, então tiveram que dar informações suficientes para que eu chegasse à verdade. Estavam negociando em nome de uma empresa chamada Angel Falls.

— Bom trabalho — elogiou Claire.

— Certamente a Morningside se tornou o macho alfa da parte alta. O grupo da prefeita usa seus serviços, a Adirondack também. E agora está intermediando a oferta pelo seu edifício, certo, chefa?

— Certo — disse Gen. — Uau, eu me pergunto se é para um deles. A esta altura, estou surpresa que alguém ainda contrate a Morningside. Eles estão ficando meio óbvios.

— Bem, nada disso é muito conhecido — protestou Olmstead. — É necessário cavar fundo.

— Vamos continuar cavando e ver se descobrimos quem está por trás dessa oferta. Deve haver outros ângulos para se chegar a isso. — Então Gen viu a expressão no rosto deles. — Mas não agora! Por enquanto, vamos conseguir algo para comer.

Os jovens oficiais assentiram ansiosos e pegaram seus casacos. Gen voltou para seu escritório e pegou o dela. Quando saíram da delegacia, ela estava se perguntando se o sequestro de Rosen e Muttchopf, a oferta pelo edifício e as tentativas de sabotagem estavam conectados. Não tinham que estar, necessariamente. E agora havia duas empresas de segurança envolvidas.

Ela não sabia. Fazia frio do lado de fora. Gen deixou que seus jovens policiais a levassem a um bar em Kips Bay. As passarelas eram escassas ali, e os jovens discutiam se deviam pegar um táxi aquático. Era uma noite muito fria, mas os canais estavam descongelados de novo, ou cobertos apenas por gelo fino. O frio os despertou. Tinham que seguir as pistas da melhor maneira possível. Mas antes, resolver a fome. Gen podia sentar, comer e ouvir como os jovens sustentavam o peso da conversa. Ou dos pensamentos.

•

Talvez a fala e a comunicação tenham sido corrompidas. Foram completamente impregnadas pelo dinheiro – e não sem querer, mas por sua própria natureza. Temos que sequestrar a fala. Criar sempre foi algo diferente de comunicar. A chave pode ser criar vacúolos de não-conversação, disjuntores, para que possamos eludir o controle.

Gilles Deleuze, *Conversações*

Certamente, problemas se aproximavam. Qualquer um que tivesse experiência podia ver isso.

Jean Merrill, *The pushcart war*

•

f) Franklin

Ninguém sabe nada. Mas sei menos do que isso, porque achava que sabia alguma coisa, mas estava errado. Portanto, tenho um saldo negativo de saber. Eu desconheço.

Então, ok, não é assim tão ruim. Sei como operar. Coloque-me diante dos meus monitores e eu posso ver os *spreads* se expandindo ou se contraindo ao revés da sensatez recomendada pelos índices. Posso adquirir opções de compra e venda, negociá-las e cinco segundos depois cair fora com lucro, e fazer isso o dia todo, ganhando em média mais do que perco. Posso me esquivar de situações como a do jogo da velha e do xadrez, e manter-me na das damas, na do pôquer. Sei jogar o jogo. Quando estou a fim, posso até mergulhar em um lago escuro e fazer *spoof*, entrando e saindo antes que alguém perceba. Posso até fazer *spoof* do meu *spoofing* e meter o refluxo no bolso.

Mas e daí? O que é tudo isso na realidade? Um jogo. Jogos. Jogos de aposta. Sou um apostador profissional. Como um daqueles personagens míticos dos salões ficcionais do Velho Oeste, ou dos cassinos reais de Las Vegas. Tem gente que gosta desses caras. Ou gostam das histórias sobre esses caras. Gostam da ideia de gostar desses caras, faz que se sintam foras da lei e transgressores. Isso também podia ser uma história. Não sei. Porque eu não sei nada.

Então, ok, de volta ao início. Chega de choramingar.

Um investimento é como comprar um futuro. Não uma opção de compra, mas um futuro de verdade comprado antes que os acontecimentos ocorram.

Então, o que o futuro da assim chamada economia real está oferecendo aqui? O que este porto, a grande baía de Nova York, oferece para investimento?

Uma opção de moradia, vamos dizer. Moradia decente na zona submersa, na zona entremarés.

Por que Joanna Bernal está perdendo alguma liquidez ali? É como se ela estivesse comprando opções de venda, apostando que uma moradia decente na zona entremarés vai valer mais no futuro do que agora. Parece uma boa aposta.

O que Charlotte Armstrong pretende ao evitar a venda de uma opção de compra? Ela não quer que exista a possibilidade de se comprar o edifício Met Life. Ela não ofereceu essa opção e não gosta que as pessoas estejam agindo como se tivesse oferecido.

O que acontece se existirem várias moradias decentes na zona entremarés? Isso vai criar uma oferta, que diminuirá a demanda pelo prédio de Charlotte. Nosso prédio, se quiser colocar dessa forma. Se eu decidisse comprar a parte da cooperativa que é dona do lugar.

Ok.

Então eu voltei ao complexo Cloister para falar com Hector Ramirez.

A viagem pelo Hudson foi divertida como sempre. Embora o East River estivesse novamente congelado e bem sólido, o gelo no Hudson tinha quebrado na semana passada, formando uma aglomeração de gelo gigante no Narrows que vagou de um lado para o outro com as marés até sair para o mar ou derreter. Um rumor surdo e aquoso vindo dali de vez em quando era audível em toda a baixa Manhattan. O leito do Hudson tinha voltado a congelar por completo duas vezes na última semana, e depois quebrara de novo com as marés. Quase todo aquele gelo descera flutuando para o sul até se unir ao aglomerado já existente, mas, rio acima, o degelo continuava arrancando enormes pedaços que depois eram levados pela correnteza. Era a época do ano que deixava óbvio o porquê de o rio ser chamado de poderoso Hudson. As grandes placas de gelo flutuavam em meio ao tráfego e obstruíam os canais de navegação, forçando barcaças e cargueiros a desviar delas como revoadas de pássaros, usando o mesmo algoritmo e empregando muitos dos xingamentos trocados entre nova-iorquinos quando estão cooperando entre si. As aves que voam em debandada também soltam impropérios parecidos, em especial os gansos. Quec, quec, quec, saia do meu maldito caminho!

Ao chegar à doca do Cloister, tive que abrir caminho pela lama que se acumulara contra a barreira antigelo que havia sido montada ao redor do lugar e que estremecia a cada impacto do casco infeliz do meu barco. Então segui para a passagem de entrada na barreira, esperando minha vez. Enquanto aguardava, olhei para a neve suja que cobria o pântano salgado onde eu tivera minha grande epifania. Nesse momento, uma família de castores se aproximou nadando até a costa irregular, focinhos e cabeças grandes dos pais, focinhos e cabeças pequenos de uma fila de quatro filhotes. Mergulharam sob um monte feito de ramas e pedaços de madeira, ao lado da margem. Uma casa redonda e baixa, não exatamente arrumada, mas quase. Construída, certamente. Forte o bastante para aguentar os embates ocasionais dos blocos de gelo que passavam. A família de castores desapareceu lá dentro, e eu me lembrei, por ter visto no diorama de um museu, que a entrada seria um túnel submarino, terminado em um nível acima do mar.

Moradia na zona entremarés.

A primavera estava chegando.

Eu reservara meia hora com Hector, assim que, quando cheguei ao seu convés voador, não parei para me maravilhar com a vista, por mais incrível que fosse; eu não tinha tempo a perder.

Liguei meu tablet no equipamento de mesa dele e mostrei-lhe as projeções. Vlade tinha me colocado em contato com seus antigos amigos da cooperativa de mergulhadores da cidade, os chamados "limpadores de fundo"; eles estavam prontos para trabalhar a qualquer momento. A amiga de Vlade, Idelba, poderia ser subcontratada para os trabalhos de dragagem quando necessário, o que, como Hector apontou rapidamente, era provável que fosse frequente. Uma empresa de perfurações submarinas chamada Marine Moholes estava disposta a nos dar alguns dias quando o leito rochoso estivesse livre de sedimentos. Era uma questão interessante a de quantos postes de amarração teriam que ser colocados para ancorar um bairro flutuante, e a que profundidade do leito rochoso deveriam estar. Eu tinha pedido uma resposta preliminar para uma empresa de engenharia: âncoras grandes nos quatro cantos, menores entre eles; seria algo como uma dúzia por bloco. A que profundidade uma âncora sólida encontraria o xisto e o gnaisse da ilha? Depende de quanta tensão teriam que suportar e do número de postes de amarração. Os engenheiros fizeram uma estimativa, e Hector e eu comentamos um pouco os resultados, bem desalentadores, como se também fôssemos engenheiros. Como acontecia com frequência, eu estava surpreso com o tanto que ele sabia sobre a cidade. Eu fora obrigado a pesquisar tudo aquilo, e ali estava ele citando de memória a profundidade do leito rochoso, quarteirão por quarteirão.

Os cabos de ancoragem seriam mais fáceis, já que existia um número imenso de trançados e bandas feitas de novos materiais que eram ao mesmo tempo resistentes e flexíveis. Eu fui eloquente nesse ponto:

— Gente, dá para segurar *toda a ilha* no lugar com fáscia artificial de última geração. Sua resistência à tração foi projetada para elevadores espaciais. Daria para amarrar a Terra à Lua com isso.

Ele apenas riu.

— Aqui as marés têm uma oscilação máxima em torno dos cinco metros — Hector comentou. — Ainda que o normal sejam uns três. Isso é o que importa.

Mas esse dado estava bem dentro dos parâmetros dos cabos que eu pesquisara, e ele assentiu quando destaquei isso, e passamos para as plataformas em si.

De novo, o modelo básico era fácil. Por todo o mundo, as aerovilas flutuantes já usavam a mesma tecnologia. Basicamente, bolsas de ar; várias delas. Plataformas de materiais compostos, nas quais os plásticos eram tão fortes quanto o aço, os metais vítreos totalmente resistentes ao sal, a cobertura de diamante ao mesmo tempo impermeável e um pouco flexível. Não havia problema algum em fazer um bairro modular, cada unidade do tamanho de um quarteirão de Nova York e, dessa forma, mantendo o notório padrão de grade já existente. Uma parte de cada plataforma ficaria embaixo d'água, mas essas balsas tinham ótima flutuabilidade, e os edifícios construídos sobre elas podiam ter três ou quatro andares antes que o peso fosse demais. Porões nas plataformas.

Todos os quarteirões se moveriam juntos, no compasso da correnteza. Estruturas submarinas manteriam os canais entre eles abertos e navegáveis, e amortecedores impediriam que as plataformas externas batessem com muita força nas estacionárias durante uma tempestade. À prova de sal e à prova de ferrugem. Tinta fotovoltaica, fazendas e tanques de água nos telhados, sistemas de captação de água – do jeito tradicional de Nova York –, filtros de purificação: todos os procedimentos operacionais padrão existentes em toda a baixa Manhattan. Os sistemas de água e eletricidade seriam semiautônomos, ou até mesmo autônomos.

Parecia bom. E Hector Ramirez concordava.

— Você vai precisar que o município aprove a requalificação e volte a confirmar o antigo zoneamento, e talvez obter algum auxílio financeiro. O congressista do bairro deve estar de acordo também. A eleição é neste outono, certo?

— Acho que sim.

Ele bufou com minha falta de noção.

— Fale com todos os candidatos, ou pelo menos com os dez mais importantes. Isso ainda importa.

— Até mesmo na zona inundada?

— Claro. É uma questão federal, a zona entremarés. O Corpo de Engenheiros do Exército vai ter que analisar. Eles gostam de fazer leis, brincar com seus brinquedos.

Suprimi um suspiro, mas ele percebeu mesmo assim.

— Cale a maldita boca e comece a negociar! — disse ele. — Você saiu do mundo das finanças, está no mundo real. É uma bagunça. Não é mais fácil do que operar no mercado, é mais difícil! A área financeira é simples na comparação.

— Eu sei.

— Você não sabe. Mas vai aprender. No entanto, isso é bom. É tão bom que você vai ter que aguentar uma boa quantidade de merda, e provavelmente alguém vai roubar isso de você, fazer primeiro e levar o crédito. Então, você precisa agir rápido.

— Eu vou. E você vai participar?

— Caralho, claro! Precisamos dessa coisa, sei disso. Vamos nos divertir um pouco.

— Obrigado.

Ele deu uma gargalhada ao ver a expressão no meu rosto. Talvez eu parecesse assustado.

— Isso vai devorar sua vida, meu jovem. Vai te foder inteiro. Você devia pensar em pedir demissão na WaterPrice para ter tempo de ficar maluco.

Eu estava feliz quando voltei navegando pelo Hudson. Procurava mais castores e desviava dos pedaços de gelo que variavam de tamanho, de pequenos cubos até monstruosos icebergs. Os icebergs tabulares, de superfície lisa, serviam como porta-aviões para grandes bandos de gansos canadenses.

Ao chegar ao Píer Cinquenta e Sete, eu estava entusiasmado. Atraquei na marina e caminhei até o grande mirante com vista para o pôr do sol. Vi toda a turma ali, incluindo Jojo. Então eu me sentia bem, mas nervoso.

Jojo estava amistosa, embora não em excesso. Nada pessoal. Depois de um tempo, ela permitiu que eu a puxasse de lado para conversar, longe dos demais, e eu contei um pouco do que tinha decidido com Hector.

Ela franziu o cenho.

— Você sabe que essa ideia é minha, não?

Senti que a surpresa daquela declaração fez meus joelhos tremerem um pouco. Tive que fechar a boca e, ao fazer isso, percebi que meu rosto estava dormente.

— O que quer dizer? — perguntei. — Eu contei para você desde o início. Estive trabalhando nisso com Hector Ramirez e com o pessoal da Met, Charlotte, Vlade e os demais. Você nem mesmo estava lá!

— Eu disse para você que estava fazendo isso — ela falou secamente, virou as costas e voltou para onde estavam os outros.

Eu me juntei a eles, mas não dava para continuar falando sobre o assunto ali, e ela se mostrava simpática com todos e bebia sem parar, mas estava fria comigo. Nem me olhava diretamente.

Maldição! Eu pensava enquanto rodeava por ali, tentando levá-la novamente para o canto a fim de conversar livremente. Que merda era aquela?

Mas ela não se moveu. Ficou parada na extremidade do bar; eu teria que arrancar seu cotovelo dali e arrastá-la para fora se quisesse que ela se mexesse. Isso não ia acontecer. Ela estava amarrada ao mastro. Eu queria arrancá-la dali e gritar na sua cara que jamais, jamais, jamais ela falara de um projeto de moradias sobre plataformas flutuantes na zona entremarés, *nunquinha*, e ela sabia disso!

Então, por que dissera aquilo?

Evolução convergente?

Pensei naquilo uma vez e mais outra enquanto contemplava o perfil adamantino de seu rosto. Jojo e eu como os malditos Darwin e Wallace da requalificação de Manhattan? Ambos aparecendo com a mesma ideia diante do mesmo problema e com o mesmo kit de soluções? O olho do polvo encarando o olho humano? E qual deles era o meu?

Mas eu *tinha* falado com ela sobre isso. Tinha compartilhado a ideia com ela, na esperança de impressioná-la com meu desejo de fazer o bem para o mundo real – o que começara como um ato executado para ela e hoje se transformara em algo para mim. E, mesmo assim, agora ela afirmava que a ideia era dela?

Bem, que merda. Era possível que Jojo tivesse esquecido a conversa, ou a tivesse transformado em uma troca de comentários a partir da qual descobrira as coisas por si mesma. Apesar do meu mau humor, eu podia ver que isso talvez tivesse ocorrido. Ela definitivamente fora a primeira a mencionar que queria construir alguma coisa, em vez de apenas operar; depois eu tentei fazer o mesmo, para impressioná-la, e convencê-la de que éramos almas gêmeas, para voltar a dormir com ela. Então me ocorrera o que agora me parecia uma solução bastante óbvia para o problema: talvez ela tivesse adotado o projeto e o reinventado após me ouvir falar vagamente sobre isso. Nesse meio-tempo, eu tinha avançado a toda velocidade. Então agora ela estava chateada com isso, e em vez de convencê-la de que éramos almas gêmeas, eu só conseguira afastá-la grosseiramente. Embora, na verdade, uma vez que a ideia tinha sido minha, o problema era que ela pretendia se apropriar dela. Um indício claro de que talvez fosse uma mentirosa e ladra de ideias, um tipo de tubarão com o qual você se encontra o tempo todo no mundo das finanças.

Um tubarão pelo qual eu estava louco. Porque mesmo enquanto eu contemplava aquele perfil que me ignorava com teimosia, ela parecia maravilhosa.

Bem, que merda, que merda, que merda. Ah, a humanidade.

E em tudo aquilo havia uma implicação que continuava a me assombrar enquanto eu pensava e repensava: eu estava bancando o idiota nessa confusão, e só agora enxergava o óbvio. Para ela eu tinha sido a distração de uma noite só, um divertimento sem significado, seguido de uma separação e depois de uma apropriação vil da minha ideia. O que a convertia em um ser horrível. Se eu estivesse certo, ou tivesse chegado perto. Mas mesmo que fosse assim, eu não conseguia assimilar. Eu acabara de elaborar um projeto muito bom; ela tinha acabado de me chamar de ladrão, de saqueador de propriedade intelectual; e eu ainda a queria. O que significava que eu era um tolo. Um tolo que ficava mais zangado a cada segundo.

Então, depois de revirar os olhos para Inky e tomar o último drinque que ele me preparara a fim de aliviar a dor, entrei em meu aerobarco e me afastei pelo canal da Trinta e Quatro, sentido Broadway, e dali para o desfile de barcos do fim de tarde, aquele engarrafamento que era como um Carnaval aquático. Depois segui para leste pela Treze até a Madison, com uma parada na cafeteria flutuante da Vinte e Oito com a Madison para comprar um sanduíche no Reuben, porque eu realmente não tinha vontade de descer para jantar a virtuosa gororoba do dia no refeitório da cooperativa. Depois, enquanto vagava às cegas por ali, quase atropelei o menino Stefan, que, no mesmo bote de borracha de sempre, e com uma mangueira de ar nas mãos, parecia ansioso.

— *Malditos* moleques! — exclamei enquanto revertia o motor para frear com rapidez. — Estão *tentando mesmo* se afogar.

— Não! — disse ele, olhando sobre a lateral do bote. — Pelo menos, eu não estou.

— Bem, seu colega aí embaixo é um idiota. O que estão fazendo desta vez?

— Aqui era o número cento e quatro da Vinte e Seis, sentido leste — disse ele, apontando para baixo.

— E?

— É onde Herman Melville morou.

— *Moby Dick*?

Ele ficou melancolicamente impressionado com meu profundo conhecimento de literatura norte-americana, e respondeu:

— Isso mesmo! Ele foi inspetor de alfândega nas docas da West Street, e vivia bem aqui.

Estávamos cercados por grandes edifícios que separavam NoMad de Rose Hill, monstros de pedra e cristal do tamanho de quarteirões inteiros que se erguiam na vertical saindo dos canais até as primeiras reentrâncias, mais acima. Não dava para imaginar nada mais distante do século dezenove, não havia um só edifício remanescente entre aqueles monstros para dar um leve vislumbre do Holoceno.

— Jesus, garoto. Puxe a mangueira de ar para tirar seu amigo daí. Quero falar com ele. Ele não está embaixo daquele sino de mergulho de vocês, está?

— Bem, sim, está. Nós o recuperamos.

— Isso não é legal — eu disse, estranhamente zangado. — Vocês estão em um canal com muito tráfego e seu amigo não vai encontrar nada de Herman Melville lá embaixo! Então, tire-o de lá antes que ele comece a coaxar.

O garoto pareceu arrasado, mas também um pouco aliviado por ter algum apoio para seu próprio, e evidente, sentimento de que aquilo era uma busca lunática de seu amigo. Roberto, o imprudente. Ele puxou três vezes, e eu supus que era o sinal para que o maníaco voltasse à superfície.

— Você não tem nenhum contato de rádio com ele?

— Não.

— Santo Deus. Por que não saltam do Empire State Building para acabar com tudo de uma vez?

— Eles não têm uma tela de segurança lá?

— Ok, então o que estão fazendo é mais perigoso do que pular do Empire State. Vamos, tire-o daí.

Stefan puxou o cabo do sino de mergulho com força, felizmente ainda preso desta vez, e depois de um tempo o menor dos dois emergiu da superfície turva do canal, parecendo uma lontra com rosto humano.

— Vamos lá — falei brusco. — Tire seu traseiro daí. Vou contar tudo para sua mãe.

— Não tenho mãe.

— Sei disso. Vou contar para Vlade.

— E daí?

— Vou contar para Charlotte.

Aquilo os intimidou. Obediente, Roberto subiu a bordo do bote de borracha e, enquanto tremia com ar triste, eu o ajudei a tirar o patético sino de mergulho antes de rebocá-los até a esquina do *bacino* e para a casa de barcos da Met.

— Vlade, amarre esses idiotas bem alto, eu quase os matei de novo. Estavam mergulhando na Vinte e Seis bem no meio do canal.

— Não era no meio.

— Era quase. Então vou levá-los até Charlotte e vê-la dar umas boas palmadas na bunda dos dois.

— Isso me parece um pouco pervertido — disse Vlade. — E Charlotte não está.

— Pois então mantenha os dois amarrados até que ela volte.

— Meninos... — falou Vlade.

Os ratos afogados me mostraram os dentes e entraram no escritório de Vlade. Subi e mudei de roupa, ainda indignado com Jojo. Estava prestes a sair de novo quando Charlotte me mandou uma mensagem, e então me lembrei dos meninos. Respondi que me juntaria a eles em seguida e desci.

Quando cheguei, vi que os garotos tinham se secado e estavam sentados diante das telas de Vlade, parecendo estar na sala do diretor da escola, esperando para serem expulsos. Charlotte estava claramente cansada de olhar feio para eles, e agora contemplava o teto enquanto pensava em outros assuntos.

Vlade trabalhava.

— Seus malditos delinquentes juvenis! — disse quando entrei, só para dar um ânimo no ambiente.

— Não é contra a lei mergulhar nos canais — protestou Roberto. — As pessoas fazem isso o tempo todo!

— Trabalhadores da cidade — respondeu Charlotte em tom grave.

— Vocês estavam obstruindo o caminho de embarcações que iam da Madison para a Vinte e Seis. E estavam lá embaixo usando o tal sino de mergulho que ainda vai matar vocês se não se livrarem dele. E quem sabia que estavam lá embaixo? E não resta nada da casa de Herman Melville, posso garantir a vocês. Já faz três séculos e é um bairro de maré alta agora, assim que é impossível que alguma coisa de 1840 tenha sobrevivido, ou de quando seja.

— De 1863 a 1891 — corrigiu Stefan. — Estávamos procurando as fundações. Íamos cruzar a rua perto da guia e depois desviar até a posição da casa. O radar mostra que há várias fundações de casas embaixo da rua.

— Fundações?

Os garotos o olharam com expressão teimosa.

— Schliemann em Troia — sugeriu Charlotte. — Qualquer que seja o nome dele em Cnossos.

— Arqueologia? — exclamei. — Nostalgia?

— Por que não? — perguntou Roberto.

— Tem um manuscrito que se perdeu — acrescentou Stefan. — *A ilha da cruz*. Um romance perdido de Melville.

— Embaixo da rua?

— Encontraram *Billy Bud* em uma caixa de sapatos. Nunca se sabe.

— Às vezes, se sabe. Não há um romance perdido de Melville embaixo do canal da Vinte e Seis!

Silêncio taciturno no escritório. Vlade continuava a trabalhar em suas contas. Uma raiva feroz saía de Roberto como o fedor de um gambá.

Charlotte deu um suspiro profundo.

— Vocês vão acabar morrendo, garotos — insisti. Então falei para Charlotte e Vlade: — Que diabos, esses caras estão sob a custódia do prédio ou não?

Ambos negaram com a cabeça.

— Da cidade?

— Não há registros deles. Não têm documentos.

— Somos cidadãos livres da zona entremarés — assegurou Stefan.

— Onde estão mesmo seus pais?

— Órfãos — explicou Stefan.
— Onde estão seus tutores?
— Sem tutores.
— E quanto aos pais adotivos?
— Não.
— Onde vocês cresceram?
— Eu cresci com meus pais na Rússia — contou Stefan. — Eles morreram depois que nos mudamos para cá, de cólera. Depois disso eu me mudei. As pessoas com quem eu estava não se importaram.
— E quanto a você? — perguntei a Roberto.
Ele ficou encarando as telas de Vlade.
Stefan respondeu:
— Roberto nunca teve pais ou tutores. Ele cresceu sozinho.
— O que quer dizer? Como isso funciona?
Roberto se levantou de sua cadeira e disse:
— Eu tomo conta de mim mesmo.
— Quer dizer que não se lembra de seus pais?
— Não, quero dizer que nunca tive pais. Consigo me lembrar de coisas de antes de eu saber andar. Eu sempre cuidei de mim mesmo. No início, eu engatinhava por aí. Acho que tinha uns nove meses de idade então. Eu vivia embaixo da doca de aquicultura na Marina Skyline, e comia o que caía da doca, embaixo, onde os criadores de mariscos guardavam suas coisas. Tinha umas redes velhas, e eu podia dormir ali. Depois que aprendi a andar, eu pegava coisas na doca durante a noite. As pessoas largavam coisas ali o tempo todo.
— Isso é possível? — perguntei.
Ele deu de ombros.
— Aqui estou.
Todos ficamos olhando para ele.
Virei para Charlotte. Ela respondeu erguendo as sobrancelhas.
— Precisamos conseguir documentos para eles — disse ela.
— Você pode adotá-los? — perguntei a ela, mas também estava falando com Vlade.
Ela me olhou como seu eu estivesse sugerindo que ela domesticasse víboras.
— Para quê? — perguntou Vlade.
— Para dar um certo limite a eles!
Os quatro responderam bufando.
— Tudo bem — concordei. — Só não digam que eu não avisei quando Roberto se afogar em um desses mergulhos. No seu último momento, eu quero que pense: *Maldição, eu devia ter ouvido o tal do Franklin.*
— Não vai acontecer — garantiu Roberto.
— No que você *vai* pensar? — perguntou Stefan.

— Não vai acontecer — insistiu Roberto, sombrio.

— Deixem para lá esse tal de sino de mergulho — sugeri, dando o braço a torcer. — Encontrem um novo passatempo.

— Na baixa Manhattan? — perguntou Roberto. — O que poderia ser exatamente?

— Construir drones. Navegar. Criar ostras. Escalar arranha-céus. Procurar animais marinhos no porto. Vi uns castores hoje. Qualquer coisa! Qualquer coisa que mantenha vocês na superfície. E provavelmente devíamos colocar em vocês uma daquelas tornozeleiras para prisão domiciliar, para que possamos saber onde se meteram. Ou para encontrar os cadáveres de vocês.

— Nada disso — responderam os dois meninos em uníssono.

— Ou sim — falou Charlotte, prendendo os garotos com o olhar. Seus olhos eram como alfinetes para prender borboletas. Até Roberto se encolheu. — Agora vocês vivem aqui — recordou-os a advogada. — Na residência começam as responsabilidades.

— Ainda podemos sair e fazer nossas coisas — Stefan explicou para Roberto. — Ainda temos nosso bote.

Roberto olhava o chão.

— Sim para desistirmos do sino de mergulho — disse ele. — Não para as malditas tornozeleiras. Vou embora se tentarem uma coisa dessas.

— Trato feito — falou Charlotte.

— Vamos pegar aquele sino — sugeriu Vlade com pesar para os meninos. — Não gosto de vocês brincando com essa coisa por aí. Tenho colegas que se afogaram no trabalho, e eram bons mergulhadores. Vocês não são bons nisso. E conheci pessoas como vocês que se afogaram também. É ruim quando acontece, para as pessoas que ficam para trás.

Alguma coisa na voz dele chamou a atenção dos meninos. Charlotte colocou uma mão no braço do síndico. Ele balançou a cabeça com expressão distante. Depois de um tempo, os meninos seguiram Vlade até a casa de barcos parecendo pensativos, até mesmo um pouco arrependidos.

Subi com Charlotte. Ela parecia cansada e mancava um pouco ao caminhar. No salão comunitário, ela me olhou de relance.

— Vamos jantar?

— Já comprei um sanduíche — contei. — Mas vou comê-lo com você.

— Será ótimo. Assim você me conta como estão as coisas.

Ela encheu um prato na fila do refeitório, e nos sentamos entre a balbúrdia, com pessoas lotando as longas mesas paralelas na sala. Centenas de vozes, centenas de vidas; era exatamente como estar sozinho juntos, porém mais barulhento. Enquanto comíamos, contei a ela sobre a vista no alto do Cloister, e como Hector Ramirez tinha concordado em se juntar ao financiamento do meu plano de requalificar parte da zona entremarés. Depois descrevi o plano por cima.

— Muito bom — disse ela. — Você vai precisar de aprovação municipal, mas dado o estado desses bairros, é bem capaz de conseguir.

— Talvez você possa nos ajudar a descobrir com quem falar.

— Claro, posso colocá-lo em contato com alguns velhos amigos.

— Eles trabalham no seu edifício?

— Sim. Ou ali ou no gabinete da prefeita.

— Você trabalhou no gabinete da prefeita?

— Há muito tempo.

Devo ter parecido surpreso, porque ela acenou com a mão.

— Sim, eu comecei em Tammany Hall.

— Ouvi dizer que foi estagiária de Maquiavel.

Ela deu uma gargalhada. Tinha os cabelos negros salpicados de fios brancos.

— Seria disso que você precisaria agora. Acha que esses apartamentos sobre balsas podem ser feitos um por vez, enquanto são readequados, em vez de derrubar bairros inteiros?

— Sim, claro. São modulares. Mas seria mais caro.

— Mesmo assim. Desde a época de Robert Moses, as pessoas fazem cara feia quando alguém fala em derrubar um bairro inteiro.

— Poderia ser paulatino. Mas nesse tipo de projeto, tudo tem que ser pensado em economia de escala. Talvez pudéssemos falar para eles sobre o Peter Cooper Village.

— Boa ideia. Ou de Roosevelt Island.

— O que for melhor.

— Claro. Mas, precedentes. Que esse tipo de coisa já foi feito antes. — Ela cutucou no que sobrava de sua salada. — Então, como isso se encaixa no que falamos antes, de estourar a bolha das moradias na zona entremarés?

— Isso é agir no curto prazo. O outro é pensar no longo.

— E você ainda acha que uma greve de proprietários poderia provocar uma crise?

— Sim. Mas, olhe, se queremos fazer isso, seria bom ter um governo preparado para tanto. Porque, quando acontecer, ele vai ter que nacionalizar os bancos. Nada mais de resgates e depois obrigar os contribuintes a pagar o pato. Você reuniria todos os grandes bancos e empresas de investimento. Eles entrarão em pânico, mas dirão: "Dê-nos todo o dinheiro que perdemos ou toda a economia vai desabar". Eles vão exigir. Mas dessa vez os bancos centrais vão dizer: "Sim, claro, vamos salvar vocês, vamos reiniciar o sistema financeiro com uma ingestão gigantesca de dinheiro público, mas vocês serão nossos. Agora vocês trabalham para o povo, ou seja, para o governo. E começarão a oferecer empréstimos outra vez". Eles se tornarão como braços de um polvo federal. Sindicatos de crédito. Os recursos financeiros voltarão a circular, mas os benefícios irão para o público. Eles trabalharão para nós, nós investiremos no que parece bom. O que quer que aconteça, os resultados serão nossos.

— Incluindo os desastres?

— Esses já nos pertencem! Então, por que não? Por que não ficar com o bom, assim como ficamos com o ruim?

Charlotte se inclinou e brindou encostando seu copo de água no meu.

— Ok — disse ela. — Gosto disso. E já que o atual presidente do Federal Reserve é meu ex-marido, vejo uma pequena vantagem aí. Posso conversar sobre isso com ele.

— Não o avise — pedi, embora não tivesse certeza do que eu queria dizer com isso.

— Não? — perguntou Charlotte, consciente da minha incerteza.

— Não sei — admiti.

Ela me deu um sorriso rápido.

— Podemos decidir isso depois. Quero dizer, eles vão ter que saber. Suponho que seria um plano bem conhecido, talvez. Vamos falar sobre isso. Quero contratar você. Ou melhor, quero que você ofereça seus serviços. E concorra a uma vaga no conselho executivo da cooperativa.

Agora era minha vez de sorrir.

— Não. Muito trabalho. E não sou nem membro da cooperativa.

— Pois compre sua unidade. Damos um desconto para você.

— Eu mereceria, se fosse idiota a ponto de entrar para o conselho. Mas, tenho que admitir, estive pensando em comprar. Talvez você tenha me convencido a fazer isso sem desconto.

— Mesmo assim, você deveria entrar para o conselho.

— Para fazer o mesmo que faço no trabalho?

— Você não manda em nada no seu trabalho! É só um apostador! Você joga pôquer.

Fiz cara de contrariedade.

— Eu achava que fazia algo mais. Você disse que gostava do meu plano.

— O projeto de construção, sim. Da análise, sim. Gosto disso. Das apostas, não.

— São operações de compra e venda. Estão criando valor de mercado.

— Por favor, você vai me deixar enjoada. Vai me fazer vomitar.

— Vá vomitar na lata de lixo, então, porque é como o mundo funciona.

— Mas eu odeio isso.

— Não importa se você odeia. Como certamente já deve ter notado.

Uma pequena risadinha, acompanhada de uma careta.

— Sim, já notei. Na minha idade avançada. Que, por falar nisso, está pesando neste momento. Tenho que dormir um pouco. Mas, escute, gosto desse seu plano. — Ela se levantou, pegou o prato, deu um tapinha na minha cabeça com a mão livre, como se eu fosse um golden retriever. — Você é um jovenzinho bem simpático.

— E você é uma velhinha bem simpática — respondi, incapaz de manter a boca fechada.

Ela sorriu alegremente.

— Desculpe — disse Charlotte. — Não quis ser condescendente. Você é uma figura e tanto, que tal? — Ela foi para a porta do elevador sorrindo. Entrou no elevador, e ainda sorria.

Eu fiquei encarando a porta fechada, sentindo-me intrigado. Satisfeito. Por quê, não tinha ideia.

•

"Em Nova York, a chave dos relacionamentos é o desapego", disse ela.
Candace Bushnell, *Sex and the city*

É o banco que controla todo o sistema.
Deleuze e Guattari

•

g) Charlotte

Charlotte descobriu que gostava da perspectiva de ligar para seu ex, Larry, a fim de convidá-lo para outro café. Dado tudo o que acontecera ultimamente, com certeza seria interessante. Então ela enviou uma mensagem para ele na nuvem, perguntando se ele teria tempo para outro encontro etc.

Ele escreveu de volta dizendo que pediria para seu pessoal encontrar um tempo, e uma hora mais tarde escreveu de novo para avisar que poderia no final da semana seguinte, novamente ao entardecer, mas, se fosse possível, em Brooklyn Heights, porque tinha um compromisso ali. Ela respondeu dizendo que tudo bem, e então ele escreveu mais uma vez e sugeriu que transformassem o café tardio em um jantar cedo, pois conhecia um lugar no alto de uma das torres de Brooklyn Heights, despretensioso, ao ar livre, no qual tinha reserva, blá-blá-blá. Charlotte disse que tudo bem.

Acontece que, no dia do encontro, o East River ainda estava congelado, mas a previsão era de que o gelo se rompesse logo. O meio do porto era um amontoado de placas de gelo que se dirigiam para o congestionamento no Narrows, impelidas pelas marés minguantes, para depois voltarem nas cheias, às vezes congelando no mesmo lugar em que eram surpreendidas pelo frio. Isso ocorrera durante os dias curtos de fevereiro, mas agora março estava chegando.

Charlotte entrou em um dos bondinhos que percorriam os grossos cabos de aço entre East Village e a torre oriental da ponte do Brooklyn. Assim que o veículo cruzou a água e a deixou na torre, ela saiu e atravessou a antiga ponte na companhia de todos os outros nova-iorquinos encapotados que faziam o mesmo. Bem abaixo deles, o gelo do rio parecia um imenso quebra-cabeça, e só se abria para as águas negras depois de Governors Island. O vento assobiava um canto aleatório no emaranhado de cabos que havia sobre eles, certamente a música mais linda jamais ouvida: se não a música das esferas, pelo menos a dos cilindros.

Fazia frio enquanto ela esperava a chegada de outro bondinho, o que a levaria da torre oriental da ponte para Brooklyn Heights. Sem a menor dúvida, já era hora de recorrer aos quebra-gelos para colocar os barcos a vapor novamente em ação, e todos que esperavam ali com os lábios azuis e os dentes batendo concordavam. A Agência de Transporte do Brooklyn teria uma surpresa em forma de processo coletivo, disse um deles. Desde que alguém sobrevivesse, claro. Se você ou algum dos seus entes queridos morrer congelado na ponte do Brooklyn, liguem para esse número.

A linha entre a ponte e Brooklyn Heights era comprida, assim que, quando ela finalmente chegou à sombra dos superarranha-céus, estava um pouco atrasada. Apertou o passo no último trecho e chegou sem fôlego ao edifício que Larry sugerira. E ali estava ele, na porta, o que era bom, ainda que isso significasse que ele a veria chegar bufando, com a respiração entrecortada, bochechas vermelhas, nariz escorrendo, cabelo desarrumado. Ah, bem. O sorriso dele era o mesmo velho sorriso, amigável como sempre, com aquele toque de zombaria que a inquietava.

O elevador demorou uma eternidade para chegar lá em cima, apesar de subir como um foguete. Uma vez no restaurante da cobertura, com paredes de vidro e aquecedores brilhando sobre as mesas, eles se acomodaram em um canto com vista para o rio e, mais além, para a muralha de antigos arranha-céus amontoados da ponta sul de Manhattan. Era uma das melhores vistas da cidade, e Charlotte suspeitava que Larry tivesse escolhido aquele lugar por ela, para agradá-la. E a agradou. Eles empurraram a pequena mesa até o vidro e se sentaram perto um do outro para que ambos pudessem apreciar a paisagem. O muro de monstros de Wall Street era como um grupo de nadadores em águas invernais, afundados até os joelhos no gelo. Perto da porta da cozinha, um quarteto de cordas tocava discretamente uma peça de Ligeti.

As ostras eram de uma criação que ficava bem debaixo do edifício, disseram, mantidas dentro de caixas filtrantes. A vodca gelada era uma bebida que Charlotte desprezava, mas ajudava a limpar o sabor estranho das ostras. Ela podia fingir ser sofisticada, mas para quê se dar ao trabalho? Larry saberia que ela só estava fingindo. Então, depois de duas ostras, ela passou para o retsina e os camarões fritos, mais do seu gosto e de acordo com seu estilo. Larry continuou com as ostras até acabar com todas elas.

Durante o prato principal, uma salada Cobb muito melhor do que qualquer coisa que a cozinha da Met pudesse preparar, Charlotte finalmente levou a conversa para o ponto central do encontro.

— Então, Larry... Se essa bolha imobiliária da zona entremarés estourar durante seu mandato, você tem um plano de contingência?

Ele arregalou os olhos, que era seu jeito de dizer que não estava realmente surpreso, mas que fingia estar para agradá-la.

— O que a faz pensar que é uma bolha?

— Os preços sobem enquanto os edifícios estão caindo aos pedaços. É o fim da linha para muitos edifícios da zona entremarés.

Ele gesticulou na direção da superfície craquelada do East River.

— Não me parece.

— Esses são os arranha-céus, Larry. A fundação deles fica no leito rochoso. Os edifícios ao norte não são nem de perto tão sólidos, mas são os locais onde as pessoas vivem.

— Mesmo assim, os indicadores não mostram isso.

— Os indicadores são financeiros, não físicos. As pessoas manipulam essas cifras para que tudo pareça bem. Jogam com os valores implicados, mas a realidade na água é completamente diferente.

— É o que você pensa.

— Sim. Você não?

Ele apertou os olhos.

— Vi uma pequena divergência entre Case-Shiller e o IPPE. Pode ser um indício do que você diz.

— E as agências de classificação continuam sendo umas imbecis, então você não vai receber aviso algum delas. Eles nunca viram uma bolha para a qual não deram triplo A.

— Nisso você tem razão — reconheceu Larry, franzindo um pouco o cenho. — Não há como fazê-los se comportar.

— Isso se chama conflito de interesses. Eles ainda são pagos pelas pessoas a quem estão classificando, então dão os resultados para os quais são pagos. Isso nunca vai mudar.

— Suponho que não. — Ele a observou com curiosidade. — Vejo que andou lendo sobre isso.

— Sim. Então, o que você vai fazer quando acontecer? Quem você será? Edson? Bernanke? Herbert Hoover?

— Terei que improvisar, suponho.

— É uma ideia terrível. As pessoas piram, você está na cadeira do capitão e *só aí* vai começar a pensar?

— Já deu certo antes — brincou Larry. Mas seus olhos a observavam com mais atenção.

Ela disse:

— Depois do Primeiro Pulso, Edson se limitou a esperar, e o resultado foram os anos 2060 perdidos, a fome e a grande crise depois do Segundo Pulso. No colapso de 2008, Bernanke tinha estudado a Grande Depressão e sabia que não dava para abaixar a cabeça. Ele despejou dinheiro no buraco e conseguiu salvar todos da beira do abismo. Foi só uma recessão em vez de uma tragédia.

Larry estava assentindo.

— E, lembre-se, uma das coisas que fizeram foi nacionalizar a General Motors. Deixaram o Lehman Brothers afundar sem salvá-lo, e observaram todo o mundo financeiro ir atrás. Então perceberam que não podiam deixar acontecer o mesmo com a economia real, e nacionalizaram a GM, a reergueram e a venderam novamente aos acionistas. E as coisas, mais ou menos, ficaram como estavam. Certo?

Larry continuava assentindo. Observava-a mais atento do que nunca.

— Então, olhe — disse Charlotte, e se inclinou em sua direção. — Quando a bolha estourar, nacionalize os bancos.

— Nossa — disse Larry. Apareceu uma linha vertical entre suas sobrancelhas, que indicava quanto estava preocupado, quando se preocupava. — O que você está querendo dizer?

— Quando a bolha estourar, todos eles estarão lá novamente, e quanto maiores são, mais alavancados estarão. Estão todos interconectados. As reformas que foram impostas depois do Segundo Pulso obrigaram os bancos a manter algum investimento com seus próprios recursos, por isso não podem securitizar as hipotecas, como faziam antes. De modo que, quando a bolha estourar, ninguém saberá qual papel ainda tem algum valor, e todos ficarão em pânico e deixarão de emprestar dinheiro, e então estaremos todos em queda livre. Você já sabe. É um sistema frágil, baseado na confiança mútua de que é algo sensato, e assim que essa ficção cair por terra, todo mundo vai se dar conta de que é uma loucura e ninguém poderá confiar em ninguém. Então vão aparecer correndo e gritando, implorando sua ajuda. Você será a única coisa entre eles e a maior depressão desde a última crise econômica.

Agora Larry a observava com tanto interesse que se esquecera de dissimular com alguma expressão falsa. Charlotte percebeu o lapso e quase riu, mas, em vez disso, manteve o foco e deu o golpe final:

— Então, aí você vai até a presidente e explica que mais uma vez os contribuintes norte-americanos têm que salvar esses malditos idiotas de um apuro que desta vez talvez chegue à casa dos vinte trilhões de dólares. Ela não vai gostar da notícia, certo?

— Certo.

— Pode ser que ela não fique catatônica, como Bush ficou na época de Bernanke, mas ela vai se apavorar, e vai querer saber se você tem um plano. É aí que você diz para nacionalizar os bancos e as firmas de investimento. Que as salve, mas as compre. A partir daí, as finanças globais serão propriedade do povo norte-americano. Na batalha cósmica entre o povo e nossa oligarquia ali — ela gesticulou na direção de Wall Street e dos superarranha-céus na parte alta da cidade —, o povo inesperadamente vai ganhar a disputa. Você pode emitir dinheiro, restaurar a confiança, rodar a manivela e fazer as coisas caminharem de novo e, depois disso, os lucros ridículos do mercado financeiro vão pertencer ao povo. Você também pode utilizá-los para resolver os problemas reais das pessoas. O Congresso pode reformar o sistema financeiro baseado em leis escritas por você e aprovadas por eles, e você pode aliviar quantitativamente a vida do contribuinte em vez de fazê-lo em prol dos bancos. Emitir dinheiro e dar ao banco do sr. e da sra. Contribuintes. Será a maior inversão de poder desde a Revolução Francesa!

Larry sacudiu a cabeça, procurando uma de suas antigas expressões, aquela que representava uma admiração fingida por Charlotte, uma expressão da qual ela se lembrava muito bem.

— Você continua sendo uma sonhadora! — exclamou.

— Nem um pouco! É um plano, um plano prático.

— É como se você fosse comunista, ou algo assim.

— Tá, tá, Charlotte, a vermelha.

— Charlotte Corday, não?

— Não sei. Ela não matou um dos líderes da Revolução Francesa?

— Marat, certo? Por ser moderado, se não me engano. Por não ser revolucionário o suficiente?

— Não sei.

— Vamos deixar assim. Você me esfaqueia na banheira se eu não me mantiver na linha.

— Se você não salvar o mundo quando a chance aparecer. Não é só recolocar o Humpty Dumpty sobre o muro, como das outras vezes. Eles vão foder com tudo de novo, assim que puderem. Porque são idiotas gananciosos. Não têm uma ideia na cabeça além de encher os bolsos e se mudar para Denver.

Larry assentiu.

— Ou ficar com a zona entremarés — sugeriu ele. — Comprar a Super-Veneza de vocês.

Charlotte tinha que admitir: seu ex era esperto.

— Bem, isso também.

— Eu estava me perguntando de onde vinha esse súbito interesse por finanças, que você nunca tinha demonstrado antes. Nem mesmo um pouco.

— Isso é verdade. Aquela oferta pelo nosso prédio está parecendo mais e mais uma aquisição hostil. Voltaram com uma segunda proposta na semana passada, duas vezes maior do que a da última vez! Andei perguntando pela baixa Manhattan, e não somos o único caso. Não sabemos quem é, porque usam intermediários, mas está acontecendo. Gentrificação, cercamento... Chame como quiser. E, sim, eu percebi que um só edifício ou uma só associação não pode fazer nada por conta própria. É um problema global. Então, se há uma chance de lutar contra isso, tem que ser no nível macro.

— Então, para salvar seu edifício de uma aquisição hostil, você sugere que eu derrube a ordem econômica mundial?

— Sim. Mas vamos chamar isso de salvar o mundo de outra Grande Depressão. Ou mudar o laço do nosso pescoço para o pescoço dos parasitas.

— Difícil — observou Larry.

— Difícil, porque é política. E o mundo financeiro comprou muitos políticos e muitas leis. Então está ficando mais difícil. Mas quando a próxima crise vier, você poderia contribuir para mudar isso. É um momento de inflexão. Você ficará para a história como o primeiro presidente do Fed com colhões.

— Volcker foi muito bom.

— Ele tinha cérebro. Eu disse colhões. Todas as melhores ideias de Volcker vieram depois que ele estava fora do cargo e não podia colocá-las em prática. Foram ideias posteriores. Ele era quase como Greenspan. Ah, meu Deus, cometi um erro ao achar que Ayn Rand tinha todas as respostas! Só que Volcker tinha ideias próprias.

— Talvez sim.

— Então tente ter ideias antes, pelo menos uma vez.

— Em geral tento fazer isso.

— Então pronto. Faça isso dessa vez. São tempos que colocam à prova a alma dos homens.

— Ok, ok. Nada de Tom Paine, por favor. Charlotte Corday já é ruim o suficiente. Vejo o punhal aí na sua bolsa. Pode parar de acariciá-lo.

Ela não pode deixar de rir. Estendeu a mão e apertou o antebraço de Larry. Era hora de ir embora. Não queria acrescentar que ela também tinha um plano para estourar a bolha durante o mandato de Larry. Ele já estava preocupado o bastante, tanto pelo que ela dissera quanto pelo que ele respondera. Charlotte estava ciente de que ele poderia ter desmontado seus argumentos em qualquer ponto com questões técnicas, que estava deixando que ela argumentasse a partir de uma perspectiva histórica e política, em vez de puramente econômica. Essa perspectiva também interessava a Larry, assim como o fato de que Charlotte começara a prestar atenção suficiente nesses temas para que o que ele fazia fosse importante para ela. Isso nunca acontecera antes. Eles não tinham uma conversa como essa desde... Bem, nunca. Essa era a primeira vez.

Mas não dava para ir muito além sem que ela afundasse em sua própria ignorância. O que significaria nacionalizar os bancos? Ele saberia, ela não. Mas, neste mesmo instante, em uma feliz coincidência, um gigantesco barulho de rachadura, como a primeira e nítida descarga de um trovão, anunciou que o gelo do East River começava a quebrar.

Todos os presentes correram para as janelas do norte e do oeste e se espantaram com a imagem: o gelo branco rachando e erguendo-se em enormes placas com beiras dentadas, e depois voltavam a cair com estrondo sobre a água negra e começavam uma marcha precipitada rumo ao sul, até Governors Island e Narrows. Por que tudo de uma vez? Por que agora? Poucas horas antes, uma maré morta atingira sua altura de inundação e tinha virado, disse alguém, e agora a corrente estava baixando com força e a água descia sob o gelo. Era assim que acontecia; o mesmo que dois anos antes, e cinco e oito. E assim desde a Era do Gelo. A primavera estava chegando, bem diante dos olhos deles; ao ver os rostos ruborizados que a rodeavam, Charlotte compreendeu que era um momento de intensidade erótica e até sexual, uma autêntica loucura de março. O quarteto de cordas trocara de ritmo e agora interpretava uma peça feroz de Shostakovich. Os lábios estavam vermelhos, os olhos brilhavam, e as vozes se emocionavam com a energia do rompimento do gelo. A primavera era equivalente a sexo. Lá embaixo, no rio negro, a água saltava por debaixo da cobertura branca e fazia as gigantes placas de gelo darem voltas e mais voltas. Nunca o East River fora tão parecido a uma torrente.

Larry tinha a mesma expressão dos demais, sua tez pálida e sardenta de Ivy League ruborizada como se estivesse envergonhado ou acabado uma corrida. Não era por ela nem pelo rio; estava pensando no plano de Charlotte. Em sua mente, misturavam-se a assombrosa imagem do degelo, o amontoamento das placas de gelo rolando na água escura como a própria corrida da história. Ele sentia como seria participar daquilo, cavalgar naquele caos. Ela estendeu a mão e apertou a bochecha dele por um instante. Ela costumava lamber a orelha dele no momento do orgasmo, e ele ficava louco. Aquele cara ainda estava ali; ele ainda gostava de se sentir bem.

— Bem impressionante — murmurou ela, sentindo seu rosto queimar também, e se sentou. Ergueu os olhos para ele, um pouco envergonhada de si mesma, pela visão do rio, pelo atrevimento com ele, pela intensidade das lembranças repentinas que afloraram como a torrente negra. — Pense nisso — disse Charlotte. — Esteja pronto. Coloque suas peças no tabuleiro.

— Se entre essas peças estiverem alguns membros do Congresso com quem eu possa contar — destacou ele enquanto se sentava. Tinha aquele sorrisinho tão seu. — Sobremesa?

— Sim — disse ela inquieta. — Sobremesa e conhaque.

— Para já.

> As grandes avenidas de Nova York não estão orientadas exatamente de norte a sul, mas desviadas vinte e nove graus para leste, a partir do norte. Isso significa que as ruas leste-oeste na verdade estão orientadas do nordeste para o sudeste e explica por que os chamados dias de Manhattanhenge, quando os pores do sol se alinham com as ruas e a luz as inundam do oeste, transformando os canais em fogo, não ocorrem nos equinócios, mas entre os dias vinte e oito de maio e doze de julho.
>
> Em 1932, uma tempestade vinda do Ártico trouxe consigo pássaros polares chamados tordas-anãs e os arremessaram contra os arranha-céus. Milhares foram encontrados mortos por toda a cidade, enredados nos fios telefônicos, nas ruas, lagos e gramados.
>
> Projeto Federal de Escritores, 1938

h) o cidadão ressurgido

Se a atmosfera da Terra fosse comprimida até a densidade da água, formaria um revestimento ao redor do planeta de uns dez metros de espessura. Tal como é, estende-se até alcançar uns dezessete quilômetros de altitude, a partir de onde se torna muito difusa, na fronteira entre a troposfera e a estratosfera. Como área permanentemente habitável para o ser humano, alcança uns quatro quilômetros e meio; acima disso, as pessoas tendem a morrer. Então, pense em uma camada de celofane envolvendo uma bola de basquete, e depois lembre-se que ainda está pensando em algo espesso demais, quando se trata da atmosfera e da Terra.

Basicamente, é ar: bem tênue se comparado à água e fácil de se mover pela superfície do planeta enquanto este gira como um pião ao redor do Sol. Um giro por dia (que é o que um dia é, dã!) alcança uma velocidade de superfície no equador de mais de mil e quinhentos quilômetros por hora, então é realmente incrível que o ar permaneça tão parado, mas o caso é que entre a inércia, o arrasto e tudo mais, as correntes conseguem alcançar um máximo de cento e sessenta quilômetros por hora, e sopram sobretudo em direção ao leste, em padrões que não se diferenciam muito dos da água que sai pela boca de uma mangueira que se deixa no chão. Ou seja, padrões caóticos, mas de tal modo concentrados ao redor de estranhos atratores que, de fato, podem ser definidos como padrões. Mas é uma substância leve, o ar, e embora se mova de maneira parecida à das correntes dos oceanos ao redor da Terra, seu movimento é mais descontrolado.

Isso sempre foi assim, mas se você acrescenta calor ao sistema, tudo tem mais energia, então ele se comporta como antes, mas de modo mais exagerado. Portanto, o clima sempre foi imprevisível e cheio de anomalias, mas depois do aumento das temperaturas globais que se seguiu às injeções colossais de dióxido de carbono na atmosfera pela civilização industrial humana, o clima ficou mais selvagem ainda. Por muito tempo a Terra recebeu 0,6 watt por metro quadrado de energia a mais do que perdia, e isso cozinhou as coisas, e a panela começou a ferver. Note que essa nova energia extra não impede eventos frios só porque a temperatura média é mais elevada; o aumento na energia aumenta também a violência dos redemoinhos de ar que se formam, e um redemoinho grande o suficiente expulsa o ar do seu centro e cria uma zona de baixa pressão, e a terra embaixo dessa ausência de ar pode se tornar estupendamente fria. Em resumo: episódios climáticos catastróficos de todos os tipos, incluindo furacões, ciclones, tornados, tempestades com trovões, ventanias, secas, ondas de calor, aguaceiros, frentes frias, áreas de alta pressão etc. Você entendeu a ideia.

Então, no século vinte e dois, por todo o mundo, as pessoas tiravam fotos de episódios climáticos extremos que destruíam o que elas tivessem construído, incluindo as plantações que eram cultivadas, e o solo no qual cresciam. No nível do mar, que havia subido até a altura atual apenas quarenta anos antes, as tentativas de reconstrução – frágeis, tênues e débeis – levadas a cabo pela humanidade e por todas as outras espécies vivas eram particularmente vulneráveis aos superfuracões nas novas categorias estabelecidas, como classe sete, força onze ou a maldita supremo. Nos trópicos, muitas construções já eram dúbias desde o início, e com a intensificação das tempestades e a natureza desorganizada da reconstrução pós-pulso, novos eventos climáticos podiam simplesmente esmagar cidades costeiras inteiras. Veja o que aconteceu em Manila, em 2128, em Jacarta, 2134, e em Honolulu, 2137. Foram exemplos extremamente inquietantes da morte e destruição agora possíveis quando uma tempestade avassaladora se abatia sobre infraestruturas insatisfatórias.

Nova York, é necessário dizer, quando comparada com a maioria das cidades costeiras do mundo, tem uma infraestrutura bem sólida. Sua fundação está sobre rocha e é construída de aço e vários compósitos tão fortes que a rocha com frequência é a primeira coisa a se romper. Mas rocha também quebra, e nem toda a cidade está construída do mesmo modo. Tem muita gambiarra nas várias reconstruções e reformas feitas na área submersa e na zona entremarés. Então não é invulnerável. Nenhuma construção humana é.

Recordemos também, se sua capacidade de retenção permitir tal feito depois de tantas páginas densas, a peculiar geografia da baía de Nova York em relação ao Atlântico e ao globo como um todo. Furacões, mais violentos do que nunca, chegam do Caribe (ou, na verdade, dos cinturões subtropicais de alta pressão), e enquanto seguem para norte em velocidade média, giram no sentido anti-horário quando vistos do espaço, de modo que os ventos da borda da tempestade são impelidos para oeste e podem ser extraordinariamente velozes e potentes. Recordemos a topografia da baía, e o fato de que Nova York é um arquipélago em um estuário, conectado pelo Narrows ao Atlântico no ponto de flexão da baía, com uma entrada nos fundos do lado oriental, de onde o estreito de Long Island se une ao East River através de Hell Gate.

É, de fato, a combinação perfeita para a aparição de tempestades gigantescas. Um furacão monstruoso empurra uma parte importante do Atlântico para norte e para leste até a baía, e Nova Jersey canaliza toda essa massa de água por meio do Narrows, enquanto outra avança com força para leste pelo estreito de Long Island até inundar o East River através de Hell Gate. Enquanto isso, o Hudson, que nunca para de drenar uma bacia hidrográfica imensa, despeja seu próprio caudal a partir do norte, um fluxo que pode superar os cinco milhões de litros por segundo. Dessa forma, chega o momento em que, em meio a um furacão, a água entra na baía em três direções, e não há rumo a seguir a não ser para cima. Se, por azar, isso tudo acontece no auge da maré alta, até a Lua dá outro empurrãozinho, o que na prática significa que o caminho para cima se torna o de menor resistência. Então a água sobe: maré ciclônica do Furacão Alfred, de 2046, seis metros, um desastre enorme. Furacão Sandy, em 2012, uma maré ciclônica de quatro metros, um grande desastre. Maré ciclônica do furacão sem nome de 1893, dez metros. Devastação total.

E agora, lembre-se – e você deve ser capaz disso porque é o fato mais substancial e onipresente da vida na Terra hoje em dia – de que o nível do mar já está quinze metros acima de onde estava antes do Pulso. Se somarmos uma maré ciclônica a essa condição preexistente, o que teremos?

Você vai descobrir agora mesmo o que acontece.

•

> Noventa e seis bebês prematuros chegaram ao mundo no edifício da empresa *Infant Incubator*, na exposição universal de 1939, e passaram ali suas primeiras semanas de vida.

> Não devemos nos solidarizar com a rata-almiscarada que rói sua terceira pata? E não por piedade de seu sofrimento, mas pela mortalidade que compartilhamos, pelo apreço a sua dor sublime e virtude heroica? Não somos feitos seus irmãos pelo destino? Para quem vão cantar salmos e rezar missas, se não para criaturas tão valiosas quanto essas?
>
> Thoreau

•

i) Stefan e Roberto

Os últimos dias de primavera começaram a ficar mais longos, e os telhados se cobriram rapidamente de verde. Todas as criaturas vivas germinavam, as águas turvas cheiravam a merda, a zona entremarés supurando gosma e empesteada na maré baixa, a lama viscosa dos leitos de ostras e estruturas de docas antigas. A grande baía estava tão cheia de barcos que as vias de trânsito para grandes navios mostravam-se bem definidas pela ausência das pequenas embarcações. O sol ardia sobre a água desde a primeira hora do amanhecer até os últimos minutos que antecediam o pôr do sol, e perto da costa o azul escuro dos rios se tornava negro por causa do lodo; amarelo, pelo escoamento; ou prismático, pelos restos de gasolina e óleo. A umidade era tão intensa que o ar se tornava visível, uma neblina fétida e branca que pendia sobre a cidade, e a ideia de que apenas dois meses antes a baía estava gelada e a atmosfera parecia feita de nitrogênio líquido era algo incrível. O clima da cidade, sempre notório, até mesmo escandaloso, tinha se convertido em uma loucura no século vinte e dois; agora os verões luminosos e miasmáticos oscilavam do subtropical para o supertropical, e os mosquitos eram uma praga sedenta de sangue e carregada de doenças. Os tabuleiros de xadrez de concreto se transformavam em fornos acesos. As pessoas não saíam de casa, e se tinham que sair, cambaleavam ou navegavam por aí com cara de aturdimento e consternação, com a sensação de que devia ter algum incêndio nas proximidades. Ninguém conseguia acreditar que essa cidade de sonhos pudesse mudar de modo tão drástico, como uma aerovila que tivesse ido do polo ao equador em uma questão de semanas. As pessoas imploravam por uma nevasca.

Stefan e Roberto não se importavam. Estavam envolvidos com a missão de encontrar o túmulo de Herman Melville, e talvez levar a lápide para o *bacino* de Madison Square e colocá-la em destaque na doca da Met, no ponto mais próximo ao lugar no qual o escritor vivera, a nordeste. Esse era o plano, e estavam comprometidos com isso. O sr. Hexter dissera que a lápide era grande, possivelmente uma pedra de granito de um metro e meio por um metro e meio, pesando várias centenas de quilos, mas os garotos não deixariam que isso os detivesse. Tinham pegado emprestado uma niveladora de doca quando ninguém estava olhando, e o bote deles avançava na água a uma grande altura. No pior dos casos, podiam resolver os problemas de transporte depois que encontrassem o que procuravam.

Então essa era uma missão de reconhecimento, e estavam felizes avançando pelas águas rasas do Bronx, de novo à caça, desviando dos desagradáveis telhados que pareciam recifes e dos glóbulos de matéria negra que flutuavam na superfície entre as algas. O Bronx alagado era quase tão extenso quanto as zonas inundadas do Brooklyn e do Queens, o que queria dizer muito. A linha da água atual tinha engolido muitos quarteirões ao norte de onde costumava estar, e os barrancos dos antigos riachos, e até mesmo um vale de tamanho médio, estavam cheios de novo, dividindo o bairro entre um par de baías no norte e no sul, das quais, a que estava a oeste seguia até Yonkers, alagando o velho Van Cortlandt Park e avançando na maré alta até o cemitério Woodlawn.

Mas não sobre Melville! O túmulo do grande escritor náutico ainda estava em terra firme, a muitas lápides de distância da linha da maré alta. O sr. Hexter determinara isso com seus mapas, e assegurara aos garotos que era verdade. No início, ficaram desapontados por não estar submersa, mas como tinham entregado o sino de mergulho para Vlade, eles se consolaram e decidiram que era uma sorte. Seria seu primeiro projeto terrestre.

Agora puxavam o bote até uma ladeira coberta de mato, amarraram-no em um tronco de árvore morta e caminharam para leste sobre os arbustos e os escombros do cemitério abandonado, em direção ao lugar marcado com um X em um dos mapas dobrados do sr. Hexter. Depois de alguma caçada ao redor, concluíram que havia poucas coisas mais estranhas do que um cemitério abandonado; naquele caso, meio prado escorregadio, meio floresta úmida, cheio de galhos afogados, lixo e fileiras após fileiras de lápides, como um modelo em miniatura da cidade alta, com um monumento maior ocasional aparecendo aqui e ali. De tempos em tempos, paravam para ler algumas das inscrições maiores; então encontraram a que honrava a memória de um tal George Spencer Millet, 1894-1909, que dizia:

> *Morto por uma lâmina ao cair sobre um raspador de tinta, enquanto fugia de seis jovens moças que tentavam lhe dar beijos de aniversário no escritório do edifício Metropolitan Life.*

— Ah, cara! — disse Roberto. — No nosso edifício! Isso é terrível!
— É o tipo de coisa que aconteceria com você — observou Stefan.
— Sem chance! Eu deixaria que me beijassem, merda. Ele era um idiota.

Depois disso, decidiram parar de ler as inscrições. Seguiram em frente, sentindo o peso de todas aquelas vidas e nomes semilegíveis. Não havia cemitérios na baixa Manhattan, e estavam percebendo que aquilo era menos divertido do que imaginavam.

Até que encontraram o túmulo de Melville. Era, de fato, uma lápide pesada, com um pergaminho entalhado na pedra. Tinha um metro e meio de altura, quase a mesma medida de largura e uns trinta centímetros de espessura, ou até mais. Em cada lado do pergaminho havia folhas de parreira entalhadas, e o nome de Melville estava na parte de baixo, quase oculto pelo barro. Era um lugar deprimente. A lápide de sua esposa estava bem ao lado, e do outro lado havia mais membros da família, incluindo o filho Malcolm, que morrera jovem.

— É grande — disse Stefan.

— Devíamos levá-la de volta para nosso bairro — insistiu Roberto. — Ninguém mais vem aqui, dá para ver. Ele está completamente esquecido aqui.

— Não sei...

— Acha que é ilegal?

— Acho que não seria legal. O corpo dele está aqui, o corpo da esposa, tudo isso. Se alguém vier vê-lo, pode pensar que nós o vandalizamos.

— Bem... Merda.

— Talvez pudéssemos procurar alguma outra tumba que estivesse submersa.

— De alguém que viveu mais perto de nós? E cujo fantasma o sr. Hexter viu?

— Não. Teria que ser outra pessoa. Ou talvez pudéssemos fazer placas comemorativas para colocar nos edifícios ao redor da marina, ou nas estacas das docas. Ou um mapa, o sr. Hexter adoraria isso. Com tudo o que ele nos contou sobre Melville, beisebol, a mão da Estátua da Liberdade, tudo isso.

— Vivemos em um grande bairro.

— É verdade.

— Mas quero tirar alguma coisa da água! Ou do mato. Algo que possamos salvar.

— Eu também. Mas talvez Hexter esteja certo. Talvez depois do *Hussar* não tenha mais nada de tão bom.

Roberto suspirou.

— Espero que não. Só temos doze anos.

— Tenho onze. E você só acha que tem doze.

— Como seja, é cedo demais para não ter mais nada de bom.

— Temos que mudar de carreira, eu acho. Mudar nosso foco. Você ia acabar se afogando de todo modo, então talvez seja uma boa coisa.

— Acho que sim. Mas eu gostava. E há trabalhos feitos embaixo d'água, como o que Vlade fazia.

— Verdade. Mas falo de agora. Talvez pudéssemos olhar para cima em vez de olhar para baixo. Tem esses falcões peregrinos que fazem ninho nas laterais do Flatiron, e vários outros.

— Pássaros?

— Ou animais. As lontras embaixo das docas. Ou leões-marinhos. Lembra quando apareceram na Marina Skyline e subiram todos em um bote e o afundaram?

— Sim, aquilo foi legal. — Roberto passou a mão pela lápide de Melville, pensando no assunto.

De repente, ficou mais escuro e mais frio. Uma nuvem negra que chegara do sul tapou o sol. O ar continuava tão úmido quanto antes, ou até mais, porém, por causa da nuvem, agora estavam na sombra, e parecia que ia piorar. De fato, uma enorme massa de nuvens avançava do sul.

— Uma tempestade? — perguntou Stefan. Era grande demais para ser uma simples tempestade. — É melhor voltarmos.

Os garotos correram de volta para o bote, soltaram a amarra, subiram a bordo de um salto e se dirigiram para o centro do canal que cortava o Bronx em dois. O vento acertava-lhes o rosto, e as ondas vinham uma depois da outra, jogando água por ambos lados. Os dois se abaixaram para reduzir o atrito com o ar. O vento e as ondas vinham do sul, então se dirigiam direto para eles. Era uma sorte, porque as ondas se erguiam cada vez mais, coroadas por grandes coberturas de espuma branca. Teria sido difícil, até mesmo impossível, navegar de lado por ondas tão altas e agitadas como aquelas. Mesmo ao encará-las de frente o bote subia e caía com força sobre a água branca, e então os dois meninos passaram para a popa e se sentaram um de cada lado do leme, de onde observavam com nervosismo como aqueles verdadeiros muros brancos caíam sobre eles e como sua embarcação se inclinava e se erguia de maneiras que pareciam impossíveis. O rugido das ondas era tão forte que eles tinham que gritar um no ouvido do outro para ser escutados. A inclinação da proa, característica do projeto de todo zodíaco, salvou-os em várias ocasiões, e ainda assim ondas um pouco mais altas certamente fariam o bote virar sobre si mesmo, ou pelo menos era o que parecia.

Apesar disso, a flutuabilidade era uma coisa maravilhosa, e por enquanto eles conseguiam superar cada onda que os atingia. E certamente as ondas não ficariam muito maiores, não ali em Harlem Rivers pelo menos, por onde não tinham como se estender muito. Os garotos mal conseguiam acreditar que as ondas tivessem alcançado tamanha altura e que o vento se tornasse tão forte com tanta rapidez. Bem, tempestades de verão aconteciam. E agora estavam vendo que, contra todos os prognósticos, as ondas recobravam a força, avançando pelo East River e dobrando no Harlem. O bote deles sacudia com violência.

— Devíamos ter esperado passar! — gritou Stefan quando um muro branco particularmente grande os inclinou quase na vertical antes de passar por baixo deles, e a proa caiu com tanta força que tiveram que se agarrar para não ser arremessados para a frente.

— Vamos conseguir.

— Talvez devêssemos voltar.

— Não sei se a popa se levantaria tão bem como a proa.

Stefan não respondeu, mas era verdade.

— Talvez devêssemos trazer nosso tablet de pulso da próxima vez.

— Talvez. Mas nós o estragaríamos.

— Olhe essa que está chegando!

— Eu sei.
— Talvez fosse melhor voltar.
— Talvez sim. O bote vai flutuar mesmo que esteja cheio d'água, sabemos disso.
— O motor vai funcionar se estiver molhado?
— Acho que sim. Lembra aquela vez?
— Não.
— Aconteceu uma vez.

A onda seguinte os empurrou e os ergueu até ficarem quase na vertical, e ambos se inclinaram instintivamente para a frente a fim de ajudar a embarcação a ficar na horizontal. Mesmo assim permaneceram pendurados durante um momento longo demais, esperando que a onda não os fizesse virar para trás e os jogasse sobre a água agitada. Em vez disso, o barco foi para a frente e desceu por trás da onda. Mas outras ondas se aproximavam, grandes muros brancos, e o vento uivava.

— Ok, talvez devêssemos voltar. Não quero capotar.
— Nem eu.
— Ok, então...

Roberto olhava fixo para a frente, olhos arregalados. Ao vê-lo, Stefan ficou com medo. Todas as ondas tinham quase a mesma distância umas das outras, como costuma acontecer com ondas. Eles dispunham de sete ou oito segundos entre cada impacto. Não era muito tempo para virar, mas não podiam se dar ao luxo de ser pegos no meio da manobra.

— Na próxima — disse Roberto. — Começarei a virar assim que a crista estiver embaixo de nós. Na sua direção.
— Ok.

A onda seguinte era mais ou menos do mesmo tamanho das demais. Não um monstro, mas quase isso. Ela os levantou, o bote quase na vertical, e os dois garotos se inclinaram para a frente. Quando a proa afundou sob o peso de seus corpos, Roberto empurrou o leme na direção de Stefan, e quando o bote começou a descer pela parte posterior da onda, ele aumentou ao máximo a potência do motor. O bote virou bruscamente, em um movimento impressionante, mas não rápido demais, e a próxima onda estava vindo. Não podiam fazer outra coisa além de assistir ao desastre.

A muralha de água despencou sobre eles quando tinham completado três quartos da manobra, e Roberto puxou o leme em sua direção para que, ao impulsionar o bote para a frente, ficassem na mesma orientação da onda. A popa se levantou menos do que a proa. Estavam embaixo da espuma e parecia que a água inundaria a embarcação, mas, além do jato d'água, nada mais aconteceu, e o bote continuou flutuando e as ondas se mantinham em ordem. Continuaram na onda por um tempo, e então ela passou embaixo deles, e os garotos conseguiram avançar na direção do Bronx a toda velocidade, impulsionados pelo vento e empurrados de vez em quando pelas ondas quebradas que passavam por baixo deles, jogando água, mas não os encharcando, de algum modo mais rápidas do que o barco. Agora já não iam mais afundar, e as águas rasas do Bronx, com toda a confusão de telhados e edifícios destruídos, aproximavam-se velozmente. Era um campo de ondas, bolhas, partes de água negra e linhas brancas de espuma, e parecia horrível. Mas eles podiam se enfiar em algum vão, proteger-se em algum abrigo que estivesse acima da água. As ondas perderiam força rapidamente enquanto se embrenhassem nos destroços do bairro.

— Nós vamos conseguir — declarou Roberto. Era a primeira coisa que ele dizia desde que deram a volta, várias ondas atrás.

— Parece que sim — concordou Stefan. — Mas e depois?

— Vamos esperar que passe.

PARTE SETE

Quanto mais, melhor

> As pessoas investem seu afeto em lugares nos quais estarão seguras quando o vento soprar.
>
> observou Mencken

a) Vlade

Como parte de seu trabalho, Vlade deixava sempre aberta a página com a previsão do tempo da NOAA para Nova York em uma de suas telas, em um canto perto da tela das marés. De fato, era o efeito do clima nas marés que o interessava, porque as marés afetavam o edifício. Fora isso, ele não se importava realmente em saber como andava o tempo.

Mas por uma semana, ou mais, ele estava acompanhando um furacão que vinha do Atlântico, aparentemente dirigindo-se para a Flórida. Mas o que a NOAA mostrava agora havia captado toda a sua atenção. Nas últimas horas, esse tal furacão Fyodor tinha desviado para noroeste e ameaçava atingir a área de Nova York. Durante todo o tempo, parecia que sua trajetória o levaria à Carolina do Norte, no extremo norte de sua zona de impacto, mas a situação tinha piorado. Outros furacões já tinham atingido Nova York várias vezes no passado, mas nunca desde o Segundo Pulso.

Vlade tinha uma página em seus arquivos com as medidas de segurança em caso de tempestade, então abriu-a em sua tela principal e alertou sua equipe: todos nas docas! A lista de tarefas era longa e eles tinham que correr. Não era uma simulação, Vlade falou para a equipe. Tinham no máximo uns dois dias. Uma lição que aprendera era nunca confiar nos modelos da NOAA em questões de tamanha importância. Os modelos tinham ficado muito bons com o tempo, mas coisas estranhas ainda aconteciam.

Ele estava saindo do escritório para começar com as tarefas de proteção contra a tempestade quando se lembrou de que Amelia Black estava voando em algum lugar ali perto, e Idelba estava em sua barcaça, em Coney Island. Uma grande exposição para ambas.

Parou para ligar para elas.

— Idelba, onde você está?

— No *Sísifo*, onde mais?

— E onde está sua bela embarcação?

Idelba bufou.

— No Narrows, a caminho daí.
— Ah, bom. Viu a tempestade?
— Sim. Parece ruim, não?
— Bem ruim. Onde vai parar?
— Não tenho certeza. Em geral, entro com a barcaça no Brooklyn e a deixo em Gowanus, mas não sei. O grande armazém que ficava no sul desmoronou, e esse era meu quebra-vento.
— Quer vir para cá?
— A barcaça não cabe.
— Você podia deixar a barcaça em Gowanus e vir para cá no rebocador.
— O que faz você pensar que essa sua pilha de tijolos velhos vai proteger meu rebocador?
— Ficaremos bem. Coloque-o entre esta torre e o edifício Norte, como fez antes. É meio que uma rua privada para nós, e você estará bem protegida a partir do sul.
— Ok. Talvez eu faça isso. Obrigada.
— Seja o mais rápida que puder. Não quero que esteja fora quando a tempestade começar.
— Dã.
Uma a menos. Agora, Amelia.
— Oi, Vlade, tudo bem?
— Amelia, onde você está?
— Sobrevoando o pântano Asbury Park.
— Deu uma olhada na previsão do tempo?
— O quê? Está lindo. Um pouco quente e com névoa. A visibilidade está um pouco baixa para uma boa filmagem, mas estamos seguindo uma matilha de lobos que está tentando...
— Amelia, até onde consegue ver em direção ao sul?
— Uns trinta quilômetros, ou algo assim. Voo a quinhentos pés.
— Você tem a previsão do tempo aí?
— Claro, mas, o quê?... Ah! Ok, uau. Vejo o que quer dizer.
— No que sua produção estava pensando?
— Não contei para eles que ia voar, estou só dando uma volta.
— Quanto tempo demora para voltar?
— Bem, talvez três ou quatro horas? Por quê? Você acha...
— Sim, eu acho! Venha agora, e rápido! Venha em velocidade máxima. Ou então você vai passar a noite em Montreal. No melhor dos casos.
— Ok, assim que esses lobos pegarem os perus.
— Amelia!
— Ok!
Então, mais uma avisada. Vlade balançou a cabeça. Era hora de cuidar do prédio. Essa sua esposa de pedra nunca conversaria com ele, mas tinha ações e

reações que expressavam mau-humor, tristeza, todos os tipos de estado de espírito. Agora o edifício estava quieto no calor, e parecia tenso. Ele grunhiu e começou a trabalhar.

A Met já tinha uns duzentos e trinta anos de idade, embora isso não significasse nada para Vlade. As catedrais da Europa eram milenares, e a Acrópole tinha dois mil e seiscentos anos; as pirâmides, quatro mil, e assim por diante. Idade não era um fator quando se tratava de integridade estrutural. Era uma questão primeiro de projeto, depois de materiais. Em ambos os casos, a Met fora afortunada. Vlade não temia que algo pudesse derrubar a torre, com aquela forma maciça e triangular e as fundações sólidas. Ao contrário dos *hashi*, as ridículas torres de vidro dissidentes que ficavam ali perto, ao sul. Na verdade, se um daqueles estúpidos palitos de dente caísse para norte, poderia destruir a Met também, um pensamento que dava arrepios em Vlade. Com sorte, se isso chegasse a acontecer, seria em qualquer outra direção, ainda que, se fosse para oeste, pegaria o Flatiron, um edifício que todo mundo no *bacino* adorava, embora Vlade estivesse feliz de não ser o síndico de lá; quase todas aquelas paredes não esquadrinhadas eram um problema, como sempre dizia Ettore, sobretudo na ponta mais estreita no norte, onde um cão teria que balançar o rabo para cima e para baixo (de novo palavras de Ettore). Por outro lado, se os *hashi* caíssem para noroeste, seria sobre a própria praça, cortando a pequena baía na metade com uma grande quantidade de escombros. Só se caíssem para leste ou sul não haveria problema para o grupo de Madison Square, embora, sem dúvida, o dano da queda na região seria severo. Aliás, era bom esperar que continuassem em pé.

Ele ficou parado no andar da fazenda, olhando para sul entre os edifícios dissidentes. O vento já soprava no lugar, agitando as folhas ternas das plantações. O milho não demoraria a estar no ponto de colheita, e Heloise, Manuel e outros fazendeiros estavam ali, colocando proteções antitempestade sobre as janelas abertas do lado sul. Que, logicamente, também eram vulneráveis às condições locais.

— Pessoal! — disse Vlade para o grupo peremptoriamente. — Um furacão está chegando. Um dos grandes. Ventos de mais de cento e cinquenta quilômetros por hora.

— E o que devemos fazer?

— Temos que cobrir os quatro lados com proteções antitempestade. Caso contrário, seremos sugados. Devíamos reforçar por dentro também. Temos hoje para fazer isso, segundo a previsão.

Heloise disse:

— Só temos proteções suficientes para dois lados, talvez três.

Vlade franziu o cenho.

— Vamos proteger as paredes sul, leste e oeste.

Começaram a cobrir os altos arcos abertos da fazenda. Não era uma tarefa fácil, e alguns deles nunca tinham feito aquilo, então Vlade teve que ensinar como funcionava o sistema. Os painéis eram como janelas de estufas, translúcidas em vez de transparentes, e eram feitas de várias camadas de grafeno, de modo que eram extremamente fortes e leves. Enquanto parafusavam tudo, Vlade não tirava os olhos do sul para ver se conseguia avistar a tempestade e falava com o restante da equipe que estava atarefada com outros afazeres. Ao seu redor, em todos os arranha-céus da cidade, podia ver grupos ocupados em tarefas similares. As passarelas pareciam vulneráveis. As pontes eram fortes, mas as ligações com os edifícios seriam testadas. Provavelmente, várias docas seriam arrancadas também.

Com a fazenda protegida, ele passou a se ocupar do problema da luz. As baterias estavam carregadas; o depósito de combustível do gerador, cheio; e tanto o revestimento quanto a pintura fotovoltaica do edifício estavam tão limpos quanto podiam estar, além do que era de se esperar que a tempestade os limpasse ainda mais. Então, mesmo no auge da tempestade, o edifício poderia gerar alguma eletricidade, assim como as turbinas de marés na linha d'água. Tudo bem, mas não era suficiente. Então Vlade fez uma videoconferência com o diretor da rede local, que estava coordenando planos de contingência para os diferentes cenários, da retenção total à perda total, com essa última possibilidade ocupando a maior parte da conversa. Com quem poderiam contar se fossem os únicos geradores? Alguém tinha o suficiente para desviar um pouco de energia para o nó local da Vinte e Nove e da estação Park, que a redistribuiria em caso de necessidade?

Bem, na verdade, não. No pior dos cenários, cada edifício teria que enfrentar por conta própria a queda total da rede, depois que a energia da subestação local acabasse. Com sorte, isso não aconteceria, ou não duraria muito tempo. Cada edifício era semiautossuficiente, pelo menos na teoria, mas era surpreendente o pouco tempo que podiam passar sem energia adicional. Usar as escadas, comer comida fria, iluminar com velas... Tudo bem, mas e o esgoto? E quanto à água potável? Teriam que reservar a energia fotovoltaica para essas funções, e talvez para um elevador.

Essas eram as preocupações das pessoas em um edifício sólido, com oitenta ou mais na escala de autossuficiência. Era um bom bairro nesse quesito; a maioria dos prédios que rodeavam Madison Square, e os da Sambam em geral, eram fortes. Mas não todos, e havia vários outros bairros muito mais vulneráveis do que o deles. E na hora da verdade, os moradores daqueles edifícios em pedaços teriam que ser socorridos, ou haveria centenas de cadáveres contaminando os canais. Para colocar a situação de modo pragmático. Vlade não diria isso em voz alta, mas outros síndicos, sim; essa era Nova York, apesar de tudo.

— Se você morrer, seu cadáver vai apodrecer no meu suprimento de água, então agarre-se em algo, maldição!

Essa era uma citação exata. Ele não queria saber quem disse. Podia ser qualquer um. Ele mesmo já pensara aquilo. Todo mundo pensou.

Não dava para fazer nada além de cuidar da própria cota de problemas. Como alguém observou para quem fez o primeiro comentário:

— Cuide de seus próprios problemas, cabeção.

Entrou uma chamada:

— Vlade, aqui é Amelia.

Vlade estava no andar dos porcos, em cima da fazenda; o vento estava forte, e o céu para o sul tinha um tom estranho de verde, um verde misturado com preto. Ele olhou pela janela e analisou o horizonte para sudoeste, sem ver nada. A visibilidade estava péssima, com um tipo de tristeza pulsante. Todo o tráfego aéreo desaparecera do céu.

— Onde você está? — perguntou ele.

— Estou perto do Narrows, sobre Staten Island.

Ele espiou naquela direção, mas não viu nada.

— Por que demora tanto?

— Estou indo o mais rápido que posso! Mas não consigo seguir avançando para leste, o vento está muito forte dali.

— Maldição, Amelia, isso vai ser grande, você entende?

— Claro que sim, consigo ver! Já estou dentro!

— Merda. Ok, então, vá para norte. Não tente vir para cá. Vá para norte.

— Mas está ventando muito!

— Sim. Se você conseguir aterrissar antes que piore, faça isso. Onde quer que seja. Se ver que não dá, deixe que te leve para norte até diminuir. Não tente lutar. De fato, suba o mais alto que puder. Se conseguir ficar acima da turbulência, vai poder passar ilesa.

— Não quero perder isso!

— Não importa o que você quer agora, garota. Você se meteu nessa. Pelo menos não tem nenhum urso a bordo. Ou tem?

— Vlade!

— Não me venha com Vlade! Resolva!

Ele continuou com os preparativos do edifício: depósitos de água cheios e com filtros purificadores novos no fundo; eles poderiam garantir a qualidade da água por um tempo apenas com a chuva e o efeito da gravidade. Tanques de esgoto vazios. Baterias carregadas, despensas abastecidas ou, pelo menos, não vazias. Velas e lanternas. Testar os geradores, verificar suprimento de combustível. Colocar todas as embarcações para dentro, guardadas. Esvaziar a doca, já que protegê-la... Bem, merda. Vlade se reuniu com os outros síndicos do Madison na doca do Flatiron para conversar. Estavam praticamente de acordo: as docas estavam condenadas. O melhor que podiam fazer era ancorá-las aos edifícios com umas amarras que lhes dessem um pouco mais de jogo do que o normal, mas não muito. Com sorte, elas se limitariam a balançar sobre as ondas e aguentariam. Os síndicos do lado norte do *bacino* estavam cientes de que se encontravam na margem da pequena bacia retangular, então suas docas poderiam servir como amortecedores para seus edifícios, absorvendo alguns dos impactos dos detritos, ou poderiam se transformar em aríetes que bateriam nas paredes do sul, expostas. Não dava para fazer outra coisa além de esperar e ver o que aconteceria.

As imagens de satélite mostravam que a borda principal do furacão Fyodor estava quase trinta quilômetros ao sul de Nova York.

— Vamos tirar tudo o que pudermos do andar da fazenda — disse Vlade para sua equipe. — Com ou sem protetores. Levem as caixas de plantas para os elevadores grandes, se couberem. Deixem-nas nos corredores dos andares de baixo. Façam o mesmo com os sistemas hidropônicos.

Idelba e seu rebocador chegara, o que era um alívio. Uma vez amarrado na Vinte e Quatro, entre a Met e a Norte, ela colocou sua tripulação para trabalhar na fazenda. Vlade sempre preferira usar jardineiras modulares, por questões de irrigação, mas agora isso era útil de outra maneira, já que podiam destacar cada um dos vasos quadrados e colocá-los no elevador de carga. Os hotellos eram fáceis, eram basicamente tendas, feitos para ser movidos. Os ocupantes eram mais difíceis de mover do que os hotellos.

— Para onde vamos? Para onde vamos?

— Calem a boca e se mexam. Vamos ver isso mais tarde. Por enquanto, podem ir para o refeitório. Coloquem suas coisas aqui, perto do elevador.

Os corredores dos andares de baixo pareciam lojas de plantas em uma promoção inesperada e infeliz.

— Merda — repetia Vlade. — Limpem essa merda, vamos, deixem espaço para passagem. O que acham que estão fazendo?

Encontrou-se com Idelba em seu escritório, quando estava passando para verificar a previsão do tempo e sua lista de tarefas.

— Onde estão aqueles dois meninos? — perguntou Idelba.

Vlade sentiu seu estômago revirar.

— Stefan e Roberto?

— Não, aqueles outros dois que você toma conta.

— Maldição, como vou saber?

Ela olhou para ele.

— Eu não sei! — exclamou ele. — Imaginei que estivessem no edifício, ou no bairro. Eles cuidam de si mesmos, estão sempre por aí.

— Exceto quando não estão.

Vlade ligou para o tablet de pulso deles e não teve resposta. Subiu com Idelba para o refeitório e perguntou a Hexter sobre eles. O velho parecia preocupado.

— Não sei. Não estão atendendo as ligações! — disse ele. — Estavam indo para o Bronx procurar o túmulo de Melville, mas já deviam estar de volta.

Os três se entreolharam.

— Eles ficarão bem — falou Idelba. — Vão se proteger em algum lugar. Não são estúpidos.

— Eles não têm tablets de pulso?

— Têm um, mas sempre deixam aqui quando saem, porque já o estragaram várias vezes e porque usamos para monitorá-los.

— Merda.

Fez-se um instante de silêncio sombrio, e então voltaram para as tarefas pendentes, deixando Hexter a cargo de ligar para Edgardo e outros conhecidos para saber se tinham visto os garotos.

Vlade voltou para o alto do edifício e se assegurou de que tudo estivesse preso embaixo da cúpula. Sentia-se tão sombrio quanto Quasímodo. Os meninos tinham desaparecido e Amelia estava voando na tempestade em um dirigível. Provavelmente, todos ficariam bem, mas estavam expostos de um jeito que não aconteceria se estivessem ali. Ele queria muito ter todos eles ali. O edifício era à prova de bombas e aguentaria mesmo se as proteções do piso da fazenda se soltassem e a tempestade arrasasse tudo. Não havia nenhum outro lugar sobre o qual ele tivesse tanta certeza, não na grande baía, não no mundo inteiro. O edifício ficaria bem. Mas alguns de seus amigos não estavam lá.

Idelba o conhecia o suficiente para compreender o que se passava quando ele voltou para o escritório. Ela parou para tocar seu braço:

— Está tudo bem — disse ela. — Eles ficarão bem.

Ele assentiu de modo pesado. Ambos sabiam que nem sempre isso era verdade.

Então o dia ficou muito escuro, com o céu negro e o ar verde por baixo. Vlade pegou o elevador até a cúpula, depois subiu as escadas em espiral até a sala dos dirigíveis, cujas janelas ofereciam a vista mais alta de todo o edifício. Estava bem acima do topo dos *hashi*, o que era agradável. A torre Freedom e o Empire State assomavam por cima da escuridão geral da cidade baixa. Mais ao norte, os superarranha-céus da cidade alta pareciam ter se fundido para formar uma torre gótica de longitude surrealista. Hoboken e Brooklyn Heights estavam igualmente sombrias e pontiagudas.

A chuva caía agora de umas nuvens acinzentadas e escuras com tanta força que cobria as janelas com uma manta de água que só de vez em quando permitia que ele visse a cidade razoavelmente bem. O Empire State tinha um aspecto que ele jamais vira antes, a ponto de ser difícil compreender a imagem: caía tanta água sobre a sua face sul que o edifício havia se transformado em uma imensa cascata desde as nuvens. A parte mais densa dessa massa branca escorria pela parte vertical que marcava o meio do lado sul da torre, mas na verdade toda a superfície sul era uma imensa manta de água branca que cobria completamente o edifício, exceto o topo da torre.

— Uau! — gritou Vlade. — Santo Deus!

Vlade gostaria que mais alguém estivesse ali com ele para testemunhar aquilo, e até ligou para Idelba, para pedir que viesse, mas ela estava ocupada com alguma coisa lá embaixo.

O vento estava se tornando uma mistura de rugido surdo e choro estridente, ao mesmo tempo que se estendia por várias oitavas para formar um pavoroso grito sobre-humano. O East River estava branco, e agora Vlade conseguia ver o Hudson de um jeito que em geral não seria possível dali de cima, porque também estava branco. Ambos pareciam correr com força para norte, como corredeiras. Lá embaixo, ele podia ver a metade ocidental do *bacino*, também embranquecida, as ondas rolando de sul para norte e deixando trilhas de bolhas brancas na água escura. A doca no canto nordeste batia sem parar contra suas amarras e, quando tensionava ao máximo, agitava-se como um cão tentando escapar da coleira. Alguma coisa naquele sistema logo quebraria. Ao ver aquilo, Vlade teve a confirmação de que muitas docas do Hudson seriam destruídas. O vento estava agora tão forte que limpava a janela e lhe dava uma visão clara da cidade, borrada de tempos em tempos pelas torrentes que caíam do céu. Realmente, o lado sul do Empire State era algo que tinha que ser visto para se acreditar, e mesmo então era inacreditável. Ele teria gostado que o síndico do Empire State tivesse desafiado a tempestade com o espetáculo de luzes do edifício; sob aquela cachoeira, teria sido uma imagem assombrosa. Então ocorreu-lhe que o canal da Trinta e Três, sob o edifício, devia parecer as cataratas do Niágara. Não dava para ver nenhum barco ou navio em parte alguma. O que fazia sentido e era bom, mas também parecia estranho. O fim do mundo: Nova York vazia, abandonada aos elementos que agora uivavam em triunfo por sua vitória.

Nesse momento, as luzes da cúpula piscaram e se apagaram. Vlade xingou e conectou seu tablet de pulso ao centro de controle do edifício. Não teve resposta até que os geradores foram ativados, o que estavam programados para fazer automaticamente. Então as luzes voltaram. Mesmo assim, seria imprudente pegar o elevador agora. Então ele xingou mais uma vez e começou a longa e dolorosa tarefa de descer as escadas. Quando chegou ao fim da série de degraus em caracol da cúpula, para alcançar as escadas principais atrás dos elevadores, os geradores pareciam funcionar bem, tudo ainda estava ligado, e ele ficou tentado a tomar o elevador para economizar tempo e seus joelhos. Mas seria um desastre ficar preso no elevador, então começou uma metódica descida a pé.

Quarenta dolorosos andares depois, ele estava na sala de controle e tudo estava bem, exceto por dois problemas: os geradores só podiam funcionar três dias antes de esgotarem o combustível; e a maré ciclônica que vinha sobre o

Narrows (onde o nível da água, segundo as telas, já estava a incríveis três metros acima da linha da maré alta), se durasse por muito tempo, elevaria o nível do mar a ponto de alagar a sala da casa de barcos até o teto. A água poderia inclusive subir pelas escadas até o andar de cima, onde vários dos escritórios do edifício ficavam; era dali que algumas das funções do prédio eram operadas, para que funcionasse com a máxima eficiência.

Não havia como vedar o acesso à casa de barcos desde o *bacino*, que era algo que Vlade prometia a si mesmo mudar no futuro. Então a água chegaria do canal que havia embaixo da porta e inundaria o lugar, e depois continuaria subindo enquanto durasse a tempestade.

— Teremos que fechar o interior da casa de barcos para que a água não passe dali — disse Vlade para o pessoal presente na sala de controle, incluindo Su, que começara a arrumar as coisas nas gavetas.

Fechar a casa de barcos salvaria o prédio de tudo exceto de vazamentos, o que poderiam controlar. Os barcos guardados ali seriam erguidos e bateriam um pouco uns nos outros, mas se a água subisse de maneira mais ou menos ordenada, talvez os danos não fossem muito grandes.

Depois, a eletricidade. Com uma lista na mão, ele foi apagando tudo o que não fosse absolutamente necessário, após avisar todos os moradores pelo intercomunicador:

— Senhores, vamos cortar a luz de tudo que não seja serviço essencial, para economizar combustível. Parece que a rede vai ficar sem funcionar um tempo.

Com esse corte, o uso de energia caiu uns treze por cento do normal, o que era ótimo. E ele podia recorrer ao tablet de pulso para ver como andava a central elétrica da área. Era um sistema resistente, uma rede flexível; grande parte da energia era gerada pelos próprios edifícios, e todos despejavam tudo o que tivessem sobrando na estação local, que então a armazenava por meio de sistemas cinéticos, hidráulicos e baterias, e depois podia enviar uma parte para quem precisasse. Era muito bem projetado, mas claro que aquela catástrofe colocaria seus limites à prova. Pelo menos, agora nenhuma parte dele estava localizada nos porões!

Como tinha desligado a maior parte do aquecimento, do ar-condicionado e das luzes do edifício, as pessoas começaram a se reunir no refeitório e nas áreas comuns. Claro que era possível ficar no quarto e ver a tempestade com uma lanterna ou uma vela, e um bom número de moradores relatou estar fazendo isso. Mas muitos desceram para se reunir no andar comunitário. Era uma coisa social, todo mundo reconhecia: um tipo de festa, ou de busca de refúgio. Um perigo para ser enfrentado juntos, uma maravilha digna de se contemplar com assombro. As janelas do refeitório davam para sul e para oeste; a água caía pela lateral do edifício e obscurecia a vista, e embora não fosse nada tão assombroso quanto a face sul do Empire State, ainda era como estar em uma caverna atrás de uma cachoeira.

O rugido do vento e da chuva tomava conta de tudo, e como as pessoas tinham que gritar para se fazerem ouvir, elas gritavam ainda mais para superar o próprio barulho, como sempre acontece nas festas. Depois de um tempo, Vlade decidiu que era hora de voltar para a relativa tranquilidade da sala de controle.

Ali, no entanto, era perturbador de um jeito diferente; estava silencioso, mas um silêncio estranho, porque a janela que separava o escritório da casa de barcos era como a parede de um aquário. Dentro da casa de barcos, o nível da água já estava a cinco metros acima da linha da maré alta. Vlade se aproximou da janela e olhou temeroso para o alto; era possível discernir o nível da água ali em cima, perto do teto, onde os cascos dos barcos dos primeiros níveis da cadeia de vigas, amontoados, batiam uns contra os outros à mercê do movimento. Não era uma imagem alentadora, e o mal era que, se os lacres das portas tivessem vazamentos graves, o escritório seria inundado e seria impossível controlar o edifício. Já havia água se infiltrando por debaixo da porta; ele xingou ao ver aquilo e começou a vedar a porta com uma espuma seladora que costumava usar para esse propósito. Mais tarde limparia com solvente e, por enquanto, funcionaria bem.

Era difícil imaginar como a cidade faria com uma maré ciclônica daquela magnitude. O nível da água tinha permanecido estável durante cinquenta anos, e ainda que sempre ocorressem marés mortas e marés ciclônicas, todo mundo estava acostumado com um nível de água que agora seria excedido em muito. Os danos seriam imensos. Todos os delicados e complexos projetos voltados ao "primeiro andar fora da água", a faceta mais complicada da venezização da cidade, seriam destruídos. E cada entrada para o mundo submarino também ficaria submersa, e então todo aquele trabalhoso arejamento também seria perdido para a inundação, um desastre imenso. Com sorte, as escotilhas (como grandes tampas de inspeção com dobradiças) que tinham sido instaladas em todas as aberturas estariam todas fechadas e funcionando bem. E também havia anteparas internas que podiam conter as inundações que ocorressem. Mas era uma situação perigosa, e todo mundo que estivesse ali embaixo ficaria preso até o final da maré. Bem, era possível que houvesse algumas entradas submarinas dentro de edifícios. Quando tudo acabasse, seria interessante ouvir as histórias.

Por enquanto, ele estava trancado para fora da casa de barcos e, se quisesse ir para algum lugar, o que felizmente não queria, teria que usar um bote inflável e fazer algum tipo de saída de emergência quebrando uma janela. Era bizarro, até mesmo enervante – com sorte, nada seria pior do que aquilo.

A passarela para a torre Norte ficava a sotavento da Met, e parecia que estava protegida o suficiente do impacto do vento para não sofrer danos. Era uma sorte, porque cada passarela arrancada abria um buraco no edifício pelo qual entrava vento e água. Vlade queria voltar para a cúpula da torre e ver se podia descobrir como as passarelas estavam, mas tinha a impressão de que seria apenas um capricho, sem falar nos quarenta andares de escada, para cima e para baixo.

Possivelmente, ele teria que ligar um dos elevadores para casos de necessidade. Mas primeiro precisava ver a passarela para a torre Norte, e a torre Norte em si.

Então ele deixou Su encarregado de tudo, disse para sua equipe chamá-lo se alguma coisa acontecesse e subiu as escadas até o sexto andar, onde a passarela estava conectada. Tinha uma pequena câmara de entrada, uma espécie de eclusa de ar para impedir que entrasse frio e água no edifício. Ao abrir a primeira porta, o mundo começou a rugir. Ele se sentiu um pouco assustado com a ideia de abrir a segunda porta, a que dava para a passarela propriamente dita, apesar de sempre tê-la visto como um aposento a mais, só que comprido e sem móveis.

Vlade abriu a porta e o barulho ficou ainda mais alto. O ruído, um tipo de uivo com um elemento subsônico, arrepiava os cabelos da nuca. Ao falar com a equipe para dizer onde estava, não conseguia ouvir a própria voz. Hesitante, saiu para a passarela. A torrente de água que caía obscurecia a vista do estreito canal entre os dois edifícios, mas ele podia ver o grande rebocador de Idelba lá embaixo, ainda amarrado a ambos os prédios e parecendo bem, embora mais alto do que Vlade costumava ver, tanto pelo tamanho da embarcação quanto pelo nível elevado da água. A superfície negra do canal era um caos de interferência de ondas, a água escura recortada com força pelas rajadas de vento, as grandes linhas convexas convergindo-se em escalas menores. Realmente, parecia que a água não sabia para onde ir sob a pressão das rajadas que rodopiavam de um lado para o outro no canal; o prédio estava no sotavento e, portanto, protegido do vento principal; mesmo assim, as rajadas eram fortes. Havia correntes de refluxo tão poderosas que levantavam jorros de espuma. Vlade podia sentir como a passarela vibrava sob seus pés, mas pelo menos não sacudia nem balançava. Estava bem protegida pela Met.

Dentro da torre Norte estava mais tranquilo. Ela não recebia de frente os golpes da tempestade, apenas investidas laterais e sacudidas provocadas pelas bruscas mudanças de pressão. Os residentes estavam reunidos, em sua maioria, nas salas comunitárias e no refeitório, e grande parte do prédio também estava no escuro. A torre Norte não tinha casa de barcos, então era um problema a menos. A porta para as docas estava vedada. Tudo parecia bem. O projeto original da Norte, com fundação para uma torre mais alta do que o Empire State, era muito forte. O edifício ficaria bem.

Enquanto voltava pela passarela, Vlade parou no meio do caminho para olhar ao redor mais uma vez. A oeste, para onde se estendia o *bacino*, a imagem era pavorosa. A superfície do pequeno lago retangular, tingida de branco, parecia ser empurrada para norte. Não era possível ver a água em si, uma vez que o branco que a cobria também impregnava o ar, mas de vez em quando dava para ver de relance que o nível estava muito mais alto do que o normal, incrivelmente mais alto. Como se o Terceiro Pulso tivesse chegado por fim. O ruído era imenso. Sentindo-se assustado e surpreso, Vlade voltou para a Met.

Todos já estavam se acostumando com a ideia de que seria um teste de resistência entre as pessoas e a tempestade. Tinham reservas limitadas de comida, energia elétrica, água potável e descarte de detritos. A comida era o menos autossustentável, mas tinham uma reserva de alimentos desidratados e enlatados, e os geradores fotovoltaicos garantiam o funcionamento das geladeiras. Poderiam ser resilientes. E a tempestade não duraria para sempre. Embora o depois é que seria problemático. Vlade passou algum tempo planteando cenários diversos em suas planilhas de cálculo, usando diagramas de Gantt para ver os resultados possíveis. Podiam aguentar uma semana, pelo menos. Ajudaria se a estação de energia local pudesse enviar alguma eletricidade. A rede de nós era bastante sólida. Ele começou a verificar nos arredores. A estação de energia da Vinte e Oito ainda estava conectada aos clientes do bairro, mas não às grandes centrais do norte da cidade. Os técnicos estavam identificando o ponto de interrupção e consertariam assim que possível. Podia levar um tempo, disseram. Isso era claro!

No geral, os outros edifícios do bairro estavam bem, mas uma das passarelas diagonais, a que unia o edifício Decker ao New School, tinha despencado entre a Quinta e Décima Quarta, e os dois prédios agora tinham buracos abertos nas laterais, bem como Vlade esperava que aconteceria. Aquela era apenas uma das doze passarelas que haviam caído, só na baixa Manhattan. As passarelas em diagonal se davam pior do que as ortogonais; entre essas últimas, as que tinham orientação norte-sul sofriam mais do que as leste-oeste, porque o vento soprava mais do leste do que do sul. Quando um dos extremos se soltava, mas não o outro, as passarelas caíam sobre o edifício ao qual ainda estavam conectadas, destruindo janelas e o que mais estivesse em seu caminho. Mas, de toda forma, as janelas eram quebradas com frequência, se não pelo impacto, pela diferença de pressão. O alto do Empire State tinha registrado, meia hora atrás, uma rajada recorde de duzentos e sessenta e quatro quilômetros por hora; um dos superarranha-céus da cidade alta, com uma abertura bem estreita perto do topo, tinha reportado ventos de mais de trezentos quilômetros por hora passando pela fenda – que justamente fora incluída no projeto do edifício para reduzir a pressão do vento contra as zonas mais altas. A velocidade média sobre Manhattan naquele momento, segundo a NOAA, era de duzentos e dez quilômetros por hora.

— Incrível — comentou Vlade quando viu isso. Até onde sabia, só uma vez ele vira uma ventania de quase cento e cinquenta quilômetros por hora, e fora durante um furacão. Ele tinha vinte e quatro anos na época e, juntamente com alguns amigos, havia saído ao ar livre para sentir o vento; era em Long Island, e eles foram arremessados de bruços sobre as areias de Jones Beach. Arrastaram-se como caranguejos enquanto gargalhavam a ponto de quase perder o fôlego, até que seu amigo Oscar quebrou o pulso e ficou tudo menos engraçado, mesmo assim foi uma aventura, uma história para contar. Mas duzentos e sessenta e quatro? Mais de trezentos? Era difícil de acreditar.

Então perderam conexão com a nuvem. Era como perder um sexto sentido, aquele que usavam mais do que o olfato, o paladar ou o tato. As pessoas nas redondezas começaram a se comunicar por rádio ou por cabo. Algumas câmeras também retransmitiam por rádio. Era o mesmo em todo lugar: torrentes de água, rajadas de vento. Havia uma câmera que mostrava uma imagem assombrosa do Hudson: ondas quebravam na grande doca de concreto em Chelsea, e depois uma imensa massa de água era arremessada na vertical até o ar, placas gigantes que imediatamente seguiam para norte. Docas e barcos vazios perdidos flutuavam rio acima, algumas embarcações afundando, outras virando, outras ainda aguentando, embora condenadas. As docas arrancadas pareciam barcaças à deriva ou paletes gigantes. Vlade se perguntava como o Brooklyn estaria se virando, mas não se incomodou em olhar. Tudo o que se estendia além dos rios agora era um mundo distinto. Parecia bastante provável que qualquer coisa flutuante que estivesse no porto de Nova York acabasse afundada ou arrastada para bem longe, rio acima. Nessa altura, a nova praia em Coney Island de Idelba estaria bem embaixo da maré ciclônica, então possivelmente a areia nova ainda estava ali, só esperando o pior passar, mas também parecia possível que as ondas a tivessem arrastado para bem longe, na direção norte, até o Brooklyn. Ah, bem. Não era o mais grave dos danos. Apenas outro aspecto da tempestade.

A própria Idelba não se preocupava.

— Tantos animais serão mortos — disse ela. E, claro, isso fazia que ambos pensassem em Stefan e Roberto. Os dois se entreolharam, mas não comentaram nada.

Mais tarde, quando estavam sozinhos, Vlade disse:

— Eu me sentiria bem melhor se soubesse onde eles estão.

— Eu sei. Mas eles podem encontrar abrigo. Sabem como fazer isso.

— Se a maré ciclônica não os pegar de surpresa.

— A maior parte dos abrigos que eles escolheriam seria mais alta do que isso.

Aquilo não era necessariamente verdade.

— Roberto não é muito bom em avaliar o perigo — falou Vlade.

Idelba respondeu:

— Você tem que esperar que uma tempestade dessas coloque um medo divino nele.

— Ou Stefan vai impedi-lo de fazer alguma coisa estúpida demais.

Idelba colocou a mão no braço dele. Vlade suspirou. Havia dezesseis anos que ela não o tocava. Até este momento, na tempestade.

As horas se passaram e a tempestade continuou uivando. Vlade passou algum tempo procurando meios de economizar mais energia sem deixar as pessoas desconfortáveis. Percorreu o edifício várias vezes e, ao entardecer, voltou a subir na torre para dar uma olhada ao redor. Estava muito escuro lá em cima; chegara tarde demais, a menos que estivesse assim toda a tarde, o que era possível. A grande cidade era agora uma massa de sombras retilíneas que suportava os açoites da chuva e do vento. A face sul do Empire State já não era uma cascata branca, mas a imagem ainda era enlouquecedora, com um jato de espuma que descia rapidamente pela rampa central antes de se fragmentar sob a força das rajadas de vento. O céu do oeste já não estava mais claro do que o do leste; parecia que tinha passado uma hora do anoitecer, quando, na verdade, ainda faltava uma hora. Mas o dia terminara. O pouco dele que tinha sido possível ver. Alguém no rádio dissera que em algum momento desta noite o olho do furacão passaria sobre eles. Isso seria interessante de se ver dali de cima. Se o epicentro da tempestade passasse sobre o centro do porto de Nova York, a grande baía e o olho do furacão poderiam ter quase o mesmo tamanho. Vlade quis subir ali novamente para ver se acontecia. Pensou se poderia ligar um elevador duas vezes por hora, só para subir ali e olhar. Seria bom evitar o longo caminho pelas escadas. Descer era mais difícil, ou mais doloroso. Ficou tentado a permanecer ali, deitar e dormir. De repente, sentiu que estava muito, muito cansado.

Mas Idelba subiu para buscá-lo, e desceu com ele até o escritório antes de dormir no sofá enquanto ele ia para o próprio quarto. Ele ficou grato por isso. Dezesseis anos, pensou ele enquanto adormecia. Talvez dezessete já.

O centro do furacão passou à noite, com a clássica calmaria que ocorre no olho da tempestade, audível até da cama de Vlade, com a falsa sensação de que o rugido de fundo desaparecera por um tempo. As leituras dos barômetros eram incrivelmente baixas, vinte e cinco vírgula nove no de Vlade. Certamente a maré ciclônica subiu um pouco no olho, mas não dava para saber o que provocava isso.

Ainda durante a noite as nuvens voltaram, e, ao amanhecer, a NOAA informou que a outra face do furacão não demoraria a atingi-los. O vento agora viria do sudeste e seria mais forte no início, quando a parede do olho passasse sobre eles. Então Vlade e Idelba se levantaram e voltaram a subir na torre para dar uma olhada.

Ao amanhecer, o sol brilhou em uma fresta entre a Terra e as nuvens, parecendo uma bomba atômica. Depois ergueu-se atrás da massa de nuvens baixas, e o dia ficou tão escuro quanto o dia anterior. Os ventos rapidamente ficaram ferozes, desta vez vindos do Hudson. A mudança era algo como a última gota d'água, porque edifícios por toda a baixa Manhattan começaram a desmoronar nos canais. Relatos no rádio falavam de pessoas procurando refúgio nas passarelas, balsas, coletes salva-vidas – amontoadas em destroços emersos ou em telhados ali perto –, nadando em busca de abrigo, afogando-se.

— Maldição — disse Idelba, ouvindo o canal da Guarda Costeira. — Temos que fazer alguma coisa.

Vlade, concentrado no problema de garantir a segurança da Met, ficou surpreso com a ideia de que alguma coisa pudesse ser feita.

— Tipo o quê?

— Podemos sair com o rebocador e levar as pessoas para hospitais, ou algo assim. Aqui por perto, até o Central Park.

— Merda, Idelba. Está uma loucura lá fora.

— Eu sei, mas o rebocador é como um tijolo. Mesmo que afundasse, parte dele ainda ficaria para fora dos canais.

— Não com essa maré ciclônica.

— Bem, ele não vai afundar. E se nós o mantivermos no meio dos canais, podemos ajudar muita gente. Apenas circular por aí como um barco a vapor gigante.

Vlade suspirou. Ele sabia que Idelba não se deixava dissuadir quando enfiava uma ideia na cabeça.

— Vá buscar seu pessoal. Tem certeza de que vão concordar com isso?

— Diabos, claro!

Então chamaram Thabo e Abdul, que disseram que já estavam se perguntando quando Idelba iria pensar nisso. Depois desceram a porta de serviços que havia sob a passarela para a Norte, por onde podiam sair bem embaixo da maré ciclônica, que ainda estava seis ou sete metros acima da linha da maré alta. Idelba e sua equipe puxaram as amarras localizadas mais a oeste, até colocar o rebocador em ângulo, e então subiram na proa com um salto e correram para a ponte de comando.

Até mesmo aquele minuto de exposição ensopou todos eles, apesar da roupa impermeável, e o barulho a céu aberto era simplesmente assombroso. Não dava para ouvir uns aos outros mesmo quando gritavam nos ouvidos, até que conseguiram chegar à ponte e se proteger lá dentro. Mesmo abrir e fechar a porta da ponte era uma tarefa titânica, só possível porque estavam entre os dois edifícios. Thabo ligou os motores, e sentiram a vibração sem conseguir ouvir nada.

Então ali estavam eles, em plena tempestade. Mas navegar em algo tão grande e largo como o rebocador de Idelba era uma tarefa bem complicada. A única coisa que tornava aquilo possível era a existência de vários motores e propulsores dos dois lados daquela besta, além de diversos lemes que permitiam fazê-lo avançar com força em todas as direções a partir das duas extremidades do rebocador. Se isso seria o bastante para neutralizar o vento e as ondas, só saberiam quando tentassem.

Saíram do *bacino* de Madison, vazio, e depois viraram para sul com o esforço concentrado de Idelba e seus companheiros em diferentes motores e lemes, entre gritos em berbere, e mal conseguindo colocar o rebocador na direção desejada. As ondas os empurravam para norte, e teriam batido com a proa nas docas que havia daquele lado, mas elas já não estavam mais ali. Agora que eles se encontravam nos canais, parecia que só havia ventos do sul.

Avançar no contravento era mais fácil do que virar, então cruzaram o *bacino* e viraram de novo à esquerda, para entrar no canal da Vinte e Três e continuar para leste, a uma velocidade que não ultrapassou os quatro nós e meio.

Eles tinham duas vantagens em ir para a cidade, por mais estranho que parecesse a Vlade: os canais ali eram mais estreitos e rasos, então a água só podia se converter em um caos de espuma e jatos, sem grandes ondas; na prática, a mesma violência do movimento desfazia ou aplainava as ondas. Além disso, as eventuais correntes eram canalizadas e seguiam em linha reta, acompanhando o formato de tabuleiro de xadrez de Manhattan. Nas avenidas, havia uma forte corrente do sul; nas ruas, ela vinha do oeste, ou simplesmente rodopiava sem direção precisa. Em todo caso, era algo que podiam superar.

O rebocador avançava em meio ao caos de vento e água como uma espécie de hipopótamo ou brontossauro, e atravessava a água agitada embaixo sem balaço perceptível. Era mais suscetível ao vento, mas enquanto seguiam para leste ou oeste, os edifícios barravam o vento, e quando se moviam para sul e para norte, estavam seguindo diretamente contra ou a favor. Só enfrentavam dificuldades nos cruzamentos. Cada curva era um experimento e um exercício de comunicação a gritos em berbere. Precisavam de toda a potência dos jatos laterais do rebocador para impedir que a proa se desviasse para norte ao entrar em um canal de uma avenida; para conseguir fazer a curva, tinham que ligar os jatos de proa e de popa em direções opostas. Às vezes batiam nas laterais dos edifícios, algumas com força, mas, quando isso acontecia, o rebocador voltava ao centro do canal empurrado pelo refluxo e podiam seguir em frente.

Idelba perguntou a Vlade:

— Você pode sair e ajudar as pessoas a virem a bordo?

Vlade assentiu, respirou fundo e deixou a ponte, usando a porta do lado norte. Imediatamente ficou empapado e surdo a tudo que não fosse a tempestade. Era como se não pudesse ouvir nem os próprios pensamentos; por fim, o velho ditado era realmente verdade. Então ele parou de tentar pensar, mas antes de desistir, vestiu um arnês que Idelba lhe dera e o prendeu bem na cintura. O arnês era preso por um mosquetão a um cabo, fixado por sua vez a uma abertura que havia na casa do leme, de modo que agora estava amarrado ao rebocador como um alpinista ao ponto de ancoragem, ou um reparador de telhados a um edifício.

Ao sair de East Village, constataram o que não tinham podido ver antes: a tempestade estava simplesmente devastando a cidade. Os arranha-céus de Wall Street pareciam bem, e até poderiam servir como quebra-vento para os bairros contíguos mais baixos ao norte, mas entre os ventos que mudavam de direção e a tempestade, os prédios menores e mais antigos a norte e leste do centro padeciam o impensável. Era como ouviram no rádio e que não tinham podido ver por causa das nuvens baixas: edifícios inteiros estavam desmoronando.

As pessoas estavam desesperadas. Acenavam para Vlade de janelas quebradas ou mesmo do alto dos telhados, deitadas de bruços. Conforme o rebocador seguia pela Segunda, Vlade indicava à esquerda ou à direita, e Idelba e sua tripulação se aproximavam dos prédios para que os náufragos urbanos saltassem a bordo. Alguns pulavam de três metros ou mais e, como era de se esperar, muitos se machucaram. Outros subiam as escadas laterais do rebocador desde janelas quebradas conforme a embarcação passava, ou de balsas improvisadas que o vento empurrava até eles.

Todos os refugiados da tempestade estavam ensopados e com frio, e muitos ensanguentados. Havia ossos quebrados, cortes e hematomas. Muita gente em choque. Fora uma noite péssima, e um dia anterior pior ainda, e agora o rebocador representava a primeira chance que essas pessoas tinham de encontrar um abrigo.

O rebocador possuía um convés coberto, mas Vlade alojou os desabrigados sob os beirais e mandou os casos mais graves para as cabines embaixo da ponte, embora não gostasse da ideia de abrir aquelas portas. Depois de um tempo, correu para a ponte, abriu a porta a sotavento e irrompeu na sala envidraçada.

— O hospital mais próximo é o Bellevue — gritou para Idelba com volume desnecessário.

— E quanto ao Central Park?

— Não! Não será possível descer essa gente ali, as docas da rua estão destruídas.

— Para onde, então?

— Hospital Bellevue, na Vinte e Seis com a Primeira — disse Vlade.

— Bellevue? Não é um hospital psiquiátrico?

— Bem, então vamos para o Hospital da Universidade de Nova York, na Trinta e Dois com a Park.

— Vamos.

— Podemos levar os que não estão feridos para a Met, ou algum edifício sólido que os acolha. Podemos fazer um percurso retangular, como os barcos a vapor.

— Ok.

Vlade voltou a sair para o inferno. Depois de apenas dez quarteirões rumo a leste pela Houston, tinham recolhido uma centena de pessoas, que agora ocupavam o convés do rebocador, sentadas e encolhidas. Idelba e sua tripulação conseguiram fazer uma virada especialmente difícil no cruzamento da Houston com a C, muito aberta, acionando desesperadamente os jatos laterais para contemplar a manobra sem que a corrente os arrastasse para muito longe, no *bacino* de Hamilton Fish. Na sequência, avançaram a favor do vento e das correntes até o cruzamento da C com a Décima Quarta, onde, depois de superar outra virada e seguir no contravento até a Park, viraram à direita e avançaram até a Trinta e

Dois. Ali o hospital da Universidade de Nova York, tão abarrotado quanto o barco, acolheu todos os feridos por meio de uma janela do quarto andar, na face norte da edificação, aberta para esse propósito, já que o atual nível da água atingira a mesma altura e não havia outro jeito de entrar. A maré ciclônica era um grande problema, e uma grande parte de todos os outros problemas. Era de fato uma visão do que seria um Terceiro Pulso, ou um pesadelo em retrospectiva do que acontecera meio século antes. Era assim que devia ter sido: os primeiros andares alagados, toda aquela parte do entorno destruída, e depois uma improvisação desesperada para fazer uso dos andares superiores.

Depois que deixaram os feridos, eles seguiram pela Trinta e Dois até a Madison e completaram outra virada terrível à esquerda, seguindo em uma batalha árdua e firme contra o vento. E de volta ao edifício, onde poderiam virar com mais facilidade na Vinte e Quatro e parar bem embaixo da porta de serviço que usaram para entrar na barcaça. Vlade já havia avisado do retorno deles, e muitos dos moradores da Met estavam ali para ajudar os passageiros restantes a entrar no edifício. Quando o *Sísifo* foi esvaziado, Idelba se preparou para sair novamente na tempestade.

— Ficaremos sem combustível em cinco viagens — gritou ela para Vlade quando ele voltou para a ponte.

O primeiro circuito tinha levado cerca de três horas, então o combustível aparentemente seria um problema para o dia seguinte. Vlade se perguntou se algum depósito de combustível ainda estava operando. O que as pessoas fariam sem combustível? As baterias não poderiam ser recarregadas enquanto a energia não fosse reestabelecida.

Entraram na destruição de Stuyvesant. Não podiam entrar em Peter Cooper Village, porque muitas das antigas torres tinham desmoronado sobre os estreitos canais circundantes. Mas até nos mais largos, com frequência topavam com escombros submersos e tinham que retroceder e tentar um caminho diferente. Qualquer caminho servia, porque por todo lado havia gente desesperada para ser resgatada; só tinham que fazer um circuito retangular para ficarem lotados de novo.

Entre os restos que flutuavam na espuma suja dos canais agora havia cadáveres – de pessoas, mas sobretudo de animais: guaxinins, coiotes, cervos, porcos-espinhos, gambás. A baixa Manhattan era um habitat populoso.

— Maldição, é como a história do Muro de Bjarke que Hexter nos contou — disse Vlade para ninguém, olhando para os dois lados do canal de águas brancas. — A cidade está sendo destruída!

Ele estava na ponte nesse momento, mesmo assim, ninguém o escutou, nem sequer ele mesmo. Ou, se escutaram, não se incomodaram em responder. Idelba estava concentrada em pilotar, e nos edifícios pelos quais passavam. O que ela via no sonar e no radar era mais importante do que qualquer destroço flutuante.

— Vamos salvar o que pudermos — disse ela um pouco depois, indicando que tinha escutado, no final das contas. — Depois eles resolvem isso.

Vlade só podia assentir e voltar para a tempestade a fim de ajudar as pessoas a subirem a bordo do rebocador, e depois para as cabines, se estivessem feridas.

Enquanto estava no convés da popa, segurando-se com força, ajudando as pessoas a sair das janelas pelas quais passavam, Vlade avistou dois homens nadando juntos, bem à direita deles, perto dos prédios. Se ficassem em pé em uma marquise, poderiam estender a mão para que Vlade os ajudasse a subir a bordo. Foi o que fizeram. O rebocador seguia para oeste, na Vinte e Nove, prestes a virar para sul na Lex, então Idelba estava o mais perto possível da direita, para dispor de mais margem para a manobra. Bem quando Vlade se inclinou para pegar as mãos estendidas dos homens, uma onda grande atingiu o rebocador pela esquerda e empurrou a embarcação contra o edifício. Os dois homens foram esmagados entre o rebocador e a parede com um baque palpável. O rebocador ficou parado ali, junto ao edifício, e Vlade, que tirara os braços bem a tempo para se salvar da colisão, levantou os olhos para Idelba e gritou que virasse para a esquerda, acenando desesperado com os braços. Ele percebeu, pela parede de vidro da ponte, que Idelba vira o que acontecera e estava girando o timão enquanto acionava os jatos de estibordo para se afastar no sentido contrário. Vlade sentiu a vibração dos motores sob seus pés, lutando contra o vento.

Por fim, o rebocador conseguiu se afastar da parede, a água penetrando no espaço aberto entre o edifício e a embarcação. Vlade olhou para baixo; os dois homens tinham desaparecido. Ficou surpreso ao não encontrar os corpos esmagados flutuando na água, mas não, não havia nada. Apenas dois rastros de sangue na parede, bem em cima das ondas. Então ocorreu-lhe que os corpos, ao serem esmagados, tinham expulsado o ar dos pulmões e perdido flutuabilidade, afundando como rochas. Era o que parecia. Em todo caso, não havia sinal deles. Apenas as manchas de sangue.

Ele deu meia-volta e se inclinou na proa, sentindo-se mareado. Quando se recuperou, virou-se para olhar para Idelba. Ela o observava com expressão horrorizada, gesticulando para saber o que tinha acontecido e se devia parar o rebocador. Ele negou com a cabeça, apontando para sul.

— Vamos! — ele gritou, e acenou para que ela virasse à esquerda e seguisse pela Lex.

Mas e quanto aos dois homens?, perguntou ela, com sinais, enquanto dizia algo. Ele balançou a cabeça novamente. Não restava ninguém para salvar. Quando Idelba compreendeu, seu rosto se contorceu e ela afastou o olhar. Alguns segundos mais tarde, os motores do rebocador aceleraram, e lutaram para virar à esquerda na Lex. Depois seguiram para sul, contra o vento e as ondas. Idelba olhava fixo para o centro da cidade, e seu rosto parecia uma máscara.

Durante o resto do dia, conseguiram fazer mais três circuitos. Quando a escuridão caiu, todos concordaram que era perigoso demais continuar ali fora. Mas então, enquanto voltavam para a Met, o vento abrandou tornando-se um simples vendaval de não mais de cinquenta quilômetros por hora, segundo os cálculos de Vlade; assim Idelba decidiu continuar, os refletores poderosos do rebocador iluminando os arredores, como o maçarico de um soldador. Com aquela iluminação sinistra, fizeram mais dois circuitos, e depois disso ficaram sem combustível. Nunca o número de resgatados diminuiu. Eles deixaram os feridos no Hospital da Universidade de Nova York, até que o lugar ficou a ponto de transbordar, então lhes indicaram o hospital Tisch, na Primeira, e, no circuito seguinte, o Bellevue. Isso os ajudou um pouco, porque estava mais perto e permitiu que economizassem combustível e tempo.

Quando por fim resolveram parar, tinham deixado cerca de duas mil pessoas nos hospitais, Vlade calculava, e outras mil na Met. No edifício havia espaço para elas, claro, desde que não necessitassem de camas de verdade.

Naquela noite, o chão seco era o bastante. Os moradores trouxeram cobertores extras e fizeram o que foi possível. Certamente, os suprimentos de comida e água deles acabariam mais rápido agora, mas isso aconteceria em todos os lugares, então não havia outra coisa a fazer além de dar abrigo para aquelas pessoas e ver o que aconteceria. Diziam que o Central Park estava sendo usado como campo de refugiados, que muita gente agora sem teto procurava abrigo no grande parque. Tratava-se de encontrar um lugar mais alto do que a maré ciclônica e esperar o fim da tempestade.

— Maldição, eu queria saber onde esses garotos estão — disse Vlade quando estava prestes a adormecer na cama, com Idelba no sofá em seu escritório.

Poucas vezes em sua vida estivera mais cansado e, pelo que podia ver, Idelba adormecera no momento em que encostou a cabeça no sofá, com cabelo molhado e tudo mais.

— Eles ficarão bem — respondeu ela, adormecida.

E então Vlade não escutou mais nada.

No dia seguinte, ainda ventava e chovia muito, algumas vezes de forma torrencial, mas todo o tempo dentro dos parâmetros de uma tempestade de verão normal – pesada, fria, tempestuosa –, nada que se comparasse aos dois dias anteriores, nem tão perigoso e muito melhor iluminado. Dias cinzentos, em vez de negros. Além disso, a maré, embora alta no amanhecer, não era mais uma maré de tempestade. Só estava meio metro acima da linha da maré alta. Agora, todos os edifícios próximos a Madison Square tinham folhas acumuladas e lixo empapado muito acima da linha da água. A maré ciclônica, aparentemente, refluíra do Narrows e se dirigira através de Hell Gate para o estreito de Long Island. Fora um autêntico refluxo infernal.

Vlade podia agora voltar para a casa de barcos, e então ele retirou a vedação da porta e começou a tarefa de arrumar a confusão criada com todos os barcos flutuando um em direção ao outro e, em alguns casos, batendo um pouco contra o teto. Muitos deles tinham enchido de água por dentro, mas tudo bem. Podiam ser esvaziados com bomba e logo ficariam secos.

Arrumar a casa de barcos levou quase metade do dia, e depois disso ele pôde fazer uma ronda na Met para inspecionar o edifício e a vizinhança. Os canais estavam repletos de detritos, pedaços arrancados da cidade flutuando nos arredores. As pessoas estavam de volta à água, embora os barcos a vapor ainda não estivessem funcionando. Lanchas da polícia passavam a toda velocidade, gritando para que as pessoas saíssem da frente, parando para pegar cadáveres flutuantes, fossem de animais ou de pessoas. Os desafios sanitários seriam severos, Vlade notou; já estava quente de novo, e o cólera era o mais provável. Naquele sentido, as chuvas do dia eram uma sorte. Quanto mais tempo demorasse para o sol voltar e começar a cozinhar os destroços, melhor.

O rebocador de Idelba agora fazia as vezes de balsa de passageiros entre a avenida Park e o Central Park, onde tinham improvisado novas docas, repletas das embarcações que traziam as pessoas para o centro. O pouco que viram do Central Park antes de voltar pela Park era pavoroso: parecia que todas as árvores tinham caído. Coisa que não seria de todo impossível e que, no momento, não era problema deles, mas era uma visão espantosa. Eles voltaram para a Met e pegaram o último grupo de refugiados, ignorando um protesto ocasional de quem não queria partir, dizendo-lhes que o edifício estava no máximo da capacidade, mais do que no máximo, e que o Central Park agora se tornava o melhor lugar para conseguirem abrigo e status de refugiados.

— Além disso, estamos sem comida — disse Vlade para eles, o que estava tão perto da verdade que o síndico podia usar como justificativa. E funcionava para convencer as pessoas a irem embora.

A inspetora Gen tinha estado fora desde o início da tempestade, mas voltara para casa na noite anterior em uma lancha da polícia, para mudar de roupa e conseguir algumas horas de sono. Agora pedia uma carona até o Central Park, onde seu pessoal dizia que sua presença era solicitada novamente.

— Não me surpreende — disse Idelba. — Não vai demorar muito até que os nova-iorquinos comecem a se amotinar, certo?

— Até agora estamos bem — falou a inspetora.

— Bom, mas ainda está chovendo. Não podem sair para protestar ainda. Quando a chuva parar, farão isso.

— Provavelmente. Mas por enquanto, tudo bem.

Vlade nunca vira a inspetora parecer tão cansada quanto agora, e era só o começo de tudo. Quanto anos tinha? Quarenta e cinco? Cinquenta? Quase da mesma idade dele, pensou. O trabalho da polícia era duro, mesmo para os inspetores.

— É melhor ir com calma — disse Vlade para ela. — Isso ainda vai muito longe.

Ela assentiu.

— Como vai o edifício?

— Aguentou bem — garantiu Vlade. — Ainda não consegui revisar os detalhes, mas não vi nada terrivelmente errado até agora.

— As proteções da fazenda aguentaram?

— Jesus! — exclamou Vlade. — Não tenho ideia.

Depois que desembarcaram a inspetora e o último grupo de refugiados da Met – alguns dos quais agradecidos, mas a maioria já concentrada em seus problemas imediatos –, eles deram meia volta e retornaram ao edifício. Quando Idelba o deixou ali, Vlade subiu correndo as escadas, o mais rápido que pôde, e chegou ao andar da fazenda sem fôlego. Abriu a porta com tudo para dar uma olhada.

— Ah, merda!

Tudo estava destruído. Só algumas proteções antitempestade tinham aguentado, ironicamente as do sul. O resto tinha caído, e algumas delas estavam largadas no chão entre a tubulação de hidroponia, verduras destruídas, caixas viradas e coisas assim. As enormes vigas de aço dos quatro cantos e as situadas ao longo dos muros exteriores a cada oito metros estavam expostas em toda a sua fortaleza; a estrutura central do elevador principal também; fora isso, só destruição. As caixas de madeira de terra que tinham sido parafusadas no chão ainda estavam no lugar, mas as outras foram arrastadas até a balaustrada norte, deixando a plantação espalhada no caminho.

Por sorte, tinham guardado metade das caixas de plantas dentro do prédio, nos corredores do andar de baixo. Fora isso, teriam que recomeçar do zero. Dado que já estavam em vinte e sete de junho, essa era uma péssima notícia do ponto de vista da autossuficiência alimentar. Não que alguma vez tivessem sido autossuficientes – a fazenda sempre proporcionara uma modesta porcentagem da comida deles, de quinze por cento no verão a cinco por cento no inverno, mas, neste verão seria muito menos do que isso.

Ah, bem! Pelo menos o edifício aguentara. E ninguém tinha morrido, até onde ele sabia. E o andar dos animais tinha aguentado, como todos os demais (exceto a fazenda), portanto as criações estavam bem. Se Roberto e Stefan voltassem sãos e salvos, tudo ficaria em paz. Então a fazenda era um problema secundário.

Vlade voltou lentamente para a sala comunitária e deu a notícia. Ficou sentado ali um tempo, comendo guisado requentado e pensando nas coisas. Então procurou o jovem patife das finanças. O Garr.

— Ei, quando a chuva parar — disse —, você pode pegar seu zumbidor e procurar os meninos?

— O quê? — exclamou Frank. — Eles não estavam aqui?

— Não, a tempestade os pegou enquanto brincavam por aí. E deixaram o tablet de pulso aqui, para que não pudéssemos rastreá-los.

— Brilhante.

— Bem, você sabe como eles são. De todo modo, Gordon Hexter diz que eles iam até o Bronx para ver se podiam roubar a lápide de Melville.

— Merda. O Bronx deve estar um desastre.

— Como sempre. Mas se conseguiram se proteger ali, devem estar bem. Estou preocupado com eles, só isso. É quase certeza de que não tinham água nem comida. Ou roupas quentes, já que falamos nisso.

— Merda.

— Eu sei. Você vai? Eu gostaria de ir, mas tenho que ver as coisas por aqui.

— Também estou ocupado! — exclamou Franklin. Mas então viu a expressão de Vlade e disse: — Tudo bem, tudo bem. Vou dar uma olhada. Por que quebrar minha tradição com esses caras?

•

Toda vida é um experimento.

Oliver Wendell Holmes Jr.

•

b) Inspetora Gen

Gen recebeu a mesma chamada que os demais policiais da área dos três Estados: emergência, todos a postos. No caso dela, disseram para ficar onde estava durante a tempestade, o que ela fez. Então, no dia seguinte ao furacão, o departamento a enviou para o Central Park, onde embarcou em uma grande lancha da polícia aquática para ir à doca de maré na Sexta.

A maré ciclônica tinha avançado até o extremo sudeste do parque, disse o piloto da lancha, e as ondas tinham invadido o lago e inundado a pista de patinação no gelo Wollman. Mais a oeste, a doca da Sexta Avenida, uma coisa comprida que flutuava na avenida conforme as marés ditavam, teve que ser recuperada e virada para cima novamente antes de ser colocada no lugar, onde ela subia e descia na parte mais alta da zona entremarés. Mais uma vez, os barcos puderam voltar a atracar em seu extremo sul, descarregando pessoas e mercadorias a caminho da terra firme, no norte. Havia tanta afluência que a lancha de Gen teve que aguardar sua vez, antes que todos desembarcassem apressadamente.

Caminhando pelo Central Park, Gen estava assombrada com o que via. Primeiro, a multidão: o parque estava lotado de gente, algo que ela jamais vira antes. Segundo, todos estavam parados ali, em um tipo de campo aberto. As árvores tinham sumido. Não sumido, exatamente, mas haviam caído. Todas caídas. A maioria tinha sido arrastada para norte, ou quebrada ao meio ou tombada no chão, com as raízes estraçalhadas e enlameadas apontadas para o sul como mãos abertas. Alguns troncos ainda estavam em pé, mas tinham perdido as copas, arrancadas ou destruídas em alturas variadas, e se erguiam como postes inúteis em meio aos irmãos caídos.

A devastação das árvores transformava o parque em um refúgio miserável, mas era o único que tinham, por isso era onde as pessoas estavam. Uma parte da multidão, sem ferimentos e procurando algo para fazer, começara a coletar galhos partidos e empilhá-los em grandes montes de lenha. O cheiro das folhas arrancadas e da madeira estilhaçada impregnava a atmosfera úmida. Esse processo de limpeza era perigoso em si, resultando em novos feridos, porque o solo estava saturado, as árvores estavam destruídas e os galhos caídos eram pesados. Gen ouviu os policiais que já estavam ali para ter uma ideia da situação: o primeiro a fazer era convencer os grupos que estavam se ocupando das tarefas de limpeza a pensar na segurança e desistir daquilo. Os grupos eram organizados de maneira espontânea, no entanto, e estavam cheios de energia após sobreviver à tempestade e à devastação do parque. Não aceitavam necessariamente bem que a polícia tentasse contê-los ou até organizar suas atividades. Tratava-se de uma multidão nova-iorquina, então era necessário diplomacia para conversar, pedindo que as pessoas não se colocassem em perigo.

— Já temos feridos o suficiente — repetia Gen o tempo todo. — Não vamos piorar ainda mais as coisas.

Então ou ela colocaria o ombro sob um galho, se tivesse necessidade e algum espaço para ela, ou seguiria para o próximo grupo de trabalhadores a fim de discutir aquilo com eles, ou se agacharia perto de sobreviventes sentados para perguntar como estavam.

Era alentador comprovar que, em geral, as pessoas estavam serenas e meio organizadas. Gen já tinha ouvido falar de situações assim, e já as presenciara em pequena escala de vez em quando, mas nada com tal magnitude, quando parecia que a população inteira da cidade tinha ido para o Central Park. Sem dúvida, isso significava que os serviços essenciais estavam em colapso. Não havia água, banheiro ou comida em quantidade suficiente ali perto. As filas para os banheiros do parque eram longas, e os esgotos estavam ficando sobrecarregados, sem contar os demais efeitos da maré ciclônica. O próprio parque estava se transformando em um imenso banheiro. Os problemas se multiplicariam com rapidez, durante uma semana pelo menos, provavelmente mais, dependendo de como fossem os trabalhos de socorro.

Além do conjunto evidente de problemas, era questão de se recuperar da imagem de devastação do parque. O resto da cidade devia estar igual, mas o fato de não se ver uma única folha em uma única árvore que ainda estava de pé era desolador. Teriam que recomeçar do zero para restaurar aquele lugar. Enquanto isso, parecia que uma bomba fora detonada no sul da cidade, como se uma espécie de onda de choque tivesse derrubado tudo sem um tiro.

Muitos animais selvagens estavam mortos, e seus corpos teriam que ser eliminados o mais rápido possível. No momento, estavam sendo amontoados perto das imensas pilhas de galhos quebrados. Além disso, feridos continuavam chegando sem parar, e eram ajudados ou levados aos postos de socorro. Certamente havia muita gente para carregar maca por ali. Muita gente procurava formas de ser útil. Mas e quanto à água? E quanto aos banheiros? E quanto à comida?

Gen falava pelo tablet de pulso com a central e fazia os mesmos relatos e pedidos que todos os demais, a julgar pelas respostas que recebia.

— Já sabemos — repetiam.

— Os federais vão vir? — perguntou Gen.

— Disseram que sim.

Gen se aproximou da pista de patinação de Wollman, onde parecia ser possível limpar uma área grande o bastante para que até o maior dos helicópteros pudesse pousar. O lugar de fato tinha sido inundado pela maré ciclônica, o que era incrível, mas agora as águas tinham recuado e deixado para trás uma pista enlameada e encharcada. Na verdade, depois que as árvores sumiram os helicópteros poderiam pousar em qualquer lugar, uma vez que a área estivesse limpa. As aeronaves podiam ser amarradas nas torres de Columbus Circus e, de fato, em todo o perímetro do parque. O local poderia comportar muito tráfego aéreo, o que era uma sorte, porque nenhuma das pontes da ilha estava em condições de ser utilizada. A George Washington tinha sobrevivido, mas o passadiço que saía de lá e cruzava a baía das Meadowlands, a oeste, tinha sido destruído pela inundação. Durante um tempo, seriam uma verdadeira ilha de novo.

A água não seria um problema se conseguissem trazer um ou dois helicópteros com filtros de purificação. Esses produtos eram fabricados tanto para uso doméstico quanto individual, e com eles era possível beber e cozinhar usando a água dos lagos ou mesmo dos rios. Tais equipamentos eram uma maravilha. A comida ainda devia estar estocada nos restaurantes, lojas e apartamentos pela cidade, presumivelmente. Precisariam de mais, porém sempre era possível levar suprimentos pelo ar ou transportar em balsas, como em qualquer outro desastre. O mesmo aconteceria com a assistência médica.

Então, na verdade, o principal problema seriam os banheiros. E ela comunicou isso para a central.

— Já sabemos — responderam.

Enquanto percorria o parque fazendo o que era possível, Gen começou a elaborar listas mentais, redundantes, já que obviamente os vários serviços de emergência já deviam ter feito o mesmo, mas não podia evitar. Além disso, apenas ajudava quem pedia ajuda. Respondia perguntas, anotava declarações das pessoas sobre pequenos crimes – eram bem poucos, estava satisfeita em notar, e constatou que em geral os reclamantes não eram muito confiáveis. O principal era que sua presença ajudava a criar uma sensação de ordem no espaço. A polícia continuava a cumprir sua missão, de proteger e servir onde era necessário. Comeriam o que fosse oferecido. Nova York ainda era Nova York. Mas que devastação! Os rostos desconsolados e chorosos sucediam-se um após o outro: aqui uma menina loira, chorando por ter perdido os pais; ali um latino enorme, confuso e talvez até meio enlouquecido, boquiaberto, olhos azuis estalados procurando algo que pudesse reconhecer; no outro canto, um homem magrelo, negro, com dreadlocks, segurando um antebraço com a outra mão e fazendo careta; logo depois, um jovem branco, com cara de fuinha, dançando no lugar e cantando uma música escrita em seu tablet de pulso. As pessoas estavam perdidas, tinham perdido outras pessoas, estavam em choque. Gen tinha que se resguardar no refúgio interior que todos os policiais possuem, algo que em geral era fácil, mas naquele dia nem tanto; mas era um refúgio bem grande, e ali se sentia confortável. Todo dia na vida de um policial era uma sucessão de desastres, então agora que a cidade fora devastada, era algo tipo: "Ei, pessoal, bem-vindos ao meu mundo. Conheço este espaço psíquico, deixem-me guiar vocês. Deixem-me ajudar vocês. É possível viver aqui sem pirar de vez, é possível manter a calma e cooperar. Acreditem em mim. Façam como eu".

Gen dormiu na delegacia da Oitenta e Dois oeste, porque teria demorado demais voltar à Met, e ela estava acabada. Começava a se dar conta de que, com a rede de passarelas inutilizada, teria que se acostumar a usar as lanchas da polícia (ou os barcos a vapor, quando voltassem a funcionar) para percorrer a baixa Manhattan. A cidade parecia maior. Ela adormeceu em um banco e despertou antes do amanhecer, dolorida e com frio. Olhou para fora, pela porta; começava a clarear, e a chuva tinha parado. Foi ao banheiro (que funcionava, ficou satisfeita em ver) e, ao sair, voltou ao parque pela transversal da Sessenta e Cinco. As pessoas se largavam em qualquer lugar. Em cima de sacolas de plástico, embaixo de cobertores e sacos de dormir, em uma ou outra lona ou barraca de camping, mas, na maioria das vezes, expostas ao relento. Por sorte, depois que a tempestade passou, o calor e a umidade de verão estavam de volta. Isso causaria problemas de um tipo diferente, mas em relação a passar a noite, era uma vantagem. Era estranho ver as pessoas dormindo no chão, amontoadas, os rostos sombrios sob a luz da lua. Uma visão de outros tempos.

Então o sol saiu e as pessoas começaram a se reunir ao redor de pequenas fogueiras fumacentas, parecendo aturdidas e sujas. Estavam descobrindo que a madeira verde não queimava bem. Era contra a lei fazer fogueiras no parque, mas Gen acenou para que continuassem. A natureza não demoraria em apagar aqueles fogos, ou as pessoas que tivessem gasolina conseguiriam mantê-los acesos o suficiente para queimar alguma coisa. Podiam cremar os animais mortos. As pessoas eram um perigo para elas mesmas.

Helicópteros tão grandes quanto barcos rebocadores começaram a aterrissar perto da Wollman e nos prados ao norte do parque. Os dirigíveis agora enchiam os céus, como sempre, mas em maior número, trazendo ajuda ou tentando conseguir imagens para novos programas – ou as duas coisas. Gen continuou fazendo o trabalho de policial, e constatou que o número de problemas e crimes denunciados tinha aumentado. Estavam saindo do modo emergência para a fase de desordem estupenda, com o que as pessoas podiam ficar irritadas, mais dispostas a discutir, reclamar e brigar. Ela já vira isso várias vezes antes, mesmo com multidões que deixavam eventos de entretenimento. As pessoas agora estavam prontas para ir embora deste acontecimento também, estavam ansiosas para partir, mas não podiam; o espetáculo ainda estava em curso, e esse era o tipo de obstrução que enlouquecia algumas delas.

Então Gen passou o dia mediando, dirigindo o tráfego e afastando os curiosos.

— Voltem para a cidade alta — sugeria para aqueles que pareciam ter vindo de lá, identificáveis pelo aspecto arrumado. Ela odiava os curiosos, mas de maneira impessoal. Neste caso, eram um indício de que, provavelmente, a cidade sairia dessa. No meio do furacão e nos momentos imediatamente posteriores, isso parecera questionável, a tempestade como uma verdadeira crise. Agora estava se tornando só outro maldito desastre.

Mas era um desastre que seria superado, então ela ficou ali o dia todo e o seguinte também. No fim deste último dia, pegou uma lancha de volta para a Met e desabou. Vlade a recompensou com uma ducha. No dia seguinte, mandaram que ela voltasse para o Central Park. Depois disso, foi designada para um posto em uma lancha-patrulha que percorria os canais, ajudando a cidade alagada.

Era um trabalho feio. Havia cadáveres flutuando nos canais; essa era a prioridade principal deles, e bem macabra. Os corpos começavam a inchar e a feder. Parecia que pessoas de todas as idades tinham morrido, ou afogadas ou atingidas por destroços voadores. Também havia cadáveres de animais, menos repugnantes por causa do pelo, menos macabros porque eram animais.

A navegação tinha que ser restabelecida, primeiro nas avenidas e grandes canais transversais, depois nos canais regulares de leste para oeste. Em alguns deles não seria possível atravessar em um futuro imediato, porque edifícios inteiros tinham desmoronado neles. Mas a polícia precisava determinar o que era possível e o que não era, estabelecer desvios e conversar tudo isso com o departamento de transporte da cidade.

No quinto dia depois da tempestade, ela foi designada para comandar uma lancha grande, a fim de patrulhar Chelsea e West Village, recolher refugiados e tirar escombros, além de impedir a ação de saqueadores que, infelizmente, começavam a aparecer. Em um dado momento, ela viu uma embarcação a motor de aspecto suspeito que avançava na Sexta com a Treze. Do convés de sua viatura, com o megafone, ordenou aos ocupantes que parassem, e colocou sua tripulação em alerta máximo quando viu como as pessoas no outro barco estavam armadas, e pareciam pensar se iam ou não obedecer.

Por fim, eles pararam, e ela subiu a bordo cercada por seu pessoal.

— O que vocês estão fazendo? — perguntou Gen.

O capitão do barco, ou o homem no comando, deu uns tapinhas em seu tablet e mostrou seus papéis. Trabalhava para uma empresa de segurança privada, ARN, sigla para Ação Rápida de Normalização.

— Fomos contratados para patrulhar o bairro.

— Por quem?

— Pela associação de bairro.

— Qual?

— Associação de Moradores de Chelsea.

Gen negou com a cabeça.

— Essa associação não existe.

— Agora sim.

— Não. Não existe. Para quem você trabalha?

— Associação de Moradores de Chelsea.

— Me dê sua identidade e licença de trabalho.

O homem hesitou, e Gen gesticulou para sua equipe. Mais quatro policiais saltaram pela lateral do barco, com as armas embainhadas bem à vista. Tasers. Mesmo assim, armas. Estavam todos armados. Os homens da ARN também estavam armados.

Todos estavam sérios. Gen, a única mulher a bordo e também a pessoa no comando, mantinha a expressão impassível, com uma atitude profissional e educada. Educada, mas firme. Talvez mais firme do que educada.

Ela se sentou com o homem e lentamente começou a verificar sua documentação. Sua empresa de segurança, a ARN, aparentemente fora contratada por um grupo do bairro que se autointitulava Associação de Moradores de Chelsea. Eram os proprietários dos edifícios do quarteirão da Vinte e Oito e estavam preocupados porque muitos prédios ao redor deles tinham sido destruídos pela tempestade. Podiam ter constituído a associação bem recentemente. Precisavam proteger seus investimentos.

— Investimentos — repetiu Gen.

Ela digitou em seu tablet, procurando vínculos, e mandou uma mensagem para Olmstead pedindo que fizesse o mesmo. Ainda não tinha encontrado nada quando Olmstead enviou uma resposta: ARN é propriedade da Escher. Ambas trabalham para a Morningside.

— Somos uma empresa privada especializada em proteção de investimentos — explicou o homem quando Gen ergueu os olhos para ele.

— Tenho certeza que sim.

— Estamos do seu lado. Nós ajudamos vocês.

— Talvez sim — respondeu Gen. — Mas esta é uma situação excepcional, e não queremos grupos armados rondando por aí. Já temos problemas suficientes. Queremos falar com as pessoas que contrataram vocês, então me passe os contatos e já os liberamos. E quero vocês fora desta área agora mesmo.

— O que é isso? Lei marcial?

— Isto é Nova York, e nós somos o Departamento de Polícia de Nova York. A lei ordinária ainda está em vigor.

Ela tirou fotos de toda a documentação deles e voltou bastante pensativa para a lancha da polícia.

Ligou para o sargento Olmstead.

— Ei, Sean, obrigada por aquilo. Como você encontrou a conexão entre a ARN e a Escher tão depressa?

— Estive investigando a Escher a fundo. Definitivamente, é a empresa de segurança da Morningside, e cria filiais-clone para trabalhar em vários projetos da Morningside. A ARN é uma delas. O cara com quem você conversou no barco está na lista de colaboradores da Escher.

— Entendo.

— Então, sabe quem mais costumava trabalhar para a Escher? Três pessoas que agora trabalham na torre Met para Vlade Marovich. Su Chen, Manuel Perez e Emily Evans. Trabalhavam para a Escher, mas omitiram isso dos currículos quando se candidataram aos empregos no prédio. Todos disseram que trabalharam em alguns dos clones mais distantes. Fora dos tentáculos do polvo, sabe.

— Ok! — disse Gen. — Talvez você tenha encontrado os infiltrados que facilitaram o desligamento das câmeras quando eles sequestraram Mutt e Jeff.

— Acho que sim.

— E a Morningside trabalhou com nossa adorável prefeita?

— Certo. E também com a Angel Falls, aquela do cara do Cloister, Hector Ramirez. A Morningside é um polvo bem grande, e Ramirez também. E não consigo acessar os arquivos de nenhum deles. Andei tentando, mas os clones tornam tudo mais difícil. Na verdade, tenho a impressão de que a Morningside ensinou o método de polvo para a Escher. Caramba, a Escher poderia ser apenas um dos tentáculos do polvo Morningside, provavelmente. Um dos mais próximos ao corpo.

— Ok. Continue separando as ventosas desses tentáculos. Olhe em particular para quem fez a oferta pela Met.

> Que estrago será!
>
> exclamou H. G. Wells quando viu o contorno de
> Manhattan pela primeira vez

c) Franklin

Então estou pensando: eu, que tenho a menor embarcação de toda Manhattan, tenho que sair depois da maior tempestade de todos os tempos para procurar dois garotos malucos com tendência suicida? Sério?

Mas não era só Vlade que me pedia, com aquele jeito peculiar de máfia eslava, grave ou até mórbido com a responsabilidade por todas as criaturas de sua arca, incluindo, claro, as duas menores e mais estúpidas entre elas. Era também Charlotte. E seu jeito de fazer isso era irritante, mas, em última instância, efetivo:

— Isso dará algo para você fazer — disse ela. — A bolsa está fechada hoje.

— A bolsa — bufei. — Como se isso importasse.

— Sim, bem, o que você vai fazer em um dia como este? Operar no mercado? É feriado, Franklin, meu garoto. Saia e vá se divertir. Deve ser excitante com essa sua lanchinha. Se as coisas ficarem difíceis, você pode transformá-la em um minissubmarino ou um minidirigível, não? Além disso, os meninos podem precisar de ajuda. Será uma bela aventura para você.

— Sim, certo.

Mas então ela me deu um olhar, com aquele seu sorrisinho, e me dispensou como um mosquito.

— Tenho que trabalhar — disse ela. — Me conte depois como foi.

Dei um suspiro forçadamente pesado e fui para meu quarto pegar a roupa para o mau tempo, um fabuloso equipamento da Eastern Mountain Sports. Vlade tirou meu aerobarco das vigas e me acompanhou até a porta com cara de poucos amigos. Claro que eu estava feliz em sair, e não queria que Charlotte pensasse que não estava disposto a ajudar.

E, de fato, o dia estava impressionante. Um dia tempestuoso sob nuvens que eram como grandes galeões empurrados contra a costa a todo pano, com os canais convertidos em gigantescos cappuccinos, e o East River um caos de ondas azuis e marrons, misturando espumas e rastros de navios. Avancei pela via mais ao norte do East River, que era a mais rápida (ou pelo menos costumava ser, já que a maioria das boias tinha sido arrancada). Havia muito menos trânsito no rio do que o normal, e eu acelerei ao máximo e a aranha d'água começou a voar sobre os fólios. Havia ondas suficientes para transformar aquilo em um desafio, e eu definitivamente não queria ser arremessado no ar e cair de cara como um surfista na prancha, capotando o barco. Era preferível me esforçar para evitar isso, então diminuí um pouco a velocidade depois de Roosevelt Reef e das grandes pontes leste-oeste. Não bati nenhum recorde, nem de longe, mas logo estava virando à esquerda no rio Harlem, onde segui a correnteza como um cidadão qualquer.

À minha esquerda, a parte inundada da cidade alta tinha um péssimo aspecto. Claro que nunca fora muito bom, ao pé da grande fileira de torres que se estendia de Washington Heights até o complexo Cloister, com Harlem como uma baía bagunçada da qual sobressaíam algumas torres insulares e áreas de águas rasas ocupadas por velhos edifícios inclinados em diferentes direções e agora destruídos pela tempestade. Possivelmente, se derrubassem todos e os substituíssem pelos quarteirões flutuantes do meu plano de desenvolvimento, poderiam se converter em um apêndice decente ao complexo Cloister. Sim, era a hora de Robert Moses no Harlem.

E talvez em todos os lugares. O Bronx parecia ainda pior que o Harlem. Nunca tivera boa aparência, claro, e o furacão que cruzou Manhattan tinha atingido em cheio sua face arruinada e deplorável, e empurrado grandes ondas pelos cursos de água e vales, onde golpearam tudo ao redor durante três dias. Agora que a maré ciclônica tinha baixado, era como se tivesse passado um tsunami, mas não por todo o caminho. Completa devastação no estuário.

Subi pela estreita e alargada baía que cobria a avenida Van Cortlandt, a oeste do canal do rio Bronx. Era a rota aquática mais rápida para se chegar ao cemitério Woodlawn, onde supunha-se que os dois meninos tinham ido. As árvores arrancadas pareciam cadáveres em terra firme; as que flutuavam, pareciam cadáveres na água. O Bronx? Esquece! O triste e grande bairro estava morto, mortinho da silva.

Entrei pelas ruas estreitas inundadas nas quais, por algum motivo, o nível da água não tinha subido (ou baixado) até o dos canais. De vez em quando, tocava a buzina caso os meninos ainda estivessem enfiados em algum abrigo e não me vissem. Não teria muito sentido em um dia tão agradável como aquele, mas tentei mesmo assim. Ainda havia vários edifícios em pé nos quais podiam ter se protegido, grandes caixas de concreto com telhados quebrados. E, de fato, na medida em que avançava o dia, ficava cada vez mais evidente que, em um bairro daquele tamanho, procurar um par de moleques era perder tempo. Inútil. E mesmo assim, alguém tinha que fazer. Alguém; não eu, necessariamente. A tempestade podia tê-los matado de tantas maneiras diferentes que me perguntei se chegaríamos a saber. Afogados, mais provável, claro, o que era a especialidade deles. Ou esmagados, a segunda opção mais provável. Ousados, mas estúpidos. Teriam sido bons operadores da bolsa algum dia, mas, ah, bem... É necessário sobreviver à maluquice da juventude para ser capaz de cumprir a promessa inerente a essa maluquice.

Recebi uma chamada de Charlotte no tablet de pulso.

— Ei, Frankie, meu garoto. Eles voltaram para a Met.

— Não!

— Sim.

— Bem, essa é uma boa notícia. Eu nunca ia encontrá-los por estes lados.

— Em especial porque não estavam aí.

— Certo, mas mesmo se estivessem. Este lugar está uma desgraça.

— Como sempre.

— Devo ir buscá-la em meu caminho para casa? Fazer minha boa ação de escoteiro do dia, ajudando uma velhinha a cruzar a rua?

— Não, ainda tenho que lidar com umas merdas por aqui. Merdas bem, bem grandes.

— Ok, boa sorte.

Depois de desligar, tirei o aerobarco de um canal especialmente desagradável, coberto quase todo por cadáveres flutuantes de todas as criaturas peludas afogadas na inundação, triste de se ver, mas não tão triste como se entre elas tivessem estado nossos dois rebeldes sem causa. E pequenos mamíferos em geral se reproduzem com muita rapidez – impossíveis de erradicar, na verdade –, então saudei os almiscarados fedorentos quando me virei, e voltei pelas ruas inundadas até a estreita baía e depois para o rio Harlem. Ali pisei fundo e voei pelo alagamento como um pássaro, uma pardela para ser mais exato, e voltei para casa sobrevoando as ondas. Um voo glorioso!

De volta à Met, juntei-me à pequena multidão no refeitório onde estavam os garotos, que comiam como se estivessem há semanas sem colocar nada na boca. Os dois olharam para mim como guaxinins espiando de uma lixeira, e eu tive uma visão súbita deles de barriga para cima no Bronx com seus irmãos e irmãs peludos.

— Que merda! — disse. — Por onde andaram?

— Estamos felizes em ver você também — murmurou Roberto com a boca cheia.

Stefan engoliu e disse:

— Obrigado por procurar pela gente, sr. Garr. Estávamos lá no Bronx.

— Sabíamos disso — falei. — Ou achávamos que sim. Que tal levarem o tablet de pulso com vocês de agora em diante?

Os dois assentiram enquanto continuavam a comer.

Fiquei olhando os dois. Pareciam famintos, mas, além disso, estavam bem. Em nada traumatizados. Tive que rir.

— Vocês devem ter encontrado um lugar para se esconder — comentei.

Stefan engoliu de novo e tomou um grande gole de água.

— Não conseguimos voltar para Manhattan porque as ondas estavam grandes demais, então fomos para o Bronx, para os edifícios perto do riacho. Tinha um armazém vazio que parecia sólido e tinha uma porta aberta no lado norte pela qual conseguimos enfiar o barco. Então era só questão de esperar. Estava bem barulhento e com muito vento. E a água subiu até o ático.

— As janelas quebraram — acrescentou Roberto, entre dentadas. — Várias janelas.

— Sim, e várias delas quebraram para fora! — comentou Stefan. — Algumas do lado sul quebraram para dentro, mas as do lado norte quebravam principalmente para fora!

— Como em um tornado — falou o sr. Hexter. Ele estava sentado perto dos meninos e os observava como uma mamãe gata aos filhotes. — O vento cria mudanças bruscas de pressão e arranca as janelas para fora.

Os meninos assentiram.

— Foi o que aconteceu — confirmou Stefan. — Mas havia algumas salas no ático do armazém, então ficamos esperando ali.

— Passaram frio?

— Não muito. O forro tinha isolamento, e tinham papéis nos arquivos. Fizemos uma cama de papel gigante e nos enfiamos em um canto.

— Não ficaram com sede? — perguntei.

— Ficamos. Bebemos um pouco da água do rio.

— Sério?! Não passaram mal?

— Ainda não.

— Não ficaram com fome? — perguntou Hexter.

Ambos assentiram, as bocas cheias de novo. Para destacar a resposta, Roberto apontou a própria bochecha. Quando engoliu de novo, disse:

— Na verdade, chegamos a pensar se devíamos tentar caçar e comer alguns ratos-almiscarados que estavam ali conosco.

— Ratos-almiscarados?

— Acho que eram. Ou eram ratos-almiscarados ou doninhas muito molhadas. Tipo lontras compridas e magrelas.

— Também tinha montes de ratos e insetos — acrescentou Stefan depois de engolir. — Serpentes, rãs, aranhas... De tudo. Era bem assustador.

— Tinha muitas coisas assustadoras — esclareceu Roberto. — Mas eram os ratos-almiscarados que chamavam nossa atenção.

Hexter comentou:

— Tem vários deles na baía. Ou pode ser que fossem martas. Ou lontras.

— Não eram lontras — garantiu Roberto. — O que quer que fossem, havia um grupo deles, uma família, ou algo assim. Cinco adultos e quatro filhotes.

Chegaram nadando no armazém e se instalaram nos aposentos que ficavam no final do corredor. Eles nos vigiavam. Todos os outros animais pequenos ficavam longe deles. E de nós. Pelo menos um braço de distância.

— Acho que os ratos-almiscarados estavam se perguntando se podiam nos comer — disse Stefan. — Nós estávamos nos perguntando se podíamos caçar e comer um deles, e eles estavam pensando o mesmo a nosso respeito!

Os dois garotos riram.

— Foi bem engraçado — confirmou Roberto. — Eles não eram muito grandes, mas estavam em maior número. Então nós gritávamos com eles.

— E eles guinchavam para nós.

— É verdade, mas mesmo assim saíram correndo.

— Bem, eles se retraíram. Não correram para longe. Ainda ficaram pensando no assunto. Mas pegamos umas ferramentas que estavam jogadas por ali e os ameaçamos.

— Mas decidimos não matar nem comer nenhum deles. Não queríamos irritar os que sobrassem. Tinham dentes muito afiados.

— Tinham, sim. Se todos nos atacassem de uma vez, não seria nada bom. Provavelmente teriam acabado conosco.

Stefan assentiu.

— Por isso gritamos com eles. Gritamos tanto que perdi a voz. Minha garganta ficou em carne viva.

— A minha também.

Olhei para os garotos que contavam sua história e pensei que definitivamente poderiam ser operadores um dia. Algumas vezes, quando eu tinha que convencer algum idiota a me pagar o que devia, acabava com a garganta em carne viva de tanto gritar ao telefone. Se você fica com a reputação de ser um credor mole, isso pode fazer que as pessoas adotem a estratégia de não o pagar, então é necessário gritar de vez em quando para que isso não ocorra.

— Bom trabalho, meninos — falei. — E o bote está ok?

— Sim, nós o deixamos no salão principal do armazém. Ficou esmagado contra o teto quando a água subiu. Tinha tanta água que era inacreditável, mas ele ficou ali preso até que o nível baixou. Foi uma maré alta e tanto!

— Maré ciclônica — explicou Hexter. — Dizem que chegou sete metros acima da maré alta mais alta que tínhamos tido até agora.

— Tem mais bolo? — perguntou Roberto.

•

> Devemos ensinar a nós mesmos a entender a literatura. O dinheiro não vai continuar pensando por nós.
>
> Virginia Woolf, 1940

•

d) o sabichão da cidade de novo

Há alguns séculos existia um *cartoon* famoso, publicado em um dos jornais ou revistas de Nova York, que, combinados, formavam essa fonte de excelência literária da qual participavam Melville e Whitman para... Bem, o caso é que o *cartoon* consistia em um mapa da cidade orientado para oeste, com uma perspectiva escorçada na qual o resto dos Estados Unidos tinha a largura de dois quarteirões de Manhattan, e o oceano Pacífico não era mais largo que o Hudson. Uma representação engraçada do ensimesmamento de Nova York, e é interessante ver como é fácil cair nesse mesmo erro ao falar da cidade: o que mais importa? É o centro do mundo, a capital do blá-blá-blá.

Verdade. Talvez verdade demais. E com sorte o conceito de facilidade de representação já está gravado na consciência do leitor até o ponto de recordá-lo que essa ênfase em Nova York não equivale a dizer que era o único lugar do mundo que importava no ano de 2142, mas que era como todas as cidades no mundo, tão interessante quanto todas elas, como tipologia, e também pelas peculiaridades dadas pelo fato de ser um arquipélago em um estuário que desemboca em uma baía, coberto por vários edifícios muito altos.

Então, embora não seja necessário descrever a situação nas outras cidades costeiras, como a alagada Miami, as paranoicas Londres e Washington, a pantanosa Bangkok ou a quase abandonada Buenos Aires, sem falar da infinita profusão interior que se representa pela solitária e aterradora palavra "Denver", é importante colocar Nova York no contexto em relação a todos os outros lugares, a última cidade considerada – assim como no famoso *cartoon* – de uma única categoria: todos os outros lugares. Porque a partir de agora neste relato, como sempre acontece na realidade, a história de Nova York só começa a fazer sentido se o global é levado em consideração para equilibrar o local. Se Nova York é a capital do capital – que não é, mas pode-se fingir que sim para compreender a totalidade –, entende-se a relação; o que acontece a uma capital é influenciado, modulado, talvez determinado, talvez sobredeterminado pelo que acontece no restante do império. A periferia afeta o núcleo, as províncias invadem o centro imperial e a rede puxa o nó formado com tal força que se torna um nó górdio, somente desfeito cortando-o em dois.

Então, o furacão Fyodor lançou sua fúria sobre Nova York e adjacências. Uma catástrofe local, certamente, mas, para o resto do mundo, um conjunto fascinante de notícias, uma telenovela divertida e uma chance de exercer um pouco do delicioso e muito justificável *schadenfreude*. Poucos sentem um grande afeto por Nova York, a mais desejada e menos querida das cidades, e ninguém na história do mundo jamais disse: "Ah, como sinto compaixão por Nova York", ou: "Ah, que cidade digna de compaixão é Nova York". Ninguém disse, ninguém pensou. Dessa forma, os efeitos emocionais, históricos e físicos da devastação do furacão foram quase inteiramente locais. Os governos estadual e federal enviaram equipes de emergência para lidar com os problemas imediatos à tempestade, como era sua obrigação, e para aqueles que não foram fisicamente enredados pelo melodrama, tudo aquilo foi rapidamente esquecido, e as pessoas seguiram para o episódio seguinte da grande parada de sucessos. Dois meses depois, Pequim foi soterrada por doze metros de pó de loess arrastado por ventos do nordeste. Você ouviu falar? Dá para imaginar? Muito pior do que água! Quer saber o que houve?

Não. Facilidade de representação: o que nos afeta mais de perto parece mais generalizado do que é na verdade. Então voltemos a Nova York, que, afinal de contas, é onde o beisebol foi inventado. No grande mundo do capital global, do qual supostamente Nova York é a capital, esse acontecimento regional teve repercussões reais. Esmagar Nova York era como jogar um seixo em uma lagoa escura, e as ondas se propagaram por todo o mundo como ondas sísmicas, captadas por instrumentos de grande sensibilidade em toda a dinheirosfera, uma realidade coexistente agora com a própria biosfera. A convergência dessas ondas e os efeitos delas derivados desembocaram em dois resultados palpáveis, um exacerbado pelo outro. Um: o capital voltou a fugir de Nova York, convencido de que seria necessária uma década para que a cidade se recuperasse da devastação e que, durante esse tempo, a taxa de rentabilidade seria maior em Denver, o que equivale a dizer em qualquer parte, claro. Tudo que é sólido se desmancha no ar, como Marx certa vez afirmou efusivamente, e tudo que é líquido se solidifica em Denver. Dois: todos os índices de preços de imóveis despencaram vários pontos, com o IPPE liderando a queda, naturalmente, já que era o índice específico para descrever a zona devastada. Outros índices, incluindo o Case-Shiller, caíram também – não tanto quanto o IPPE, mas de forma significativa. O ponto aqui é que não só os índices caíram, mas também demonstraram certa divergência. O que significa que havia uma margem para apostar, em um sentido ou em outro, dependendo de qual índice o investidor considerasse mais confiável ou mais rapidamente corrigível.

Esses dois desdobramentos podem não parecer as árvores mais altas da floresta a despencar, não abaladores o suficiente para sacudir os sismógrafos financeiros de todo o mundo, não mais do que de costume, de fato. Mas é engraçado como às vezes as coisas mudam de direção como bandos de pássaros. E o funcionamento das bolhas é, em termos estruturais, idêntico aos esquemas de Ponzi – que coincidência! De fato, outra incrível coincidência reside na semelhança entre o sistema capitalista em seu conjunto e uma estrutura tão básica como um esquema de Ponzi ou um monte desses esquemas de pirâmide juntos. Como é possível? Será que é outro caso de evolução convergente, ou de identidade isomórfica, ou de clonagem, ou simplesmente uma impressionante sincronia junguiana? Em outras palavras, uma coincidência? Provavelmente é só uma coincidência, claro. Mas, seja como for, o caso é que as bolhas, os esquemas de Ponzi e o capitalismo precisam continuar crescendo ou então afundam na merda. Um tropeço grande o bastante nesse crescimento e eles rompem com a própria lógica, privando a si mesmos da margem necessária para financiar o próximo investimento que criará margem para financiar o próximo investimento que criará margem para financiar o próximo investimento, e assim para sempre. Se o sistema não consegue prolongar a espiral ascendente, ele para e, em vez de descer em espiral em ritmo parecido, despenca como um dirigível furado, como um helicóptero quebrado, como, segundo a frase criada no mundo das finanças, uma geladeira caindo do céu.

Por exemplo.

•

Quando as pessoas objetaram a um dos numerosos projetos de remodelação de Robert Moses, aquele que exigia a demolição do antigo e amado aquário do Battery Park, Moses sugeriu que jogassem os peixes no mar. Ou que fizessem um ensopado com eles.

Mais tarde, a propósito de outro projeto polêmico, ele falou: "De vez em quando eu me pergunto se essa gente merece o Hudson".

•

e) Charlotte

Charlotte voltou ao trabalho sem saber o que mais fazer e imaginando que os escritórios do Sindicato dos Proprietários estivessem inundados de refugiados domésticos. Franklin saíra para procurar Stefan e Roberto, parecendo tão preocupado que ela ficou tentada a acompanhá-lo. Mas isso não teria ajudado em nada, e ela queria fazer algo útil.

No escritório, de fato, o caos era completo, tanto as salas quanto os corredores estavam repletos de pessoas esfarrapadas, embora não fizesse sentido algum que o lugar servisse de refúgio. Mas era como qualquer porto em uma tempestade, e possivelmente muitos dos que estavam ali sentiam que, na esteira do furacão, sua condição de imigrante ou refugiado poderia de alguma forma mudar para melhor. Charlotte não tinha certeza de que isso não fosse verdade; eram parte de uma multidão muito maior agora. Isso podia causar algum tipo de ação coletiva.

Primeiro ela ajudou a organizar a multidão, entregando senhas de atendimento e perguntando por que estavam ali, se poderiam ir embora e voltar mais tarde, e assim por diante. A maioria daquelas pessoas ainda não era membro do sindicato, e muitas nem sequer tinham documentos. Depois de um tempo, ela se cansou e se juntou a um grupo que iria ao Central Park em uma lancha da polícia, porque queria ver o lugar com seus próprios olhos.

Uma vez no parque, vagou por ali sentindo-se enjoada. A devastação era tão completa que era difícil acreditar. Era como se estivesse sonhando, presa em um desses pesadelos desconexos nos quais uma série de irrealidades espantosas se amontoam uma depois da outra sobre os olhos do sonhador impotente. Onde antes havia árvores, agora havia pessoas, então o parque parecia ao mesmo tempo maior e mais baixo, como uma pradaria imensa se expandindo pelo espaço antes ocupado pelo parque. A multidão ali dava ao lugar um aspecto de fotografia de Hooverville em sépia, ou de uma favela devastada por um terremoto.

Ela caminhou pelo terreno em uma espécie de exploração aturdida. A multidão se estendia para fora do parque, para as ruas. Todas as rotas de caminhada que traçara ao longo dos anos se foram. Pedaços de raízes gigantescas erguiam-se de buracos no chão, viradas para o sul como girassóis. Por todos os lados, galhos destruídos exibiam a carne interna das árvores, amarela e granulosa, como membros de tipos diferentes de carne. De vez em quando, ela parava e se sentava no chão, sentindo-se melodramática, como se estivesse recriando uma emoção em um exercício teatral, mas tinha que fazer isso, porque seus joelhos se dobravam; era uma coisa real aquela antiga expressão "amolecer os joelhos". Como era estranho que esses antigos clichês tivessem origem em reações físicas reais, comuns a todos. Ela chorou algumas vezes, e viu o mesmo nos muitos rostos que a rodeavam, que choravam naquele momento, não raro sem perceber que tinham o rosto marcado de lágrimas. Ai, minha cidade, minha cidade, quando a verei de novo? A maioria daquelas árvores tinha décadas de idade, algumas até séculos. Seriam necessários anos, talvez décadas, antes que o parque voltasse a se parecer com o que fora.

E as pessoas... Estavam organizadas em círculos e grupos, muitas em conjuntos pequenos de menos de vinte, mas também havia quintetos, casais e pessoas sozinhas. Famílias, grupos de amigos, vizinhos dos mesmos edifícios destruídos. Milhares ali amontoados, sentados no chão, em bancos de concreto, em caixas ou em pedras antigas que sobressaíam do solo, osso da ilha que agora oferecia assento aos seus habitantes. Uns versos de Walt Whitman passaram rapidamente por seus pensamentos, meio recordados apenas, algo sobre umas fileiras de rostos na ponte do Brooklyn, o sofrimento dos soldados na Guerra de Secessão. O sentimento dos norte-americanos juntos para enfrentar uma crise.

Teclou em seu tablet de pulso como se tentasse quebrá-lo, e ligou para a prefeita. Ela respondeu em pessoa.

— O que é?

— Onde você está?
— Na prefeitura.
— O que vai fazer a esse respeito?
Uma pausa curta para indicar assombro.
— Estou trabalhando! O que você quer?
— Quero que abra as torres da parte alta.
— O que quer dizer?
— Você sabe o que quero dizer. Mais da metade dos apartamentos da parte alta está vazia porque são propriedade de gente rica que mora em algum outro lugar. Declare uma emergência e use todos esses espaços como centro para refugiados. Exproprie todos eles.
— Eu já declarei estado de emergência, e a presidente também. Ela está prestes a chegar. Quanto à expropriação, não posso fazer isso.
– Sim, você pode. Declare estado de emergência, use seus privilégios executivos ou qualquer...
— Nada disso é factível. Seja realista, Charlotte.
— ... lei marcial! Ou pelo menos entre em contato com cada proprietário e peça para usar o lugar. Diga que são necessárias, tanto a propriedade quanto a concordância deles. Convença-os. O máximo que conseguir.
Silêncio do outro lado.
Por fim, a prefeita respondeu:
— Há bem mais gente necessitada do que lugares como esses. Com isso só conseguiríamos uma fuga maior de capital daqui. E perderíamos ainda mais pessoas do que já perdemos.
— Que façam boa viagem! Vamos lá, Galina! Mostre alguma coragem. É o seu momento. Sua cidade precisa de você, você tem que dar uma resposta. Agora ou nunca.
— Vou pensar nisso. Estou ocupada, Charlotte. Tenho que ir. Obrigada pela preocupação. — E a linha ficou muda.
— Foda-se! — gritou Charlotte para seu tablet de pulso. — Foda-se, sua maldita covarde!
As pessoas olhavam para ela. Ela as encarou de volta.
— A prefeita desta cidade é um títere — disse para elas.
Todas deram de ombros. A prefeita não as interessava.
Charlotte travou os dentes. Sem dúvida, aquela gente estava certa. Na hora da verdade, os políticos não serviam para nada. Apostas melhores eram o Exército, a Guarda Nacional, os burocratas, os serviços de emergência, os médicos e enfermeiros das emergências. Policiais e bombeiros. Essas eram as pessoas que ajudavam, quem você esperava que aparecesse. Não os políticos.
Ela se lembrava de ter ouvido a história de como, após o furacão Katrina ter atingido Nova Orleans, os presídios foram reconstruídos mais rápido do que as

instalações médicas. Esperava-se tumultos, então colocaram os negros na cadeia só por prevenção. Mas isso tinha sido nos séculos passados, na idade das trevas, época de fascismo tanto no país quanto no estrangeiro. Desde as inundações, tinham aprendido alguma coisa, não tinham?

Ao contemplar a multidão no parque devastado, não conseguiu ter certeza. As pessoas se reuniam em grupos. Era uma espécie de organização. Tentavam fazer o possível com o que tinham.

Mas depois de cada crise do último século, Charlotte pensou, ou mesmo desde sempre, o capital apertara o laço ao redor do pescoço dos trabalhadores. Era simples assim: capitalismo em crise e a bota afunda no pescoço com mais força a cada oportunidade. Asfixiando. Já fora comprovado, era um fenômeno estudado. Para qualquer um que olhasse a história, era impossível negar. Era o padrão. A luta contra essa asfixia nunca conseguira encontrar uma saída. Era como uma dessas perversas armadilhas chinesas: se você luta, justifica a resposta opressora, a construção de presídios no lugar de hospitais.

Por fim, Charlotte desistiu de pensar e começou a vagar pelo parque mais uma vez, parando para conversar com as pessoas amontoadas ao redor de várias fogueiras fumacentas, que estavam ali mais para cozinhar do que para aquecer, ou só para fazer alguma coisa. Ela parou em cada grupo, e disse que era uma funcionária municipal que trabalhava para o Sindicato dos Proprietários, e que abrigos seriam abertos na parte alta da cidade. Repetiu isso inúmeras vezes.

Exausta e desgostosa, ela finalmente seguiu para o sul, de volta à zona entremarés, e esperou na fila em uma doca para pegar um táxi aquático que a levasse de volta à Met, para casa. Foi uma longa espera; a fila estava comprida, e ainda não havia muitos táxis trabalhando. Estava com fome. Sentou-se na doca, como todos os outros na fila. Eram nova-iorquinos, nada inclinados a conversar com estranhos, coisa que ela apreciava.

Em certo ponto, digitou em seu tablet mais uma vez e ligou para Ramona.

— Oi, Ramona, aqui é Charlotte. Escute, você acha que seu grupo ainda está interessado em que eu concorra ao assento do Décimo Segundo Distrito?

Ramona deu uma gargalhada.

— Sei que sim. Mas, escute, está ciente de que Galina Estaban está apoiando sua candidata de modo bem ativo?

— Foda-se Galina Estaban. É contra ela que quero concorrer.

— Bem, pois isso podemos garantir.

— Ok. Irei à próxima reunião, e conversaremos a respeito. Mas diga para todos que estou dentro.

— Ótima notícia. Ela irritou você, hein?

— Acabo de ir ao Central Park.

— Ah, sim.

— Disse para ela abrir a parte alta da cidade para os refugiados.

— Ah, sim. Boa sorte com isso.
— Eu sei. Mas é algo para se usar na campanha.
— Acho que sim! Venha para cá e conversaremos melhor.

Quando ela finalmente chegou à Met, mal conseguia caminhar. Seguiu para o refeitório e percebeu que teria que usar as escadas até seu quarto, sabia que não conseguiria encarar o esforço. Uma subida de quarenta andares, ótimo.

Deixou-se cair em uma das cadeiras e olhou ao redor. Seus concidadãos. Sua pequena cidade-estado, sua comuna. Apesar de tudo, não estavam sendo bombardeados pelo próprio governo. Ainda não, pelo menos. A Comuna de Paris durara setenta e um dias. Depois, anos de repressão se seguiram até que todos os membros estivessem mortos ou na prisão. Não podia existir um governo do povo, pelo povo e para o povo. Ah, não. Melhor matar todos.

Quando a Revolução Russa de 1917 completou setenta e dois dias, Lenin saiu às ruas e dançou um pouco. Tinham durado mais do que a Comuna, ele disse. No final, foram setenta e dois anos. Mas tanta coisa deu errado.

Franklin Garr entrou no refeitório, dirigindo-se para a fila.

— Ei, Frankie! — disse Charlotte. — Era você o homem que eu queria ver.

Ele pareceu surpreso.

— O que foi, velha camarada? Parece acabada.
— Estou acabada. Pode me pegar uma taça de vinho?
— Pode apostar. Eu ia pegar uma para mim também.
— É a hora perfeita.
— Com certeza. Soube que os garotos apareceram?
— Eu contei para você, lembra? Foi a boa notícia do dia.
— Ah, sim, desculpe. Mas, sim, boa notícia. Pensei que os picaretas tinham conseguido se matar finalmente.
— Provavelmente mal perceberam. O que é um furacão para eles?
— Não, eles perceberam. Quase foram comidos por ratos-almiscarados.
— Como é?
— Tiveram um impasse mexicano com uma manada de ratos-almiscarados.
— Não acho que seja "manada" nesse caso.
— Não, provavelmente, não. Uma tropa de ratos-almiscarados, um bando de ratos-almiscarados...
— Um bando de corvos.
— Isso mesmo. Um o quê? Uma infestação de ratos-almiscarados? Uma galera de ratos-almiscarados?
— Um grupo de ratos-almiscarados enlameados.
— Melhor.
— Como o pessoal que está no Central Park. Um grupo de ferrados. Ei, traga aquele vinho.

Franklin assentiu e foi buscar o vinho. Depois sentou-se no chão, perto da cadeira dela. Brindaram pelos garotos e tomaram um gole de um *pinot noir* horrível do Flatiron.

— Então, escute — disse Charlotte. — Eu gostaria de puxar o gatilho dessa crise que você delineou. Esse furacão vai estourar a bolha da qual você falava?

Ele balançou a mão.

— Estive analisando. A questão é que o mercado é global, e muita gente não quer que a bolha estoure porque ainda não passaram para o curto prazo. Então, estão segurando, apesar do ocorrido. Não dá para saber com certeza. Não acho que seja suficiente. Claro que o índice local será impactado. Mas a bolha global, não.

— Bem, mas e se você quisesse que estourasse? Por exemplo, por meio daquela greve de proprietários sobre a qual falamos? Seria um bom momento para isso?

— Não sei. Não acho que estejam dadas as condições para isso. Embora eu tenha feito minha parte, devo dizer.

— O que quer dizer?

— Eu monetizei o ouro dos meninos. Vlade derreteu tudo e eu vendi, pouco a pouco, em vários *dark pools*. Acabou ficando tudo com o governo da Índia, me parece. São os últimos fãs de ouro que restam, eles gostam disso. Talvez seja algo cultural, talvez porque gostem de tudo o que brilha.

— Frankolino, poupe-me de suas horríveis teorias culturais. O que fez com o dinheiro?

— Alavanquei um pouco e comprei várias opções de venda sobre o IPPE.

— E isso quer dizer?...

— Fiquei no curto prazo com o IPPE e no longo com Case-Shiller, e o furacão me deu razão. Podemos vender e fazer um bom lucro para os garotos.

— Isso é bom, mas quero estourar a bolha e quero acabar com o sistema!

Ele balançou a cabeça, parecendo em dúvida.

— Sério? Tem certeza de que está pronta para isso?

— Tão pronta quanto podemos estar. E é o momento certo de atacar. As pessoas estão furiosas. Se não fizermos isso agora, vão simplesmente apertar o laço mais uma vez. Mais austeridade para pagar a reconstrução, os pobres vão ficar mais pobres, os ricos vão se mudar para outro lugar.

Ele suspirou.

— Então está dizendo que quer reverter uma tendência de dez mil anos.

— O que quer dizer?

— Os ricos ficam mais ricos e os pobres mais pobres. É como o primeiro provérbio das *Citações familiares de Bartlett*. O primeiro versículo do *Gênesis*.

— Certo. Sim. Vamos reverter isso.

Ele começou a refletir, e tal fato se manifestou em uma expressão em seu rosto que fez Charlotte sorrir: vesgo, boca franzida, testa enrugada verticalmente entre as sobrancelhas. Isso a fazia se lembrar de Larry, mas esse rapaz era mais engraçado.

— A divergência dos índices é um sinal de que o mercado está assustado — comentou. — Todos caíram um pouco, então não seria o melhor momento para sacar dinheiro. Por outro lado, a instabilidade é evidente.

— Então poderia dar certo.

— Não sei. Quero dizer, acho que daria certo em qualquer momento, se gente suficiente se juntasse ao calote dos pagamentos.

— Vamos chamar de greve.

Franklin deu de ombros.

— Chame de Jubileu!

Ela riu. Tomou um gole de vinho.

— Não acredito que você consegue me fazer rir depois de um dia como este — confessou ela.

— Você se embebeda com facilidade — observou ele.

— Verdade. Então, acha que poderia funcionar?

— Não sei. Acho que poderia ser confuso se acontecesse agora. As pessoas que dessem o calote poderiam perder o que tivessem de dinheiro de seguro para receber, se é que vão receber alguma coisa por causa da tempestade. Então não sei se é o momento apropriado. Você sabe... Provocar um infarto no sistema financeiro logo depois de um desastre... Não sei, é um pouco contraintuitivo. Quero dizer, quem vai pagar o seguro para a reconstrução?

— Acho que o governo. Em geral eles fazem isso. Mas vamos descobrir mais tarde.

Ele olhou para ela com assombro exagerado. Era um homem que realmente olhava para você quando olhava. Como se você fosse uma maravilha.

— Bem, ok, então! Jogue os dados! Você tem tudo acertado com seu Fedex?

— Meu Fedex?

— Seu ex que dirige o Fed. Acho que o melhor apelido para ele seria Fedex, não acha?

— Sim, gosto disso — assentiu ela. — Ele está tão pronto quanto é possível estar.

— E o Sindicato dos Proprietários?

— É grande o bastante para ser usado como grupo de vanguarda para uma ação coletiva. E as pessoas que quiserem uma cobertura poderão se filiar quando ficarem inadimplentes.

— Muita gente vai querer esse tipo de cobertura. Algo a que se unir, para que seja uma posição política, não um simples calote.

— Só precisamos de quinze por cento da população, certo?

— Em teoria. Porém quanto mais, melhor.

— Ok, pode ser que consigamos mais.

Ele pensou naquilo, ainda observando-a com uma expressão divertida.

— Bem, parece que está tudo decidido. Se você fizer isso e funcionar, não vamos ganhar o máximo possível, mas ainda vamos lucrar bastante.

— E se não funcionar?

— Acho que o desfecho mais provável é que funcione bem demais.

— O que quer dizer?

— Que isso poderia destruir o sistema todo. E, se isso acontecer, quem vai pagar meus *swaps*?

— Certamente não será tão ruim assim.

— Vamos descobrir.

Charlotte olhou para Franklin tentando imaginar quão sério ele estava falando. Difícil saber. Ele gostava de assumir riscos. Então ali estava um grande risco, um risco político. Em geral, ele parecia gostar do plano. Sua expressão de preocupação era uma máscara, ou pelo menos era o que parecia para Charlotte. Tratava-se de jogar com a volatilidade. Então, ele estava se divertindo com tudo aquilo.

— Sempre haverá um resgate financeiro — disse ela. — Os especuladores são grandes demais para falhar, estão interconectados demais para falhar. Então as pessoas no Central Park esta noite estão fodidas, aconteça o que acontecer.

Ele assentiu.

— Está dizendo que seremos pagos de um jeito ou de outro.

— Ou não seremos pagos, não importa o que aconteça. A menos que as coisas mudem.

Ele suspirou.

— Não sei como acabei ajudando você. É uma bela de uma revolucionária.

— Isto é uma revolução?

— Sim! — Ele a encarou com intensidade. Depois sorriu. Até começou a gargalhar.

— O que foi? — ela quis saber.

— É que finalmente entendo o que significa revolução. É a volatilidade máxima sem cobertura. E, além disso, é operar com informação privilegiada! Porque, como já sei que seu pessoal vai deixar de pagar, posso adquirir opções de venda loucamente antes que o IPPE caia! É totalmente ilegal! Agora entendo porque a revolução é ilegal!

— Não tenho certeza de que seja por isso — disse Charlotte.

— Estou brincando.

— Pois vamos fazer e veremos o que acontece.

— Bem, ainda acho que você devia esperar, que tem que estar mais preparada. Talvez aguardar até que essa coisa da tempestade passe um pouco, para que não seja confundida com uma incapacidade de pagamento. Quero dizer, você quer que pareça uma escolha, quer deixar claro que é uma greve consciente.

— Hummm — murmurou Charlotte. — Isso é verdade.

— Você precisa de tempo para se preparar bem, certo? Então, por enquanto, você podia simplesmente desfrutar da ideia do que está por vir. — Ele levantou a taça, quase vazia, ela ergueu a dela e brindaram. — À revolução!

— À revolução.

Terminaram de beber o vinho. Franklin sorriu de novo.

— Parte de uma preparação decente seria você aceitar aquela proposta e concorrer ao Congresso.

— Já fiz isso.

— Sério?

— Sério.

— Bem, isso é ótimo. Caramba, precisamos de mais vinho para brindar a isso. Acho que é um caso de "quebrou, comprou". Você destrói o sistema e tem que construir o próximo. Vamos todos insistir nisso.

— Merda — reclamou Charlotte. — Vá buscar mais vinho. Merda, merda, merda.

— Essa frase é minha! — Ele gargalhou mais uma vez.

Mesmo cansada como estava, ela ainda gostava de conservar a capacidade de fazê-lo rir. Por mais espertinho e jovem que ele fosse.

•

A partir de 1952, a equipe de segurança da Macy começou a soltar uma dúzia de dobermans em seus estabelecimentos à noite, para espantar larápios e ladrões. Deram publicidade ao procedimento, e os cães nunca pegaram ninguém.

Em Nova York, a raiva era um autêntico *zeitgeist*. Todo mundo tinha raiva.
observou Kate Schmitz

A ilha de Manhattan, com rios profundos por todos os lados, parecia um cenário quase ideal para uma grande revolução urbana.
observou Mencken

•

f) Inspetora Gen

Gen fazia hora extra no trabalho dia após dia. Não conseguia lembrar se sempre fora assim. Cada momento do dia dedicado ao trabalho. Todo mundo na polícia fazia o mesmo. A tempestade tinha passado, o interesse do mundo se voltara para outra coisa; a Guarda Nacional ficara alguns dias e fora embora; as pessoas no Central Park continuavam lá. Comida e sanitários estavam se tornando problemas imensos, seguidos de perto por crimes violentos e overdoses de drogas. As más consequências das más circunstâncias, em outras palavras. Totalmente previsível, mas agora acontecia no Central Park, à vista de todos. Parecia explodir em seus rostos. Não era uma situação sustentável, e mesmo assim não existia um passo seguinte evidente, e, enquanto isso, o impasse era algo que todos podiam ver e sentir, algo que viviam momento após momento, dia após dia.

Então, na noite de sete de julho de 2142, uma enorme fogueira no gramado Onassis iluminou uma gigantesca reunião, basicamente todo mundo do parque e mais alguns, e de algum modo isso se transformou em um tumulto. Aconteceu sob a lua cheia; ninguém viu de onde se originava, mas o caso é que a violência se espalhou pelo parque. Os policiais presentes tiveram que pedir reforços e equipes para controle de multidões. Em um primeiro momento, parecia ser violência entre gangues, mas quando Gen chegou, a bordo de uma lancha policial abarrotada, não viu nada que pudesse indicar nem remotamente que houvesse vários grupos; tratava-se de um simples caos, grupos de pessoas percorrendo o parque, gritando, ateando fogo com tições tirados da grande fogueira, arremessando galhos em chamas e lutando contra outros grupos. Ela teve a sensação de que a maior parte do dano real consistia em pessoas caídas e pisoteadas pela multidão. A maioria dos gritos e berros vinha do chão; quando percebeu isso, ela sentiu um calafrio de medo e ligou para a delegacia.

— Precisamos de assistência médica o mais rápido possível. Central Park, Onassis Meadow. E parece que uma multidão se dirige para norte, saindo daqui.

— Já sabemos — respondeu o comissário Quinn Taller, um conhecido de Gen. — Pela Broadway, Amsterdã e St. Nick.

— Estão indo para a parte alta da cidade?

— Parece que sim.

— Temos reforços?

— O governador ordenou que a Guarda Nacional voltasse, mas não sabemos quanto tempo vão demorar para chegar. Demoraram bastante da última vez.

Gen respirou fundo.

— Convocou todo mundo que estava de folga?

— Sim.

— E quanto aos bombeiros?

— Não acho que sejam necessários por enquanto.

— Você deveria chamá-los o quanto antes.

— Há incêndios?

— Logo haverá. E pode ser que precisemos das mangueiras para dispersar as pessoas.

— Sério?

— Sério.

— Vou informar isso aqui.

Gen desligou. Tinha parado para telefonar, e os outros policiais já estavam bem na frente. Agora ela corria sentido norte, atrás deles, parando para separar as brigas que conseguisse, usando sua altura, seu uniforme e a escuridão para fazer uma aproximação com brutalidade se necessário, derrubando agressores com o cassetete, algemando-os com abraçadeiras de plástico e ordenando que as pessoas evacuassem o lugar. Cassetete em uma mão, a outra sobre a pistola no coldre, pronta para atirar se necessário, aproveitando sua estatura e condição de policial. A maioria das pessoas ficava feliz em fugir noite adentro. E Gen seguia para norte, tentando não ver brigas que parecessem sérias o suficiente para estar além de sua capacidade de detê-las. Alguém jogou um coquetel molotov em sua direção. Ela desviou sem reduzir o ritmo. Precisava de reforços. Aquilo tinha que ser feito em equipe, ou era perda de tempo. Então, diante dela apareceu uma equipe de seis policiais, não aqueles que a acompanhavam quando chegou ao parque. Estavam uniformizados e se mantinham juntos por segurança.

— Tudo bem se eu me juntar a vocês?

— Claro que sim! O que é isso?

— Uma revolta, mas não sei o motivo. Ouvi dizer que fizeram uma fogueira no gramado.

— Sim, mas mesmo assim. Estão queimando as próprias cabeças.

— Ouvi dizer que tem mais merda acontecendo lá fora. Eu me pergunto se será só isso.

— Mas está todo mundo aqui.

— Verdade. Vamos para o norte, tentar nos adiantar à multidão. Deve haver mais policiais lá.

— Acha que dá para contê-los lá em cima?

— Não sei, mas a ilha é bem mais estreita ali. Pode dar certo. Mas precisamos dos bombeiros e da Guarda Nacional.

Seguiram todos juntos. Gen estava aliviada por estar com outros policiais. Atravessavam as multidões, pedindo calma, pedindo que as pessoas se dispersassem, que voltassem para suas casas ou acampamentos, onde fosse, mas que debandassem. Que seguissem para sul. Um dos membros de seu pequeno pelotão segurava um minimegafone, e Gen o utilizou para transmitir essa mensagem enquanto os demais usavam lanternas para cegar os que parecessem mais agressivos.

— Vão para casa! — gritava repetidamente. — Vão para casa!

— *Estamos* em casa! — respondeu alguém aos gritos.

Em noites assim era muito fácil levar um tiro. Só restava esperar que a ideia não ocorresse a nenhum mal-intencionado nas proximidades. Eram como uma patrulha em território inimigo, e a gritaria ao redor reforçava a sensação. Muita hostilidade. As pessoas estavam cansadas. Há momentos em que ninguém gostava da polícia de Nova York. Momentos como este.

Chegaram ao parque de St. Nick e estavam correndo pelo caminho costeiro da linha da maré alta, ainda coberta de escombros e lixo arrastados pela tempestade, quando um galho lançado da escuridão acertou o policial que seguia ao lado de Gen. Um capacete teria feito aquilo muito menos desastroso, mas o rapaz caiu no chão. Logo depois, estavam segurando o escalpo em seu crânio, tentando conter o sangramento, em geral abundante em um ferimento na cabeça. Sangue negro, como sempre era à noite. E, também como sempre, o mesmo sobressalto quando uma lanterna ilumina a cena e o preto se torna vermelho. O rapaz ainda estava consciente, e a ferida, mais do que um golpe, parecia um corte, mas tinham que conter o sangramento. Primeiros socorros na escuridão, com Gen cuidando do policial ferido enquanto os demais os rodeavam e gritavam para que as pessoas se dispersassem, furiosos, mas impotentes para agir de maneira apropriada. Só podiam proteger seu companheiro, pedir ajuda no rádio, gritar pelo megafone para que as pessoas fossem para sul, para casa, longe dali. O rugido da multidão indo para norte, ignorando-os. Nada a ser feito até que a ajuda médica chegasse, para depois retomar a corrida rumo a norte, com um homem a menos e os nervos à flor da pele.

A ajuda médica chegou em duas vans da polícia. Então pegaram uma para subir até Morningside Heights, com as sirenes ligadas. Era mais silencioso dentro da van do que teria sido do lado de fora, mesmo assim o barulho era suficiente para que fosse difícil conversar.

Chegaram ao primeiro dos superarranha-céus, na Cento e Vinte. Havia muitos policiais ali, e quem quer que estivesse no comando queria que formassem uma linha entre os dois rios. A área de aterro atrás deles era a parte mais estreita de toda a ilha.

Mas não estreita o bastante; a multidão que avançava para norte era imensa e estava descontrolada, e ali só estava a polícia, sem a Guarda Nacional, os bombeiros ou o Exército. Tiveram que ceder. A multidão estava decidida a chegar às torres.

As forças policiais se desintegraram em grupos que permaneceram onde estavam como catracas de metrô, deixando a multidão passar para não provocar um banho de sangue no qual provavelmente seriam a parte ensanguentada da coisa. Ninguém vira nada como aquilo, e ninguém com uma ideia muito clara da situação como um todo parecia estar no comando. Não havia muitos protocolos para momentos como esse, exceto "não seja morto ou não mate só para impedir que alguém vá a algum lugar", agora a primeira regra do treinamento de qualquer policial. Em meio ao caos barulhento, a razão de tudo aquilo se tornava óbvia.

A energia elétrica parecia ter sumido da área, e Gen se perguntava se aquilo tinha desencadeado a revolta. A única iluminação era a da lua cheia, que fazia as coisas parecerem pálidas e, de algum modo, muito estranhas – por fim ela percebeu que todas as sombras estavam apontadas para a mesma direção, fazendo parecer que toda a ilha estava inclinada. O grupo de policiais do qual Gen fazia parte tentou decidir o que fazer em seguida, mas com tanto barulho era impossível falar e até mesmo pensar. Então, na prática, tornaram-se mais um pequeno grupo dentro de um mar de pequenos grupos, sendo arrastados para norte com os demais, sem sequer tentar discutir com a turba, apenas levados pelo fluxo. Rostos inexpressivos e bocas abertas. Pessoas que não pareciam falar inglês ou qualquer outro idioma. O barulho incrível, um rugido de levantar os cabelos, pontuado por gritos. Mas não era o ruído que causava o furor, porque ninguém ouvia nada mesmo. Alguma coisa os deixara assim. O lado positivo era que o fato de estar fardados não parecia colocá-los especialmente em perigo; aquilo não era por causa deles, e eram todos parte de um movimento geral, uma maré ciclônica humana atraída por algum raio trator lunático.

Então Gen viu claramente, e talvez todos tenham visto também: era por causa das torres. O complexo Cloister ainda estava muito ao norte, mas havia vários outros superarranha-céus estupendos em Morningside Heights, e a multidão agora corria para eles, cercando-os.

O pelotão improvisado de Gen foi arrastado com a multidão até a grande praça ao sul da Amsterdã com a Cento e Trinta e Três, onde o primeiro grupo de torres alcançava alturas impossíveis diante de um céu cinzento e iluminado pela lua, como elevadores espaciais. À noite, as luzes que em geral as convertiam em garrafas gigantescas de licor estavam ausentes, e sob o luar tinham um tom negro aveludado e levemente púrpura, talvez causado pelos sistemas fotovoltaicos.

A polícia se reagrupava sob as torres, do outro lado da grande praça, em maior número do que antes. Desta vez parecia possível que conseguissem controlar a situação. A multidão, embora zangada, estava praticamente desarmada. Os policiais podiam entrelaçar os braços e aguentar o peso da carga até que as pessoas parassem. Além disso, várias vans tinham formado uma fila ao longo da praça e começavam a distribuir capacetes, escudos e coletes, além de cassetetes, gás lacrimogênio e máscaras. Quase todos os policiais que estavam ali contavam com experiência suficiente para colocar o equipamento com rapidez e, na sequência, posicionarem-se na frente da fila. Não havia muita conversa entre eles, estava claro o que tinham que fazer. Um mau momento, portanto. Não um momento da polícia de Nova York, pelo menos na experiência de vida de qualquer policial que estava ali. Era surreal: tinham abandonado o real.

Gen acabara de vestir o colete e o capacete quando escutou disparos. Sentiu a descarga de adrenalina que aquele ruído sempre provocava, e viu que era o mesmo com os outros ao seu redor. Os tiros vinham de trás deles, no entanto; das próprias torres, ou melhor, do mezanino dos terraços embaixo das torres.

A praça que escorava as torres era formada por uma sequência de terraços gigantes, como escadarias baixas e amplas concebidas proporcionalmente às próprias torres. Havia gente nos terraços mais altos com equipamentos antimotim, mas também com fuzis – fuzis de assalto, pelo som. Nesse momento, os carregadores disparavam um *estacatto* de estalos, seguidos por gritos de dor e desespero. O rugido desumano se intensificou. A lua iluminava a cena com uma nitidez cinza e negra: a multidão fazia pressão sobre eles ao mesmo tempo que era puxada para trás. Gen gritou em seu tablet:

— Precisamos de mais reforços! Há unidades de segurança particular aqui, e eles abriram fogo contra a multidão!

— Repita isso!

— A segurança particular de uma das torres abriu fogo contra a multidão, e estamos no meio! Precisamos da Guarda Nacional *já*! Onde está o maldito reforço?

Uma pergunta retórica a essa altura. A Guarda Nacional estava em outro lugar. Gen se juntou a um grupo de uns dez policiais com coletes à prova de balas que subia pela ampla escadaria em direção às forças de segurança do terraço. Avançaram sob as miras dos fuzis de assalto, mas estavam uniformizados, e as armas apontavam por sobre suas cabeças, ou mesmo para o céu, aparentemente. Mas alguns deles ainda disparavam, lançando a munição com jatos de chama laranja, e as linhas vermelhas da mira a laser se entrecruzavam em busca de alvos entre as estrelas. Tiros de advertência, talvez, ou tiros na multidão ao sul. Gen tirou a pistola do coldre, sentindo um ardor que se espalhava por toda a pele ao fazer isso. Ergueu o escudo que tinha pegado em uma das vans na outra mão e marchou lentamente pela escadaria na linha de frente do grupo de policiais, todos gritando:

— Polícia! Polícia! Cessar fogo! Cessar fogo!

No início eram gritos aleatórios, mas logo todos se juntaram à voz mais alta entre eles em um grito coordenado, em uníssono:

— Polícia! Polícia! Polícia!

Era bom poder gritar assim.

Chegaram no terraço central. Não havia outro lugar para onde ir: a equipe de segurança estava logo acima deles, no terraço seguinte, apontando os fuzis por sobre suas cabeças, mas também em sua direção. Um momento de paralisia horrendo. Muitos dos escudos e coletes estavam marcados com pontos vermelhos: sim, mira a laser. Alguns dos capacetes e testas também. Eles pararam onde estavam e continuaram ecoando: "Polícia, polícia, polícia, polícia".

Ninguém se mexeu. O barulho incrível ainda vinha por detrás deles, mas nos degraus aquilo parecia um pouco abafado – ninguém atirava agora, os policiais continuavam com sua cantilena, mas quase em um tom coloquial. Cada vez mais contidos.

Gen achava que era a policial de mais alta patente ali. Em todo caso, ninguém mais agia como se fosse, então ela se adiantou dos demais segurando a pistola ao lado do corpo.

— Departamento de Polícia de Nova York — anunciou com calma e sem expressão. — Vocês estão sendo filmados e não são policiais. Abaixem os fuzis imediatamente ou acabarão na cadeia. Quem está no comando aqui? Quem são vocês?

Um homem abriu caminho entre o grupo. Parecia familiar a ela, e ele também pareceu reconhecer Gen.

— Que diabos estão fazendo atirando desse jeito? — perguntou Gen para ele.

— Estamos defendendo a propriedade privada. Já que vocês não conseguem fazer isso.

Gen aguardou um segundo e então, lentamente, começou a se aproximar do homem. Não parou até ficar bem perto. Nesse ponto, ela tinha que olhar para baixo a fim de encará-lo. Ainda estava com a pistola apontada para baixo, mas não muito distante do pé do homem. O pessoal dele parecia inquieto. Alguns viravam os fuzis para cima ou para os lados, mas ainda havia vários pontos vermelhos sobre o colete de Gen. Ela se sentia como uma maldita árvore de natal, um alvo em um campo de tiro. Ninguém sabia o que fazer.

— Baixem as armas e retirem-se para dentro dos edifícios — disse Gen para o homem, encarando-o com dureza. — Estamos gravando tudo. Todos vocês são obrigados a obedecer às ordens da polícia para manter as licenças de segurança.

Ninguém se mexeu.

— Vocês foram os primeiros a disparar armas de fogo esta noite — disse Gen para o homem. — Isso já é ruim, mas ficará ainda pior se não fizerem o que estou mandando. Se continuarem, interferirão com as operações da polícia em meio a um tumulto. E em breve também vão resistir à prisão. O Departamento de Polícia de Nova York não gosta de pessoas atirando, e os tribunais tampouco. Somos a única polícia nesta cidade. Ninguém mais. Então, entrem agora mesmo. Já. Podem defender o interior do prédio, se a situação chegar a tanto. Mas este é um espaço público.

— A praça é propriedade privada — respondeu o homem. — Nosso trabalho é defendê-la.

— É um espaço público. Entrem imediatamente. Estão sob voz de prisão agora. Não piorem ainda mais as coisas, ou seus empregadores não ficarão felizes com vocês. Vocês já vão custar milhões de dólares em honorários de advogados. Quanto pior tornarem as coisas agora, pior será para vocês mais tarde.

O homem hesitou.

Gen falou:

— Vamos, para dentro. Vou entrar com vocês e ver se averiguo como tudo isso começou. Vocês podem me mostrar o que suas câmeras gravaram, se é que gravaram alguma coisa. Vamos lá.

Ela deu outro passo na direção do homem. Agora estava definitivamente perto demais. Com as botas da polícia, ela alcançava um metro e noventa e cinco, e ainda estava com capacete, pistola na mão e uma expressão de congelar o sangue. Uma grande policial negra, assustadora, furiosa como o inferno e tão calma quanto o céu. Com o escudo na outra mão. Pronta para derrubar o homem, se necessário. Ele se deu conta de que ela estava disposta a isso. Outro passo para a frente. Não parecia disposta a parar quando chegasse nele. Logo estaria em seu espaço pessoal, e continuaria avançando. Gen estava pensando em um movimento de sumô aquático, um empurrão rápido com o escudo que o faria cair sentado. Ela o encarava sem desviar o olhar. Ocorreu-lhe que devia estar coberta com o sangue do agente que ferira a cabeça. Ela era o pior pesadelo de um criminoso branco, ou a heroína de seus sonhos, ou talvez as duas coisas. Tentava hipnotizá-lo agora, aborrecê-lo com a calma de uma grande mãe. Uma figura de autoridade. Uma sacerdotisa ensanguentada naquela noite de pânico e lua cheia. O homem buscava uma saída. Era a hora da verdade.

Ele virou a cabeça.

— Para dentro — ele disse.

Uma vez lá dentro, Gen segurou o braço do homem e lhe pediu que se sentasse no lobby ao lado dela. Estava esgotada e pediu água. Alguém lhe trouxe uma garrafa de plástico, que ela olhou com curiosidade. Sofás de forma ovalada e sem encosto. Um lobby grande e luxuoso, um lugar para conversar e beber. Era bom poder se sentar. Suas mãos realmente estavam cobertas de sangue. Uma imagem apropriada para o que tinha que fazer agora.

— Obrigada por cooperar — disse ao homem enquanto gesticulava em direção ao divã mais próximo. — Sente-se e me conte o que aconteceu.

O homem continuou de pé. Um metro e oitenta e cinco. Corpulento, cabeça quadrada, boca pequena e cabelo negro. Sombrio e decidido. De repente, Gen se lembrou de onde o conhecia.

— Era você em Chelsea na semana passada — disse para ele. — No barco, com alguns empregados, trabalhando para a Associação de Moradores de Chelsea, ou alguma besteira dessas.

Agora ele parecia preocupado, e tinha bons motivos para isso. Parecia não se lembrar muito bem do encontro no barco, se é que se lembrava de algo, mas olhava como se estivesse intrigado com ela. Também parecia avaliar suas opções, não como chefe de segurança da torre, mas como indivíduo que poderia ser processado e parar na cadeia. Alguém que talvez tivesse cometido erros depois de receber uma ordem ilegal e impossível de se cumprir, vinda de chefes que não se importavam com ele. Estava considerando quais seriam as melhores opções para ele. Tinha decidido não enfrentar a polícia enquanto era gravado. O que fazia sentido. Agora outras decisões difíceis, entre outras opções ruins, começavam a fazer sentido. Era o momento de formular perguntas.

— Seu pessoal seguia ordens quando atirou?
— Sim. Tinham ordens de disparar para o ar, como advertência.
— Você tem essa ordem gravada?
— Sim.
— Ordem dada por você?
Depois de um instante de hesitação:
— Sim. — Estava gravado.
— Vocês foram atacados?
— Sim.
— Com o quê? Pedras?
— Ouvimos disparos também. Estão gravados.
— Disparos contra vocês?
— Achamos que sim. Vimos miras apontadas para nós.
— Deve ter sido ruim. Mas vocês estavam atirando por cima da multidão.
— Sim.
Gen assentiu.
— Isso vai ajudar. Então, quem empregou vocês? Quem contratou você e seus homens?
— ARN. Ação Rápida de Normalização.
— Não rápida o suficiente. E você sabe quem contratou a ARN?
— Alguém destes edifícios, presumo.
— Porque era isso o que vocês tinham que defender.
— Certo.
— Alguma outra informação sobre quem no edifício contratou a ARN?
— Não.
Gen balançou a cabeça. Ficou encarando o homem sem pestanejar.
— Em geral, as pessoas sabem alguma coisa. Têm uma ideia. Em geral não se colocam em perigo pelo primeiro imbecil que os paga.
— Em geral.
— Então está me dizendo que não sabe para quem trabalha.
— Trabalho para a Ação Rápida de Normalização.
— E quem é seu supervisor lá? E onde essa pessoa está agora?
— É Eric Escher. E eu não sei.
Gen bufou.
— Ele vai jogar você aos leões. Sabe disso, não?
— Ossos do ofício.
— Me poupe, por favor. — Gen se levantou, olhando com desprezo para o homem. — Me poupe de seu código de mercenário, atirando à noite com fuzis de assalto, em civis portando gravetos, pedras e fogos de artifício de Quatro de Julho. Você está fodido. Se me disser para quem Escher está trabalhando, falarei bem de você quando for a julgamento. Porque é o que vai acontecer.

O homem a encarou de volta, mais zangado do que assustado.

Gen suspirou.

— Devem pagar você muito bem. Quando sair da cadeia, em alguns anos, pode ser que tenha algum dinheiro. Ou também pode ser que não o paguem, já pensou nisso? Já pensou que tempo vale mais do que dinheiro? Não vai gostar de cumprir pena. E é o que vai enfrentar. Atirar em policiais? Os tribunais não gostam disso. É um delito grave, então pode ser que sua pena seja séria. Severa. Mas você poderia evitar isso, se jogasse bem com as cartas que tem. Sou a inspetora-chefe da baixa Manhattan, e sou a oficial de maior patente na cena aqui, então serei ouvida. E preciso saber quem mandou vocês saírem esta noite.

Ela esperou, cravando os olhos nele. O inquietante: o estado de direito encarnado em uma mulher negra. Sim, era inquietante. E também a coisa mais óbvia e natural do mundo. E inescapável. Inexorável. Havia tratados de extradição com o mundo todo. Ela apenas esperou, sentindo a paciência fluir enquanto o esgotamento a invadia completamente, até a sola dolorida dos pés.

O cenho franzido do homem se transformou em irritação.

— Olhe, como eu disse, estamos trabalhando para os donos deste edifício — disse ele.

— E quem seriam?

— O edifício é administrado pela Morningside Realty.

— Mas eles são apenas os intermediários. Quem é o dono? A prefeita? Hector Ramirez? Henry Vinson?

Era sempre bom ver aquele olhar de surpresa no rosto das pessoas. Há cinco minutos, o cara pensava que Gen era apenas uma policial qualquer. Agora, correções e conexões estavam sendo feitas em sua mente. Talvez começasse a lembrar melhor o encontro com Gen no barco, no centro da cidade. Ela atuava por toda a Nova York. Sabia que ele tinha trabalhado na baixa Manhattan. Um processo mútuo de descoberta, ali, de que ambos tinham interesses mais amplos na cidade. E talvez pudessem voltar a se encontrar, talvez em um processo judicial.

Gen gesticulou novamente para os sofás e voltou a se sentar. Dessa vez, o homem se sentou diante dela.

— Vinson não — disse ele. — O sócio que tinha antes.

Agora era a vez de Gen se surpreender.

— Está falando de Larry Jackman?

O homem assentiu uma vez, encarando-a nos olhos. Estava tomado pelo assombro. Ciente de que tinha atravessado o Narrows para sair em águas profundas. Podia precisar de Gen como pseudoaliada, em algum momento, em alguma circunstância. Tinha ordenado que seus homens baixassem as armas; tinha respondido às perguntas dela. Ninguém havia morrido por seu pessoal, com sorte. Tudo isso podia ser dito a seu favor, porque era verdade. E não era pouca coisa. Ela assentiu de maneira encorajadora, querendo indicar que ele realmente podia se livrar daquela situação sem maiores consequências.

O homem falou com precisão cuidadosa:

— Ele colocou este edifício e mais alguns outros ativos em um fundo anônimo quando começou a trabalhar para o governo. Ele só se comunica com Escher por terceiros agora. Mas somos sua equipe de segurança desde sempre.

Gen começava a pensar que talvez aquela noite não tivesse sido um desastre tão completo quando começaram a ouvir barulho de tiros vindos do lado de fora.

De repente, todos no lobby estavam alertas. Gen analisou o local e a pequena milícia com a qual se encontrava.

— Vou dizer que deixaremos isso para lá — ordenou ela com firmeza. — Vamos ficar todos aqui. O que quer que esteja acontecendo, eles podem resolver sem nós.

— Sério? — perguntou o homem.

— Sério. Vou dizer o que fazer: defender o edifício. Do lado de dentro.

— Defender de quem?

Gen deu de ombros.

— De quem quer que seja. — Ela deu uma olhada em seu tablet de pulso, que acabara de bipar. — Ah, na verdade é a Guarda Nacional.

•

Há, em sua enormidade, uma desproporção de esforços. Muita energia, muito dinheiro. O fabuloso maquinário de arranha-céus, telefones, imprensa, tudo isso é usado para produzir vento e acorrentar os homens a um destino penoso.

disse Le Corbusier

Em julho de 1931, o juiz que estava julgando vinte e dois mendigos presos por dormir no Central Park deu dois dólares para cada um deles e mandou que voltassem a dormir no parque. Naquela época, o lugar estava cheio de barracas, todas mobiliadas com cadeiras e camas, e dezessete delas tinham até chaminés.

A avenida DeKalb estava cheia de pessoas celebrando; os carros estavam cercados e presos, como se estivessem em uma inundação. Um grande policial negro saiu para a rua e tentava dispersar as pessoas para que o tráfego pudesse voltar a fluir. Então, de repente, alguém se lançou sobre ele e o abraçou. A multidão convergiu sobre ele – de repente todos o abraçavam, um imenso amontoamento de amor. Ele começou a gargalhar.

Tim Kreider, noite das eleições de 2008, Brooklyn

•

g) Amelia

No dia seguinte, oito de julho de 2142, Amelia Black flutuava pelo vale do rio Hudson, a caminho de casa.

Tinha passado relativamente bem pela tempestade. Por sorte, sua propensão a acidentes, tanto inata quanto adquirida (ou imposta), a poupara de algo pior do que ser pega em pleno voo quando o furacão chegou. Isso fora estúpido, claro, mas ela não tinha prestado atenção, não tinha percebido etc. Assim que Vlade a alertou da situação, Frans e ela fizeram a coisa certa, sem deixar de transmitir sua aventura para o público na nuvem, que aumentava a cada minuto conforme as pessoas ficavam sabendo da encrenca na qual tinha se metido dessa vez. Amelia Sem Juízo aprontava outra vez, Amelia Confusão estava encrencada, Amelia Avoada estava bobeando de novo, Amelia Cabeça-Oca não conseguia ler um mapa, rá, rá, rá etc.

Mas desde o instante em que Vlade a alertara do perigo, ela voara com o *Migração Assistida* para norte a toda velocidade, e embora sua velocidade máxima fosse só oitenta quilômetros por hora em uma atmosfera estática, com a ajuda de uns ventos crescentes ela conseguira chegar ao vilarejo de Hudson, Nova York (que ela chamava de Hudson no Hudson), onde conseguiu permissão para amarrar seu dirigível no mastro para aeronaves do Instituto Marina Abramovic, chamado assim em homenagem a uma de suas heroínas e referência. Uma vez ali, a agitação violenta da aeronave se converteu em uma performance natural, e primeiro Amelia resolveu ficar na gôndola durante o furacão – amarrando-se em uma cadeira e sendo jogada de um lado para o outro como se estivesse em um rodeio, assim como a própria Marina, em qualquer uma de suas performances variadas, perigosas e assombrosas. Seria como cavalgar na tempestade, explicou para seus fãs. Mesmo com o espírito da ilustre fundadora planando sobre o instituto e encorajando Amelia a fazer aquilo, os atuais administradores do local insistiram que, dada a previsão do tempo, nesse caso era melhor agir com prudência e, embora gostassem de ter Amelia como convidada, não queriam que ela acabasse estilhaçada sob os olhos de milhões na nuvem. Marina teria feito isso, reconheceram, mas considerando como andavam os preços dos seguros, sem falar no conselho de diretores, nos doadores e nas leis que proibiam atividades que pudessem pôr em risco crianças e deficientes mentais, era provavelmente melhor que ela não cometesse suicídio no furacão.

— Sou plenamente capacitada mentalmente — objetou Amelia.

— Não temos certeza se a lona do seu aeróstato vai aguentar ventos de mais de duzentos e cinquenta quilômetros por hora. Não abuse da nossa hospitalidade.

— É um dirigível.

Então, com certa dificuldade, Amelia conseguiu sair da gôndola sem ser esmagada, e depois disso viu Frans cavalgar na tempestade enquanto ela narrava o espetáculo do instituto. Ironicamente, no auge da tempestade, todas as janelas do lado norte do instituto foram sugadas para fora, devido a uma mudança súbita de pressão, então todos os presentes tiveram que fugir para o porão, entre gritos de alarme, enquanto Frans e o *Migração Assistida*, amarrados em oito pontos de ancoragem em um mastro robusto com vários cabos não menos resistentes, superavam os ataques sem sofrer nada mais grave do que certa deformação aerodinâmica; Frans trabalhara duro para contrabalancear as sacudidas do *Migração Assistida* por meio de milhares de ativações perfeitamente calculadas de seus vários sistemas de propulsão. Ainda assim, bateu várias vezes no solo antes de ser catapultado para cima e tensionar ao máximo os cabos de ancoragem, mas tanto as investidas contra o solo quanto as sacudidas para cima foram mitigadas constantemente pela microgestão dos propulsores, que reduziu o impacto com impavidez impressionante. Então Amelia teria estado mais segura na gôndola do que em qualquer edifício em qualquer lugar, outro testemunho da confiabilidade do *Migração Assistida* e também do princípio de flexibilidade, do *soft power* e da adaptação, tão superiores à rigidez e ao *hard power*, como ela apontou enquanto narrava as imagens realmente muito dramáticas do dirigível metamorfoseando-se sob os golpes da tempestade.

— Se ao menos o vento tivesse cor para que vocês pudessem vê-lo — disse em certo momento, entusiasmada. — Eu me pergunto se poderíamos lançar algumas chamas coloridas, ou criar uma neblina de algum tipo na direção em que ele sopra. Seria fantástico conseguir ver o vento.

Todos concordaram que era uma boa ideia para uma próxima tempestade. O vento como arte aleatória: seria bom. Mas, naquele momento, sua força invisível atingia o mundo com tamanha força que de algum modo se tornava visível, ou pelo menos muito presente, como a abrupta defenestração do instituto evidenciava de modo palpável. Que rugidos, que estrondos, que gritos de consternação! Era um bom material.

Mas claro que muito da tempestade foi boa nesse sentido. Amelia e seus anfitriões não eram as únicas pessoas encrencadas, nem estavam entre as mais encrencadas. Por isso, embora tenha permanecido na nuvem relatando a tempestade ao vivo, seu número de visitas não foi excepcionalmente elevado, já que a competição era intensa. De algum modo, era uma oportunidade perdida, mas novamente ela sobreviveria, assim como o *Migração Assistida* e Frans. Ou pelo menos era o que parecia, até que o fragmento de uma janela que acabara de estourar voou direto no dirigível e soltou vários dos balões auxiliares. Depois disso, o vento cuidou do resto. Nadou, nadou e morreu na praia!

Frans, totalmente desinflado, acabou estendido no chão como um carpete gigante, e tinha que ser reparado antes que Amelia pudesse voar novamente. Depois de um tempo, ele foi consertado pela equipe de solo de um campo de pouso ali perto, felizes em colocar a famosa estrela da nuvem no ar novamente (e por desfrutar de um instante de glória com ela). Isso feito, ela voou para a cidade a uma altitude de uns mil pés, o que sempre era excelente em termos de ângulo e perspectiva.

O que viu lá de cima deixou Amelia estupefata. Toda a faixa mais baixa do vale do Hudson estava sem folhas; era como se o inverno tivesse voltado, só que muitas das árvores estavam no solo ou, se ainda estavam de pé, erguiam os membros amputados para o céu. Era muito mais espetacular do que os danos nos edifícios, que na maioria dos casos se limitavam a janelas quebradas ou telhados deformados. Aquilo era péssimo, a reconstrução levaria meses, dava para ver; mas as árvores destruídas levariam anos para voltar a crescer. E, claro, os animais que viviam naquelas matas tinham sido igualmente afetados.

— Uau — disse Amelia para seus espectadores. — Isso é péssimo.

Seus comentários naquele dia não constituíram sua performance mais eloquente. Depois de um tempo, sentindo-se sobrecarregada, deixou que Frans se encarregasse de dizer onde estavam e ficou em silêncio.

Ao se aproximar da cidade, o complexo Cloister apareceu no horizonte antes que qualquer outra coisa, como um bosque de estacas apontando para o céu.

— Bem, as torres sobreviveram.

Ela desceu flutuando pelo meio do fiorde e, quando estava diante das torres, na parte alta, diminuiu um pouco a velocidade para que tanto as torres do Cloister quanto as de Hoboken aparecessem na tela com o máximo de efeito, erguidas muito acima da aeronave em ambos os lados. Naquele ponto, o Hudson parecia um pouco com o solo alagado de uma casa destruída e sem telhado. Era pavoroso.

Por fim, ela virou na direção da cidade para dar uma olhada no Central Park. Ficou tão chocada quanto todos os demais pela devastação. Era uma cidade de tendas agora, pontuada por centenas de árvores condenadas, os buracos deixados pelas raízes arrancadas davam o aspecto de um cemitério onde todos os mortos tinham se levantado e fugido, deixando os túmulos abertos para trás. Havia pessoas por todas as partes, como formigas, os perdidos da cidade amontoados ali, impelidos por um instinto de se juntar, pareceu a Amelia. Então ela viu que havia pessoas se reunindo nas praças de Morningside Heights, ao redor das manchas negras de fogueiras apagadas. Também havia filas de pessoas, homogêneas o bastante para sugerir que eram militares. Exército nas ruas. Ela não tinha certeza do que isso significava. Toda a cidade era um caos.

— Isso é tão ruim — disse. — Serão necessários anos para consertar tudo isso.

Uma mensagem automática de rádio chegou para dizer que não entrasse no espaço aéreo da cidade. Ela fez Frans contornar Manhattan mar adentro e subir um pouco enquanto isso. Havia uma camada de gordas nuvens de verão vindo do oeste e cobrindo a cidade. As dramáticas alternações entre a luz do sol e as sombras das nuvens conferiam à comprida coluna vertebral de Manhattan um aspecto de dragão salpicado de manchas brancas, abatido e morto na baía. Amelia ligou para casa a fim de dizer a Vlade que iria dar uma ou duas voltas antes de chegar. Ele estava com outras pessoas no refeitório, dava para ouvir. Ela cumprimentou a todos.

— Parece que os superarranha-céus da parte alta da cidade não sofreram muitos danos — comentou. — Sabem como estão?

— Ouvimos dizer que estão bem — disse Charlotte.

— As pessoas os atacaram na noite passada — falou Vlade. — Tentaram entrar em busca de algum abrigo, mas foram impedidas.

— Mas eles não podiam ser transformados em abrigos temporários para refugiados? Parece que comportariam todo mundo que está no Central Park, mais ou menos.

Charlotte falou:

— Foi o que pensei. Mas a prefeita não vai fazer isso.

— Que merda!

— Foi o que pensei.

— Oi, Amelia! — disse a voz de Roberto.

— Roberto! Stefan, você também está aí?

— Estou aqui.

— Estou tão contente em ouvir a voz dos dois! O que fizeram na tempestade?

— Quase fomos comidos por ratos-almiscarados — contou Roberto.

— Não! Eu amo ratos-almiscarados!

— Gritamos para que fossem embora — disse Stefan. — Agora nós também gostamos deles.

— Talvez possamos fazer um estudo juntos. Eles vão reconstruir suas casas, assim como nós. Dá para ver que a maré ciclônica subiu muito.

— Mais de sete metros! — exclamaram os meninos.

— Vários edifícios se foram. Como está o nosso prédio? — perguntou Amelia.

— Está bem — respondeu Vlade. — A fazenda foi destruída, mas as janelas aguentaram. É um edifício antigo e forte.

— Sem fazenda? O que vamos comer?

— Peixe — disse Vlade. — Mexilhões. Ostras. Coisas assim. Talvez possamos recorrer à caridade por um tempo.

— Isso não é bom.

— Todo mundo está igual.

— Não as pessoas nos superarranha-céus — comentou Charlotte.

— Não gosto disso — falou Amelia.

Ela disse que avisaria quando estivesse chegando e desligou. Enquanto flutuava para o norte sobre o East River, contemplou a devastação que cobria as águas rasas do Harlem, do Queens e do Bronx, e depois as imensas torres do complexo Cloister, metálicas e coloridas pelo sol. Embora tivesse subido a dois mil e quinhentos pés, as torres mais altas ainda estavam acima dela.

A imagem dos ratos-almiscarados mencionados pelos meninos veio até ela. Certamente muitos animais deviam ter se afogado com uma maré ciclônica tão alta. E, de fato, naquele mesmo instante viu uma pilha de cadáveres de animais, amontoados como lenha sobre o grande gramado ao norte do parque.

Algo se remexeu em seu interior quando ela percebeu o que era aquela pilha, como uma chave virando em uma fechadura, e Amelia se sentou com força na cadeira do piloto. Depois de observar a cidade sem enxergá-la por muito tempo – não dava para precisar quanto –, acionou os botões que a colocaram de volta na nuvem, e começou a falar ao vivo com as pessoas ao redor do mundo.

— Bem, pessoal, vocês podem ver que aqueles superarranha-céus saíram ilesos da tempestade. É uma pena que a maioria deles esteja vazia agora. Quero dizer, são torres residenciais supostamente, mas sempre foram caras demais para pessoas normais. São como grandes celeiros para guardar dinheiro, basicamente. Vocês têm que imaginá-los cheios até o alto com notas de dólar. As pessoas mais ricas do mundo possuem apartamentos nessas torres. São um investimento, ou talvez um jeito de abater impostos. Diversificação de investimentos imobiliários, chamam. Também um lugar para visitarem sempre que, por acaso, estão em Nova York. Um lugar de férias que elas podem usar por uma ou duas semanas por ano. Depende do gosto de cada uma. Em geral, essas pessoas possuem uma dúzia de lugares como esses ao redor do mundo. Diversificam suas propriedades. Então, na verdade, essas torres são apenas ativos. São dinheiro. São como grandes barras de ouro brilhantes. São tudo, exceto moradia.

Enquanto dizia isso, ela virou o *Migração Assistida* e se dirigiu para o sul.

— Agora, ali embaixo está o Central Park. Neste momento é um acampamento de refugiados, vocês podem ver. É provável que fique assim pelas próximas semanas ou meses. Talvez um ano. As pessoas vão ficar dormindo no parque. Como dá para ver, são várias barracas.

Olhou diretamente para a câmera da ponte de comando.

— Então, sabem o quê? Estou farta dos ricos. Estou sim. Estou farta de eles governarem o planeta todo para eles mesmos. Estão destruindo tudo! Então, acho que temos que pegar tudo de volta e cuidar nós mesmos. E isso implica também cuidar uns dos outros. Chega de migalhas. Lembram daquele Sindicato dos Proprietários do qual falei para vocês? Acho que é a hora de todos se juntarem a esse sindicato, e que o sindicato inicie uma greve. Uma greve de todo mundo. Acho que todo mundo devia entrar em greve. Agora. Hoje.

Sua linha telefônica se iluminou, e Amelia viu que Nicole queria falar com ela. E seus amigos da torre Met também queriam falar com ela. Ela achou que seria melhor atender a ligação de seus amigos, já que não tinha certeza do que dizer na sequência.

Parou a transmissão na nuvem e atendeu a chamada da Met. Charlotte, Franklin e Vlade a cumprimentaram ao mesmo tempo. Pareciam aliviados em ouvi-la. E também surpresos, talvez um pouco alarmados, pelo que ela acabara de dizer.

Ela os interrompeu:

— Escute, pessoal, vou seguir adiante. Vocês podem me ajudar ou podem me deixar voar sozinha, mas não vou retroceder. Porque a hora é agora. Vocês me entenderam? A hora é agora. — Ela estava ficando alterada, e fez uma pausa para se recompor. — Estou vendo tudo daqui de cima, e estou dizendo, a hora é agora. Então é melhor vocês me ajudarem!

— Vamos ajudar você — exclamou Franklin entre a confusão de vozes. — Coloque um fone de ouvido e siga em frente.

— Ótimo — disse Amelia.

— Sério? — perguntou Charlotte.

— Por que não? — falou Franklin. — Ela pode estar certa. E já fez mesmo. — E seguiu dizendo: — Então, escute, Amelia, só diga isso do seu jeito, e se achar que está encrencada, faça uma pausa e ouça as vozes em seu ouvido, vamos ajudar você.

— Ótimo — falou Amelia. Ela colocou o fone de ouvido e ouviu os amigos discutindo entre si como pequenos camundongos em sua orelha esquerda. Retomou a transmissão para seu público e falou novamente com a nuvem.

— Quando falo de uma greve de proprietários, refiro-me a parar de pagar aluguéis e hipotecas... Inclusive os empréstimos estudantis e as parcelas do seguro. Qualquer crédito que contrataram para uma maior segurança de suas famílias. O Sindicato vai declarar tudo isso dívidas ilegítimas, porque são uma chantagem que nos impuseram, e vamos exigir que sejam renegociadas... Dessa forma, temos que deixar de pagá-las. E podemos chamar isso de... Jubileu? É um nome antigo para esse tipo de coisa. Depois que iniciarmos esse Jubileu, até que haja uma reestruturação que perdoe a maioria das nossas dívidas, não vamos pagar mais nada. Vocês podem pensar que deixar de pagar sua hipoteca vai deixá-los em maus lençóis, e é verdade se for apenas uma pessoa. Mas se todo mundo fizer, isso se transforma em uma greve. Um ato de desobediência civil. Uma revolução. Então todo mundo precisa participar. Não é tão difícil. É só parar de pagar suas contas!

Amélia prosseguiu:

— O que vai acontecer então é que a ausência desses pagamentos vai fazer que os bancos quebrem. Eles pegam nosso dinheiro e usam como garantia para pedir muito mais emprestado, para financiar suas apostas, e estão muito, muito, muito endividados. Muito alavancados. Eu sempre me perguntei o que isso queria dizer. Não faz sentido como palavra, mas... Ok, não importa. O ponto é que, quando pararmos de financiar suas tolices, eles vão quebrar bem rápido. Então eles vão pedir que o governo os resgate. Somos nós. Nós somos o governo. Pelo menos na teoria, mas, sim. Somos nós. E podemos decidir o que fazer então.

Teremos que dizer ao governo o que fazer neste ponto. Se nosso governo tentar ajudar os bancos em vez de nos ajudar, então elegeremos um governo diferente. Fingiremos que a democracia é real, e isso tornará a democracia real. Elegeremos um governo do povo, pelo povo e para o povo. Essa era a ideia original. Como costumam nos dizer na escola. E é uma boa ideia, se conseguirmos torná-la real. Pois nunca foi real, até agora. Mas agora é a hora. Agora é a hora, pessoal!

Amelia respirou fundo, ouvindo as vozes que falavam desesperadamente em seu ouvido: Charlotte e Franklin, em contraponto acelerado, tendo uma pequena guerra de edição em tempo real sobre o que ela devia dizer. Amelia se limitava a repetir o que soava melhor no que conseguia captar dos respectivos discursos. Era uma espécie de mistura do que os dois falavam, mas e daí?

— Sei que tudo isso pode parecer radical. Um pouco extremo. Mas temos que fazer alguma coisa, certo? Ou nada vai mudar. Eles vão continuar destruindo as coisas. E essa greve de proprietários é um tipo de revolução no qual não podem fuzilar você em praça pública. É chamado não conformidade fiscal. Utiliza o poder do dinheiro contra o dinheiro. De fato, é um truque bem astuto, se me perguntarem. Vocês podem estar pensando que um truque tão astuto provavelmente não foi ideia minha, e é verdade. Sou uma piloto de dirigível com um programa de vida animal na nuvem. Aqui estou! Então, sim. Ainda sou apenas Amelia Black. Mas vi o dano que está sendo feito. Contemplo isso o tempo todo. Levo os animais para longe disso. E estou contemplando tudo isso agora. Há uma pilha de animais mortos no parque... E conversei com meus amigos que andaram trabalhando neste plano. E acho que é um bom plano. Não é só a boba da Amelia fazendo outro movimento estúpido... Quero dizer, esperem só um segundo...

Após um instante, ela retomou:

— Porque o ponto é democracia *versus* capitalismo. Nós, o povo, temos que nos unir e assumir o controle. Só podemos fazer isso por meio de uma ação em massa... É um caso de "um por todos e todos por um". Se um número suficiente de nós fizer isso, eles não vão poder nos colocar na cadeia, porque seremos muitos. Teremos conquistado a vitória. Eles têm armas, no entanto nós somos mais. Então, falem para todo mundo sobre isso, e sintam-se livres para compartilhar este programa e esta mensagem, difundindo e tudo mais... E qualquer um que parar de pagar suas odiosas dívidas e nos contar a respeito, imediatamente vai se tornar um membro pleno do Sindicato dos Proprietários. Eles ficarão felizes em receber todos vocês, então vamos nessa. Enviem seus dados, a inscrição é gratuita agora mesmo. Pode ser que depois vocês tenham que pagar contribuição sindical. E eles se encarregarão de arrumar seu histórico de crédito. Por enquanto, não se preocupem com isso. Definitivamente, é um caso de "quanto mais, melhor". Vocês sabem, já mencionei que tudo o que realmente importa é sempre uma questão de quanto mais, melhor.

E por fim concluiu:

— Talvez não tudo. O que espero é que acabemos formando um grande sindicato de proprietários, ou uma cooperativa, ou como quer que vocês queiram chamar. Costumava se chamar governo, e talvez chame assim novamente, quando colocarmos pessoas lá que realmente trabalhem para o povo, em vez de para os bancos... Então, sim. Quanto mais gente se juntar, melhores são nossas chances! Então converse sobre isso com sua família e amigos. Vamos tentar e ver o que acontece! E se não der certo, vocês sabem, que seja. Poderemos todos conversar sobre isso na cadeia. Se formos muitos, talvez esta ilha toda acabe na cadeia. Então não será muito diferente do que acontece agora, certo? Ah... Ei, meus amigos estão me dizendo que é melhor eu parar de falar enquanto estou me saindo bem. Como de costume! Então, chegamos ao fim deste novo episódio de "Migração Assistida com Amelia Black". Até a próxima!

•

>   Nas balsas do rio, as centenas e centenas que cruzam, retornando para casa,
>   são mais curiosas para mim do que supondes,
>   E vós, que cruzais de margem em margem há anos, portanto, sois mais para
>   mim e minhas meditações do que podeis supor...
>
>   Outros entrarão pelos portões da balsa e cruzarão de margem em margem,
>   Outros contemplarão o curso da maré,
>   Outros verão o movimento marítimo de Manhattan, a norte e a oeste, e as
>   alturas do Brooklyn a sul e a leste,
>   Outros verão as ilhas grandes e pequenas;
>   Daqui a cinquenta anos, outros verão, ao atravessar o rio, o sol que permanece
>   meia hora em seu zênite;
>   Daqui a cem anos, ou tantas centenas de anos depois, outros verão o mesmo;
>   Desfrutarão do pôr do sol, da elevação da maré, do refluxo que volta para o mar...
>
>   Não importa o tempo nem o lugar – a distância não importa, estou convosco,
>   convosco, homens e mulheres de uma geração ou de qualquer outra ge-
>   ração do futuro...
>
>   Exatamente como sentis quando contemplais o rio e o céu, assim me senti,
>   Exatamente como qualquer um de vós sois parte de uma multidão vívida, eu
>   fui um em uma multidão,
>   Exatamente como sois revigorados pela alegria do rio e pela corrente rápida,
>   eu me revigorei,
>   Exatamente como vós vos inclinais sobre o parapeito, ainda inquietos com a
>   corrente rápida, eu também me inquietava...
>   Walt Whitman

•

h) a cidade

Calotes estratégicos. Processos coletivos. Comícios em massa. Greves trabalhistas. Abandono do sistema público de transporte. Consumo restrito às necessidades básicas. Retirada de depósitos. Denúncia de todas as formas de privilégios no mercado. Abandono dos meios de comunicação em massa. Cancelamento de pagamentos agendados. Inadimplência fiscal. Protestos públicos.

A esclarecedora obra *Por que a resistência civil funciona* demonstra que a resistência civil pacífica em suas várias formas é mais eficaz do que a resistência violenta na hora de alcançar seus objetivos e mudar as coisas para melhor. Chenoweth supõe que essa maior eficácia dos movimentos de resistência pacíficos se deve precisamente ao fato de serem menos violentos, e, por isso, têm mais chance de conseguir acordos e compromissos dos governos aos quais se opõem e das pessoas cujo bem-estar supostamente questionam. Tomar o Estado para conseguir justiça econômica é visto como o principal sucesso de movimentos dessa natureza. Greves gerais e manifestações populares em centros urbanos são normalmente entendidas como formas clássicas de resistência civil, mas todos os outros métodos listados acima cabem na definição, e foram efetivos no passado.

Então, no verão de 2142, as pessoas começaram a fazer todas essas coisas. Os atores foram muitos, e não existia coesão nem consenso sobre os meios ou os fins. Começou de forma espontânea logo depois que o furacão Fyodor atingiu Nova York, quando a resposta emergencial à catástrofe não incluiu o confisco das várias torres residenciais vazias no norte da cidade. Foi a faísca que acendeu o rastilho de pólvora dos acontecimentos subsequentes. Os distúrbios em Nova York se propagaram pelo mundo com diferentes níveis de intensidade, dependendo das circunstâncias em cada região. Em tempos difíceis, os distúrbios são imprescindíveis, insiste Clover em *Motim. Greve. Motim*, para enfiar na cabeça dura do capital que a mudança que se aproxima é necessária e, de fato, já começou.

As regiões costeiras naturalmente lideraram as desordens, por serem áreas de maior tensão, mas mesmo em Denver uma parcela significativa da população se juntou aos vários sindicatos de proprietários e se recusou a pagar todos os tipos de aluguéis, hipotecas e créditos estudantis especialmente. Como era de se esperar, essa forma de resistência era popular. As vendas de bens de consumo não essenciais despencaram maciçamente em todas as partes, aleijando o crescimento econômico por meio de um perfeitamente legal "foda-se". No final das contas, trata-se apenas de deixar de gastar o dinheiro que não se tinha com coisas que não eram necessárias. Então, embora só tivessem ocorrido algumas esparsas manifestações e ocupações de espaços públicos, e os resultados da inadimplência fiscal fossem difíceis de ser vistos e relatados, havia uma sensação poderosa de alguma corrente subterrânea que arrastava a civilização global para águas desconhecidas. A história estava em marcha. E quando isso acontece, dá para sentir.

O impulso dessa corrente foi naturalmente sentido pelos mercados, que são um instrumento de grande sensibilidade na hora de perceber volatilidade. Um dos elementos que determinava o IPPE era a confiança dos proprietários, considerada em geral um dos indicadores mais precisos e rápidos da mudança dos preços imobiliários. Julgava-se impossível manipular ou amenizar as medidas de confiança dos proprietários; pesquisar cinco milhões de proprietários era a prática padrão, e então os níveis de confiança reportados eram vistos como indicadores que não podiam ser manipulados, dado que suas dimensões eram muito superiores a qualquer iniciativa de alteração imaginável. Mostravam a realidade. Mas o Sindicato dos Proprietários cresceu tanto e tão rápido que influenciava o comportamento de cerca de vinte por cento de todos os proprietários, e o humor de uma porcentagem muito maior do que essa. Então sua exortação à inadimplência financeira podia, por conta própria, virar os índices de cabeça para baixo. Os números do IPPE despencaram, o que arrastou os de Case-Shiller, e isso fez que o rápido aumento dos preços médios de moradia nas áreas costeiras que vinha ocorrendo até então fosse considerado uma bolha, e tudo isso por si só fez a bolha estourar, como no clássico momento da história que a criança exclama que o imperador está nu. O estouro da bolha fez que todas as bolhas derivadas dela estourassem, o que fez que todos os bancos e firmas de investimento recolhessem seus ativos líquidos e congelassem todos os empréstimos, incluindo os interbancários que moviam as engrenagens da economia real. Rapidamente, quase imediatamente, de fato, uma das firmas de investimento mais importantes entrou em colapso e declarou falência, e os relacionamentos fiscais entre todas as grandes empresas financeiras eram agora tão estreitos que os principais bancos privados nos Estados Unidos e na Europa correram para seus bancos centrais a fim de exigir imediata ajuda e resgate, na forma de injeções maciças de dinheiro que aplacassem o pânico e impedissem a quebra do sistema inteiro.

Tudo isso foi reportado; toda gente ao redor do globo observava esse desenrolar. As finanças voltavam a se congelar, a confiança desaparecia e ninguém sabia que valor tinha determinado papel – ninguém sabia o que era dinheiro e o que era pó. O castelo de cartas desabara de novo, e o mundo todo, abandonado em meio aos escombros do sistema econômico, olhava mais uma vez para os desgraçados que administravam as finanças e diziam: *Quem diabos são mesmo esses caras?*

É a terceira vez que vale. Ou a quarta. A que for. Os resultados do passado não são garantia de performance futura.

PARTE OITO

A comédia dos comuns

> Arte não é verdade. Arte é uma mentira que nos permite compreender a verdade.
>
> disse Picasso

a) Mutt e Jeff

— Não gosto de ver você segurando um martelo. Me assusta.

— Você se assusta com facilidade. Por quê? O que foi?

— Você não é um cara para martelos. Não tenho certeza de quem vai se machucar primeiro, você ou eu.

— Deixe disso. Não é uma habilidade complexa. É como digitar. É como digitar com uma coisa grande que golpeia o teclado para você. De fato, estou pensando que posso começar a digitar com um martelo.

— Com dois martelos, um em cada mão.

— Dois em cada mão, como um xilofonista. Vou digitar como Lionel Hampton tocava o xilofone.

— Não era um vibrafone?

— Não tenho certeza. Me passe o saco de pregos.

Mutt entrega o saco e observa o parceiro manusear o martelo e os pregos. Com os arcos do andar da fazenda tão abertos ao exterior, é como se Bartleby, o escrivão, tivesse trocado a pena por uma rebitadeira dos tempos heroicos da construção nas alturas. Embora naquele momento estivessem montando compridas jardineiras. Mais adiante, elas serão preenchidas com baldes de terra, em vez de baldes de cimento. Mas, fora isso, são como Rosie, a Rebitadora. Rosen, a Rebitador. Roosevelt, o Rebitador. Pode ser que daí tenha vindo o nome de Rosie, certamente.

— Ou você podia digitar com a testa, como Archy, a barata — comenta Mutt.

— *Toujours gai*, meu amigo. Eu gostaria disso.

— Era Mehitabel, o gato, quem dizia *toujours gai*.

— Sei disso. Fui eu quem disse para você ler o livro.

— Eu meio que gostei, devo admitir.

— Acho isso muito encorajador.

— Foi engraçado ver quão pouco Nova York mudou através dos séculos.

— É verdade. Sem contar que agora está embaixo d'água e destruída por uma tempestade.

— Como, é claro, deveria estar. O caráter permanece, a despeito das circunstâncias. Como Mehitabel sempre disse.

É um dia ensolarado, com algumas nuvens sobre Jersey. Vlade sai do elevador de serviço, empurrando um carrinho de terra preta. Idelba tem usado seu equipamento para resgatar um pouco da terra da fazenda do lugar em que agora descansa, no fundo do canal entre as torres Met e Norte. Algumas outras pessoas, que Mutt e Jeff não conhecem, seguem atrás dele com mais carrinhos.

Jeff diz:

— Aqui, esta jardineira está pronta.

Vlade ajuda sua equipe a encher a jardineira nova com terra.

— Idelba diz que pode tirar também uma lama que é muito boa para misturar com nosso composto. Devemos ficar bem de terra.

— Você vai precisar de sementes — aponta Mutt.

— Claro, mas o banco de sementes já está pronto para nos proporcionar isso. Querem que experimentemos algumas espécies novas, híbridas. E algumas relíquias novas.

— Relíquias novas?

— Encontraram em algum lugar. É que a ligação caiu. De todo modo, ficaremos bem. De volta ao trabalho a tempo de uma colheita tardia, de todo modo.

— E quanto ao nosso hotello?

— O que foi? Ainda não está pronto? Vocês podem montá-lo em uma hora. Essa é a vantagem dessas coisas. Está no depósito atrás dos elevadores.

— Não sabíamos onde estava — confessa Mutt.

— Desculpem, eu devia ter falado para vocês. Onde estão ficando agora?

— Em nenhum lugar.

— Nas áreas comuns.

— Ah, diabos, vamos trazê-los aqui para cima. Preciso de vocês aqui para servir de vigias noturnos. E vocês precisam de um lugar.

Vlade sempre cumpre sua palavra. Então, assim que o carregamento de terra é colocado nas novas jardineiras, ele vai até o depósito e tira de lá algo que parece ser uma mala grande. Isso, juntamente com o baú que contém as partes do banheiro, é o hotello deles, embalado para viagem. As peças são padronizadas, modulares e fáceis de montar. É tudo de plástico, incluindo os dois colchões nos catres, as paredes que parecem cortinas grossas de chuveiro (porque é isso que são), o banheiro químico e as luminárias, que são fitas simples de led e costumam ir dentro de uns elementos estruturais que parecem canos de PVC, agora espalhadas como luzes de Natal. Festivas na escuridão.

Vlade dá uma olhada ao redor e declara o lugar reconstruído. De fato, demorou uma hora.

— Parece que tem um pouco de brisa aqui em cima — comenta Jeff.

— Como sempre.

— Mas agora eu percebo mais. Depois do furacão, acho.

— Claro — concorda Vlade. — Todos sentimos isso agora.

— O que vai fazer a esse respeito, a propósito? Estou falando da próxima vez que tiver uma tempestade assim. A fim de proteger este andar.

— Não sei. Ainda estou pensando. Acho que a cidade inteira está, no que se refere a janelas e formas de lidar com isso. Não sei se existe alguma solução de verdade para tempestades como essa. Espero que seja uma dessas coisas que só se vê uma vez na vida. A reconstrução vai levar anos.

Mutt e Jeff assentem.

— Enquanto isso, se não quiserem mais morar aqui, deviam se inscrever na lista de espera para as camas normais lá dentro. Ou talvez possam ficar com o quarto de Charlotte.

— Esse assim chamado quarto tem paredes mais finas que as nossas.

— Bem, vocês podem cuidar do quarto na ausência dela, se ela ganhar as eleições e tiver que ir para Washington.

— Ela faria isso de verdade?

— Imagino que tentará evitar se possível, mas não sei. Se você é eleito para o Congresso, não tem que estar lá de vez em quando?

Mutt e Jeff dão de ombros.

— Não acredito que ela queira fazer isso — diz Mutt.

— Não acho que ela queira. É que agora está furiosa.

— Alguém precisa fazer — aponta Jeff.

— Podemos ser seus ministros da economia sem a pasta.

— Eu quero uma pasta.

— Então você precisa ir com ela para Washington.

— Ok, não. Mas eu sempre quis uma pasta.

— A verdade é que ela vai precisar de algum aconselhamento financeiro. Porque a merda está atingindo o ventilador.

— Está funcionando — diz Jeff. — Eu sabia que funcionaria. É como aquele tal Franklin diz, o único problema é se funcionar tão bem que acabe com a civilização. Mas, fora isso, está funcionando bem.

— Os bancos devem estar loucos.

— Totalmente. A linha entre a liquidez e a não liquidez foi movida abruptamente. Como se agora o único ativo líquido fosse dinheiro na mão. Porque as pessoas pararam de pagar aluguéis e hipotecas.

— E créditos estudantis? — pergunta Mutt.

— Isso eles nunca pagaram. Então agora não há nada embaixo do castelo de cartas. Os dominós estão caindo.

— Os dominós caindo estão acertando o castelo de cartas?

— Exato. A merda toda está vindo abaixo.

— Ótimo. E, olhe, enquanto isso, temos nossa casinha de volta!

— Eu sei. É bom. — Jeff para na porta aberta do hotello, olhando ao sul, para Wall Street. — Se todo mundo percebesse que tudo o que precisam é um hotello.

Mutt passa por ele e para no parapeito sul.

— A vista ajuda.

— Ajuda. É uma bela vista.

— Amo esta cidade.

— Não é de todo ruim. Especialmente do trigésimo andar. Olhe, vou construir outra jardineira.

— Cuidado com os dedos. — Mutt observa Jeff colocando as tábuas de madeira sobre uma comprida mesa de trabalho. — Agora você é um carpinteiro, meu amigo. Já percebeu que passamos de programadores a fazendeiros? É como uma dessas pavorosas fantasias de volta à terra que você sempre me contava. Todo mundo se torna amish e conserta o mundo. Um absurdo indecifrável, sinto dizer.

Jeff bufa enquanto alinha duas tábuas.

— Segure este negócio no lugar enquanto eu o prego.

— Sem chance.

Jeff dá de ombros e tenta fazer sozinho.

— O idiotismo da vida no campo, não foi assim que Marx chamou? O idiotismo da vida rural? Algo assim.

— E aqui estamos.

— Vamos lá, preciso de uma mão aqui. E estamos na Vinte e Três com a Madison, na cidade de Nova York, no trigésimo andar de um velho e imponente arranha-céu, então não é tão rural quanto você está dizendo.

— E você está martelando pregos.

— Estou — admite Jeff. — É como acertar a cabeça do seu pior inimigo, sem parar. E você direciona os golpes para um maldito bloco de madeira! Dá para sentir o alívio! É muito satisfatório. Então, venha até aqui e me ajude segurando esta peça no lugar.

— Chamamos isso de torno de bancada, meu amigo. Dois tornos e você está feito.

— Dois tornos lhe tiram o mérito. Venha segurar isto!

— Segure você mesmo! Pratique suas habilidades de William Morris, sua autossuficiência emersoniana!

— Foda-se a autossuficiência. Emerson era um tolo.

— Foi você quem me fez lê-lo — protesta Mutt.

— Era um maldito tolo, e você devia lê-lo. Mas ele não conseguia encadear duas ideias nem que sua vida dependesse disso. É o maior escritor de biscoitos da sorte da literatura norte-americana. — Jeff bufa, divertido. — Autossuficiência, o caralho. Somos uns malditos macacos. Sempre trabalhamos em equipe.

— Com isso seria possível fazer três boas fortunas de biscoitos da sorte. Talvez devêssemos começar uma empresa.

— Trabalho em equipe, cara. Você faz o trabalho, e eu me junto ao time. Venha segurar esta prancha de madeira aqui!
— Tudo bem. Mas você me deve uma.
— Dez centavos.
— Um dólar.
— Uma opção de compra de dez zilhões de dólares.
— Trato feito.

•

> Nesta situação, o que alguém pode dizer – como Giambattista Vico parece ter sido um dos primeiros a fazer – é que enquanto a natureza é sem sentido, a história tem um sentido; mesmo se não houver sentido, o projeto e o futuro o produzem, tanto em base individual como coletiva. O grande projeto coletivo tem um significado e é o da utopia. Mas o problema da utopia, do significado coletivo, é encontrar um significado individual.
> Fredric Jameson, *An American utopia*

•

b) Stefan e Roberto

Foi preciso uma semana para que Stefan e Roberto recuperassem o peso perdido, e, depois disso, Roberto ficou inquieto e começou a planejar a próxima aventura. Qualquer que fosse o projeto, seria complicado pelo fato de que agora havia quase uma dúzia de adultos na Met prestando atenção neles e trazendo à tona a coisa dos pais adotivos, a coisa do tutor, a coisa dos documentos, a coisa do ouro, tentando fazer deles "tutelados da cooperativa", como Charlotte colocou em determinado ponto, quando eles recusaram toda supervisão. Nenhum dos dois gostava de nenhuma dessas ideias, e concordaram que era perigoso falar abertamente com qualquer um, exceto o sr. Hexter, que tinha suas próprias ideias sobre o que eles deviam fazer, e descrevia a si mesmo como sendo, em sua relação com eles, avuncular, ou seja, "uma espécie de tio", em latim. Os meninos achavam que devia ser um idioma muito bacana para ter uma palavra específica para ser um tipo de tio, já que os tios não eram nada, até onde podiam dizer. Então estavam felizes em deixá-lo assumir o papel nessas bases.

O sr. Hexter ainda estava empenhado em ensiná-los a ler. Não era muito mais difícil do que interpretar seus mapas. Os mapas eram ótimos; eram figuras de lugares vistos de cima, fáceis de compreender. Ele queria que Amelia desse uma volta com eles, para que pudessem ver como a terra se assemelhava com os mapas vista de cima. Eles estavam dispostos a isso; na verdade, parecia genial. Mas, mesmo sem isso, o princípio dos mapas era óbvio e eles entendiam. E seria o mesmo com as palavras escritas, que eram como figuras das palavras faladas, no sentido de que cada letra era a representação de um som ou dois, e uma vez que você as memorizasse, dava para entender o som de qualquer palavra e saber o que estava lendo. Isso também tinha sido fácil. Na verdade, mais fácil do que imaginavam que seria. Teria sido mais fácil se a ortografia do inglês fosse menos estúpida, mas tudo bem.

— Eu me pergunto se tudo na escola será assim tão fácil — comentou Stefan.

— Vocês ainda podem descobrir — falou o sr. Hexter. — Mas eu não recomendo. Vocês dois são rápidos demais para a escola. Iam morrer de tédio e se meter em encrencas, e vocês já têm encrencas suficientes sem isso.

— O que quer dizer? Não estamos encrencados.

Mas era verdade que Franklin, Vlade e Charlotte tinham derretido as moedas de ouro deles e estavam tomando conta do dinheiro que haviam conseguido com o ouro. E Franklin, em particular, insistia que, dali em diante, quando saíssem para fazer qualquer coisa, tinham que levar o tablet de pulso com eles, sempre, sem exceção.

— De fato — disse ele —, acho que a ideia de colocar tornozeleiras em vocês, como fazem com quem está em prisão domiciliar, é boa. Aposto que a inspetora Gen poderia trazer um par para nós. Desse jeito, vocês não se *esqueceriam* de colocá-las quando saíssem nem se matariam sem que soubéssemos, como quase aconteceu.

— Não para isso — disse Roberto. — Somos cidadãos livres da república!

— Vocês não têm ideia se são ou não. Não têm certidão de nascimento, certo? Não têm sobrenome, pelo amor de Deus. Na verdade, Roberto, como você conseguiu um nome se ficou órfão ao nascer e se criou sozinho em uma armadilha de lagosta?

Roberto fez cara de teimoso.

— Sou Roberto Nova York, da casa de Nova York. O mestre da doca me dizia que eu ficava o dia todo roubando, então decidi me chamar Roubo. Depois um cara me falou de Roberto Clemente. Então decidi que eu era Roberto.

— E que idade você tinha nessa época?

— Três anos.

Franklin balançou a cabeça.

— Assombroso. E você, Stefan?

— Sou Stefan Melville de Madison.

— Vocês são tutelados do edifício. Ou talvez da Sambam. Charlotte tornou o status de vocês legal. Então, se quiserem sair, pelo menos levem o tablet de pulso.

— Tudo bem — concedeu Stefan. — Sempre podemos nos livrar dele mais tarde — explicou para Roberto, prevendo os protestos do amigo.

— Por enquanto, eu vou com eles — disse o sr. Hexter. — Vamos sair e ver como estão as coisas desde a tempestade.

— Vamos caçar ratos-almiscarados!

Franklin assentiu.

— Tudo bem. O sr. Hexter será o bracelete eletrônico de vocês.

— De fato, estou muito apegado aos meus amigos — disse o velho, balançando a cabeça como se fosse um mau costume.

— Aliás, e quanto ao nosso ouro? — quis saber Roberto. — Aqui está você tentando nos trancar e fica escondendo o ouro de nós.

— Não, não — falou Franklin. — O ouro é de vocês. O que restou dele, pelo menos. Está no cofre de Vlade, para que vocês não façam um grande colar e saiam nadando com ele. Está indo bem. Mais do que bem. Vocês sabem disso. O Banco Central da Índia ama vocês. E eu usei uma parte do que eles pagaram para investir no curto prazo em moradias, então agora vocês são ricos. Quando eu terminar, vocês serão cinquenta vezes mais ricos do que quando estavam com o ouro. A única dúvida é quem vai sobrar para pagar vocês.

— Legal.

— Eu quero um dobrão de ouro para furar e colocar no pescoço em um colar.

— Acho que são guinéus, e por acaso vocês não ouviram histórias de caras decapitados por ladrões que vão atrás de colares de ouro?

— Não.

Os meninos pareceram um pouco preocupados.

— Isso aconteceu de verdade?

— Claro, aqui é Nova York, lembra?

— Ok. Bem, mesmo assim quero uma das moedas, para levar no bolso.

— Parece justo. Desde que estejam com o tablet de pulso, para que possamos recuperar seus cadáveres.

— Trato feito.

Então voltaram a recitar o *a, b, c, d, e, f, g, h, i, j, k* etc. A essa altura, recitavam sempre que queriam levar o sr. Hexter para fazer algo mais interessante do que ler.

Naquele dia, como Franklin Garr tinha ido para o maldito complexo Cloister, como ele mesmo dizia, os garotos usaram a cantilena para convencer o sr. H a fazer um passeio pela cidade.

O bote deles não tinha sinais de desgaste, então saíram pelos canais do bairro para ver como andavam as coisas. O furacão tinha arrancado todas as folhas, então os terraços e os telhados pareciam pelados, e vários canais ainda estavam obstruídos pelos destroços. Mas conseguiram abrir caminho pela maioria deles, e as equipes municipais estavam fazendo hora extra para limpá-los. Havia um cheiro úmido de vegetação no ar, e muitas pessoas na água usavam máscaras brancas. O sr. Hexter bufou ao ver isso.

— Não sabem que estão se privando de nutrientes necessários e de micróbios muito úteis.

Descobriram que, entre a vegetação sobrevivente ao ataque do vento, a maior parte era de árvores plantadas em vasos, e que presumivelmente tinham sido derrubadas e permaneceram deitadas durante a tempestade, e agora só precisavam ser erguidas para restaurar algum verde ao cenário. Pareciam maltratadas, mas não abatidas; como a própria cidade, o sr. Hexter declarou.

Por toda a zona entremarés as coisas estavam realmente pavorosas. Ao redor da Quinze, a marca do nível máximo da maré ciclônica era óbvia, uma parede irregular de lixo que transpirava da umidade criminosa. O sr. Hexter disse que aquilo o recordava as barricadas de *Os miseráveis*: janelas intactas em suas esquadrias, persianas, cadeiras, cascos de barcos, lixeiras, paletes, caixas, latas e muitos galhos, ou até mesmo árvores inteiras, com raízes e tudo. Essa longa barreira de recife complicava as coisas entre a baixa Manhattan e a terra firme, e era interessante ver os funcionários municipais concentrados nos canais de determinadas avenidas a fim de estabelecer as docas flutuantes funcionais: na Décima, na Sexta, na Quinta, na Lex...

Por toda parte, as pessoas estavam nas ruas, ou procurando coisas ou apenas vivendo suas vidas de verão. Residentes refugiados, de aspecto esfarrapado. Era como se todo mundo tivesse se transformado em Huckleberry e em seu pai, ou como se a cidade inteira tivesse se transformado na rua de Fundy na maré rápida.

— Por que não tomaram as torres da parte alta da cidade? — perguntou Stefan para o velho.

— Tentaram e não deu certo.

— E daí? — disse Roberto. — Foi só uma noite! Por que não continuaram tentando todo dia?

— Não pensaram nisso.

— Por que não?

— Chamam isso de hegemonia.

— Outra palavra, não!

Hexter riu ao ouvir aquilo.

— Sim, outra palavra. A guerra das palavras! Neste caso, grega, eu acho.

— Eixo monía? É uma parte de um barco?

— Não, he-ge-mo-ni-a. Quer dizer... humm... Significa que as pessoas são dominadas sem que uma arma esteja apontada para a cabeça delas o tempo todo. Mesmo quando são maltratadas. Elas simplesmente aceitam.

— Mas isso é estúpido.

— Bem, somos animais sociais, acho que é o que se poderia dizer.

— Então somos todos estúpidos, é isso que você está dizendo. Somos como...

— Somos como zumbis!

Hexter deu uma gargalhada.

— É como eu costumo pensar. Vocês já viram *Vampiros versus zumbis*? Não, não viram. Um filme muito bom. Os vampiros voam por aí, sugando o sangue dos trabalhadores. É o melhor sangue para ser sugado. Quando os trabalhadores ficam sem sangue, eles se transformam em zumbis, então os vampiros voam para outra parte e avançam sobre uma nova população, deixando para trás os zumbis, que não fazem mais do que perambular mortos por ali.

— Então isso seria uma he-ge-mo-ni-a — falou Roberto pronunciando a palavra com cuidado.

— Vocês são ótimos. Então, sim, mais e mais pessoas têm o sangue sugado e se transformam em zumbis, e então, quando quase todos são zumbis...

— Todos menos um!

— Todos menos dois.

— Certo, vocês dois. Mas então os zumbis decidem que é hora de se revoltar.

— Já era hora.

— Antes tarde do que nunca.

— Exatamente. Então todos os zumbis se dirigem ao castelo dos vampiros, decididos a tomá-lo. Mas são muito lentos. No início, os vampiros riem deles. Mas tampouco há sangue novo para esses morcegos sugarem, então eles também estão cada vez mais lentos. No final, é como se todo o filme estivesse em câmera lenta, é hilário. Os zumbis se desfazem em pedaços quando acertam alguém, e os vampiros só sabem morder. Os dois lados estão muito fracos. Como sempre, a cena se prolonga tempo demais. Por fim, os zumbis meio que esmagam os vampiros sob o peso de seus membros caídos dos corpos. Fim.

— Quero ver isso.

— Eu também!

— Eu também — disse Hexter.

Enquanto avançavam, mantinham os olhos abertos em busca de vida selvagem, ratos-almiscarados em particular, mas qualquer coisa servia. Hexter falou:

— Os índios acreditavam que os ursos eram irmãos mais velhos dos castores, e que os castores eram irmãos mais velhos dos ratos-almiscarados. Os mais velhos protegiam os mais novos, eu acho. Ou os mais velhos não comiam os mais novos.

— E quanto às lontras?

— Ah, não, as lontras são assassinas cruéis. Brincalhonas, mas cruéis.

— É difícil entender como podem matar qualquer coisa. Sua boca é tão pequena.

— É uma questão de atitude, acho. Ei, olhem, tem um ninho naquela cornija. Parece que é de falcão peregrino. Eles são tão bonitos.

— Eles caem como rochas!

— Como flechas. Eu sei. Então, isto é o mais perto de um pântano que temos agora, esta parte da zona entremarés na Cinquenta e Cinco com a Madison. Isso porque esta área já foi um pântano muito antes de a cidade existir. Aqui ficava o córrego chamado Kill of Schepmoes, creio. Eu o chamo de Pântano dos Dois Stooges. Agora, é como se tivesse voltado. Vejam aqueles salgueiros e amieiros crescendo diretamente do solo. E a velha nascente voltou a brotar.

— Não diga!

— Digo. Ela nunca parou. Drena o extremo sudeste do Central Park. É o antigo divisor de águas que volta. E por isso há castores ali. O mesmo que no extremo nordeste do parque. Os castores roem os amieiros e os salgueiros...

— Com os dentes!

— Isso mesmo. São mais resistentes do que os vampiros, dentalmente falando. Eles roem árvores inteiras, e entrelaçam as árvores e os galhos até construir um dique de castor, que aumenta um pouco o nível da água e diminui a correnteza. Eles podem construir cabanas de castores, nas quais dá para entrar nadando, e têm uma parte mais elevada, que é seca.

— Isso é muito legal.

— É, sim. E também servem como casas para os ratos-almiscarados, que se mudam para cabanas de castores abandonadas, ou fazem suas próprias casas usando principalmente a madeira que os castores cortaram. Então, junto com os castores vêm todos os animais e plantas que antes viviam nesta ilha, porque os diques de castor sustentam essa comunidade inteira. Eles nos dão lagos e pântanos, sapos, plantas subaquáticas e alguns peixes de água doce, e assim por diante. É o que Eric Sanderson nos ensinou. Um dos maiores nova-iorquinos. Foi ele quem fundou o Projeto Manhattan.

— Ei, olhem, aquilo ali é um rato-almiscarado?

Roberto desligou o motor e se deixaram levar pela correnteza suave daquela parte da zona entremarés. Sob a massa de lixo na Park com a Cinquenta e Quatro, a água era perturbada por pequenas ondas corrugadas.

— É o sinal deles — sussurrou o sr. Hexter. — As múltiplas ondas são criadas com os bigodes. Eles podem meio que cheirar a água, ou senti-la, com os bigodes. *Ondathra*, era como os índios daqui os chamavam. Como um monstro de filme japonês. Ou almiscareiro. Dá para sentir o cheiro deles, são bem almiscarados. Acho que essa família está reconstruindo sua casa. É como uma cabana de castores, mas menor. Eles ficam sobre a entrada da toca.

— Mas o que podem escavar ali?

— Buracos em edifícios antigos.

— Como os que vimos no Bronx!

— Exato. A entrada está sob a água, mas a toca fica em cima. É onde dormem, as mães dão à luz os filhotes e tudo mais.

— A cauda é como uma serpente!

— Parecida. Agora vejam, se tivessem uma câmera e boas lentes, vocês podiam tirar fotos desses carinhas e adicioná-las ao Projeto Manhattan.

— Os que inventaram a bomba atômica?

— Sim. É um bom grupo, vocês deviam se juntar a eles. Precisam ter algum tipo de projeto. Repito o que já falei antes: depois de encontrar o *Hussar* é só ladeira abaixo se continuarem com essa coisa de tesouros afundados.

— Mas e quanto a Melville? Ele viveu ao lado da nossa casa!

— É verdade, e seria bom colocar uma placa ou algo assim. Talvez pudéssemos falar com a prefeitura para que coloque uma daquelas placas ovaladas azuis, como na Inglaterra. Teríamos a de Melville, a de Teddy Roosevelt, a de Stieglitz e O'Keeffe, e de várias outras pessoas. Mas tirar a lápide dele da terra firme e levar até a zona entremarés é provavelmente uma péssima ideia. Na verdade, fazer qualquer coisa embaixo d'água neste momento é provavelmente uma péssima ideia.

Os meninos não gostaram de ouvir aquilo, mas entre todos os adultos na vida deles, o sr. Hexter era o único que nunca dizia o que tinham que fazer.

— Eles tornariam vocês membros plenos de Mannahatta agora mesmo. E vocês teriam animais para procurar cada vez que saíssem. E o pessoal que trabalha com as gaiolas de aquicultura detesta os ratos-almiscarados, porque eles comem os peixes quando conseguem entrar nas gaiolas. Então vocês poderiam começar a capturar ratos-almiscarados com vida e levá-los para outro lugar.

— Isso poderia ser divertido — imaginou Stefan.

— Vocês precisam fazer alguma coisa — observou o sr. Hexter. — Agora que são rentistas. É um destino horrível ser rico, pelo menos é o que ouvi dizer. Vocês precisam imaginar algo útil e divertido para fazer, e não é fácil.

— Podíamos mapear a cidade! — sugeriu Stefan.

— Adoro essa ideia. Mas tenho que admitir que dá para fazer mapas muito bons com os drones hoje em dia, ou mesmo do espaço. Meio que tira a graça da coisa, talvez.

— Então o que devemos fazer?

— Acho que ajudar animais seria bom — disse Hexter. — Ajudar animais ou ajudar pessoas. É a solução normal nesses casos. Isso ou fazer coisas. Talvez vocês pudessem embelezar a cidade, criar obras de arte com os detritos da tempestade. Isso poderia ser divertido. Um Goldsworthy em cada esquina. Ou podiam ir atrás de ratos. O Central Park tem toneladas deles. A cidade costumava ter leões no zoológico que existia ali, e os ratos entravam na jaula e comiam toda a comida deles, e os leões não podiam fazer nada ou seriam roídos até a morte.

— Um viva para os ratos!

— Pode ser. Uma vez mataram duzentos mil ratos no Central Park em um único final de semana. Uma semana mais tarde, os ratos estavam de volta. Suponho que vocês poderiam se tornar caçadores de ratos.

Roberto não estava satisfeito.
— Quero fazer algo importante — disse.

•

depois fomos ao Brevoort que era muito mais agradável todo mundo que era alguém estava lá e também estava Emma Goldman comendo salsichas Frankfurt e *sauerkraut* e todos olhavam para Emma Goldman e para todos os demais que eram alguém e todo mundo estava a favor da paz e da comunidade cooperativa e da Revolução Russa e conversamos sobre bandeiras e barricadas e postos adequados para metralhadoras

e tomamos vários drinques e *welsh rabbits* e pagamos nossa conta e fomos para casa e abrimos a porta com a chave e colocamos nosso pijama e fomos para a cama que estava muito confortável

John Dos Passos, *USA*

A sabedoria sempre chega tarde e peca por certa inexatidão ao primeiro contato.

supôs Francis Spufford

•

c) Charlotte

Charlotte concorria para o Congresso sem dedicar muito tempo a isso.
— Sim — admitia nas reuniões da tarde ou pelo tablet de pulso enquanto ia para o trabalho. — Sim, estou concorrendo, e é um saco, mas alguém tem que fazer isso. Nosso muito pouco amado Partido Democrático nos traiu de novo com a resposta covarde da prefeita ao furacão. Ela não está sequer dizendo as coisas certas desta vez, está agindo errado como sempre. Sei que não joguei o jogo direito, que não subi os degraus que o partido exige para assegurar que os candidatos estejam bem domesticados antes de participar do circo da capital. Mas essa falta da minha parte é agora uma vantagem, porque a profissionalização da política é uma das causas da fragilidade do Partido Democrático. Sou democrata por falta de algo melhor, e tenho a intenção de dar voz às pessoas do nosso partido de duas caras e calar o lado que fala em nome de Denver. É por isso que estou concorrendo. Minha plataforma é similar à da ala esquerda da atual plataforma do partido, você pode verificar as particularidades se quiser, os Democratas Radicais, mas saiba que principalmente quero falar pelas pessoas das zonas

entremarés de todos os lugares, e falar contra a oligarquia global todo santo dia. Não aceito dinheiro de ninguém para fazer campanha e não tenho dinheiro próprio, então vou trabalhar principalmente na nuvem, como agora. Vote em mim se quiser, se não, você vai ter o que merece.

Muitas variações sobre este tema. Ela não se incomodava em parecer simpática e não apareceu em nenhum dos eventos supostamente essenciais. Continuava com seu trabalho no Sindicato dos Proprietários, ajudando pessoas que nem sequer votavam. Falava com alguns personagens da nuvem, e com amigos em certos grupos da cidade. Seria um experimento. Campanhas similares tinham funcionado antes.

Enquanto isso, o outono avançava em Nova York de um jeito que parecia ajudá-la. A greve de inadimplência selvagem do Sindicato dos Proprietários se difundia e ficava cada vez mais forte; não pagar aluguéis e hipotecas e chamar isso de um ato político estava se convertendo em algo popular. Os mercados aguentavam como podiam, proclamando em alto e bom som que estava tudo bem, mas as pessoas agora falavam de rendas usando a definição dos economistas, ou seja, qualquer dinheiro ganho sem trabalho econômico produtivo. De repente, termos como realização de lucro, corrupção e vantagem comercial começaram a ser usados como sinônimos. A greve dos proprietários até parecia uma resposta lógica ao castigo da Mãe Natureza e à cega intransigência dos milionários não residentes com suas torres vazias na parte alta da cidade. *Portanto, à greve!, e vamos observar o castelo de cartas cair.* Tudo o que acontecia parecia reforçar a mensagem da campanha de Charlotte. A plutocracia se escondia em paraísos fiscais atrás de seus algoritmos, e os mercenários da segurança particular continuavam fazendo uma espécie de guerra fria com a polícia de Nova York. A Guarda Nacional permanecia em Morningside Heights, e tentava agradar aos dois lados. Todo mundo cumpria seu papel como se nada tivesse mudado, como Charlotte apontava sempre que possível. Talvez ela também estivesse fazendo seu papel no jogo, mas parecia que tinha um belo conjunto de cartas na mão desta vez. Se não, eles receberiam o que mereciam, todos eles.

— Eu não me importo! — repetia ela sem parar. — Vote em mim se quiser, se não quiser tudo bem. Vou ser poupada de uma série de problemas se perder. Só estou fazendo isso porque alguém precisa fazer, algum burocrata trouxa dos serviços públicos, e não posso acreditar que seja eu, mas me convenceram a fazer isso. Sinto muito se sou uma tola, mas minha mãe lia livros para mim, e acho que é por isso que sou assim. Eu acreditava nas histórias. Ainda acredito. Mas trabalho duro, dado que não tenho nada melhor para fazer com meu tempo. Então, vote em mim, para que eu não me sinta ainda mais idiota do que já sou.

As intenções de voto de sua candidatura estavam em alta, e isso lhe deu a confiança necessária para começar a falar de maneira mais explícita sobre a ala esquerda do Partido Democrata, um movimento nacional incipiente, e como pretendiam substituir de uma vez por todas os títeres do poder empresarial que havia entre eles, e ver se o governo poderia voltar a ser a empresa do povo.

— Veja só, o mundo das finanças se deu mal de novo, outra de suas bolhas de apostas que estourou, e agora estão indo ao Congresso para exigir outro resgate às custas do contribuinte, como sempre. Dê-nos todo o dinheiro que perdemos, eles dizem, ou vamos explodir o mundo. Eles esperam ser pagos antes de novembro, quando um novo Congresso poderá fazer algo diferente. O que faremos, se você eleger um número suficiente de democratas radicais? Vamos agir de maneira coordenada no Congresso, há candidatos como eu em todas as partes, e desta vez resgataremos a economia para nós mesmos, não para os ricos. É isso que os assusta agora, o fato de que um plano de verdade paira sobre suas cabeças feias, e é o seguinte: nacionalizar os bancos. Converter a sanguessuga gigantesca que está grudada na economia real em uma cooperativa de crédito e espremer todo o sangue-dinheiro que ela nos sugou.

Ela se conteve antes que a imagem de uma sanguessuga espremida devolvendo o sangue chupado ficasse vívida demais. Sem dúvida, ela podia ser bem criativa, não de um jeito bom, quando se empolgava. Tomar uma taça de vinho, fechar os olhos e relaxar. Mas estava zangada demais para se importar com isso. E seus números de intenção de votos estavam aumentando, então parecia que estava funcionando, o que a deixava ainda mais criativa. Era como tinha que funcionar, se é que ia funcionar. Ela até começara a participar de eventos de campanha. Mas o que mais fazia era falar com seu tablet de pulso e transmitir para onde fosse. Falar com a cidade como uma maluca do parque. Perigoso, claro. Mas a prudência também era. E como contava com o Sindicato dos Proprietários, seguia em frente.

Além disso, Amelia tinha colocado uma foto sua com um leopardo em um banner que dizia: "Todos os grandes mamíferos votam em Charlotte". O leopardo estava sentado como um cachorro e Amelia em pé ao seu lado, ambos despidos e sem arrependimentos. Em alguma planície africana, com um céu azul-turquesa ao fundo. Os dois com a mesma expressão calma enquanto olhavam para a câmera.

— Ok — disse Charlotte. — Amo você.

Enquanto isso, em seu trabalho de verdade, no mundo real, o sindicato tinha mudado o foco dos imigrantes para os refugiados, ou como quer que se chamasse um quarto dos moradores da cidade que precisavam de ajuda. Oscilavam entre os residentes legais da zona entremarés e mendigos sem documentos que nunca tinham estado no radar de ninguém até este ponto, mas qualquer que fosse a situação legal deles, tinham ficado sem teto por causa da tempestade e agora ocupavam o Central Park ou partes da cidade alta, ou qualquer moradia não alagada que não tivesse desmoronado completamente. Grosso modo, calculava-se que havia um milhão deles, talvez dois, e uma porcentagem considerável daqueles que esperavam sobreviver ao incidente sem entrar no radar e começar a fazer parte dos sistemas da cidade, ou mesmo ser contabilizados. Era um problema imenso para a burocracia encarregada de manter os refugiados vivos e livres de doenças.

Por outro lado, uma novidade que parecia colaborar com os esforços da cidade era o fluxo habitual de imigrantes vindos de todos os lados, que parecia ter cessado de vez. Fazia sentido; as pessoas não costumavam se esforçar muito para entrar em uma zona de desastre. As que faziam isso costumavam ter más intenções; então, no momento, parecia moralmente razoável negar entrada a qualquer recém-chegado que tentasse se estabelecer na cidade. Um sistema quase chinês, pelo estilo, era gerado espontaneamente no gabinete da prefeita para lidar com as permissões de moradia, e era horrível e provavelmente anticonstitucional, mas, no momento, representava uma pequena ajuda. Já temos problemas suficientes, a cidade dizia. Voltem mais tarde. Vão embora.

Claro que ainda havia aqueles que entravam por fora do radar, como sempre. Alguns deles sem dúvida eram criminosos esperando se aproveitar dos refugiados, e a polícia fazia o que podia para manter a ordem, ao mesmo tempo que lutava para exercer controle sobre os exércitos de seguranças particulares que trabalhavam na ilha e no porto. Essa batalha estava começando a parecer uma pequena guerra civil. Quando a Guarda Nacional se juntou ao Departamento de Polícia de Nova York nessa luta, foi uma grande ajuda, um grande momento. Charlotte fez uma pausa para pensar o que significava quando um estado policial era uma aspiração legítima, impedindo um destino pior, mas então voltou ao trabalho. A cada dia havia mais coisas para fazer.

Para ela, isso significava que havia um fluxo constante de clientes suplicando ajuda para encontrar uma moradia, porque suas acomodações antigas tinham sido danificadas ou destruídas. Realocação de moradias; era isso o que ela fazia antes da tempestade, então, de certo modo, era o mesmo de sempre, multiplicado por mil. A vida como emergência; não era o estilo dela, ou talvez fosse, mas esse ritmo não podia ser mantido; ela já tinha trabalhado até o limite de suas forças em ocasiões anteriores. Então agora não podia fazer outra coisa a não ser assumir e levar a vida minuto a minuto, dia após dia. Fazer o possível com o que tinha em cada momento. Os dias passavam voando.

Com a infraestrutura e o estoque de moradias tão destruídos como estavam, muitos departamentos municipais iam até o sindicato pedir ajuda para organizar os esforços de atendimento aos refugiados. Isso deu a Charlotte certa influência dentro do sistema municipal, e também proporcionou uma forma indireta de criticar a prefeita e sua equipe. Muitos burocratas da cidade agora deixavam de lado o gabinete da prefeita na tentativa de acessar alguém que realmente pudesse ajudá-los. Charlotte era um dos nós desse sistema alternativo e, sem criticar a prefeita abertamente, alegrava-se em ver que formava uma espécie de rede dual alternativa subjacente ao gabinete oficial, que ainda concentrava a maior parte dos esforços para polir a imagem da prefeita, como sempre. Fora esse esforço incessante, a equipe inteira do gabinete era inútil, e as pessoas começavam a falar isso, ou então a ignorá-los por completo. E a notícia se espalhava.

— Quem se importa com o adorno de proa quando há vazamentos embaixo da linha d'água? — disse Charlotte em uma das mensagens que enviou ao público pelo tablet de pulso. — Só falo por mim mesma, como candidata a um cargo no Congresso que a prefeita espera preencher com uma de suas aduladoras inúteis.

Quando voltava à Met, tarde todas as noites, ela fazia uma refeição com o que sobrara do jantar e punha os pés para cima onde podia, entre a multidão do refeitório. Mais satisfatório do que a rotina diária ou do que os percalços da campanha era trabalhar com Franklin Garr no projeto de requalificação urbana. Neste ponto, já tinham contratado um total de oito quarteirões em Chelsea, como um tipo de projeto piloto. O grupo de investidores de Franklin (que incluía o ouro do pessoal da Met) tinha assegurado os direitos de propriedade provisórios, pelo menos até onde isso podia ser feito na zona entremarés, além de obter as permissões para demolição, construção e financiamento das obras. O financiamento era uma combinação do ouro monetizado deles, empréstimos federais e sem fins lucrativos, investidores anjo, fundos de capital de risco e empréstimos convencionais, obtidos antes da paralisia da crise de liquidez e contração de crédito que se agravava a cada dia. A equipe de construção já fora formada, dissera Franklin; isso não era um feito qualquer, tendo em conta a demanda dos empreiteiros. De Boston a Atlanta, os trabalhadores do setor da construção iam em massa para Nova York para reconstruir a cidade, mesmo assim não havia gente suficiente, então o golpe de mestre de Franklin foi reunir as equipes ele mesmo.

— Como conseguiu que eles concordassem com isso? — perguntou Charlotte para ele.

— Fomos até Miami. Há empresas ali que estão fazendo coisas parecidas há anos. Além disso, vamos pagar o dobro dos salários normais.

— Que bom! Ei... Eu posso garantir moradores para você.

— Que belo desafio! Primeiro preciso que me consiga mais cabos e buchas de fixação.

Ele precisava disso para conectar as balsas-quarteirões ao leito rochoso. No bairro de Franklin, o leito rochoso estava a trinta metros do fundo do canal; era um problema, mas não algo impossível de se resolver. Outro custo. As partes móveis ou partes flexíveis que se estenderiam entre os postes de amarração submersos e as plataformas flutuantes eram o xis da questão, segundo o empreiteiro-chefe de Franklin. Havia novas tecnologias para garantir flexibilidade, inspiradas no biomimetismo, truques aprendidos com base nos leitos de algas, nas lapas e na fáscia humana, e eram incrivelmente eficientes, mas relativamente novas, raras e, portanto, caras.

E também tinham que acomodar os edifícios convencionais que ainda circundavam o bairro.

— Mais cedo ou mais tarde, toda a baixa Manhattan vai se mover junta, como zostera. Até lá, vamos precisar de espaços livres, margens e sistemas de amortecimento.

— E quanto à demolição?

— Vai bem. A amiga de Vlade, Idelba, é parte da equipe; está dragando o fundo para limpar um pouco a área antes que comecem a cavar e perfurar até o leito rochoso. Está nos fazendo um favor, porque agora todas as equipes de dragagem da cidade estão ocupadas, e ela quer continuar com os trabalhos em Coney Island. Mas é um trabalho bem pequeno para seus padrões, e ela está disposta a encaixá-lo na agenda.

— Fico feliz em ouvir isso.

— Você já jantou?

— Não. Quero dizer, comi algumas sobras, mas nada demais. Ah, Deus, já são mais de dez.

— Vamos sair e comer alguma coisa.

— Ok.

Enquanto devoravam uma refeição rápida em uma lanchonete que ocupava a proa do Flatiron, Charlotte perguntou a Franklin o que ele achava da situação das finanças.

Franklin fez um aceno com mão enquanto engolia e disse:

— Está tudo em marcha. Estão ficando loucos. Estão tentando saltar por sobre o abismo, e suas varas estão se rachando. Ainda tentam impedir que aconteça, e o processo avança devagar em comparação com o estouro de outras bolhas, mas a crise de verdade está prestes a começar.

— Mas quando será?

— Depende de quanto tempo vão continuar fingindo que está tudo bem. As pessoas mais expostas estão correndo de um lado para o outro, procurando formas de sair disso, então querem que tudo pareça bem o maior tempo possível.

— Então será que é hora de conversar com meu Fedex de novo?

— Se você achar que ele precisa de um encorajamento...

— Acho que sim, provavelmente.

— Então você devia fazer isso.

Nesse momento foram interrompidos por uma trupe itinerante de músicos que interpretava uma versão *bluegrass* de The pirates of Penzance, com banjo, violino, concertina e kazoo, cantada de uma forma tão bonita e alta, com o banjo ao fundo, ali mesmo, diante deles, que não puderam fazer outra coisa além de se recostar em seus assentos e desfrutar.

Naquela noite, antes de dormir, Charlotte pensou na conversa deles. Pela manhã, mandou uma mensagem para Larry.

Café? Jantar?
Está brincando, certo?
Não. Você tem que comer, e eu também.
Estou em Washington.
Aposto que sim. Já é o fim do mundo?
Está perto.
Então você vem logo para cá.
Verdade.
E precisa comer, mesmo que o mundo acabe.
Verdade.
Jantar? Café da manhã?
Jantar. Terça.

Então ela estava se arrumando para jantar com Larry, na terça-feira, depois de cancelar qualquer outro compromisso da agenda, por mais crítico que fosse, quando Gen Octaviasdottir a chamou.

— Sabe o pessoal que sequestrou Mutt e Jeff? — disse Gen para Charlotte pelo tablet de pulso. — A empresa de segurança que achávamos estar envolvida nisso? Parecia que trabalhavam para Henry Vinson, como eu disse a você. E fazia sentido, dado o que sabíamos. Tínhamos todo o pessoal dele sob vigilância. Mas na noite do tumulto na torre conversei com um homem que trabalhava para a tal empresa, e ele me contou algumas coisas, e pedi que meus assistentes verificassem o que ele tinha dito. E parece ser verdade. A Pinscher Pinkerton trabalhava para Vinson, mas a Ação Rápida de Normalização entrou em cena depois. E o chefe da ARN, Escher, vem trabalhando para Larry Jackman.

— Como?! — Charlotte tentava compreender. — O que isso significa? — Então se deu conta. — Merda! Quer dizer que Larry é o canalha por trás disso tudo? — Uma fúria súbita contra ele fez o mundo ficar vermelho, outra reação psicológica comum a todos. Ela via tudo vermelho!

— Bem, é mais complicado do que isso — disse Gen quando a visão de Charlotte voltou ao normal. — Venha até a sala comunitária que explico pessoalmente.

— Ok, claro. Terei que sair logo, mas é para ver Larry Jackman. Então preciso ouvir isso!

— Precisa mesmo.

Havia um pequeno restaurante no Soho que costumavam frequentar nos velhos tempos. Charlotte achou um pouco estranho que Larry tivesse sugerido aquele lugar, mas gostava da comida e não queria turvar as águas com contrapropostas, dado quão ocupado ele devia estar. As águas já eram turvas o bastante do jeito que estavam.

Era um lugar minúsculo, um tipo de espaço intermediário entre dois edifícios que alguém tinha se apropriado para transformar em um conjunto de salas, talvez no século dezenove. Atrás do comprido bar havia uma representação da linha do horizonte de Manhattan feita de garrafas de bebidas alcóolicas. Uma garçonete os levou até o andar de cima, com vista para um pátio que parecia um jardim de inverno, com parede de tijolos. No fundo, abaixo deles, sobrevivia de maneira insólita uma árvore solitária. Protegida dos ventos da tempestade, tinha conservado até as folhas. Contemplar a copa de cima era como olhar uma bela obra de arte chinesa.

— Então, como vão as coisas? — perguntou Charlotte quando as bebidas chegaram.

Larry ergueu a taça de vinho para fazer um brinde.

— A inadimplência dos seus proprietários está causando pânico — respondeu ele, olhando para sua taça. — Você não está surpresa em ouvir isso.

— Não.

— Você pediu para sua amiga, Amelia Black, começar tudo isso?

— Eu não a conheço tão bem.

— Ela parece uma completa idiota — comentou ele.

— Não, pelo contrário. É bem esperta.

— Você está brincando.

— É uma personalidade da nuvem, nada mais. Talvez você pudesse colocar dessa forma. Conhece aquela história sobre Marilyn Monroe?

— Não.

— Um dia, ela ia pela avenida Park com Susan Strasberg e ninguém prestava atenção nelas. Marilyn disse: "Quer ver?". E então mudou sua postura e o jeito como olhava ao redor, e de repente estavam cercadas por uma multidão. Talvez Amelia seja um pouco assim.

— Não sei como isso funcionaria.

— Talvez devêssemos nos ater aos números.

Ele aceitou a repreenda, inclinando os ombros ligeiramente para a frente. Que alegria, jantar com a ex, dizia sua postura. Charlotte lembrou a si mesma de que devia conter a língua. Bem difícil. Possivelmente um certo sadismo divertido tomava seu interior pelo fato de estar se encontrando com seu famoso Fedex nessas circunstâncias em particular, mas havia um propósito maior do qual tinha que se lembrar.

— Eu só quis dizer — continuou ela — que o disfarce cuidadoso e possivelmente inconsciente da inteligência de Amelia não vem ao caso. O ponto é que os bancos estão pirando. O nível de alavancagem deles supera em mais de cinquenta vezes os ativos que têm em mãos, certo?

Larry assentiu.

— Está dentro da lei.

— É como se estivessem em passarelas que se estendem no espaço sem tocar em nada nas extremidades. E agora um furacão como nosso Fyodor os está atingindo, e todas as passarelas estão balançando, prestes a se soltar e sair voando por aí.

— Uma imagem pitoresca — observou Larry.

— Ninguém quer caminhar nessas passarelas agora.

Ele assentiu.

— É isso mesmo. Perda de confiança.

Ela não pôde deixar de sorrir.

— Sabemos que os economistas estão afundados na merda quando começam a falar de confiança e valor. Em geral, quando você fala sobre fundamentos eles gostam de tratar de taxas de juros e preço do ouro. Então a bolha estoura e os fundamentos se tornam confiança e valor. Como criar confiança, mantê-la, restaurá-la? E qual a fonte máxima de valor? Estive lendo sobre a história de tudo isso, como tenho certeza de que você já sabe. Lembra quando Bernanke teve que admitir que o governo era o garantidor máximo do valor, quando resgatou os bancos na crise de 2008?

Larry assentiu.

— Um momento e tanto, certo? Quase elevado ao patamar da economia política, ou mesmo da filosofia.

— Um momento infame — corrigiu Larry.

— Notório! Horrível para qualquer economista. A afronta definitiva do mercado!

— Bem, não sei quanto a isso. A ideia seria que o mercado estabelece o valor, em processo no qual os compradores e os vendedores concordam com o preço. Livre iniciativa de um contrato, tudo isso.

— Mas isso sempre foi mentira.

— Isso é o que você diz, mas onde quer chegar?

— Quero dizer que os preços são sistematicamente baixos, resultado da conivência entre compradores e vendedores, que concordam em foder com as futuras gerações para que possam conseguir o que querem: coisas baratas e lucro ao mesmo tempo.

Fora isso que Jeff lhe ensinara na fazenda, e antes disso tinha tentado estupidamente corrigir a situação, ou pelo menos deixá-la patente, com sua pichações em forma de invasão no sistema.

— Bem, mesmo que isso esteja correto, o que podemos fazer a respeito?

— Pensar em valores e não no valor. O valor deveria derivar de um conjunto de valores.

— Boa sorte com isso.

Ela o encarou.

— Você ficou cínico agora ou sempre foi assim?

— Essa pergunta não é do tipo... Você sabe... "Por acaso já parou de bater na sua esposa"?

— Você nunca bateu em ninguém — disse Charlotte. — Sei disso. De fato, sei que você é uma boa pessoa e não é nada cínico, por isso estou falando sobre isso. Acho que estou me perguntando por que você tenta parecer cínico bem quando tem a chance de fazer algo bom. Está com medo?

— De quê?

— Bem, de fazer história, suponho. Seria um movimento e tanto.

— A que você se refere?

— Sobre o que falamos, Larry. O momento é agora. Os bancos, as grandes firmas de investimento e os *hedge funds* estão correndo até você de joelhos para pedir outro resgate. Estão querendo algo como 2008 e 2066, e por que não? É o mesmo de sempre! Eles apostam e perdem, não conseguem lidar com isso, vão até você e choram, ameaçam com o colapso da economia global e com uma recessão gigantesca, e você emite dinheiro e entrega diretamente para eles, e eles o guardam enquanto esperam a tempestade passar, esperam até que outros façam a roda girar, e então começam a apostar tudo de novo. E agora são proprietários de oitenta por cento dos ativos de capital do mundo, e compram todos os governos e leis, e você é parte disso há muitos anos. E agora estão fazendo de novo. Então provavelmente esperam que o resultado se repita.

— Porque não existe um exemplo no sentido contrário – sugeriu ele, tomando seu vinho enquanto a observava.

— Claro que há. A depressão da década de 1930 trouxe consigo imensas mudanças estruturais, e os bancos foram postos no cabresto, e os ricos foram taxados como nunca antes, e o que importava eram as pessoas.

— Então veio a Segunda Guerra Mundial para ajudar em tudo isso, se bem me lembro.

— Isso foi mais tarde, e ajudou, mas os ajustes estruturais a favor do povo e não dos bancos já tinham acontecido quando a guerra começou.

— Terei que ver isso.

— Devia mesmo. Você vai descobrir que o Fed governava os bancos, e que o imposto sobre a renda acima de quatrocentos mil dólares era de noventa por cento.

— Sério?

— Noventa e um por cento. Eles não queriam gente rica. A Segunda Guerra Mundial os deixou muito impacientes com gente rica. E foi um presidente republicano quem fez isso.

— Difícil de acreditar.

— Na verdade, não. Faça um exercício de imaginação.

— Você está fazendo por mim.

— Com muito gosto. De todo modo, mesmo em 2008, eles nacionalizaram a General Motors, e podiam ter nacionalizado os bancos também, como condição para lhes dar quinze trilhões de dólares. Eles não fizeram isso porque também eram banqueiros, além de uns covardes de merda. Mas podiam ter feito. E agora você pode fazer.

— Mas o que quer dizer com nacionalizar? Eu nem sei o que você quer dizer com isso.

— Claro que sabe. — Franklin tinha sugerido essa resposta. — Eu não sei, mas você sabe. Então, me diga o que quer dizer! Tudo o que eu sei é que você precisa proteger os depósitos. E presumo que qualquer lucro que os bancos gerem vai para o governo, para pagar o que emprestaram. Eles se convertem em agências de crédito federais.

— Por que então alguém trabalharia em um banco?

— Para ganhar um salário! Um bom salário, mas um salário justo. Como todo mundo.

— Por que os investidores investiriam em um banco?

— Pelo mesmo motivo que compram bônus do Tesouro. Segurança. É um investimento seguro.

— Não consigo imaginar algo assim.

— Sua falta de imaginação não é um bom terreno para fazer política.

Larry balançou a cabeça.

— Não sei. Por que iriam aceitar isso?

— Ou aceitam ou vão à merda! Você oferece o acordo para o maior banco, ou para o maior banco com o maior problema, ou deixa que peçam falência como um encorajamento para os demais. De qualquer modo, você está certo. Se eles aceitam, os outros têm que entrar na fila ou desabar. Se não aceitam, você arrebenta o pior deles e vai para o segundo da fila e diz: "Você quer acabar como o Citibank ou quer sobreviver?".

Ele deu uma gargalhada.

— Isso chamaria a atenção deles.

— Claro que sim! E você vai emitir o maldito dinheiro para resgatá-los de todo modo, então por que devia se preocupar? Para você é só um alívio quantitativo!

— E a inflação? — perguntou ele. — Certamente vai acontecer.

— Ou não. Vamos lá, não finja que a teoria econômica funciona neste caso. Além do mais, você quer um pouco de inflação, isso significa saúde econômica, certo?

— Mas pode sair do controle rapidamente.

— Quando você é dono dos bancos, dá para lidar com isso. Você tem o pé no acelerador e no freio.

Ele balançou a cabeça.

— Se fosse tão simples assim...

Ela o encarou.

— Ajudaria de houvesse apoio no Congresso — mencionou ele, olhando para ela. Durante todo o tempo, ele tinha mantido os olhos na taça de vinho, como se mirasse uma bola de cristal e esperasse ter uma visão. Agora olhava direto para ela.

— Eu sei — respondeu Charlotte. — Estou tentando. Se for eleita, vou ajudar, mas de qualquer forma haverá um grupo lá para ajudar. As pessoas estão furiosas. Quero dizer, furiosas de verdade. Como nunca antes.

— É verdade. E então você diz para elas pararem de pagar suas hipotecas.

— Bem, foi Amelia quem começou isso, mas, sim. Ela estava certa. Queremos um acordo melhor. Estamos em greve contra Deus.

A comida chegou e eles comeram. Conversaram sobre a recuperação da cidade, sobre os vários problemas e esforços. Como a tempestade tinha arrancado do mapa os velhos caminhos pelos quais passeavam no Central Park. Do jeito como o passado se fora; ou não.

Para a sobremesa, pediram um *crème blûlée* para dividir entre os dois. Como a tradição mandava, duelaram sobre o doce com as colheres, rachando a crosta caramelada e cada um tentando deixar a colher do outro de lado, por fim delineando uma linha no meio para dividir as porções. Neste ponto, Charlotte decidiu que a atmosfera estava amigável o suficiente para trazer à tona um assunto delicado.

— Olhe — disse ela —, vou contar uma história para você. E quero que saiba desde o início que não se trata de chantagem nem algo do tipo.

— Que tranquilizador — respondeu Larry enquanto arregalava um pouco os olhos. Ele já não estava mais para teatro; aquela consternação era verdadeira.

— Espero que sim. Apenas escute. Era uma vez, uma grande firma de investimentos na qual trabalhavam dois caras muito capazes. O primeiro era um idiota e trapaceiro, o segundo era um cara legal. O trapaceiro fazia suas trapaças sistematicamente de modo tão sigiloso que o cara legal não sabia nada. São coisas que acontecem, certo?

— Talvez — disse Larry enquanto remexia no *crème brûlée* como se procurasse alguma coisa.

— Um dia, uns analistas quantitativos que trabalhavam ali descobriram as trapaças e tentaram botar a boca no trombone. Mas o trapaceiro ficou sabendo, foi até sua equipe de segurança particular e falou: "Alguém pode dar um jeito nesses analistas quantitativos?". E a equipe de segurança respondeu: "Fazemos isso sem nenhum problema". Afinal, era por isso que estavam no topo da lista do FBI das piores empresas de segurança. O que quer dizer muita coisa. Mas o caso é que o cara legal ficou sabendo. Que seu sócio tinha contratado alguém para matar alguém para manter sua trapaça em segredo. O que, devido à legislação sobre corresponsabilidade empresarial, estendia a trapaça a ele. Tal como o assassinato também.

Agora Larry mordiscava sua colher, e sua tez pálida e sardenta de Ivy League estava um pouco corada.

— Neste ponto, o cara legal tinha um problema para resolver. As leis de corresponsabilidade empresarial são coisa séria nos dias de hoje. Se você sabe que alguém está cometendo um crime, você se torna cúmplice. E o trapaceiro tinha algumas coisas com as quais poderia implicar o cara legal, talvez. Mas o cara legal tinha sua própria empresa de segurança, mais respeitável do que a do trapaceiro, e maior. Então ele pede para sua segurança executar uma pequena operação de proteção de testemunhas com os analistas em perigo. E a equipe dele faz isso, agindo rápido para prevenir o assassinato. Mas estão longe de ser gênios, já que, no final das contas, são uma empresa de segurança particular, e fazem a primeira coisa que lhes vem à mente. Mas pelo menos evitaram que os analistas fossem assassinados. Agora só tinham que encontrar um jeito de libertá-los, mantendo-os em segurança e deixando a situação estável. Não é óbvio, mas não há pressa. De modo que a situação se prolongou por um tempo.

— Então... Você mencionou que isso não era chantagem — recordou-a Larry. — E acredito nisso. Portanto, estou esperando que chegue a parte ruim da história.

— Ah, é só uma história. Que estou lhe contando porque me foi contada por uma amiga, a inspetora Gen Octaviasdottir. Ela mora no meu edifício, e é muito devotada ao Departamento de Polícia de Nova York e à baixa Manhattan, e é bem conhecida por resolver todos os tipos de crimes misteriosos. Mas ela tem uma forma de pensar pouco convencional, acho que podemos chamar assim, no que se refere ao cumprimento das leis. Tem seu próprio ponto de vista. E gosta dos analistas quantitativos, e ficou feliz por alguém ter feito alguma coisa para mantê-los vivos. E também gosta de quem fez isso. E me disse que embora ela e sua equipe tenham descoberto todos os detalhes da história e reunido todas as provas, o caso agora está sequestrado, como aconteceu com os analistas antes. Ninguém mais sabe da história, ou pelo menos não tem provas, e ela não planeja entregar isso para ninguém. Então, se, por exemplo, o trapaceiro tentasse chantagear o cara legal do conto, não funcionaria. Não aconteceu nada em momento algum. E agora é questão de deixar a coisa toda afundar pouco a pouco nos canais. Até o escuro e longínquo abismo do tempo.

Larry comeu a última colherada da sobremesa.

— Interessante — comentou.

— Espero que sim — falou Charlotte. — A conclusão principal que temos que tirar de tudo isso é que minha amiga inspetora é uma boa amiga para se ter. Eu meio que a amo. Uma vez pedimos um conselho financeiro para ela, sobre uma herança de alguns amigos nossos, e você não vai acreditar em como o conselho foi bom. Possivelmente ilegal, mas bom. Ela basicamente tornou os dois meninos ricos. Então ela é uma boa amiga para se ter e manter. Com um senso de justiça muito forte. A ponto de fazer um tipo de chantagem antichantagem, se é que você me entende.

— Hummm — murmurou ele, saboreando a última colherada. Ou talvez estivesse refletindo.

Comeram em silêncio por um tempo.

— Um conhaque? — sugeriu Charlotte.

— Por favor.

•

> Certa vez passei por uma cidade populosa, estampando em meu cérebro para uso futuro seus espetáculos, arquitetura, costumes, tradições,
> Mas agora tudo o que me lembro dessa cidade é uma mulher que encontrei casualmente, que me deteve ali por amor a mim,
> Dia após dia e noite após noite ficamos juntos – todo o resto há muito esquecido por mim,
> Lembro-me, afirmo, só dessa mulher que se apegou apaixonadamente a mim,
> Mais uma vez vagamos, amamo-nos e nos separamos de novo,
> Mais uma vez ela me segura pela mão, não devo ir,
> Vejo-a perto, ao meu lado, com lábios silenciosos, tristes e trêmulos.
>
> Walt Whitman

•

d) Vlade

Vlade passava os dias trabalhando no edifício, como sempre. As coisas tinham voltado ao normal, o que quer que isso significasse; ele não conseguia se lembrar. Todos os anos fundiram-se em sua mente como o lodo no fundo do canal, e os acontecimentos desde o início da tempestade tinham sido tão avassaladores que o passado anterior a eles estava mais difuso do que nunca. Além disso, o edifício estava novamente cheio de refugiados, devido à insistência de Charlotte de que os acolhessem até que encontrassem uma solução melhor, o que não era bom, porque o prédio já estava lotado antes da tempestade. Então as coisas estavam simplesmente desesperadoras e, ao mesmo tempo, muitos dos refugiados mostravam-se gratos por estar ali e tinham se apaixonado pela Met, como um mexilhão se apaixona por uma estaca submersa após ser raspado de um barco. Também eles teriam que ser raspados das paredes e, àquela altura, tal como apontara Charlotte, a ética comunitária do um por todos e todos por um poderia se transformar em um obstáculo para uma gestão eficaz. Teriam que redefinir *todos* para significar *alguns*, como em qualquer situação que não afetava o mundo todo. Seria complicado.

Enquanto isso, era só uma questão de controle de massas, de lidar com as questões da energia elétrica, da água e do esgoto. Felizmente, comida não era problema dele, mas tinha que ajudar no abastecimento das cozinhas, e depois tirar os vários resíduos do prédio. Todo o composto agora era guardado, já que estavam preparando caixas de terra nova. E Vlade pensava em colocar janelas antitempestade na fazenda, algo que não seria fácil nem barato. E tampouco era o melhor momento para isso. Não, era uma época louca, um outono maluco na cidade.

No entanto, as sabotagens ao prédio tinham parado, pelo menos até onde ele podia dizer. E se não podia dizer se estavam acontecendo ou não, estava tudo bem. Ele mencionou isso uma vez para Charlotte, quando ela estava em casa e eles discutiram a questão dos refugiados provisórios. Ela ainda não tinha deixado a presidência da cooperativa, embora muitos a incentivassem a fazer isso. Mas não Vlade; mesmo que tivesse apenas dez minutos por dia, ela era melhor do que qualquer outro membro do conselho, até onde dizia respeito ao síndico. Um dos aspectos ruins da candidatura de Charlotte ao Congresso era a probabilidade de que ela ganhasse, e então teria que sair do conselho, pelo menos por dois anos, talvez em definitivo. Isso seria um desastre, mas ele só cruzaria essa ponte quando fosse necessário.

Ela dera uma risada quando ele mencionou o fim da sabotagem.

— Agora eles serão os sabotados. A mesa virou, e está tudo de cabeça para baixo. O escândalo das torres vazias foi o primeiro golpe, e agora os investimentos deles estão em queda livre. Acho que quem quer que fosse o interessado, deve estar ocupado demais evitando a falência.

— Gosto de como isso soa — comentou Vlade.

Ela assentiu.

— Enquanto isso, ficaremos livres do assédio. E também de uma aquisição hostil. Se quer que eu diga a verdade, eu estava meio que ansiosa para que votássemos aquela nova oferta, pois acho que, sabendo que estávamos sob ataque, as pessoas recusariam de novo. Teria sido bom. Mas o fato de terem retirado a oferta é melhor ainda.

— Um viva para a tempestade — disse Vlade, sem rir da própria piada.

Ela assentiu, igualmente taciturna.

— Temos que ver o lado positivo — assinalou, antes de se levantar e sair para a próxima reunião.

Essa era uma das coisas boas. A outra era Idelba, que ainda estava dormindo no sofá dele à noite. Pela manhã, os dois se levantavam, vestiam-se e iam trabalhar sem dizer uma só palavra, e depois passavam o dia sem se comunicar. Idelba ia levar o rebocador e a barcaça de volta para Coney Island em breve, e havia muito a fazer. Mas no fim do dia, depois do jantar, ela estaria ali, no apartamento dele, e eles se preparariam para ir dormir como dois náufragos no mesmo bote salva-vidas. Ele podia sentir o cheiro dela, e depois o sentia dentro de si. Eles sabiam do que estavam se lembrando, e nenhum dos dois queria falar sobre o assunto. Ele ainda podia sentir o barulho do rebocador esmagando algo contra o edifício, ver o sangue na parede e na água; a expressão de Idelba, o olhar desviado que ela mantinha desde aquele dia. Não havia o que fazer; nada a ser dito. Apenas ficar no escritório dele à noite, sem falar nada.

E não foram só aqueles pobres desconhecidos que tinham esmagado, claro. Ambos sabiam disso também. Tempos atrás, quando o filho deles se afogou, tentaram falar sobre o assunto. Tentaram não culpar um ao outro. Que motivo havia para se culpar? Fora um acidente. Mesmo assim, aquilo os separara. Era inegável. Vlade se sentira culpado e tinha tentado conter o ressentimento. Começou a beber mais, a mergulhar mais. A passar a vida embaixo d'água, onde, infelizmente, era impossível se esquecer de alguém afogado, mas aquele era seu trabalho, sua vida. Dessa forma, quando saía, bebia. E ela, ao vê-lo, ficava zangada ou triste. Tinham se separado pouco a pouco, como se estivessem em icebergs diferentes, em um mesmo apartamento em Stuyvesant, perto um do outro, mas a milhares de quilômetros de distância. Vlade nunca se sentira tão só. É como estar na cama ao lado de outra pessoa, nu sob as cobertas, mas sozinho, totalmente sozinho: talvez essa seja a pior solidão. Nos anos que passaram desde então, dormindo sem companhia, jamais se sentira tão só como naquela cama durante aquele ano. Quando Idelba se mudou, ambos estavam mudos, catatônicos. Não havia nada a dizer. O luto mata a conversa, leva você para o fundo do poço sozinho. Veja, todo mundo vai morrer um dia, ele tinha vontade de dizer. Mesmo assim... Mas não havia perspectivas. Não ajudaria dizer isso. Nem dizer coisa alguma. Só aumentaria a solidão.

Uma época ruim. Anos ruins. Então mais anos se passaram, e depois mais ainda, em um tipo de esquecimento; agora já se haviam passado dezesseis anos, como era possível? O que era o tempo, para onde ele ia? Quase vinte anos, e ali estavam agora, com aquilo ainda dentro deles.

E, no final de cada dia, ela voltava para os aposentos dele. Até que uma noite ela entrou e o abraçou com tanta força que Vlade sentiu suas costelas como uma gaiola de ossos ao redor de suas entranhas. Ele não sabia o que estava acontecendo. Era mais alto do que ela, mas ela era mais forte. Ele resistiu ao aperto, e então sentiu como se ela estivesse abrindo o coração para uma conversa que não conseguiam ter. Nenhum deles era bom em falar sobre coisas desse tipo. A língua nativa dela era o berbere; ele era servo-croata. Mas não era por isso.

Talvez não precisassem falar. Naquela noite, foram dormir em quartos separados. Mais dias se passaram. Uma noite, ela dormiu na cama ao lado dele, sem dizer nada. A partir desse dia, passaram a dormir todas as noites juntos, mal se tocando, usando pijamas. O outono passou, os dias ficaram mais curtos, as noites mais longas. Algumas vezes, no meio da noite, ele acordava e rolava por sobre o ombro para o outro lado, e ali estava ela, deitada de costas. Sempre parecia acordada. Rígida, ou às vezes não. Ela virava a cabeça e olhava para ele, e no escuro ele não conseguia ver nada além do branco dos olhos dela. Que pele escura e lustrosa ela tinha: resplandecia de forma tênue na escuridão. Vlade podia ver que, onde quer que estivesse o pensamento dela, e só Deus saberia, Idelba queria estar lá. Uma vez, ele colocou a mão no braço dela. Compartilhavam o mesmo calor. Idelba aproximou a cabeça e eles se beijaram, um beijo rápido, casto, mal roçando os lábios apertados, como fazem os amigos. Ela o encarou como se quisesse ler sua mente. Virou na direção dele, fez com que ele se deitasse de costas, rolou meio corpo sobre ele. Ficaram deitados ali, entrelaçados como dois náufragos a caminho do fundo do mar. *Estarei com você quando afundarmos.* Ela ficou deitada ali por mais de uma hora, aparentemente dormindo por um tempo, mas em geral acordada, em silêncio. Quando ela saiu de cima dele, a perna esquerda de Vlade estava adormecida. O restante dele caiu no sono segurando o quadril de Idelba.

Em um dia ensolarado no final de outubro, Idelba levou o rebocador para Coney Island e ancorou a barcaça no cabo ainda amarrado nos imensos postes do calçadão alagado. Vlade a acompanhou, com seu barco sendo rebocado pela barcaça, para que pudesse voltar para a cidade no dia seguinte.

Como antes do furacão Fyodor, estavam distantes da costa. As águas rasas embaixo deles talvez estivessem mais turvas do que o normal, e a costa ao norte talvez parecesse mais baixa, mais destruída. Quando ancoraram, pegaram uma das lanchas de Idelba e dois membros de sua tripulação e foram para Ocean Parkway, onde o Brooklyn agora aflorava para o oceano, para dar uma olhada nos arredores. Foram devagar, já que o canal estava obstruído.

A zona entremarés exposta pela maré baixa estava devastada e, acima da marca da maré alta, saturada de lixo composto por todo tipo de porcarias. Edifícios tinham desmoronado por quatro ou cinco quarteirões ilha adentro. Era difícil ver qualquer sinal dos vários carregamentos de areia que Idelba e seus colegas tinham levado das praias alagadas até a nova costa.

— Maldição — exclamou Idelba. — Eram como quinhentas cargas de areia, simplesmente desaparecidas! Como pode ser? Para onde foi tudo isso?

— Terra adentro — supôs Vlade. — Ou mar adentro. Quer descer e dar uma olhada?

— Acho que sim. Está disposto?

— Sempre.

Isso era quase verdade. Tirar a roupa, colocar o traje de mergulho, revisar e colocar o equipamento: tudo isso lhe provocava uma descarga de adrenalina, sempre, especialmente quando estava com Idelba.

Deixaram-se cair na água fria pela borda. Lá embaixo, as lanternas de cabeça estonteantemente poderosas cortavam a escuridão em cones estreitos de água iluminada diante deles. A maré estava baixa, então o fundo ficava apenas a três ou cinco metros da quilha, significando que também havia um pouco mais de luz ambiente, algo que, curiosamente, deixava a água mais opaca. Conforme desciam, a água ficava mais fria. De fria passou para gelada, geladíssima, gélida. *Gelidíssima*, como diria Rosario.

O fundo era de areia. Vlade a remexeu com os pés de pato e, na luz da lanterna, viu que rodopiava e se juntava à turbidez geral, antes de voltar a cair. Era mais pesada do que os habituais sedimentos glaciais do fundo marinho; não ficava suspensa na água. Ele se virou para Idelba sem apontar o farolete para ela. As bolhas que saíam do equipamento de Idelba subiam girando até a superfície, tingidas de prata antes de desaparecer sobre sua cabeça. Ele apontou para a areia. Seus escafandros se tocaram, e ele pôde ver que ela estava sorrindo atrás da máscara. Parte de sua nova praia ainda estava ali, bastante perto da linha da maré para que a ação das ondas a levasse para onde devia estar. Em última instância, a areia estava ali porque tinha sido empurrada pelas ondas.

A tempestade havia realmente devastado o fundo. Vlade preferia não apoiar os pés ali, com ou sem pés de pato; qualquer pedaço de vidro quebrado poderia cortar seu pé no meio, como acontecera com o irmão de Vlade quando eram crianças. Então Vlade nadou na horizontal, sobre o fundo, flutuando ao redor para inspecionar a área. Havia uma caixa de madeira meio enterrada, mas não tinha nenhum tesouro; logo depois, um pedaço de concreto com as barras de aço à vista, prontas para destripar qualquer um; do outro lado, uma cadeira de braços, descansando no fundo como se uma sala tivesse existido ali. A estranheza da zona entremarés.

Naquela noite, Vlade jantou com Idelba e a tripulação na pequena sala comunitária da ponte.

— Ainda tem areia ali — comentou com Idelba. — Não muita, mas alguma. É só continuar colocando mais.

Abdul, que era da Argélia e sempre gostava de falar mal dos marroquinos, disse:

— Li que, quando estavam construindo Jones Beach, Robert Moses ficou furioso porque o vento não parava de levar a areia embora. Então seu pessoal explicou que, nas dunas, o que estabilizava a areia era a relva, então ele contratou mil jardineiros para que plantassem um milhão de brotos de junco na praia.

Os outros começaram a rir.

— Vamos arrastar Jones Beach também — respondeu Idelba. — Coney Island, Rockaway, Long Beach, Jones Beach, Fire Island... Todas até Montauk. Levaremos tudo para a nova área costeira.

A tripulação parecia ver aquela tarefa interminável como uma boa notícia. Era como trabalhar na Met; algo que não acabava nunca. Um deles levantou o copo, e os demais fizeram o mesmo.

— É fácil imaginar que Sísifo está contente — declarou Abdul.

E todos beberam a isso.

Os demais começaram a jogar cartas, enquanto Vlade e Idelba saíram para contemplar a costa, recostados no parapeito.

— O que você vai fazer? — perguntou Vlade, sem saber de que outra forma abordar o assunto.

— Você me ouviu dizer — falou ela. — Vou ficar aqui e trabalhar.

— E quanto à sua parte do ouro?

— Ah, sim, ficarei feliz em receber.

— Você provavelmente poderá se aposentar.

— E por que eu faria isso? Gosto de fazer o que faço.

— Eu sei.

— Você vai parar de administrar o edifício?

— Não. Eu gosto. Pode ser que contrate mais gente. Em especial porque preciso despedir alguns.

— Bem, você devia deixar a cooperativa se encarregar disso.

— E vou. De qualquer forma, gosto de trabalhar.

— Todo mundo gosta.

Vlade olhou para Idelba na penumbra. O perfil aquilino dela: aquele poder rapineiro, aquele olhar distante. O contorno baixo do Brooklyn era praticamente negro, com apenas uma constelação de pequenas luzes dispersas entre o céu e a costa.

— E quanto a nós? — atreveu-se a perguntar Vlade.

— O que tem nós? — ela não olhou para ele.

— Você estará aqui, eu estarei na cidade.

Ela assentiu.

— Não é tão longe. — Ela deslizou uma mão sob o braço dele. — Você tem seu trabalho e eu tenho o meu. Então, talvez possamos seguir assim. Vou até a cidade em alguns finais de semana e você pode vir aqui.

— Você podia comprar um dirigível pequeno.

Ela começou a rir.

— Não tenho certeza se seria muito mais rápido.

— Verdade. Mas sabe o que quero dizer.

— Acho que sei. Sim. Vou voar até você.

Ele sentiu-se tomado por um profundo alento. Narcose por nitrogênio. Uma brisa vinda da terra. Uma calma que não sentia há tanto tempo que não conseguia dar um nome para aquilo. Não conseguia entendê-la. Mal podia senti-la, de tão estranha que era aquela sensação.

— Parece bom — disse Vlade. — Eu gostaria disso.

Na manhã seguinte, ele voltou ao convés. Tinha dormido com Idelba, na cama dela, de onde saiu de fininho ao amanhecer, deixando-a dormindo, com a boca aberta, parecendo uma menina. Uma mulher magrebina de meia-idade.

Era incrível ficar parado ali na ponte do rebocador, contemplando a costa de um lado ao outro. Na distância, a leste, os recifes brancos e hostis assinalavam a antiga localização de Rockaway Beach; parecia uma distância imensa, mas não era mais do que uma fração de Long Island, que era invisível além de Breezy Point. Na direção contrária, a manhã era tão clara que dava para ver não apenas Staten Island, mas os reflexos dos primeiros raios de sol nas janelas em Jersey. A baía de Nova York, dividida pelo Narrows. No final da Idade do Gelo, o sr. Hexter contara, um lago glacial tinha enchido o vale do Hudson, de Albany até o Battery. O gelo derretido da grande camada de gelo do norte tinha feito o nível subir mais e mais, até que por fim as águas irromperam pelo Narrows até se derramarem no Atlântico, que naquela época estava a muitos quilômetros mais ao sul. Durante pelo menos um mês, o caudal do Hudson foi cem vezes maior do que o do Amazonas, até que o imenso lago esvaziou. Depois daquilo, o Narrows sofreu um processo intenso de escavação, e quando o Atlântico subiu o suficiente, o lago glacial voltou a se encher, formando o fiorde e o estuário que existem hoje. Sob a ondas azuis para as quais Vlade olhava agora, aquela subida violenta do Hudson deixara um cânion submarino que ainda atravessava a plataforma continental. Vlade tinha mergulhado em suas paredes na juventude. Um cânion submerso bem impressionante, que cortava a plataforma continental como um talho, até a queda na planície abissal. Toda aquela profundeza selvagem, toda essa história de cataclismos, agora ocultas por uma suave camada de água, levemente enrugada pela brisa que soprava do interior, em uma manhã de outono como qualquer outra.

Então, talvez ele fosse o lago. Talvez ele fosse o talho que cruzava o Narrows. E pode ser que Idelba fosse o poderoso Atlântico. Aquilo jamais teria fim. Dava para imaginar que Sísifo estivesse contente. Era algo fácil de fazer em uma manhã como aquela.

Por fim chegou o dia das eleições, e Charlotte ganhou. Idelba foi para a cidade e se reuniu com todos na sala comunitária da Met para a grande festa. Ela ajudou Vlade a preparar o lugar, e claro que para uma coisa como aquela não faltava ajuda. O Flatiron também queria celebrar, e falaram em encher os seis acres do *bacino* de Madison Square com barcos, até ter uma espécie de piso temporário de plataformas interligadas que permitisse dançar sobre as águas, como teriam feito se as geadas do inverno já tivessem chegado. Discutiram por muito tempo, e finalmente decidiram abandonar a ideia pelos problemas que traria, o que significava que a festa teria que se espalhar, como um movimento expansivo, dos quartos até os telhados, e dali para os terraços ao redor da praça, incluindo os grandes barcos que flutuavam nela. De fato, no final acabaram colocando oito barcaças e unindo vários dos edifícios que rodeavam a praça por meio de plataformas, e as pessoas passaram a noite cruzando de um lado para o outro, entusiasmadas. Não foram poucas as que acabaram na água.

A própria Charlotte não apareceu antes de meia-noite, pois tinha trabalhado naquele dia como em outro qualquer. Ficou irritada em ter que interromper sua rotina ao voltar para casa, e até mais irritada ainda por ter que fazer isso para sempre. Tinha proposto continuar na direção do Sindicato dos Proprietários durante seu mandato no Congresso; não havia lei contra isso, ela garantiu, mas a maioria das pessoas esperava que ela percebesse como isso seria impraticável. Sem mencionar algum tipo de conflito de interesses.

— Planejo voltar todo final de semana — declarou ela no breve discurso que concordou em fazer. — Não sei como, considerando o estado em que a tempestade deixou as linhas de trem, mas vou dar um jeito. Não gosto de ficar lá.

As pessoas aplaudiram.

— Maldição — prosseguiu Charlotte, quando a incentivaram a fazer isso —, isso é horrível. Ter sido eleita, quero dizer. Mas também o que aconteceu com a cidade. Serão necessários anos para recuperar as árvores e reconstruir tudo. É um trabalho tão grande que é melhor pensar nisso como uma espécie de demolição cósmica que vai nos permitir começar do zero. Tentarei ver dessa forma. Estamos em meio a outra grande crise, e outra grande recessão nos espera. Sempre que isso acontece, há uma oportunidade para tomar as rédeas e mudar de direção, mas até agora nós nos acovardamos. Além disso, nosso governo foi comprado pelas pessoas que causaram a crise. E já não sabemos o que poderemos fazer. Desta vez, veremos se podemos fazer melhor. O novo Congresso tem muitas caras novas, e os progressistas têm um ótimo plano. Acho que Teddy Roosevelt anunciou que concorreria à presidência do Partido Progressista nesta mesma praça e organizou sua campanha nesta mesma torre. Acho que perdeu, mas tudo bem. Espero ser tão otimista, durona e efetiva quanto ele foi. Vou me juntar às pessoas que estão tentando fazer isso. Mas, maldição... — Charlotte olhou para eles e suspirou. — Eu preferia ficar aqui, entre meus amigos. Vocês certamente são bem-vindos em Washington, para me visitar. E estarei aqui o máximo de tempo que puder, juro.

Depois disso, Ettore e seus *piazzollistas* começaram a tocar tórridos tangos para que a multidão pudesse dançar. Entre uma canção e outra, Ettore limpou o suor da testa e, com uma mão embriagada no coração, disse a todos que o grande Astor, o próprio Piazzolla, tinha crescido a poucas quadras de onde estavam naquele momento. Santa Nova York, disse ele, santa Nova York. A Buenos Aires do norte.

Depois de outra canção, Vlade e Idelba, debaixo da proa do Flatiron, viram que a amiga de Franklin, Jojo, se aproximava de Charlotte para parabenizá-la. Charlotte agradeceu e então chamou Franklin e pediu que os dois discutissem sobre como coordenar os projetos de requalificação do Soho e de Chelsea, já que, se somassem forças, ambos poderiam se sair melhor. Franklin e Jojo concordaram com um aperto de mão e foram até a mesa de bebidas ver se podiam encontrar uma garrafa fechada de espumante.

Vlade estava parado diante da banda de Ettore, balançando um pouco ao compasso de uma milonga, sentindo o ritmo fluir por ele. Idelba disse que estava cansada e que ia para o escritório. Quando a banda tocou a última música, Vlade voltou para a Met com Charlotte, ajudando-a a cruzar as rampas mais soltas; ela parecia exausta.

Ao chegar ao refeitório, Charlotte se sentou pesadamente perto de Amelia Black e Gordon Hexter. Vlade se sentou diante deles.

— Talvez você pudesse instalar Stefan e Roberto no meu quarto — sugeriu Charlotte para Vlade. — Para que cuidem da minha casa.

Vlade olhou para ela.

— Você não vai precisar dela quando vier nos ver?

— Claro, mas posso dormir em algum dos outros dormitórios, ou então eles podem. Por melhores que sejam minhas intenções, não acho que poderei vir muito. Pelo menos, não no início.

Parecia esgotada. Vlade colocou uma mão em seu braço.

— Vai dar tudo certo — garantiu ele. — Vamos ajudar daqui. O edifício vai ficar bem. E acho que você precisava de uma mudança de cenário, de todo modo. Algo novo.

Ela assentiu, parecendo pouco convencida. Como se tentasse manter algum tipo de amargura, algum tipo de lamento. Vlade não entendia. Bom, assumir uma vaga no Congresso como plano para diminuir o ritmo... Provavelmente não era algo realista. Talvez fosse só porque ela gostava do que estava fazendo.

Franklin Garr apareceu sorrindo e, ao vê-los, aproximou-se de Charlotte e lhe deu um abraço e um beijo na testa.

— Parabéns, querida. Sei que é exatamente o que você sempre quis.

— Foda-se você.

Ele deu uma gargalhada. Estava corado e parecia um pouco atordoado, talvez por conversar com sua amiga do Flatiron.

— Só me diga se há algo que eu possa fazer por você. Como ministro da economia sem pasta, certo?

— Você já faz isso — objetou ela.

— Czar dos projetos de requalificação. Robert Moses encontra Jane Jacobs.

— Você também já faz isso.

— Ok, então talvez você não precise de mim.

— Não, eu preciso de você.

— Mas não para nada além do que já estou fazendo.

Charlotte olhou para ele, e Vlade viu uma nova expressão em seu rosto, como se tivesse tido uma ideia que lhe agradava.

— Bem, eu estava me perguntando... — falou ela. — Será que você poderia me levar na sua lanchinha estúpida até Filadélfia ou Baltimore? Acha que é possível? Porque preciso chegar lá o mais rápido que puder, e as linhas de trem em Jersey estão todas fodidas.

Franklin se surpreendeu, Vlade pôde ver.

— Teremos que recarregar as baterias — respondeu ele. Olhou para Vlade. — A que distância fica isso?

— Você me pegou — respondeu o síndico. — Uns trezentos quilômetros? Que autonomia esse veículo tem quando vai sobre os fólios?

— Não sei. Bem longe, acho. De qualquer forma, posso verificar. Mas, sim — respondeu para Charlotte. — É claro. Adoraria levar você até sua coroação.

— Por favor.

— Sua investidura.

— Você é o investidor.

— Sua congressificação.

Isso a fez sorrir.

— Algo assim. Minha mefodização.

— Ah, não, querida. Para isso você não precisa ir tão longe. Ei, tenho que fazer uma ligação. Volto daqui a pouco e então vamos celebrar.

— Não! — exclamou Charlotte enquanto Franklin se afastava, mas ele já tinha desaparecido no caminho para os elevadores. Ela olhou para Vlade. — Um jovem muito simpático.

Todos a encararam.

— Sério? — perguntou Vlade.

Charlotte gargalhou.

— Bem, acho que sim. Ele tenta fingir que não é, mas não consegue disfarçar muito bem.

— Talvez para você.

— Sim. — Ela pensou naquilo tudo. — Qual a velocidade daquela coisa?

— Bem rápida. Entre noventa e cento e vinte quilômetros por hora, algo assim.

— E a bateria?

— Deve ser suficiente para levá-la até lá.

— É seguro?

— Não.

— Mas as pessoas usam isso.

— Ah, sim. As pessoas usam qualquer coisa.

— Ok, pode ser que eu use.
— Você poderia pegar uma carona com Amelia, no dirigível dela.
— Ah, sim, isso sim que é uma boa ideia!
Todos gargalharam, até Amelia.
— Não é minha culpa! — protestou a estrela, mas todos só riram ainda mais.
Quando se recompuseram, Charlotte perguntou a Vlade:
— Onde está Idelba?
— Foi para a cama. Vai voltar para Coney Island para continuar seu trabalho.
— E o que vai acontecer então?
Vlade deu de ombros.
— Veremos quando chegar o momento.
— Mas você foi até lá com ela.
— Sim. — Ele tentou pensar em um modo de falar aquilo. — Parece bom. Acho que pode funcionar. Não sei como. Quero dizer, não sei o que quero dizer com isso.
— Bem, isso é bom.
— Sim, acho que sim.
— Muito bem — acrescentou Charlotte. — Fico feliz por você.
— Ah, bem. Eu também.

•

No pavilhão de Nova York na Exposição Universal de 1964, todos os vinte e dois visitantes do Burundi dormiram em um só quarto, "como teriam feito em casa".

Um pensamento sempre adiante...

Que na Divina Nave, o Mundo, avançando no Tempo e no Espaço, todos os Povos do globo naveguem juntos, façam a mesma viagem, estejam ligados ao mesmo destino.

Vejo a Liberdade, completamente armada e vitoriosa, e muito arrogante, com a Lei de um lado e a Paz do outro,
Um trio estupendo erigido contra a ideia de casta;
Quais são os desfechos históricos dos quais nos aproximamos com tanta rapidez?

Walt Whitman

•

e) Franklin

Então chegou o momento em que decidi pesquisar Charlotte Armstrong na nuvem, e descobri que ela era dezesseis anos mais velha do que eu. Dezesseis anos, dois meses e dois dias. Isso foi meio que um choque, um golpe, uma bomba mental. Não que eu não soubesse que ela era mais velha do que eu, e já tínhamos ido longe o bastante com a brincadeirinha de jovenzinho e velhota, mas na verdade eu pensava que era mais como... Não sei. Porque não tinha pensado nela desse jeito, só pensava nela como uma mulher de meia-idade. Mais velha, claro, mas não *tão* mais velha. Eu não sabia o que pensar daquilo. Fui do aturdimento à estupefação.

Quando ela me ligou para conversar mais sobre a travessia oceânica até Washington, respondi:

— Sim, claro! — com a voz esganiçada de um adolescente. E acrescentei:
— Quando?

Isso em lugar de: "Ei, gata, gosto de você, mas por que você é tão velha?", que era o que estava na ponta da minha língua. Na verdade, tive que morder a língua para não deixar aquilo escapar. Não que ela não teria rido se eu tivesse dito tal coisa, e por isso fiquei tentado, mas porque fazê-la rir era um prazer muito particular, um pequeno pulo no meu coração que causava um sorriso incontrolável no meu rosto todas as vezes. Mas eu me contive, por estar tão confuso. E ela colocou uma data na nossa viagem, e então me levou para bem longe dos meus pensamentos com o que se seguiu:

— Você soube que os cães farejadores de dados da inspetora Gen decifraram os sistemas da Morningside e descobriram quem estava fazendo aquelas ofertas pelo nosso prédio?

— Não. E quem era?

— Angel Falls. Aquele seu amigo, certo? Hector Ramirez?

— Fala sério!

— Foi o que ela disse. O agente dela conseguiu entrar na Morningside por meio de uma das empresas de segurança que a corretora estava usando, e ele conseguiu ali todo tipo de coisa, e essa informação estava no meio.

— Maldição — exclamei. — Puta merda. Caralho. Ok, escute, vou conversar com ele sobre isso.

— Você sabe, a oferta pela Met foi retirada, então não sei se isso importa agora.

— Mas ele é um dos investidores anjo do projeto de Chelsea. E o nosso edifício estava sendo sabotado, certo? Não, vou conversar com ele sobre isso.

Assim que saí com o aerobarco pelo Hudson, cortei o trânsito como a faca de um açougueiro atravessando tendões, para depois começar a sobrevoar o grande rio. O dia estava nublado, e as águas da cor de pedra estavam agitadas como se cardumes de minúsculos peixes estivessem se remexendo rente à superfície. Liguei para o secretário de Hector para pedir uma reunião pessoalmente, e ele disse que o chefe estava prestes a partir, mas que poderia me receber rapidamente se fosse na hora seguinte. Eu disse que logo estaria ali. Passei pelo pântano salgado onde tive minha epifania com a zostera, subi pela escadaria dos deuses até a Munster e peguei um elevador que era como um foguete. Entrei abruptamente e deparei com Hector em sua ilha flutuante, aquele ninho de águia do gênio do mal, onde falei, articulando cada sílaba:

— Hector, que merda é essa?

— Que merda é o quê?

— Por que estava tentando comprar a torre Met Life? Que tipo de merda era aquela?

— Merda nenhuma, garoto. Merda nenhuma. Só mais uma entre várias ofertas que meu pessoal vinha fazendo na baixa Manhattan recentemente. — Abriu as mãos no clássico gesto de total inocência. — É como você vem me dizendo. É um grande lugar hoje em dia. A Super-Veneza. Um investimento muito bom. Nada além de vantagens ali. Não entendo seu receio com isso.

— A Met estava sendo atacada — falei de modo acalorado. — Seu pessoal estava sabotando o prédio para tentar assustar os moradores e convencê-los a vender.

Isso o fez franzir o cenho.

— Eu não sabia disso. E não tenho certeza se acredito.

— Mas aconteceu, posso assegurar. Foram investigados até chegar a uma empresa de segurança chamada ARN. Ação Rápida de Normalização. Que nome de merda mais fofo. A Met não estava de acordo com a venda, e esses palhaços iam nos abater rapidamente.

— Eu jamais toleraria algo do tipo — garantiu Hector. — Espero que me conheça bem o bastante para saber disso.

Eu o encarei. Percebi que, de fato, eu não o conhecia o suficiente para afirmar algo assim, nem de longe. E ele sabia disso perfeitamente, então era uma coisa estranha para se dizer. Eu tive que parar para pensar, e mesmo assim não cheguei a nenhuma conclusão. Havia uma nuvem de fumaça diante dos meus olhos. Ele tinha esboçado um sorrisinho, talvez pelo jeito como deixara claro como o gelo sob nossos pés era fino.

— Hector — falei lentamente. — Conheço você o suficiente para saber que não faria nada tão estúpido. Sem mencionar criminoso. Responsabilidade criminal conjunta, certo? Mas você dirige uma grande organização, e sem dúvida delega a parte mais feia do trabalho no mercado imobiliário para diferentes empresas de segurança. A ARN não é mais do que uma das ventosas do tentáculo do polvo. E o que eles realmente são, você nunca sabe com certeza. Então, nisso, você está vulnerável, por não ter se preocupado em investigar devidamente, porque você é legalmente responsável pelo que eles fazem quando os contrata. Lembra-se do que costumava me dizer quando eu trabalhava para você? Quando as pessoas que entendem dos instrumentos estão separadas das pessoas que os utilizam em suas operações, coisas ruins acontecem. É só outra versão disso. Você tem muita gente trabalhando para você, fazendo vários tipos de trabalhos sujos sem que você tenha conhecimento disso, e supostamente isso o deixa limpo, mas é perigoso, porque eles são idiotas. E isso torna você, se não um idiota, pelo menos responsável pelas idiotices. Legalmente responsável.

Ele me observou.

— Vou levar em conta o que me disse — falou Hector. — E farei os ajustes de acordo. Espero que sua opinião dura neste caso não interfira no projeto conjunto que estamos fazendo em Chelsea.

— Vamos tirar você do projeto — falei. — Devolverei seu dinheiro hoje mesmo.

— Não sei se você pode fazer isso.

— Claro que posso. O contrato que usei era o mesmo que usávamos na WaterPrice para manter o controle sobre as idas e vindas dos nossos investidores. É à prova de bombas.

— Entendo. — Ele assentiu, olhando para a mesa. — Sinto muito que se sinta assim, mas tenho certeza de que voltaremos a trabalhar em outras coisas.

— Talvez sim.

— Olhe, jovem... Sinto ter que mandá-lo embora, mas eu realmente tenho um compromisso. Atrasei minha partida para conversar com você, mas minha equipe está ficando inquieta. Venha, suba comigo.

— Claro.

Ele me levou até um elevador diferente, um imenso elevador de carga, grande o bastante para caber não sei o quê. Elefantes. Subimos um ou dois andares e saímos no topo da Munster, onde a pequena aerovila de Hector estava amarrada. Vinte e um balões, todos como bulbos dobrados que tentavam esticar a correia para sair voando. A plataforma redonda sob eles era um pouco menor do que o escritório de Hector, e as casas no formato de cogumelos ao redor da circunferência e no meio eram conectadas por tubos transparentes como pequenas passarelas. Uma bela extravagância. Várias pessoas já estavam a bordo, desfrutando coquetéis, muitas delas no alto da escada de acesso esperavam por Hector.

Ele me deu um sorriso radiante e apertou minha mão.

— Boa sorte para você, meu jovem. Vamos nos encontrar novamente em outro contexto.

— Sem dúvida.

Ele subiu pela escada de acesso e a equipe no telhado a colocou de lado. Com um aceno final digno de *O mágico de Oz*, ele se virou e a aerovila subiu rápida e verticalmente, perdendo-se nas nuvens em direção leste.

Então foi isso. Problemas na cidade do rio, e uma lição para mim: os polvos têm braços muito longos. E mais do que oito. Talvez sejam como lulas gigantes, se as lulas tiverem mais do que oito tentáculos. Era preocupante.

Mas agora eu tinha que levar minha Charlotte para Washington. Eu havia pedido que ela saísse mais cedo no último dia de trabalho – último *por enquanto*, ela dissera para seu pessoal. Estava apenas pedindo um afastamento, não estava se demitindo, e voltaria assim que possível – e eu podia imaginar que seu pessoal realmente acreditou naquilo, porque eu acreditei. Tínhamos combinado que ela iria do escritório até o reconstruído Píer Cinquenta e Sete, onde eu esperaria na marina reconstruída e, depois de pegá-la, seguiríamos para o Narrows e depois para sul. Eu havia preparado o zumbidor para uma noite no mar se necessário, mas tinha em mente uma marina na costa de Maryland para ficar mais fácil, de onde subiríamos por Chesapeake até Baltimore, e eu poderia deixá-la na nova estação do porto para pegar o trem para Washington.

Se eu esperava que Jojo e o resto do pessoal me vissem apanhar nossa nova congressista, representante do Décimo Segundo Distrito do Estado de Nova York, e partir com ela pelo Hudson em direção à absurda capital da nossa nação? Sim, eu esperava. E minhas esperanças se concretizaram porque, quando parei na marina e levantei o queixo para cumprimentar o pessoal no bar, Jojo estava entre eles, fingindo que conversava com alguém, fazendo questão de não olhar na minha direção. Nossa suposta reconciliação e pacto de cooperação nos negócios, promulgado a pedido de Charlotte, não significava nada para ela; era esse o sentido de sua recusa em me olhar. Eu vi isso, e ela viu que eu via; é assim que boas pessoas se valem de olhares enviesados, de sua visão periférica e dos olhos que parecem ter na nuca. E então Charlotte apareceu, caminhando pelo cais do porto, pontual como de hábito, com duas grandes mochilas no ombro, mancando de leve como costumava fazer. Uma mulher robusta, descuidadamente curvilínea, vestida para trabalhar; não exatamente o que se espera de uma figura feminina. E não que isso me importasse; ou seja, não é que fosse a *única* coisa que me importava. Por exemplo, Jojo tinha um belo corpo, certamente, muito magra e bem proporcional, feições clássicas por todos os lados, fina e atraente sem ser em nada extravagante, podia-se dizer. Impecável; delicada. E eu tinha gostado dela, claro, e tinha ficado muito atraído, e ainda doía o fato de ela ter desistido de mim, terminado comigo, o que quer que tenha sido aquilo. Na verdade, Jojo havia roubado minha ideia e depois me acusado de roubar dela essa ideia, e agora teríamos que colaborar, e talvez seja assim que as coisas funcionem, nada de anormal. De todo jeito doía e eu ainda a queria, e olhava para ela com um pequeno aperto no coração e em todas as partes. Mas, por outro lado, tome o exemplo de Amelia Black, a estrela da Met e da nuvem e do mundo. Uma criatura singular, não só impecável, mas irresistível; não só perfeita, mas fascinante. Como por anos ela mostrara propensão profissional e/ou pessoal a ficar nua em seu programa, eu não pude deixar de notar, bem como o restante da humanidade, que ela também tinha uma figura espetacular, além de uma série de características físicas que, juntamente com seu caráter doce e meio desastrado, explicavam em parte sua popularidade. Mesmo assim, eu não sentia o menor interesse por ela; ela não tinha o mínimo atrativo para mim. Claro que eu gostava de olhar para ela, e era encantadora. Ela tinha inclusive feito coisas boas em nossa recente campanha pela eutanásia dos rentistas, o primeiro golpe para arrancarmos a coleira fiscal que levávamos ao redor do pescoço. Mas eu não queria passar o tempo com ela; eu não estava interessado nela. Não sentia nenhum aperto no coração ou em qualquer outro lugar. Até onde eu podia dizer, sem ofensa, ela não era interessante. Nem nada. Quem sabe de onde realmente vem esse tipo de reação. Feromônios que não detectamos conscientemente? Telepatia? Ou só um caso de ser perfeita demais, encantadora demais?

Charlotte Armstrong não era perfeita nem encantadora. Interessante, mas não encantadora; e ser interessante era mais importante do que ser encantadora. Rabugenta, afiada e, como eu disse, robusta. E malditos dezesseis anos mais velha. No momento, eu tinha trinta e quatro, o que significava que ela estava com, ah, meu Deus, cinquenta. Cinquenta anos de idade! Ela bem que podia ter oitenta!

Ok, grande coisa. E daí. Porque ela me fazia rir. E, o que era melhor, eu a fazia rir. E queria fazê-la rir. Começava a se converter em algo que eu me esforçava para conseguir, quero dizer, eu me esforçava de verdade. Alterava o que ia dizer para agradar Charlotte Armstrong, para fazê-la rir. Olhava ao redor para encontrar coisas para fazer ou dizer que provocassem essa reação nela. Ultimamente, parecia ser minha principal prioridade.

Sendo esse o caso, naquela tarde acelerei, erguemo-nos da água e voamos como um pássaro, como aquele pássaro que se chama pardela, e que às vezes pode ser visto no Atlântico roçando as ondas e que, segundo ouvi certa vez, jamais vai para a terra, mas vive, dorme e morre no mar, uma ideia que acho estranhamente fascinante. Em especial quando estou voando em minha aranha d'água. Agora me ocorreu que eu devia batizar o barco de *Pardela*. Voamos pelo Narrows sob a grande ponte e, em minha mente, eu o batizei naquele exato momento, à sombra da ponte, enquanto voávamos.

Seguimos para o sul, pela costa de Jersey. E, sim, Charlotte ria. Ela se levantou e caminhou arrastando os pés até a proa, segurando os cabos do convés com prudência, e ficou parada ali, com os braços estendidos e o cabelo ao vento. Eu sorri e me concentrei em pilotar por uma trajetória limpa sobre as ondas baixas que vinham do leste. Atento ao movimento das ondas, eu procurava virar com suavidade até me colocar sobre elas e permanecer em cima todo o tempo possível, então desviava o barco para a esquerda e acima da próxima onda, no sentido leste, e também permanecia sobre ela todo o tempo possível. Dessa forma, nosso percurso chegou bem perto de transcender a agitação das águas e se transformar em um deslocamento de suavidade perfeita, provocando uma sensação como a das balsas, mas muito mais rápido. Eu não tinha ideia se Charlotte era sensível ao balançar das ondas ou não, mas a última coisa que eu queria agora era que ela ficasse enjoada. E a verdade era que eu mesmo não tinha muita resistência ao sobe e desce do oceano, por mais suave que seja, então eu gostava de minimizar o efeito quando podia. E não há nada como o *Pardela* para fazer isso, porque a velocidade ajuda de algum modo. E hoje as ondas não estavam fortes. Então nós voamos!

Depois de um tempo, ela voltou para a cabine e, de maneira sensata, abrigou-se do vento atrás do anteparo curvo de glassine. Eu estava sentado na popa, protegido na bolsa de ar e manejando o timão com um dedo.

— Champanhe? — sugeri.

— Você não devia beber e dirigir — disse Charlotte.

— Você bebe por nós dois.

— Quando pararmos em terra. Ou ancorarmos. O que for.

Na bolsa de ar da cabine, o ruído dos motores e o som dos fólios cortando a água eram tão atenuados quanto o vento. Podíamos conversar, e conversamos. A costa de Jersey estava baixa e outonal, sem as cores brilhantes da Nova Inglaterra, mas com um tom mais castanho lamacento, nunca muito acima do horizonte. Era possível que o furacão tivesse arrancado todas as folhas ali também. A Costa Leste era obviamente um litoral submerso; já era assim antes das inundações, e agora mais do que nunca. Da nossa perspectiva, era como se a terra firme neste planeta fosse uma ideia tardia.

Charlotte recebeu uma ligação e atendeu. Olhou-me de relance e sussurrou *Fedex* com a mão sobre o fone, assentindo enquanto escutava.

— Sim, estou a caminho. De barco. Tenho um barqueiro... Sim, o capitão do meu iate. Todos os congressistas têm um iate, você não sabia? Não, eu sei. Escute, você disse que ia precisar de ajuda no Congresso. Então, aqui estou eu. Não, é claro que não. Mas não sou só eu. Estive conversando com os novos membros, e há muitos como eu. Faz sentido, certo? Porque agora é a hora. Espero que esteja certo. Vou tentar, claro. Merda, claro que vamos respaldar você. Apenas mantenha a presidente na linha e vai acontecer. Você é figura crucial no que será feito. É política fiscal.

Então ela ouviu por um bom tempo. Depois de uns instantes, revirou os olhos para mim. Colocou o dedo no microfone do tablet de pulso.

— Ele está me dando todos os motivos pelos quais não pode fazer isso — disse baixinho. — Está se acovardando.

— Conte para ele a história do Paulson — sugeri.

— O que quer dizer? Que Paulson?

Com rapidez e urgência, relatei a história para ela. Charlotte assentia enquanto eu falava.

Quando terminei, ela levantou o dedo do microfone. De repente, sua expressão era feroz, e seu tom de voz igual. Replicou:

— Escute, Larry, eu entendo tudo isso, mas não importa. Você entende? Isso não importa. Chegou a hora de ser ousado e fazer a coisa certa. É o seu momento, e se não fizer isso, não terá uma segunda oportunidade. E as pessoas vão se lembrar. Você se lembra do Paulson, Larry? As pessoas se lembram dele como um covarde e um miserável, porque, quando todo o sistema estava vindo abaixo, ele correu para Nova York e disse para seus amigos que ia nacionalizar a Freddie Mac e a Fannie Mae, logo depois de falar para todo mundo que não ia fazer isso. Então seus amigos venderam as ações enquanto ainda valiam alguma coisa, e os outros perderam tudo... Como?... Sim, teria sido operar com informações privilegiadas se fossem seus próprios investimentos, mas daquele modo era só uma ajuda para os amigos. Mas o caso é que agora essa é a única coisa pela qual ele é lembrado. A única. Nada mais. Você será lembrado por sua decisão mais importante, Larry. Então, se ela for ruim, será isso. Então faça a maldita coisa certa.

Ela ouviu o ex por mais algum tempo e deu uma gargalhada curta.

— Claro, de nada. Quando quiser! Converso com você mais tarde. Desligue e faça a coisa certa.

Ela desligou o tablet e sorriu para mim. Eu sorri de volta.

— Você é durona — comentei.

— Sou — concordou ela. — E ele merece. Obrigada pela história.

— Parecia que era hora de bater na mesa.

— E era.

— Então agora você é assessora do presidente do Fed!

— Do meu Fedex — respondeu Charlotte. — Bem, ele gosta de conseguir me ignorar. Eu digo a ele o que fazer, ele me ignora. É como nos velhos tempos.

— Mas ele vai fazer o que você falou desta vez, certo?

— Veremos. Acho que ele fará o que a situação o obrigar a fazer. Eu só estou esclarecendo o que é. Na verdade, você está.

— Soa melhor vindo de você.

— Não sei por quê.

— Porque você é uma pessoa realista, e ele sabe disso.

— Talvez. Ele acha que eu pirei, depois de trabalhar tanto tempo na prefeitura.

— O que é verdade, certo?

Ela deu uma gargalhada.

— Sim, é sim. Talvez agora eu queira aquele champanhe.

— Bom para você.

Verifiquei o oceano à nossa frente e liguei o piloto automático. Então me dirigi à escotilha da cabine, bagunçando-lhe o cabelo quando passei por ela.

— Alguém tem que ter ideias — falei de dentro da cabine.

— Eu achava que era você — respondeu ela atrás da escotilha.

— Tive algumas — falei ao voltar. — Mas essas outras ideias sobre as quais você vem falando ultimamente não me soam familiares. Então acho que não são minhas. Parecem mais de Karl Marx.

Ela bufou.

— Antes fossem... Acho que no máximo são de Keynes. Mas está tudo bem. É um mundo keynesiano, sempre foi.

Eu dei de ombros.

— Ele era operador da bolsa, certo?

Ela gargalhou.

— Acho que todo mundo é operador da bolsa.

— Não tenho tanta certeza disso. — Tirei o lacre de alumínio e o arame da garrafa de champanhe, muito à antiga, à francesa, e então mirei a rolha para o lado e a disparei no sotavento. Enchi uma taça e tomei um golinho antes de entregar para ela.

— Saúde — disse ela, antes de encostar a taça na garrafa que eu segurava.

Depois que ela tinha bebido quase metade de sua taça, e eu estava de volta ao timão, ou pelo menos supervisionando o piloto automático, ela recebeu outra ligação.

— Quem é?... Ah! Bem, muito obrigada. É um prazer conhecê-la Sim, eu realmente quero isso. É um momento emocionante, é sim... Sim, está certo. Fomos casados quando jovens, e ainda somos amigos Sim, ele é muito bom Sim.

Ela riu, parecendo um pouco atordoada; achei que o champanhe tinha subido à cabeça, mas então percebi quem devia ser do outro lado a linha. Continuei escutando:

— Bem, ele era tão brilhante que tivemos que nos divorciar... Sim, um desses. Era como fissão nuclear, ou talvez fosse fusão. De qualquer modo, já faz muito tempo. Mas agora conversamos, sim. Ele defende as ideias certas, acho... Sim, há um grande grupo na Casa, e acho que no Senado também... O quê? O Supremo? A senhora já não renovou o Supremo?

Consegui ouvir a gargalhada que saía do tablet, uma risada de soprano familiar.

— Ok, estou ansiosa em encontrá-la. Obrigada mais uma vez por ligar.

Ela deixou o telefone cair sobre o banco e contemplou a costa de Jersey e depois o mar.

— A presidente? — perguntei.

— Sim.

— Achei que sim. O que ela queria?

— Apoio.

— É claro, mas... Uau.

Ela me olhou e sorriu.

— Pode ser que isso fique interessante.

Mais tarde, o dia esfriou e as ondas aumentaram um pouco, então desci o *Pardela* e me aproximei da costa, com a ideia de passar a noite em uma marina em Ocean City Bay, onde eu poderia recarregar as baterias para sair ao amanhecer. A capitã do porto me comunicou por rádio que havia espaço na área de visitantes, então, enquanto o sol se punha na costa de Maryland, eu me posicionei atrás do paredão flutuante e segui a sinalização da capitã do porto para atracar. Ela amarrou um cunho, eu amarrei o outro, e ali estávamos. Assim que coloquei a bateria para recarregar, Charlotte e eu caminhamos até um restaurante com vista para a marina. O Highway Fifty Terminus. Bela vista. Eu poderia ter feito um grelhado no barco, mas não tinha vontade. Aquilo era mais cômodo, e necessitávamos de uma pausa, precisávamos de espaço por um tempo.

Conversamos durante o jantar, não só sobre dinheiro e política, mas sobre música e a cidade. Ela era bem-nascida e tinha crescido nas torres Lincoln, ao lado do Hudson. Ouviu minhas histórias sobre Oak Park, Illinois, e comemos macarrão com frutos do mar e tomamos uma garrafa de vinho branco. Ela me observava de perto e, mesmo assim, eu não me sentia analisado ou julgado. Tentei deixar claro que meu trabalho me interessava porque era como um quebra-cabeça para ser resolvido, uma história para ser contada a partir dos dados. Expliquei minha teoria das telas e seus múltiplos gêneros simultâneos, que proporcionavam, quando vistas em conjunto, um vislumbre da mente global. Uma mente de colmeia.

— Como a história — disse Charlotte, enquanto eu tentava descrever.
— Sim, mas visível em uma tela. A história em tempo real.
— E quantificada, para que se possa apostar nela.
— Sim, exato. A história convertida em um jogo de aposta.
— Acho que ela sempre é. Mas isso é bom?
Dei de ombros.
— Eu costumava achar que sim. Gostava muito. Mas agora acho que há mais do que simplesmente apostar. Com esse projeto de requalificação, é mais... Eu não sei...
— Como fazer história.
— Talvez sim. Fazer alguma coisa, pelo menos.
— Você conseguiu o que queria quando foi ver Ramirez?
— Bem, eu o tirei do projeto. E ele me deixou fazer isso. Suponho que tenha sido porque seus contratados de segurança andaram desobedecendo a lei. Talvez eu tenha queimado uma ponte, não sei. Ele disse que nos veremos de novo. Não sei o que pensar disso.
— Eles não vão desaparecer — disse ela me olhando com um pequeno sorriso.

Eu era ingênuo? Ainda tinha coisas a aprender? Ela estava me olhando com carinho? Sim, sim e sim. Eu me sentia confuso de tantas formas. Mas aquele olhar... Aquilo me fez sorrir. Não devia, mas fez. Era um olhar carinhoso.

Quando voltamos ao barco, eu me sentia bem. Satisfeito; um pouco atordoado. Sabia que tinha sido ouvido. E eu também ouvira. Caminhamos pelas rampas de braços dados. Acendi as luzes do barco, levei-a até a cabine, mostrei as duas camas que ocupavam as laterais do espaço estreito situado no meio. Suas malas estavam na cama de hóspedes, e ela as colocou na prateleira acima da cama, remexeu dentro e pegou um *nécessaire* e algum tipo de roupa, imaginei que fosse um pijama. Ela deixou tudo sobre a cama, voltamos para o convés e nos sentamos sob as estrelas, imprecisas no ar salgado. Eu tinha um uísque escocês, mas deixei lá embaixo. Não precisávamos daquilo. As cabeças descansando na amurada, ombro com ombro.

Ok, eu gostava dela. E mais do que isso, eu a desejava. Será que era um sinal de que eu estava me deixando fascinar pelo poder? Era verdade, então, que o poder era sexy? Eu não podia acreditar naquilo, nem mesmo naquele momento, olhando para ela e admirando sua aparência. O poder sai do cano de uma arma, disse Mao com muita contundência, e o cano de uma arma não é nada sexy, pelo menos se você é uma pessoa normal que valoriza a vida e pensa que sexo é algo divertido, e armas são sujas e repulsivas. Não, o poder não é sexy. Mas Charlotte Armstrong era sexy.

Mas o que aquilo queria dizer? Dezesseis anos mais velha, pelo amor de Deus. Quando eu tivesse sessenta e, com um pouco de sorte, ainda são e cheio de vida – apesar de ter alcançado uma idade que já podia ser considerada avançada –, ela teria setenta e seis. Argh. Um número desumano. E se eu tivesse a sorte de chegar aos setenta, ela teria oitenta e seis e seria muito, muito velha. Com o passar dos anos, aquela discrepância seria como um Grand Canyon entre nós.

Mas agora era agora. E quando chegássemos nesse momento futuro, suponho que, ou ela já me conheceria o suficiente para terminar comigo, ou eu teria contraído um câncer e morrido, ou, mais provável, ela teria morrido deixando-me desolado e em busca de consolo nos braços de alguém de trinta. Seria como um desses horríveis matrimônios da linhagem Margaret Mead-Robert Heinlein, em que primeiro você casa com alguém muito velho e depois com alguém muito jovem. Parecia ridículo, mas o que eu ia fazer? Algumas pessoas têm sorte e ficam com alguém da mesma idade, conhecem as mesmas músicas, têm as mesmas referências e tudo mais. Bom para elas! Mas o restante de nós pegava o que era possível. E só de pensar nela chutando traseiros no pântano sombrio que era a capital do país me fazia rir. Ia ser divertido.

— Vamos — falei depois de um longo silêncio. — Vamos lá para baixo.

— Para quê?

— Para que o quê? Você sabe para quê. Para fazer sexo.

— Sexo — murmurou ela como se não acreditasse, ou tivesse esquecido o que era.

Mas um sorrisinho malicioso começava a se formar no canto de seus lábios, e quando eu a beijei, descobri bem rápido que ela sabia perfeitamente o que era sexo.

> A cidade vista da ponte Queensboro é sempre a cidade vista pela primeira vez, em sua primeira promessa selvagem de todo o mistério e beleza do mundo.
>
> F. Scott Fitzgerald

f) Amelia

Sobre o porto de Nova York, um calmo dia de primavera, ano de 2143. Sem nuvens, com visibilidade de sessenta e quatro quilômetros.

Amelia levou Stefan, Roberto e o sr. Hexter até o *Migração Assistida* e ordenou que Frans subisse dois mil pés para ter uma boa vista da baía. O sr. Hexter estava entusiasmado com a perspectiva de contemplar a cidade ali de cima, e queria tirar fotos para uma espécie de projeto de cartografia que estava planejando. Os garotos estavam felizes de acompanhá-los e desfrutar da vista, e ver se algum rato-almiscarado podia ser localizado do ar.

— Eu os vejo o tempo todo — disse Amelia. — Vocês vão adorar os telescópios que Frans tem a bordo.

Enquanto subiam, os meninos e o sr. Hexter percorreram a gôndola e Amelia explicou tudo o que tinha ali, incluindo as marcas de garras feitas pelos ursos polares, dos quais ainda não podia recordar sem uma breve pontada de tristeza. Era uma das coisas ruins do passado. Durante suas campanhas em prol dos animais e dos corredores de habitats, tinha sofrido muitos reveses e presenciado coisas muito tristes e muitas mortes. Agora, enquanto passava a mão nos arranhões e explicava aos convidados como os animais tinham caído pelo corredor abruptamente empinado, conseguiu colocar aquela situação absurda no contexto. Categoria: ideias idiotas da Amelia. Uma categoria muito ampla. E aquele momento em particular não tinha sido o pior.

— Vamos almoçar — disse ela depois que os meninos e o sr. Hexter ficaram fascinados com tudo.

Reuniram-se na proa da gôndola, cujo piso era de vidro, e olharam para a cidade enquanto comiam hambúrgueres de tofu que Amelia preparara no fogão da cozinha.

— Quantos quilômetros você já viajou com esta coisa? — perguntou o sr. Hexter.

— Acho que, nesta altura, mais de um milhão e meio — respondeu Amelia.

Ela perguntou a Frans, e a calma e germânica voz do dirigível respondeu:

— Percorremos um milhão, novecentos e trinta e um mil, duzentos e quarenta e um quilômetros no total.

Hexter deu um pequeno assobio.

— É como dar cinquenta voltas ao redor do mundo, se estivesse indo pelo equador. Então você deve ter dado muito mais.

—Acho que sim. Passei muito tempo aqui em cima. É como se fosse minha pequena aerovila particular. Uma casinha no céu, acho que dá para chamar. Em certos anos, não desci em terra firme nenhuma vez.

— Como o barão das árvores — comentou Hexter.

— Quem?

— Um jovem barão que subiu na copa das árvores em uma floresta na Itália e nunca mais desceu ao chão em toda a sua vida. Supostamente.

— Bem, eu também fiz isso. Por alguns anos.

— Anos?

— Isso mesmo. Algo como, não sei, sete anos.

Hexter e os garotos a encararam.

— Você ficou aqui em cima por sete anos? Sozinha? — perguntou o velho.

Amelia assentiu, sentindo-se corar.

— Por quê? — quis saber Roberto.

Ela deu de ombros e ficou ainda mais corada.

— Nunca tive muita certeza. Queria me afastar. Acho que eu não gostava das pessoas. Umas coisas ruins tinham acontecido, e eu só queria me afastar. Então fiz isso, e quando comecei a fazer essa coisa de migração assistida, descobri que podia conversar com as pessoas daqui de cima, de um modo que elas pareciam ok. Eu me acostumei a falar com as pessoas de novo, fazendo isso pela nuvem, e então cheguei a Nova York, e o mastro da Met estava disponível, e então conheci Vlade na cúpula, e gostei dele. Eu me sentia confortável perto dele. E tem sido assim até hoje.

Os meninos pensaram na história dela.

— Vlade sabe o papel que desempenhou no seu regresso ao mundo? — perguntou o sr. Hexter.

— Não, acho que não. Ele sabe que somos amigos. Mas as pessoas... Não sei. Elas acham que sou mais normal do que realmente sou. Elas não me veem de verdade.

— Nós vemos você — declarou Roberto.

—Sim, vocês veem.

Conversaram sobre os animais que ela tinha visto. Havia uma lista em algum lugar, Amelia disse, mas não queria entrar nesse assunto.

— Vamos procurar novos animais agora.

Voaram sobre a cidade. Era, em todas as direções, uma grande camada de água com algumas gigantescas serpentes marinhas ao redor da baía: Manhattan,

Hoboken, Brooklyn Heights, Staten Island. Ao longe, a terra firme era vista por todos os lados, verde e plana, exceto no sul, onde o Atlântico resplandecia como um espelho antigo e desbotado.

— Olhem — disse o velho quando espiou por um dos telescópios. — Acho que vi um bando de golfinhos. Ou podem ser orcas, você acha?

— Não acho que as orcas entrem no porto — comentou Amelia.

— Mas parecem tão grandes.

— Parecem mesmo, não?! Mas estamos bem baixo. Talvez sejam golfinhos de rio. Sei que trouxeram alguns da China para que não fossem extintos.

Cetáceos na água, suaves e flexíveis, difíceis de distinguir pelas listras pretas e brancas. Uns vinte deles, subindo na superfície e soprando como baleias.

— Sr. Hexter, acho que são as baleias de Melville! Vieram buscá-lo!

— Boa ideia — disse Hexter, sorrindo.

Enquanto avançavam para norte sobre o Hudson, viram que a costa de Jersey ainda estava um pouco congelada.

— É em costas litorâneas como essas que temos mais chances de ver casas de castores ou de ratos-almiscarados — comentou Hexter, espiando pelo telescópio. — Procurem naquela margem ali.

Os garotos procuraram por um tempo, depois viraram os telescópios para olhar a cidade. A maioria das docas estava voltada para trás, dando um ar de centopeia ao litoral de Manhattan. As torres da parte alta da cidade brilhavam em tons de esmeralda, limão, turquesa e índigo.

— Onde está o pântano de vocês? — perguntou Amelia.

— Ali, ao lado daquele edifício estreito e alto — disse Roberto.

— Ah, claro, o edifício estreito e alto!

— Desculpe. O púrpura. Fica a leste dali. Antes havia um riacho chamado Mother David's Valley. Daria um bom pântano salgado, talvez com uns edifícios-balsa do senhor Garr sobre ele, para estudá-lo e cuidar dele.

— Estou feliz que estejam fazendo isso. Mas vocês não precisam ser adultos para ter propriedades?

— Não sei. De todo modo, somos uma holding.

— Achei que eram um instituto — disse o sr. Hexter.

— O senhor também é parte dela! Mas está certo. É o Instituto para Estudos sobre a Fauna de Manhattan.

— Achei que era o Instituto do Stefan e do Roberto — comentou Hexter.

— É só o senhor quem chama ele assim. Eu queria chamar de Instituto de Animais Sem Lar, mas minha proposta foi rejeitada em votação.

— Porque os animais sempre *têm* um lar — explicou Stefan mais uma vez.

— E é verdade que a maior parte dessas torres está ocupada agora? — perguntou Amelia, para lhes desviar a atenção do que parecia ser uma disputa em andamento.

— Ouvi dizer que sim — disse o sr. Hexter. — O novo imposto sobre propriedades desocupadas é bastante persuasivo. Entre isso e as taxas sobre ativos de capital, os prédios estão sendo ocupados ou vendidos a pessoas que vão ocupá-los. E acho que uma nova lei municipal determina que todos sejam destinados a moradores de baixa renda. Até a prefeita pegou carona nessa onda. Li que um único andar do complexo Cloister pode ser transformado em moradias para seis mil pessoas.

— Como vão acrescentar instalações hidráulicas para tanta gente?

— Terá que ser tubulação externa.

— Parece ridículo.

— Eu gosto. Havia algo de assustador nessas torres, as linhas eram limpas demais. Ficam melhores com um pouco mais de textura. Mais Nova York.

— Mais esgoto!

— Exatamente onde quero chegar.

— Gosto de linhas limpas — disse Amelia. — Nova York sempre teve linhas limpas.

Das alturas, as pessoas que abarrotavam as calçadas e praças da cidade alta pareciam formigas. Era uma espécie bem abundante.

— É sério que há apartamentos suficientes para toda essa gente? — perguntou Amelia.

Hexter balançou a cabeça.

— Muitas dessas pessoas só vêm durante o dia, como sempre.

— Mas muitas vivem aqui também.

— Claro. Como sardinhas em latas, como dizem. Como mariscos em um criadouro.

— Eu me pergunto por quê. Quero dizer, é bom para os animais que as pessoas queiram fazer isso, mas, por quê? Por que querem isso?

— É emocionante, certo?

Amelia balançou a cabeça.

— Nunca consegui entender.

— Você ainda gosta do seu dirigível.

— É verdade. Você pode ver por quê.

— É muito bonito. Vai partir logo para outra viagem?

— Acho que sim. O Sindicato dos Proprietários está me pedindo para fazer um tipo de turnê mundial. Só espero que não ocorram mais problemas.

— Senhorios zangados jogando coisas em você?

— Bem, sim! Estou recebendo muitas mensagens de ódio. Não gosto disso. Às vezes eu queria poder me relacionar apenas com os animais. Seria mais fácil. Quero dizer, eu também recebia mensagens de ódio antes, mas a maior parte era de gente que não gosta de migração assistida nem de animais, então eu apenas os ignorava. Mas agora é gente que... Não sei.

— São os senhorios e seu lacaios — disse Hexter. — Ignore-os também. Você está fazendo algo grande. Está fazendo a diferença.

Amelia pediu a Frans que seguisse para sul, em paralelo à costa de Manhattan, e contemplaram a cidade em silêncio enquanto a nave virava e passava por ali.

O sr. Hexter apontou para Morningside Heights.

— É estranho — comentou. — Foi ali embaixo que aconteceu aquele grande tumulto, certo? A batalha pelas torres. Mas também foi o cenário do momento crucial da batalha de Nova York, durante a Guerra de Independência. Os Estados Unidos teriam morrido antes mesmo de nascer, bem ali, se não fosse por aquilo.

— O que aconteceu? — perguntou Roberto.

— Era o início da revolução. O exército de Washington estava sendo perseguido por toda a baía pelos britânicos, que tinham montes de mercenários hessianos e quase uma centena de navios. Os americanos eram apenas fazendeiros armados com mosquetões de caça e só contavam com barcos a remo. Então, onde quer que os britânicos desembarcassem, os americanos tinham que fugir. Primeiro de Staten Island para o Brooklyn. Depois, quando os britânicos os seguiram até o Brooklyn, todo o exército ianque teve que atravessar o East River a remo uma noite, na névoa. E então chegaram ao Battery, onde ficava a cidade naquela época, e os britânicos atravessaram o East River por ali. Eles podiam ter marchado sobre a ilha e interceptado os americanos, obrigando-os a se render, mas seu general, chamado Howe, manobrava com muita lentidão. Tamanha era a demora que alguns chegaram a pensar que ele estava tentando perder a batalha para que os *tories* fossem humilhados no parlamento inglês, porque ele era do partido Whig. O caso é que os americanos se aproveitaram dessa lentidão e escapuliram pela Broadway uma noite, passando muito perto dos britânicos que estavam acampados na área do edifício da ONU, e se reuniram ali, no extremo norte da ilha.

— Escapuliram pela Broadway?

— Na época era só uma trilha no campo. Em dado momento, abandonaram-na para seguir por dentro da floresta. A noite era muito escura e tudo estava coberto pela mata. De todo modo, os americanos conseguiram chegar até ali e os britânicos saíram em seu encalço. Dessa vez pegariam os colonos no extremo norte da ilha e marchariam sobre eles decididos a esmagá-los; mas, ao iniciar o ataque, suas cornetas soaram um toque de caça à raposa, o que enfureceu alguns dos nossos patriotas. Um grupo de atiradores de Marblehead, Massachusetts, ficou ali e começou a revidar o fogo. Era a primeira vez que os americanos encaravam os britânicos desde Bunker Hill, e lutaram de igual para igual durante um longo e sangrento dia. Bem lá embaixo!

— Legal! — exclamou Roberto. — Então eles venceram?

— Não, perderam! Quero dizer, iam ser esmagados de qualquer jeito, só conseguiram postergar o inevitável até o dia seguinte. Então escapuliram da ilha mais uma vez. Remaram até Jersey e foram embora, e os britânicos ficaram com

Manhattan pelo restante da guerra. Lembram do mapa do quartel-general? Lembram do *Hussar*? Tudo aconteceu depois que essa batalha foi perdida.

— Mas que diabos? — disse Roberto. — Como ganhamos a revolução se ficávamos perdendo batalhas e fugindo?

— Essa foi a história da guerra — comentou o sr. Hexter. — Os americanos perderam todas as batalhas, mas ganharam a guerra. Porque, depois que perdiam, continuavam aqui. Era o lar deles. Fugiam e se reagrupavam, e os britânicos os seguiam e voltavam a derrotá-los em outro lugar. Tivemos um par de vitórias no caminho, mas em geral foi assim. Quase todas as vezes os britânicos ganharam, mas, apesar disso, terminaram esgotados, e no final o exército americano os cercou e os expulsou. E como estavam ficando sem comida, foram embora de vez.

Ele ficou olhando para Morningside Heights enquanto pensava naquilo tudo.

— Eu me pergunto se será sempre assim, sabem? Essa batalha pelas torres, a luta que estamos travando agora pelo dinheiro. Tudo isso que estamos vendo. Continuamos perdendo até ganhar.

— Eu não entendo — disse Roberto.

— Nem eu — reconheceu o sr. Hexter. — Suponho que a ideia seja a seguinte: desde que é você quem vive aqui, você simplesmente os cansa. Algo assim. É como uma vitória de Pirro ao contrário. Acho que poderíamos chamar de derrota de Pirro. Eu nunca pensei sobre perdedores de uma vitória de Pirro antes. Quero dizer, essas pessoas realmente são as vencedoras, certo? Elas perdem e dizem umas para as outras: "Ei, acabamos de perder uma vitória de Pirro! Parabéns!".

Roberto achava melhor simplesmente ganhar.

Então eles deixaram para trás as torres Lincoln e passaram voando sobre os grandes telhados do Javits Center, chegando finalmente à zona entremarés, onde as grandes plataformas já flutuavam, cada qual do tamanho de um quarteirão. Uma série de pequenas gôndolas negras amarradas em uma fileira de postes bem altos sugeria que a plataforma situada mais a oeste ia servir como um tipo de Praça de São Marcos, de frente para o Hudson. Estava claro que, em todos aqueles quarteirões, os edifícios tinham fazendas nos telhados. *Muito nova-iorquinas essas fazendinhas*, destacou o sr. Hexter. Certa vez ele teve uma amiga que fazia jardinagem em seu apartamento usando dedais e tampas de pasta de dente como vasos, palitos de dente como ferramentas e conta-gotas para regar. Cultivava folhas individuais de grama.

— Não era ali que você morava? — perguntou Amelia, apontando para baixo.

— Sim, bem ali. Trinta e Um com Sétima, vê? Tudo sumiu agora. Está bem no meio do projeto de requalificação.

— Então você quer voltar para lá quando terminarem?

— Ah, não. Aquele só era o lugar no qual fui parar quando perdi minha casa. Não era muito bonito. De fato, era uma pocilga. Se não fosse por estes meninos, eu teria morrido ali. Por isso agora vou aonde eles estiverem! — Olhou para os dois enquanto ria. — Você sempre acaba ligado às pessoas que salvou. Aprendam isso agora. De todo modo, não serei um fardo por muito mais tempo, e vocês vão ter aprendido a lição.

— Gostamos de ter o senhor por perto — disse Stefan com timidez.

— E quanto a vocês, garotos? — perguntou Amelia. — Vão se mudar para o pântano salgado?

— Não sei — respondeu Roberto, inquieto. — Charlotte quer que cuidemos da casa dela enquanto ela estiver em Washington. Mas é muito pequena para dois e ela vai voltar com frequência, então não sabemos o que vamos fazer. Talvez entremos na lista para outro quarto na Met. Não quero me mudar para a parte alta. E não quero me afastar da água.

— Nem eu — garantiu Stefan.

— Muito bem — disse Amelia. — Seremos todos vizinhos por mais um tempo. Então, ei, vocês querem vir comigo em uma viagem? Ao redor do mundo em oitenta dias?

Stefan, Roberto e o sr. Hexter se entreolharam.

— Sim — responderam.

•

> A cidade é um sonho construído, uma visão encarnada. O que a faz crescer é a própria imagem de si mesma.
>
> Peter Conrad

> O lugar onde todas as aspirações do mundo se encontram para formar uma vasta e magistral aspiração, tão poderosa quanto a força de sucção de uma draga a vapor.
>
> H. L. Mencken

> Mas, por que dizer mais?
>
> Herman Melville

•

g) o cidadão

Bolha estourada, liquidez congelada, contração do crédito, queda das grandes finanças comparável à do asteroide KT, apelo desesperado ao governo para um resgate: era como a reestreia de um musical antigo e ruim da Broadway. A cartilha é assim: o mundo das finanças diz ao governo que, se não os pagar, adeus economia.

O Congresso assume que seus patrocinadores de Wall Street sabem do que estão falando, pois isso faz parte dos incompreensíveis mistérios das finanças, e concorda. Prática padrão, precedente bem estabelecido e, dado que a dívida do Estado já é gigantesca, é um caso simples de ir um pouco além. Como é natural, isso supõe que os programas públicos, novos ou velhos, são inviáveis e que devem ser reforçadas as medidas de austeridade, o que significa condenar o governo à impotência, mas é apenas uma questão de equilibrar o orçamento da nação e de mero senso comum.

Sempre o mesmo! Mas um novo Congresso tomou posse em janeiro de 2143, fruto da sensação crescente de que desta vez a crise seria diferente. Os planos estavam no ar, palavras acaloradas estavam no ar. Em fevereiro de 2143, o presidente do Federal Reserve, Lawrence Jackman, e o secretário do Tesouro, naturalmente dois veteranos de Wall Street, reuniram-se com os grandes bancos e firmas de investimento, todos alavancados ao extremo, todos em queda livre, e apresentaram uma oferta de resgate no valor total de quatro bilhões de dólares, que seriam entregues com a condição de que os destinatários emitissem títulos em nome do Tesouro equivalentes às somas recebidas. Como os resgates seriam necessariamente muito grandes, o Tesouro se tornaria acionista majoritário desses bancos e assumiria o controle. Os acionistas anteriores teriam o valor de seus títulos reduzidos; os titulares de dívidas se converteriam em acionistas. Os depositantes estariam totalmente protegidos. Os lucros futuros iriam para o Tesouro dos Estados Unidos na proporção das ações possuídas. Se, em algum momento, os destinatários da ajuda quisessem recomprar as ações do Tesouro, os acordos poderiam ser reavaliados.

Em outras palavras, como condição para o resgate: nacionalização.

Ah, os gritos torturados de consternação e ultraje. O Goldman Sachs recusou a proposta; o Tesouro imediatamente declarou a instituição insolvente e acabou liquidando seus ativos para o Bank of America, igual fizera com o Merrill Lynch um século antes. Na sequência, o Tesouro e o Federal Reserve desejaram boa sorte com os processos de falência para qualquer outra empresa que recusasse a ajuda.

Nessa altura, era muito provável que tivesse ocorrido uma grande fuga de capitais, mas acontece que os bancos centrais de União Europeia, Japão, Indonésia, Índia e Brasil estavam apresentando ofertas similares de resgate por meio da nacionalização aos seus setores financeiros, envolvidos em crises parecidas. Não estava nada claro que acabar nacionalizado em qualquer um desses países fosse melhor para o capital em fuga – se é que havia algum capital para fugir, dada a tendência de vaporização de papéis nesses momentos de pânico. Enquanto isso, os funcionários do Banco Central da China observaram educadamente que a intervenção estatal nas finanças privadas com frequência era bastante útil. Tinham alcançado bons resultados com isso ao longo dos últimos três ou quatro mil anos, e sugeriam que possivelmente o controle estatal da economia era melhor do que a situação contrária. Em março começaria o Ano do Coelho, e claro que coelhos são muito produtivos!

Por fim, o Citibank aceitou a oferta do Tesouro e do Federal Reserve, e os demais bancos e empresas de investimento não demoraram em seguir o exemplo. As finanças eram agora, em grande parte, um serviço público gerido de forma privada.

Encorajado por essa vitória do Estado sobre os poderes financeiros, o Congresso pareceu ficar um pouco doido e aprovou quase de imediato o chamado imposto Piketty, um tributo progressivo cobrado não só sobre a renda, mas sobre os bens de capital. Os níveis de impostos sobre ativos iam de zero para bens inferiores a dez milhões de dólares, até vinte por cento para bens de um bilhão de dólares ou mais. A fim de prevenir que o capital buscasse refúgio em paraísos fiscais, uma penalidade para fuga de capitais também foi transformada em lei, com uma taxa máxima estabelecida com base na famosa era Eisenhower de noventa por cento. A fuga de capitais parou, a lei foi mantida e os estados-nação de toda parte se sentiram com mais poder. Entre as mudanças promulgadas rapidamente na OMC estavam controles rígidos das moedas, aumento das garantias trabalhistas e proteções ambientais. A ordem global neoliberal foi revertida, dessa forma, em sua própria engrenagem.

Esses novos impostos e a nacionalização das finanças significavam que o governo dos Estados Unidos logo poderia contar com um orçamento mais do que saneado. Saúde universal, educação pública gratuita até a universidade, renda vitalícia, pleno emprego garantido, um ano de serviço público obrigatório. Todas essas coisas, além de serem aprovadas em forma de lei, receberam o financiamento que precisavam. E só eram as mais proeminentes entre as várias boas ideias propostas, e, por favor, sinta-se à vontade para acrescentar suas favoritas, como certamente todo mundo fez naquele momento de "nós-o-povismo". E quando o entusiasmo político e todos esses êxitos provocaram uma subida rápida dos índices de confiança dos consumidores, agora um dos elementos essenciais de todo comportamento econômico, ah, suprema ironia, os mercados em alta começaram a surgir em todo o planeta. Isso era algo muito tranquilizador para um certo público, e, dado tudo mais que estava acontecendo, era um grupo que realmente precisava de tranquilidade. Que tornar as pessoas seguras e prósperas seria uma coisa boa para a economia foi uma surpresa realmente agradável para eles. Quem poderia imaginar?

Note que esse vendaval de mudanças sociais e legais não aconteceu por causa da congressista do Décimo Segundo Distrito do Estado de Nova York, Charlotte Armstrong, conhecida também como "Charlotte, a Vermelha", por mais admirável que ela fosse. Nem graças ao seu ex-marido, Lawrence Jackman, presidente do Federal Reserve durante os meses da crise, nem por causa da própria presidente do país, muito elogiada e censurada também por sua persistência e audácia na busca de soluções que ajudassem seus concidadãos a perseguir a felicidade em um momento de crise como aquele. Nada disso foi obra de um indivíduo concreto. Vamos lembrar: facilidade de representação. As coisas são sempre mais do que você vê, maiores do que você sabe.

Dito isso, foi o povo daquela época que conseguiu. Indivíduos fazem história, mas também é algo coletivo, uma onda na qual as pessoas navegam em seu tempo, uma onda feita por ações individuais. Então, em última instância, a história é outra dualidade onda-partícula que ninguém consegue analisar ou entender.

Para concluir, antes que esta breve excursão pela filosofia política se torne excessivamente profunda, o que resta a ser dito é isto: coisas aconteceram. A história aconteceu. Ela nunca para de acontecer. Os momentos de aparente imobilidade são transitórios, acabam se quebrando como o gelo na primavera, e então vem a mudança. Portanto: indivíduos, grupos, a civilização e o próprio planeta fizeram todas essas coisas, em redes de participantes de todos os tipos. Lembre-se de não se esquecer – se sua cabeça ainda não explodiu – dos participantes não humanos dessas redes. Possivelmente, o estuário de Nova York foi o personagem principal de tudo o que foi contado aqui, ou talvez tenham sido as comunidades de bactérias que se expressaram por meio de suas próprias civilizações, que conhecemos como corpos.

Mas, novamente, chega de filosofia! E, por favor, que esta lista rápida de transitórias conquistas políticas não leve o leitor a pensar que este relato termina com um "felizes para sempre", com os problemas da humanidade embrulhados em papel de presente e acompanhados de flores e um cartão Hallmark. Por que você pensaria isso, sabendo o que sabe? Esta história é sobre Nova York, não sobre Denver, e a cidade é tão implacável quanto uma lontra. Suas histórias sempre transmitirão essa mistura tão nova-iorquina e horrível de sentimentalismo hipócrita e ambição fria. Então, claro, uma guinada à esquerda na legislação foi feita em 2143 pelo Congresso, mas não havia nenhuma garantia de permanência para nada que fizeram, e a reação foi tão feroz como sempre, porque as pessoas são loucas e a história nunca acaba, e as coisas boas acontecem contra a gravidade do imenso buraco negro da ambição e do medo. Todo momento é uma luta implacável entre forças políticas, então, enquanto a zona entremarés emerge das ondas como Vênus, o capitalismo se encolherá como o polvo que ele biomimetiza, deslizando entre os muros de cristal da lei que tentam contê-lo, e ninguém deve se surpreender ao descobrir que ele é capaz de encolher até a largura de seu bico, a única parte que não é flexível, a parte dura que nos destroça a carne quando ele está livre para fazer isso. Não, os muros de cristal da justiça precisam ser colocados mais próximos do que a largura do bico do polvo – agora, aqui está um biscoito da sorte para você! E mesmo então o polvo vai pensar em novas formas de abocanhar o mundo. Um bico articulado, superventosas, quem sabe o que essa gente vai tentar.

Então não, não, não, não! Não seja ingênuo! Não existem finais felizes! Porque não existem finais! E possivelmente nem felicidade! Exceto talvez em algum momento pontual, pela manhã, na rua que acabaram de limpar, à meia-noite no rio, ou mais provavelmente em alguma lembrança de um tempo passado, um momento encapsulado em um cisto de nostalgia, vislumbrado no espelho retrovisor enquanto você voa para longe dele. Pode ser que a felicidade seja sempre retrospectiva e, portanto, inventada, até mesmo factualmente errada. Quem sabe. Quem diabos sabe. Enquanto isso, supere o desejo pueril de um final feliz, porque isso não existe. Porque ali, na Antártida – ou em outros reinos do existir muito mais perigosos –, os próximos contrafortes dos contrafortes podem se romper.

•

> Durante as próximas horas, sugere a vista do horizonte, seguiremos uma dessas histórias – mas igualmente poderíamos ter nos voltado para alguma outra janela e ali encontrado outra história igualmente interessante para observar. Da próxima vez, quem sabe. Há milhões de histórias para escolher, o horizonte propõe, uma cidade inteira delas, e todas acontecem ao mesmo tempo, tenhamos a sorte de vê-las ou não.
> James Sanders, *Celluloid skyline: New York and the movies*

•

h) Mutt e Jeff

Naquele mesmo ano, nas profundezas do inverno, Mutt e Jeff descem as escadas do edifício desde o andar da fazenda, onde permaneceram teimosamente, apesar de ser muito difícil aquecer um hotello como se deve. Eles vão à pequena festa organizada para comemorar a volta de Charlotte de Washington. Ela está ameaçando não repetir seu feito, e algumas pessoas querem conversar com ela, para que volte a concorrer, enquanto outras querem que ela retorne a Nova York. Sem dúvida há aqueles que gostariam de vê-la desaparecer no mar, mas a maioria dos ocupantes da Met está orgulhosa dela e quer dizer isso, além de comemorar. Há uma grande multidão na sala comunitária, e Mutt e Jeff se sentam junto a uma parede para observar a ação e se comportando como nerds que são. O sr. Hexter se aproxima e senta com eles.

— Bela festa — diz.

Mutt assente; Jeff aperta os olhos.

— Mas onde está Charlotte?

— Está atrasada, acaba de chegar. Disse que estará aqui em um minuto.

E, de fato, nesse mesmo instante ela sai do elevador com Franklin Garr. Estão rindo, e Garr dá um passo para trás e estende a mão na direção dela, para apresentá-la à multidão. As pessoas aplaudem.

— Então esses dois agora são um casal? — Jeff pergunta para Mutt.

— Foi o que me disseram.

— Mas é um absurdo.

— Como assim? Ela ficava dizendo que ele é um jovem muito simpático.
— Mas eu pensava que ela era uma mulher inteligente.
— Acho que é.
— Mesmo assim...
— Bem, cada um com seu gosto. Além disso, ele se comportou bem na crise. De fato, seria possível dizer que ele conseguiu fazer o que você tentou. O que você apenas apontou com aquele seu ataque hacker com cara de pichação.

Jeff apresenta suas objeções a essa caracterização com um tipo de rosnado, mas Mutt não se deixa abater.

— Vamos lá, Jeff. Suas dezesseis regras da economia global, lembra? Vire a chave delas, você disse, e podemos consertar tudo. E agora nosso jovem camarada aqui não só deu as correções de bandeja para Charlotte como também projetou a crise que permitiu que a chave começasse a ser girada.

— Ok, que seja, mas um jovem simpático? Nada. Só um tubarão poderia fazer o que ele fez.
— Mas Charlotte também é uma espécie de tubarão.
— Nada disso. Ela é só alguém que consegue que as coisas sejam feitas.
— Como os tubarões fazem! Porque ela tem um bom juízo!
— Em geral, sim.
— Então ela provavelmente viu alguma coisa nesse cara que nós não vimos.
— Isso é óbvio.
— Cale a boca. Ela está vindo dizer oi.

O que ela faz. Parece cansada, mas contente de estar em casa, entre amigos. Stefan e Roberto correm de um lado para o outro servindo bebidas para as pessoas, e parece que experimentaram alguns goles a mais, já que estão com os olhos vidrados. Talvez tenham que fazer como os romanos e vomitar para continuar a festa.

Charlotte os observa.

— Meninos, não fiquem bêbados. Vocês vão lamentar depois.

Eles assentem como corujas e vão atrás de mais bebidas.

Charlotte se senta com ar cansado ao lado de Mutt, Jeff e do sr. Hexter.

— Como vão, rapazes?
— Com frio.
— Aposto que sim. Não querem ser os analistas quantitativos que vieram do frio?

Eles dão de ombros.

— É bom ficar do lado de fora — explica Mutt. — Acho que vai passar um tempo antes que essa sensação desapareça.

— Como uma eternidade — acrescenta Jeff.
— Entendo. E além disso? Como vai o trabalho?

Os dois homens dão de ombros mais uma vez. São como uma equipe de dar de ombros sincronizado.

— Estamos tentando iluminar os *dark pools*. Desenhar um programa que pegue os trapaceiros.

— Isso também impediria o *front-running*.

— É bom ouvir isso — responde Charlotte. — Vocês falaram com Larry Jackman a respeito?

— Ele sabe. É um dos problemas pendentes. Entre muitos outros.

— O que você vai fazer com todo o dinheiro que está entrando? — pergunta Mutt para Charlotte.

Ela dá uma gargalhada.

— Gastar!

— Mas no quê?

— Vamos encontrar coisas. Talvez aumentemos a renda vitalícia. Que as pessoas sejam livres para trabalhar no que quiserem. Como vocês, rapazes.

— Tem gente que gosta de foder com as coisas.

Ela assente.

— Como a metade dos membros do Congresso.

— Então, como você lida com eles?

— Não lido. Eu grito com eles. Neste momento, temos o vento a nosso favor, então faço o melhor possível para enrolá-los. Aprovar uma lei por dia. Como uma sequência de socos no boxe. Até agora está funcionando.

— Então você não pode desistir, certo?

— Ah, sim, eu posso! Quero voltar para cá. Há coisas a serem feitas aqui. E Washington pode cuidar de si mesma. A capital não precisa de mim.

— Espero que seja verdade — diz Mutt.

— Claro que é. Eles não precisam de mim.

Os dois dão de ombros mais uma vez. Não têm tanta certeza. Só há uma Charlotte.

Com esforço, ela se levanta.

— Ok, vou dar uma volta por aí. Fico feliz em vê-los, rapazes.

— Nós também. Obrigado.

Nesse instante, a inspetora Gen sai do elevador e se aproxima.

— Ei, inspetora — diz Mutt. — Como está?

Ela para. Uma policial de serviço conversa com sua gente.

— Estou bem. Trabalhando. Como vão vocês, rapazes?

— Estamos bem.

Ela pega uma cadeira vazia de uma mesa mais próxima e se senta pesadamente perto deles.

— Só vim tomar uma ducha e agora estou de saída. Meus assistentes vêm me buscar para voltarmos à delegacia.

— Agora? É tarde, não é?

— Estamos em um caso. Há algo que quero descobrir assim que possível.

— Ei, falando em casos — diz Mutt —, você chegou a descobrir alguma coisa sobre quem foi que nos meteu naquele contêiner?

Gen nega com a cabeça.

— Não, quase nada. Nada que eu pudesse provar. Acho que sei quem deve ter feito, mas nunca conseguimos evidências sólidas para uma acusação.

— Isso é uma pena. Não gosto da ideia de que ainda andem por aí.

— Ou que tenham se livrado dessa — acrescenta Jeff de mau humor.

Ela assente.

— Bem, isso é certo. Mas, vocês sabem. É possível que algumas das pessoas envolvidas estivessem fazendo um favor a vocês. Podem ter pensado que estavam salvando vocês de algo pior.

— Eu pensei nisso — diz Jeff.

— É só uma teoria. Continuarei de olho nos possíveis implicados. Não naqueles que pensavam estar ajudando vocês, apenas nos responsáveis de verdade. São um bando de idiotas, então vão fazer alguma merda cedo ou tarde, de um jeito que poderei pegá-los.

— Esperamos que sim — fala Mutt.

A inspetora Gen assente com ar cansado.

— Enquanto isso, meu assistente Sean finalmente conseguiu tirar algo da Comissão de Títulos e Câmbio, algo que empacotaram quando a Bolsa Mercantil de Chicago foi hackeada. Sean disse que é um monte de delírios de natureza política que não serve de nada para a Comissão, mas também tinha algumas correções no sistema financeiro que eles realmente acabaram utilizando. Vocês, rapazes, sabem algo sobre isso?

— Eu não — diz Mutt. — Parece algum tipo diferente de idiota.

— Talvez sim. — A inspetora os encara. — Bem, você aceita a ajuda que consegue, certo?

— Ah, certamente que sim. É o que fazemos o tempo todo.

Então aparecem os dois assistentes, um rapaz e uma moça uniformizados, com sacolas de sanduíches nas mãos.

— Ok, de volta ao trabalho — diz a inspetora, levantando-se com um gemido. — Vejo vocês dois na fazenda.

E os três oficiais partem para outra longa noite diante de suas telas. Mutt e Jeff sabem como é isso, e trocam olhares.

— Ela trabalha duro.

— Ela gosta de trabalhar.

— Acho que sim. Além disso, faz o tempo passar.

Faz o tempo passar; e então você não tem que pensar. Não precisa ter uma vida. É o que eles sabem, por isso, com expressão intrigada no rosto, observam a inspetora partir. Como vão ajudar a amiga se estão presos na mesma armadilha? É um mistério difícil de resolver.

— Então a Comissão de Títulos e Câmbio está usando contribuições de algum lunático.

— Foda-se você.

— De nada.

Então, bem quando o Instituto de Mutt e Jeff decide dar a noite por encerrada e se retirar para seu hotello, Amelia Black aparece borboleteando e os agarra pelo braço.

— Vamos, rapazes. É hora de dançar.

— Sem chance.

— Vamos. Quero ouvir a banda, e preciso de companhia. Preciso de um acompanhante.

— Você não pode contratar um? — pergunta Jeff de mau humor.

Amelia finge se ofender.

— Por favor! — replica. — Quero dizer, por favor?

Eles não podem dizer não para ela. Primeiro, ela é muito mais forte do que os dois juntos, não só fisicamente, mas em termos de vontade. O que Lola quer, Lola consegue: outra história de Nova York. Então eles são levados, um de cada lado dela, os braços presos com firmeza pelos dela. Até a casa de barcos, e depois para o gelo que cobre o *bacino*. Caminham pelo Madison com as outras pessoas que passeiam no canal coberto de gelo, ficando perto dos edifícios e deixando o meio do canal para os patinadores, que são numerosos. As avenidas estão bem iluminadas e as ruas, escuras. Amelia arrasta os dois uns quarteirões mais e depois entra na Trinta e Três, à direita. Há pouca gente nesse canal. Lojas fechadas no primeiro andar e apartamentos nos três ou quatro andares de cima. A noite é silenciosa. Ela os conduz por uma porta e depois desce até um porão, dobra uma esquina e desce de novo. Desce, desce, desce até chegar a um bar clandestino submarino. Uma janelinha se abre em uma porta com um "Mezzrow's" pintado, e Amelia deixa o rosto a vista. A porta se abre rapidamente, e eles entram.

Há um bar comprido ali, e quase não há espaço para passar por trás das pessoas que ocupam os banquinhos ou que estão em pé, encostadas no bar. Os garçons trabalham sem parar. Barulho de conversas e brindes. Espremendo-se entre as pessoas, Amelia leva os rapazes para o fundo, onde há outra porta, e um porteiro que cobra pela entrada. Amelia mostra seu tablet de pulso, e o cara os deixa entrar.

Uma sala quase vazia, muito pequena. Teto de latão pintado de vermelho-sangue e frisado em padrões quadrados. No fundo, uma banda se prepara calmamente, afinando as guitarras e ensaiando solos enquanto conversam em francês. A metade é de negros africanos, a outra metade de brancos, mas nenhum deles parece nova-iorquino. Depois de um tempo, os músicos se acomodam em cadeiras dobráveis perto da parede e começam a tocar. É um tipo de pop da África ocidental, rápido e complicado. Dois guitarristas, um baixista, uma baterista que toca com rapidez, mas de modo tranquilo, basicamente em um prato. As duas guitarras têm tons distintos, um é limpo e agudo, o outro, difuso. Eles executam sequências complexas, que cruzam entre si e com a linha do baixo. Então um trompetista e um trombonista se juntam ao grupo, acompanhados por um coro em harmonia. Um homem e uma mulher colocam as vozes, em um idioma que não é francês nem inglês: um grito muito complicado, seguido por longas melodias uivantes, maravilhosamente acentuadas pelos instrumentos de sopro.

Uma música contagiante, certamente. As pessoas do bar se aproximam, e algumas começam a dançar. Aos poucos, a sala fica cheia; só cabem trinta pessoas. Amelia e os rapazes estavam apoiados na parede do fundo, mas então ela os puxa e eles se juntam aos demais. Os rapazes não sabem dançar. Alguns são inaptos por natureza, outros alcançam a mediocridade... Mutt, arrastado à força até essa situação, move-se com pequenas e repentinas convulsões. Jeff sacode os braços de modo tão espasmódico que alcança um tipo de transcendência nerd. Amelia, para surpresa de ambos, é das que nasceu inapta. Com as mãos acima da cabeça, ela se remexe e se contorce; não podia estar mais fora de ritmo.

Jeff grita no ouvido de Mutt:

— Nossa amiga é uma dançarina horrível!

— Sim, mas você consegue tirar os olhos dela?

— É claro que não!

— Isso é Amelia para nós. Nossa deusa desengonçada.

Todos na sala se movem ao compasso do pop africano que ninguém jamais escutou antes. Os ponteios do guitarrista solista são como as limas de metal que saltam de um torno. Os vocalistas gritam, os instrumentos de sopro são com um trem de carga.

Nesse momento, outro músico entra na sala com duas malas de instrumentos, uma grande e uma pequena. Um rapaz alto e magro, com pele muito pálida e barba negra. O resto do grupo o cumprimenta, o incentiva com gestos para que se junte a eles. O rapaz se senta, abre a maleta grande e monta uma coisa bizarra, que Jeff e Mutt não conseguem reconhecer.

— Um clarinete baixo! — grita Amelia para eles.

Ela conhece a banda e está animada com a apresentação do cara. Ele coloca um bocal em um minúsculo saxofone, um sax soprano, sem dúvida, mas curvado como um alto em vez de reto. Em conjunto, parecem instrumentos de um circo de palhaços.

Por fim, o jovem magrelo fica em pé, passa a língua pelo bocal do sax e se junta à música no meio da canção que estão tocando. Ok, este aqui é a estrela da banda. Imediatamente, ele se enrosca na melodia como um maníaco. Os outros instrumentos de sopro melhoram no mesmo instante, os guitarristas parecem ainda mais precisos e ambiciosos. Os vocalistas sorriem enquanto intercalam duetos em harmonia aos gritos. É como se todos estivessem ligados à corrente elétrica pelos sapatos. O jovem magrelo toca como se fosse uma estrela do *klezmer* em suas outras bandas, e pode ser que até esse momento não estivesse bem claro como um *klezmer* se encaixa com pop da África ocidental, mas aí está. Ele sobe e desce na escala, derrapa perto do supersônico, improvisa no compasso perfeito com os demais. "Eu não quero nada que não seja este balanço", como diz a canção, e é isso mesmo. A multidão enlouquece, dançando pelo salão. O grupo quase não tem espaço para tocar; os integrantes estão tão espremidos no fundo que às vezes levam algumas cotoveladas. Jeff dança como um possuído; a música compreende tantos ritmos paralelos que ele quase consegue acompanhar algum deles. De fato, é assombroso que possa se perder em todos eles de uma só vez, mas Jeff consegue. E é Nureyev se comparado a Amelia. Mutt não consegue parar de rir ao contemplar as rotações de seus amigos. Amelia sorri. Poucas garotas dançam tão mal, ela tem um talento inato. Os rapazes não podem deixar de apreciar a visão de uma beleza tão desajeitada. Sua amiga, sua parceira de dança! Talvez alguns dos presentes a reconheçam, mas ninguém demonstra, e talvez não tenham reconhecido. É um mundo grande. O homem magrelo pega o clarinete baixo e toca como o sax soprano, seguindo o baixista em uma percussão que faz os dançarinos sentirem tudo em suas entranhas. É uma emoção esquisita. As pessoas começam a uivar para liberar as vibrações.

Várias canções depois, Amelia gesticula e os rapazes assentem. Tudo passa, e já é tarde. A dança poderia durar a noite toda, mas estão satisfeitos. Vão morrer congelados na volta para casa, de tão suados que estão. Mas é hora de voltar.

Eles cruzam novamente o bar lotado, ainda mais barulhento do que antes. As pessoas não parecem conscientes do que estão perdendo a uma porta de distância. Sobem os degraus até o canal congelado. Param ali, no final da entrada que dá no bar.

Já são quase quatro da manhã, e finalmente a cidade está tranquila. Claro que há gente na rua; mesmo assim, tudo está bem vazio e quase em silêncio. Não há o menor indício do que está acontecendo nas salas lá embaixo.

Eles olham uns para os outros como se estivessem saindo de algum tipo de encantamento, balançam a cabeça. Caminham pelo canal congelado, Amelia agarrada aos rapazes, todos com passos cuidadosos. De fato, faz muito frio. De fato, vão congelar no caminho de casa.

— Dá para acreditar naquele cara?

— Verdade. Foi incrível. A melhor música que já ouvi.

— E agora, olhe para isso, estamos aqui, bem em cima do lugar, e é como se nem sequer existisse!

— Verdade. E quase não havia ninguém lá. E eu nem peguei o nome da banda.

— Vai ver eles nem têm um nome.

— Diabos, deve ter algo como cinquenta grupos parecidos tocando por toda a cidade esta noite. E festas como essa por todos os lados.

— É verdade. Maldita Nova York.

Agradecimentos

Agradeço a:

Mario Biagioli, Terry Bisson, Ilene Brecher, Finn Brunton, Dick Bryan, Monica Byrne, Joshua Clover, Ron Drummond, Daniel Friedman, Laurie Glover, Kenneth Goldsmith, Usman Haque, Stephen J. Hoch, Bjarke Ingels, Fredric Jameson, Henry Kaiser, Leslie Kaufman, Drew Keeling, Lorenzo Kristov, Laura Martin e ao comitê de seleção da Clarion de 2016, Randy Martin e Robert Meister, Beth Meacham, Colin Milburn, Lisa Nowell, Kriss Ravetto-Biagioli, Phil Rogaway, Antonio Scarponi, Marcus Schaefer e Hiromi Hosoya, Carter Scholz, Sharon Strauss e Lee Upshur.

Um agradecimento especial a Tim Holman.

**Acreditamos
nos livros**

Este livro foi composto em Dante MT Std
e impresso pela Geográfica para a Editora
Planeta do Brasil em outubro de 2019.